D1244929

Conception graphique des sites Web

Lynda Weinman

Conception graphique de vos pages Web

CampusPress France a apporté le plus grand soin à la réalisation de ce livre afin de vous fournir une information complète et fiable. Cependant, CampusPress France n'assume de responsabilités, ni pour son utilisation, ni pour les contrefaçons de brevets ou atteintes aux droits de tierces personnes qui pourraient résulter de cette utilisation.

Les exemples ou les programmes présents dans cet ouvrage sont fournis pour illustrer les descriptions théoriques. Ils ne sont en aucun cas destinés à une utilisation commerciale ou professionnelle.

CampusPress France ne pourra en aucun cas être tenu pour responsable des préjudices ou dommages de quelque nature que ce soit pouvant résulter de l'utilisation de ces exemples ou programmes.

Tous les noms de produits ou marques cités dans ce livre sont des marques déposées par leurs propriétaires respectifs.

Publié par CampusPress France
19, rue Michel Le Comte
75003 PARIS
Tél. : 01 44 54 51 10

Mise en pages : TyPAO

ISBN : 2-7440-0687-4
Copyright © 1999
CampusPress France

Tous droits réservés

Titre original : *Designing Web Graphics.3*
Traduit de l'américain par :
Gabriel Otman et Daniel Prout

ISBN original : 1-56205-949-1
Copyright © 1999 Lynda Weinman

Tous droits réservés

New Riders Publishing
201 West 103rd Street
Indianapolis, IN 46290 USA

Toute reproduction, même partielle, par quelque procédé que ce soit, est interdite sans autorisation préalable. Une copie par xérographie, photographie, film, support magnétique ou autre, constitue une contrefaçon passible des peines prévues par la loi, du 11 mars 1957 et du 3 juillet 1995, sur la protection des droits d'auteur.

Conception graphique de vos pages Web

Table des matières

5 Formats de fichiers Web 61

6 Graphismes à bande passante étroite 77

8 Couleurs indépendantes des navigateurs 123

9 Esthétique des couleurs 155

10 Balises de couleurs HTML 173

11 Les liens 181

12 Mosaïques d'arrière-plan 193

Conception graphique de vos pages Web

Sommaire

Introduction

Conception graphique de vos pages Web

Au sommaire de ce chapitre

- Comment utiliser ce livre
- Des encadrés pour vous aider

Les ordinateurs actuels ont des possibilités graphiques étonnantes, dont il semble difficile de se passer. Si le Web est considéré par un grand nombre d'utilisateurs comme une technique avancée d'un point de vue informatique, il en va tout autrement d'un point de vue graphique. En effet, même si son aspect graphique l'a rendu populaire et attractif, les outils et les techniques utilisés pour créer des images peuvent paraître déroutants et limités. Cet ouvrage est destiné aux concepteurs graphiques qui utilisent actuellement des techniques d'imagerie avancées et qui sont perdus lorqu'ils envisagent de travailler sur le Web.

Comment utiliser ce livre

Ce livre comprend 27 chapitres et un glossaire.

Reportez-vous au glossaire lorsque vous butez sur un terme technique. Bien qu'ayant essayé de limiter au maximum le jargon technique, je n'ai pas pu écarter tous les termes spécifiques au Web et au graphisme.

Pour des raisons de cohérence, les illustrations de cet ouvrage ont été conservées en version anglaise. Cependant, dans la mesure du possible, les diverses commandes de menu apparaissent dans le texte en versions française et anglaise pour que vous puissiez vous repérer plus facilement dans vos applications.

Cet ouvrage contient des encadrés particuliers intitulés NOTE, ASTUCE et ATTENTION.

Des encadrés pour vous aider

Les notes contiennent des informations complémentaires particulièrement utiles. A titre d'exemple, une note peut décrire une situation spéciale rencontrée lors de vos travaux sur le Web et vous indiquer la manière de l'aborder.

Les astuces donnent des instructions rapides pour faciliter la conception ou améliorer votre travail. Une astuce peut, par exemple, vous apprendre à accélérer une procédure ou à gagner du temps dans un traitement.

Introduction

Premiers pas

Au sommaire de ce chapitre

- Conseils de carrière
- Conseils de formation
- Evaluation des compétences
- Le dossier de présentation
- Les tarifs à pratiquer
- L'équipement matériel
- L'équipement logiciel

Ce chapitre aborde les différents problèmes auxquels on se trouve confronté lors de la mise en place d'un studio de conception Web et propose diverses solutions. Il traite des choix de carrière, des normes de tarification (et de leur absence), des ressources pédagogiques, et donne de nombreux conseils matériel/logiciels.

Tous les lecteurs de cet ouvrage ne cherchent pas à devenir des concepteurs Web professionnels. Beaucoup possèdent des sites Web personnels et souhaitent simplement améliorer leurs compétences et la qualité des graphismes. Certains d'entre vous gagnent déjà leur vie grâce à la conception Web ou sont en train de monter un studio de conception commercial pour la première fois. N'hésitez pas à feuilleter l'ouvrage et à lire uniquement les sections qui s'appliquent à vos centres d'intérêt et à vos objectifs.

Les conseils d'orientation professionnelle de Lynda

Si vous preniez un échantillon de concepteurs Web professionnels et les interrogiez sur leur parcours avant qu'ils ne travaillent dans le domaine du Web, vous seriez surpris de la diversité de leurs spécialisations. La conception Web est un domaine nouveau et rares sont ceux qui savaient qu'ils allaient s'orienter dans cette voie.

C'est pourquoi, si vous êtes un nouveau venu dans ce domaine (et nous le sommes tous si l'on considère que le Web n'existe que depuis quelques années), sachez que vous n'êtes pas seul dans ce cas. Globalement, tout le monde est dans la même situation. Ceux qui excellent dans ce secteur sont toujours des autodidactes.

Les lycées et les universités commencent enfin à proposer des cours, des qualifications et des diplômes en matière de développement Web, mais très peu de professionnels en activité sont issus d'une formation Web officielle. Même si vous avez pu profiter du luxe d'une formation spécifique au Web, le secteur est en mutation constante et l'aptitude à se former soi-même sera toujours à privilégier.

Voici quelques questions à se poser lorsque l'on s'engage dans une carrière Web :

- Où trouver une formation ?
- Quelles compétences mes employeurs attendent-ils ?
- Quel type de dossier de présentation dois-je constituer ?
- Comment connaître les tarifs à pratiquer ?
- Dois-je créer ma propre entreprise ?
- Comment trouver un emploi dans ce secteur ?

Les sections qui suivent vous aideront à répondre à ces questions et vous orienteront vers des ressources à explorer.

Formation

Le terme *formation* a évolué au fil des ans jusqu'à inclure les livres, les séminaires, les cours magistraux, les travaux pratiques et les formations en ligne. Les styles d'apprentissage de chacun diffèrent et il peut être utile de vous poser certaines questions avant de vous engager dans une formation :

- Est-ce que j'apprends mieux en « manipulant » ?
- Est-ce que j'apprends mieux en « regardant quelqu'un faire » ?
- Est-ce que j'apprends mieux en « étudiant » ?
- Est-ce que j'apprends mieux en « étudiant le travail d'un autre » ?

Vous apprenez peut-être mieux en combinant ces différentes méthodes, mais mon expérience d'enseignante m'a appris que la plupart des gens avaient des styles d'apprentissage différents. Il est important d'identifier votre profil afin de choisir une formation qui convient au mieux à votre style d'apprentissage.

Si les moyennes pondérées et/ou les certifications sont importantes à vos yeux, assurez-vous qu'elles le sont également pour votre employeur potentiel. Mon expérience m'a appris que la plupart des employeurs s'attachent plus à vos compétences et à la qualité de votre travail effectif qu'à vos diplômes. Il ne s'agit pas de minimiser la valeur d'une formation qui aboutit à une certification. Mais il est généralement plus important d'avoir un bon dossier de présentation et une expérience réelle qu'un diplôme ou une bonne note à l'issue d'une formation.

A l'époque où j'enseignais à plein temps au Art Center College of Design, je répétais souvent à mes étudiants que les notes qu'ils obtenaient dans mes cours importaient peu. Les connaissances qu'ils acquéraient et le fait qu'ils pouvaient produire des résultats dans une situation du monde réel importaient plus. Un grand nombre de mes étudiants, à la suite d'un cours unique, se sont engagés dans des carrières de concepteurs Web réussies, et c'est un peu parce que mon cours mettait plus l'accent sur les résultats pratiques que sur les notes.

Avant de vous inscrire à un cours, renseignez-vous sur les méthodes pédagogiques de ses enseignants et voyez si elles correspondent à votre style d'apprentissage.
Si possible, essayez de vous entretenir avec d'autres étudiants. De nombreuses formations proposées ne sont pas efficaces et il serait dommage de gaspiller votre temps et votre argent.

Pour une liste des écoles et des formations, reportez-vous au Chapitre 27.

Se former soi-même

Très peu de personnes qui excellent dans leur domaine ont appris tout ce qu'elles savent à l'école. Cette affirmation s'applique plus particulièrement au Web. Voici quelques idées qui vous aideront à apprendre par vous-même la conception Web et la conception en général :

- Lisez des ouvrages traitant de conception Web et de développement. Il n'est pas toujours facile de distinguer les ouvrages de qualité. Essayez de consulter une critique avant d'acheter. De nombreux sites de livres en ligne proposent des critiques rédigées par les lecteurs.
- Démontez les sites. Si vous trouvez un site qui vous plaît, consultez son code source. Le Chapitre 2 vous explique comment faire.
- Lisez des magazines de conception Web : reportez-vous au Chapitre 27.
- Consultez des ressources HTML et de conception Web en ligne : reportez-vous au Chapitre 27.
- Inscrivez-vous dans des groupes UseNet ou sur des listes de diffusion.
- Assistez à des conférences ou participez à des séminaires.

Améliorez vos aptitudes en conception

- Lisez des ouvrages sur la conception. Allez dans une grande librairie, au rayon Design et non au rayon Informatique.
- Lisez des magazines traitant de design : reportez-vous au Chapitre 27.
- Assistez à des séminaires ou à des conférences sur le design.
- Inscrivez-vous dans une association de design, par exemple l'AIGA (http://www.aiga.org).
- Allez puiser l'inspiration dans des musées ou des galeries.
- Trouvez votre muse : recherchez dans la nature et dans la vie des éléments qui inspirent votre esprit artistique.

Quelles sont les compétences qui comptent ?

Si vous voulez vous vendre sur le marché en tant que concepteur Web, vous vous rendrez compte que pratiquement tous les employeurs auxquels vous vous adresserez recherchent un ensemble de compétences différentes. Vous aurez parfois l'impression que ce que vous devez savoir et apprendre est infini. La question est donc plus précisément : à quelle hauteur situer vos objectifs ?

Voici plusieurs compétences dont, à mon sens, vous aurez besoin tous les jours en tant que concepteur Web. Vous pourrez noter une certaine similarité entre ces listes et certains titres de chapitres de ce livre !

Compétences en conception Web	
Compétences élémentaires	**Compétences complémentaires**
Optimisation d'image	Découpage cinématographique
Transparence	Flash
Pavés d'arrière-plan	Shockwave
Animation	Director
Mise en page	HTML
Couleur	DHTML
Texte	JavaScript
Calques Photoshop	CSS
Alignement	

Premiers pas dans une nouvelle carrière

Tous les premiers emplois en conception Web impliquent ce que j'appelle des travaux de « production ». Il est probable que l'on ne vous demandera rien de plus créatif que la production à la chaîne d'une série d'images à intégrer dans la réalisation de quelqu'un d'autre. Je vous recommande vivement d'accepter sans rechigner ce genre de travaux et de vous armer de patience pour grimper les échelons. Vous profiterez d'un apprentissage unique en son genre.

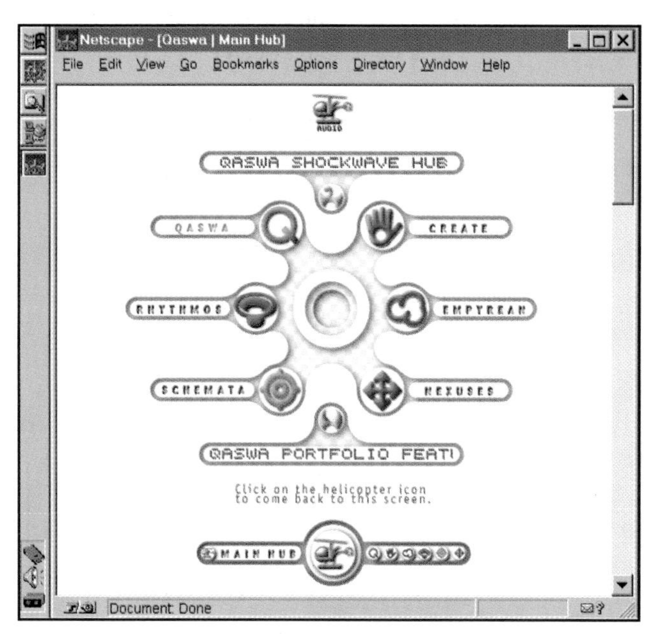

Ammon Haggerty est propriétaire de sa propre agence de conception Web et crée des graphismes Web parmi les plus intéressants du moment. Il a débuté sa carrière en exécutant des tâches de production routinières, comme ce sera probablement également votre cas !

L'importance d'un dossier de présentation

Rien ne compte plus qu'un dossier de présentation contenant des échantillons de travaux à montrer à un employeur potentiel. Un bon dossier de présentation est plus séduisant que tous les diplômes du monde. Réaliser un bon dossier de présentation peut être plus productif que de bonnes perspectives d'emploi, car ce dossier peut servir de terrain d'expérimentation pour acquérir de nouvelles compétences.

En lisant ce livre ou en naviguant sur le Web, vous aurez certainement beaucoup de nouvelles idées à mettre en pratique. Servez-vous de votre propre site Web comme terrain d'expérimentation pour explorer ce domaine. Un employeur appréciera que vous soyez entreprenant et capable d'avoir des initiatives. Les occasions seront nombreuses au cours de votre vie professionnelle où l'on vous demandera de réaliser quelque chose que vous n'avez jamais fait auparavant. Commencez à vous entraîner à ce genre d'exercice tout seul !

Si vous avez envie d'être engagé pour concevoir des boutons avec rollover, faites en sorte d'avoir différents boutons avec rollover sur votre site Web. Si vous recherchez des projets pour lesquels vous devrez faire des choix de couleurs, testez différentes gammes de couleurs pour montrer que vous excellez dans ce domaine. Si vous devenez compétent dans votre domaine de prédilection et possédez de nombreux exemples qui assurent la promotion de vos compétences, vos chances d'être embauché pour faire ce que vous aimez seront d'autant plus grandes.

En plus de publier votre dossier de présentation sur le Web, rien ne vaut de vrais clients. Si vous êtes un nouveau venu dans la conception Web, essayez de concevoir un site pour un ami, un parent, une entreprise locale ou une association humanitaire. Même si ce site n'obtient jamais une URL définitive, il pourra prouver à un employeur potentiel que vous avez travaillé à partir des besoins et des idées d'autres personnes et que vous avez une expérience du monde réel.

Connaître les tarifs à pratiquer

J'ai entendu parler de tarifs de conception de sites Web allant de cent francs à dix millions de francs. Bien entendu, tous les sites Web ne sont pas du même acabit. Le coût d'un site de deux ou trois pages n'aura rien à voir avec le coût d'un site d'un millier de pages.

Un grand nombre de paramètres entrent dans le calcul d'un tarif. Si vous souhaitez travailler pour une agence de conception Web, vous gagnerez généralement plus en étant indépendant et en utilisant votre propre ordinateur. C'est bien entendu aussi la forme d'emploi la moins sûre. En acceptant un poste de salarié en interne, vous gagnerez moins mais pourrez apprendre bien plus.

Si vous comptez créer votre propre entreprise, sachez qu'il existe beaucoup de frais cachés. Je recommande toujours à mes étudiants d'obtenir un emploi de salarié avant de se lancer à leur propre compte. Vous vous rendrez compte rapidement que créer une entreprise qui marche ne se limite pas à maîtriser les aspects techniques et de conception de la publication Web. Ajoutez à cela la comptabilité, la réalisation de devis, les relations publiques, le marketing, la publicité, les équipements de bureau, les taxes professionnelles et les cotisations sociales, et vous commencerez à comprendre mon point de vue.

Il n'est pas possible de donner des indications chiffrées de tarifs dans ce livre, parce qu'à toute règle de tarification il existe des exceptions. Les grands noms de la conception de sites Web proposeront toujours des tarifs nettement plus élevés que les entreprises nouvellement arrivées sur le marché. Vous trouverez toujours des illustrateurs de renom mieux payés que les dessinateurs fraîchement diplômés d'une école d'art. Il y aura toujours des inégalités et de larges disparités dans les gammes de prix.

Si vous devez dresser un devis pour la réalisation d'un site complet, il est utile de connaitre les tarifs des autres entreprises. Les fournisseurs de services Internet abritent souvent des entreprises de conception Web et cela vaut la peine de consulter leur site pour connaître leurs stratégies de tarification. Conseil : ils constituent souvent également une bonne source de travail pour les concepteurs Web indépendants.

Vous trouverez une liste de fournisseurs de services à l'adresse http://thelist.internet.com/. Je vous conseille également de rechercher les fournisseurs de services de votre région (ou des régions que vous couvrirez en tant qu'indépendant) pour avoir une idée des tarifs pratiqués sur le marché que vous visez.

En plus de connaître les tarifs du marché, il est important de définir vos limites. Les clients comprennent rarement que les sites Web sont « conçus », « programmés » et « tenus à jour ». Vous devez définir clairement les services que vous fournissez pour le prix demandé, au risque de découvrir que les attentes du client vis-à-vis de vos prestations sont différentes des vôtres.

Les contrats sont très importants. Vous pouvez soit investir dans un juriste qui vous rédigera un modèle de contrat, soit utiliser ceux qui sont mis à votre disposition par des groupements professionnels, par exemple la Graphics Artists Guild (http://www.gag.org) ou la HTML Writers Guild (http://www.hwg.org/services/jc/).

Trouver du travail dans la conception Web

Lorsque vous naviguez sur le Web, veillez à jeter un coup d'œil aux zones « contact » et « générique » des sites que vous aimez. De nombreux sites affichent des listes d'emplois ou le nom du contact Ressources humaines.

Vous pouvez également envisager de vous abonner à une liste de diffusion liée à la conception Web. Des listes d'emploi sont souvent affichées, ainsi que des conseils précieux et des réflexions sur la conception Web. Avertissement important : si vous vous abonnez à une liste de diffusion, attendez-vous à recevoir beaucoup de courrier ! Une liste de diffusion est un système d'échange de messages électroniques auquel de nombreuses personnes s'abonnent. Certaines de ces listes possèdent des milliers d'abonnés, et des centaines de messages électroniques sont échangés tous les jours. Vous avez la possibilité de vous abonner aux versions archivées de ces listes ou de vous procurer un programme de courrier électronique. Celui-ci vous permettra de rédiger des filtres de façon que le courrier émanant de la liste de diffusion soit rangé séparément de votre courrier personnel.

Listes de diffusion favorites des concepteurs Web :
http://www.webmonster.net/lists
http://www.highfive.com/core/babble.html
http://www.wwwac.org/#mailing_list

Chasseurs de têtes spécialisés dans le Web et la conception :
http://www.wertco.com

Petites annonces professionnelles en ligne :
http://www.monster.com

Il est utile d'afficher votre CV et votre dossier de présentation sur votre propre site Web. Vous pouvez indiquer l'adresse URL de votre site au bas de votre CV papier et permettre à des employeurs éventuels de consulter votre travail en ligne. Ainsi, des moteurs de recherche signaleront votre CV si quelqu'un fait une recherche sur vos compétences spécifiques.

Astuce

Ressources tarifaires

Un guide de la tarification établi par les professionnels est vendu par la Graphics Artists Guild (http://www.gag.org) :

Graphics Artists Guild Handbook Pricing and Ethical Guidelines
9th edition
North Light Books
ISBN : 0-932102-09-3
29.99 $

Ce livre contient des principes de tarification définis au fil du temps pour de nombreux secteurs de la conception, en particulier les publications imprimées, la publicité, la conception de dessins animés, l'animation et le dessin technique.
On commence à aborder la question de la tarification de la conception Web, mais ce domaine est encore trop nouveau pour présenter des principes fiables.

Vous pouvez également visiter leur site Web pour savoir comment vous affilier à la Guilde. Ils proposent une assistance juridique aux concepteurs Web et autres artistes, et vous signalent les réunions de sections, les bulletins d'information et les manifestations de la Guilde.

Utilisez les moteurs de recherche

Le Web contient plus d'informations et de pistes que n'importe quelle autre ressource de l'univers. Votre sésame pour localiser des informations concernant des emplois, des conseils, des techniques, des logiciels, des matériels (et tout ce qui existe dans l'univers) s'appelle *moteur de recherche*.

Les moteurs de recherche sont des sites Web qui proposent des listes d'URL en fonction de requêtes par mots clés. Pour bien exploiter un moteur de recherche, vous devez d'abord savoir qu'il en existe de deux types : les moteurs de type araignée et les moteurs de type répertoire.

Un **moteur de type araignée** tire ses informations d'un robot logiciel (appelé justement *araignée*) qui visite et revisite automatiquement tous les sites Web et répertorie leur contenu. Un **moteur de type répertoire** tire ses informations de propositions qu'on lui soumet.

Moteurs de recherche		
Site	**Araignée**	**Répertoire**
http://www.altavista.com	x	
http://www.yahoo.com		x
http://www.hotbot.com	x	
http://www.excite.com	x	
http://www.lycos.com	x	
http://www.webcrawler.com	x	x

Un moteur de recherche de type araignée est excellent si vous souhaitez trouver toutes les ressources existantes sur un sujet donné. Mais parfois, vous préférez trouver des informations fondées sur des critères de recherche plus ciblés. Ainsi, j'ai utilisé Alta Vista, un moteur de recherche de type araignée, pour à faire une recherche sur les oiseaux. Il m'a fourni plusieurs centaines d'adresses de pages Web parmi lesquelles j'ai pu faire mon choix. Mais si j'avais voulu trouver un centre de vacances familiales, Alta Vista aurait donné trop de réponses. C'est pourquoi j'ai interrogé Yahoo, un moteur de type répertoire. Je n'ai obtenu que des noms de centres de vacances provenant de sociétés qui avaient proposé leur URL à Yahoo. Le choix était donc plus limité et ma décision plus facile.

En plus de connaître le type de moteur de recherche à utiliser, il faut également savoir comment utiliser un moteur de recherche. Ainsi, lorsque j'ai tapé Lynda Weinman sur Alta Vista, ma requête a produit 47 905 réponses !
Mais, lorsque j'ai placé Lynda Weinman entre guillemets (« Lynda Weinman ») ou inséré un signe plus (Lynda + Weinman), ma requête a produit un résultat plus correct de 2 000 pages Web qui comprenaient une référence à ma propre personne.

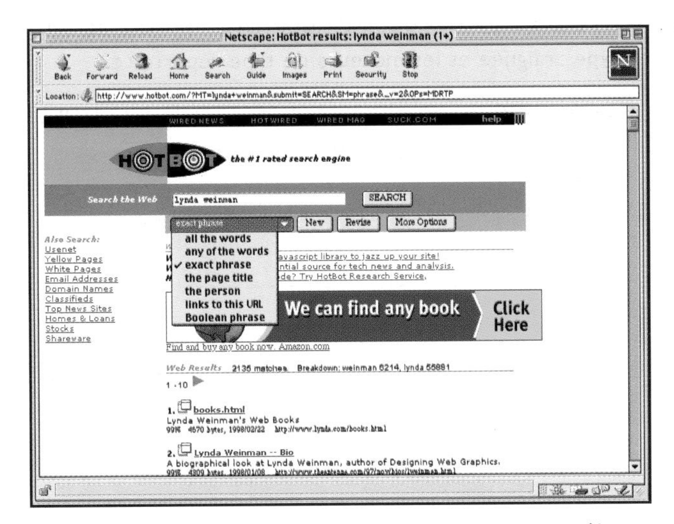

http://www.hotbot.com facilite la navigation grâce à un menu déroulant qui contient des options de recherche.

Si vous avez envie d'apprendre à utiliser des **moteurs de recherche** (fortement conseillé), consultez ces sites éducatifs :
http://searchenginewatch.internet.com/facts/powersearch.html
http://www.webreference.com/content/search

Note

Ne prenez pas tout pour argent comptant

Avec tout ce que l'on dit des moteurs de recherche, il est important de souligner que toutes les informations que l'on trouve sur le Web ne sont ni exactes ni fiables. Le Web est le reflet de nombreuses sociétés et cultures, de nombreux points de vue et fondements moraux.
Ne faites pas confiance à tout et consultez le Web avec un œil critique. Ne prenez pas toutes les informations pour argent comptant.

Choix concernant les équipements matériels

A une époque où tout fabricant d'ordinateurs prétend avoir des machines plus rapides, moins chères et de meilleure qualité que celles de son voisin, vous vous demandez peut-être quel type de système est le mieux adapté à vos besoins de conception et de publication Web. Je vais peut-être vous surprendre en vous disant que la conception Web est l'une des activités les moins exigeantes que vous puissiez avoir sur un ordinateur personnel. Bien sûr, tout le monde rêve de travailler sur un ordinateur ultrarapide rempli de mémoire vive et d'espace disque dur, mais sachez qu'un système haut de gamme n'est pas indispensable.

Les Macintosh et les PC présentent l'éventail le plus large d'outils de conception Web. Votre public sera équipé en majorité de Mac ou de PC. Par conséquent, même si vous avez la chance de pouvoir travailler sur une plate-forme UNIX haut de gamme, mieux vaut peut-être envisager de vous procurer une plate-forme d'entrée de gamme pour créer vos pages Web. A tout le moins, elle vous servira de point de repère par rapport à la réalité.

Quel parfum : Macintosh ou Windows ?

Vous possédez sans doute déjà un ordinateur. Si ce n'est pas le cas et que vous envisagiez d'en acheter un pour la conception Web, il sera difficile de prendre une décision. Sachez que c'est là un sujet de débats et de controverses passionnés.

Mac ou PC

La plupart des professionnels de la conception qui travaillent depuis quelque temps déjà dans l'imagerie numérique sont équipés de Macintosh parce qu'à une époque c'était la seule plate-forme informatique capable de gérer des graphismes. Ce n'est plus vrai aujourd'hui, bien qu'il existe toujours un parc important d'utilisateurs fidèles à Macintosh qui ont grandi avec leur Mac et n'ont aucune envie de passer à Windows.

Cette situation est à l'origine de l'une des grandes ironies de la conception Web : de nombreux concepteurs Web et directeurs artistiques professionnels travaillent sur des Mac, alors que le public pour lequel ils créent utilise des PC. Je ne suggère pas par là que vous deviez acheter un Mac plutôt qu'un PC ou que les PC soient moins performants. J'affirme simplement que, pour des raisons historiques, les concepteurs du secteur visuel utilise en général le Mac.

Personne ne peut nier le fait que le parc installé des PC est nettement plus important que celui des Macintosh et la plupart de vos clients utiliseront probablement des PC. C'est pourquoi, si vous voulez voir votre site Web comme la majorité de vos visiteurs, mieux vaut posséder un PC. Je pense qu'il y a intérêt à posséder les deux plates-formes dans la mesure du possible. Pratiquement toutes les entreprises de conception Web et de nombreux concepteurs Web indépendants sont équipés des deux systèmes. Ainsi, même si vous achetez un ordinateur de pointe pour vos besoins professionnels et un ordinateur d'occasion pour vos tests, vous serez mieux loti que si vous ne possédez qu'une seule plate-forme.

Quelques avantages des Mac

Vous vous rendrez compte que la plupart des logiciels de conception sont disponibles en version Mac et PC. Malgré cela, la plupart des agences qui font de la PAO ont une préférence pour le Mac. Il est très probable que les artistes et concepteurs manifesteront plus de sympathie à votre égard si vous travaillez sur Mac.

Quelques avantages des PC

La majorité des utilisateurs possède des PC. La plupart des logiciels de navigation sortent d'abord en version PC et souvent ne fonctionnent pas parfaitement sous Mac. La part de marché du PC est plus grande que celle du Mac. Les équipements et périphériques pour cette plate-forme sont donc généralement moins chers. Si vous êtes féru de technique, vous pouvez monter plus facilement un PC qu'un Mac. Vous pouvez ainsi non seulement économiser de l'argent, mais également investir dans les aspects de votre ordinateur qui comptent le plus à vos yeux.

Quelle est la meilleure plate-forme ?

Sincèrement, il n'y en a pas de bonne et de mauvaise. Quelle que soit la plate-forme que vous achetiez, vous serez en mesure de concevoir des pages Web. Je vous conseille vivement de tester les logiciels et les équipements avant de les acheter. Renseignez-vous. Allez sur les sites que vous appréciez et demandez aux développeurs les équipements et logiciels qu'ils recommandent. Aucune décision n'est mauvaise dans ce domaine. Assurez-vous seulement que vos choix correspondent à votre budget, à vos besoins et à votre style.

Il est important de vérifier votre site sur d'autres plates-formes que celle à partir de laquelle vous l'avez créé. Si vous avez la chance d'être équipé de deux plates-formes, vous pouvez effectuer cette vérification dans le cadre confortable de votre propre bureau, agence ou domicile. Dans le cas contraire, trouvez un endroit où vous pouvez avoir accès à un autre système pour prévisualiser votre site. Comme il est expliqué dans les prochains chapitres, ce que vous voyez sur une plate-forme ne correspond pas nécessairement à ce que vous verrez sur d'autres. C'est un problème général que vous rencontrerez quelle que soit la plate-forme que vous décidez d'adopter.

Configuration système

Les composantes clés d'un système informatique sont la vitesse du processeur, la mémoire vive, le disque dur, les cartes vidéo et son, le moniteur, le lecteur de CD-ROM, le modem et le scanner. Voici une évaluation de leur importance pour la création Web :

Vitesse du processeur. Nous entendons beaucoup parler à l'heure actuelle de vitesses de processeur époustouflantes, dépassant parfois les 500 MHz. Quelle est l'importance de ce facteur en termes de conception Web ? Pas très grande. La vitesse de traitement est utile pour l'affichage de graphismes en 3D et d'images de télévision ou de films en grand format. Elle est très utile si vous travaillez sur une grande image haute résolution destinée à l'impression. Créer des images pour le Web exige de travailler à basse résolution. La vitesse de traitement entre en jeu dans des opérations informatiques complexes et riches en calculs. A moins que vous ne comptiez employer votre ordinateur pour ce type de projets en plus de la conception Web, un processeur rapide ne vous apportera pas d'avantages significatifs.

Mémoire vive. La plupart des vieux routiers de l'informatique vous confirmeront que vous n'avez jamais assez de mémoire vive (ou RAM). La mémoire vive supplémentaire vous permet d'exécuter simultanément un plus grand nombre d'applications avec moins de risques de plantage du système. Vous pouvez ainsi ouvrir en même temps un éditeur HTML, un programme de traitement d'images et un navigateur Web. Vous gagnerez ainsi plus de temps que vous ne l'imaginez. Ne soyez jamais regardant sur la mémoire vive si c'est possible. Essayez d'en avoir au moins 64 Mo et plus, si vous le pouvez. Vous n'aurez jamais trop de mémoire vive. De nombreux navigateurs Web en exigent déjà un minimum de 16 Mo à eux seuls et les logiciels de traitement d'images (en particulier Photoshop) encore plus.

Disque dur. Voilà une autre ressource que vous n'aurez jamais en surabondance. Je vous recommande vivement d'acquérir un système de stockage amovible en plus de votre disque dur permanent. Iomega (www.iomega.com) fabrique deux excellents systèmes de disques amovibles : les lecteurs Zip (100 Mo) sont géniaux et les lecteurs Jaz (1 Go) le sont encore plus ! Si vous comptez travailler régulièrement avec une agence de services ou une entreprise externe en partageant des fichiers, renseignez-vous sur le système dont ils disposent afin de vous équiper d'un système de disques amovibles compatible avec le leur.

Carte vidéo. La plupart des ordinateurs sont équipés au départ d'une carte vidéo préinstallée. Pour cette raison, de nombreux nouveaux acheteurs d'ordinateurs ne connaissent même pas les caractéristiques et fonctionnalités de leur carte vidéo. C'est cette carte qui gère le nombre de couleurs affichées par le moniteur. La majorité de vos visiteurs Web disposera de couleurs 8 bits (256 couleurs) ou moins (vous aurez plus d'informations sur ce point au Chapitre 7). Les images ont bien meilleure allure en millions (24 bits) ou milliers (16 bits) de couleurs. Achetez, si possible, une carte vidéo avec une profondeur de bit (24 bits) la plus élevée possible. Vous pourrez ainsi créer pour tout le monde, aussi bien pour le dénominateur commun le plus bas que le plus élevé. Il est possible de trouver des cartes acceptant des mises à niveau avec de la mémoire vive vidéo complémentaire (V-RAM), ce qui permet d'augmenter ses capacités en termes de profondeur de bit. Si vous ne savez pas comment vérifier la profondeur de bit d'une carte vidéo, le Chapitre 4 vous explique comment faire.

Carte son. Si vous comptez travailler avec du son, vous aurez besoin d'une carte son. De nombreux ordinateurs actuels sont livrés avec une telle carte intégrée. A l'heure actuelle, le Web propose principalement du son 8 bits parce que les fichiers correspondants sont moins volumineux et donc plus faciles à télécharger. Tout comme pour la vidéo, vous obtiendrez de meilleurs résultats si vous commencez par le niveau de qualité le plus élevé et descendez ultérieurement d'un niveau pour votre public.

Moniteur. Votre public sera généralement équipé d'un moniteur standard de 12 ou 13 pouces c'est-à-dire d'un moniteur de 640 × 480 pixels. Même si nous vous recommandons de concevoir votre site de façon qu'il donne de bons résultats sur un petit écran (pour plus de détails sur ce point, consultez le Chapitre 17), il est bien plus facile de créer sur des moniteurs plus grands. En effet, vous aurez plus de place pour tous les menus, fenêtres et palettes que ce que la plupart des programmes de traitement d'images proposent aujourd'hui. Pratiquement tous les modèles de moniteur conviennent (assurez-vous toutefois que le vôtre fonctionne avec votre carte vidéo), mais plus il sera grand, meilleur sera votre confort de conception.

Lecteur de CD-ROM. Un grand nombre de logiciels sont livrés aujourd'hui sur des CD-ROM, ce qui exige de posséder un lecteur de CD-ROM. L'installation d'un logiciel à partir d'un CD-ROM est une opération très pratique, mais si vous utilisez votre lecteur de CD-ROM dans ce but uniquement, sa vitesse importe peu. Si vous comptez jouer à des jeux ou regarder des films sur CD-ROM, vous devez disposer d'un lecteur d'au moins quadruple vitesse (4×). Fort heureusement, des lecteurs de CD-ROM 8× ou plus se trouvent à moins de 500 francs à la date de rédaction de ces lignes.) Comme la plupart des lecteurs de CD-ROM dépassent aujourd'hui cette vitesse, ce critère ne sera probablement pas un problème.

Modem. Le choix d'un modem est souvent une question de rapport prix/performance. Je vous suggère d'en choisir un selon le second de ces critères plutôt que le premier. La rapidité est un gage de qualité. Si vous téléchargez des fichiers vers un site Web, vous serez heureux de pouvoir effectuer ce transfert le plus rapidement possible. L'achat d'un modem haut débit est un bon investissement si vous comptez vous engager sérieusement dans l'activité de conception. Vous pouvez également étudier la question du RNIS (Itinéris) ou du modem câble si ces services sont disponibles dans votre secteur. Ces solutions, bien que plus coûteuses qu'un modem standard, sont plus économiques à long terme si votre temps vous est précieux.

Scanner. Comme vous travaillerez sur des images basse résolution, le nombre de points par pouce et la qualité des images ne seront pas vos critères prioritaires lors du choix d'un scanner pour la conception Web. La vitesse étant votre premier souci, choisissez un scanner capable de numériser rapidement et en couleurs. Dans le passé, je possédais un scanner multipasse qui effectuait une numérisation distincte pour chaque couche de couleur : rouge, vert et bleu. Un beau jour, il est tombé en panne et j'ai acheté un scanner monopasse. Le temps que je gagne ainsi vaut chaque franc investi. Pour la résolution des images Web, la vitesse est le seul facteur significatif dans votre flux de production.

Astuce

Recherchez des réductions

Vous serez peut-être effrayé par le prix des logiciels, mais ne payez pas le prix fort. Recherchez dans les catalogues de vente par correspondance les rabais exceptionnels. Certains de ces distributeurs possèdent également des sites Web :

Surplus Direct
http://www.surplusdirect.com/

Mac Zone
http://www.zones.com/Mac_Zone/Default_Mac.htm

PC Zone
http://www.zones.com/pc_zone/default_PC.htm

De plus, si vous suivez un cours de Photoshop, il peut arriver que l'on vous propose un rabais extraordinaire en tant qu'étudiant. Ce rabais peut amortir le prix du cours et du logiciel ! Avant de vous inscrire, vérifiez si le centre de formation que vous avez choisi propose des logiciels à prix étudiant et si vous y avez droit.

Logiciels

Les logiciels sont un poste important dans le budget de votre studio de conception, aussi bien en terme d'argent que de temps. Si vous n'êtes pas dans l'informatique depuis longtemps, vous ne savez peut-être pas encore que les logiciels évoluent sans arrêt. Si vous achetez aujourd'hui une version 1.0, l'année prochaine vous devrez décider de vous mettre à jour ou non avec la version 2.0 et cette opération se répétera année après année.

Il faut néanmoins reconnaître que les logiciels s'améliorent avec chaque nouvelle version. Vous pouvez très bien être satisfait d'une version d'un logiciel que vous possédez et opter de ne pas vous mettre à niveau même si des améliorations sont annoncées. Les logiciels sont par nature fluides. S'ils ne bougeaient pas, nous aurions de bonnes raisons de nous plaindre. Mais cette situation ne facilite pas la prise de décision d'achat.

Combien de professions ou de passe-temps connaissez-vous dont les outils changent et évoluent constamment ? Vous pouvez regrettez ce fait ou vous en réjouir. Si vous comptez garder votre place au sein du monde des arts graphiques, l'évolution des logiciels est une réalité avec laquelle vous devrez vivre.

Il existe trois catégories de logiciels : les logiciels commerciaux que vous achetez auprès de distributeurs, les logiciels gratuits que vous téléchargez à partir du Net et les shareware (partagiciels) que vous téléchargez aujourd'hui et paierez demain (http://www.shareware.com est un excellent point de départ).

Il est très probable qu'un jour ou l'autre vous devrez acheter un logiciel, même si vous avez parfois l'impression que tout ce que vous cherchez se trouve sur le Web. La section suivante vous donne une liste de ressources, vous fournit quelques conseils et vous aide à peser le pour et le contre de ces difficiles décisions en matière de logiciels.

Programmes de traitement d'images

Pour créer des graphismes pour le Web, il vous faut un logiciel de création d'images. Ce livre traite principalement des techniques Photoshop, Paint Shop Pro, ImageReady et Fireworks. Le Web a donné naissance à de nouvelles publications de logiciels puisque la plupart des éditeurs de logiciels de traitement d'images Web proposent des versions d'essai gratuites disponibles sur leur site Web. Vous avez ainsi la possibilité d'essayer des outils avant de les acheter. Ceux d'entre nous qui travaillaient déjà dans l'informatique avant l'avènement du Web apprécient beaucoup cette nouveauté, comme ce sera certainement le cas pour tout nouveau venu.

Adobe Photoshop (http://www.adobe.com) est le plus connu des logiciels de traitement d'images chez les concepteurs professionnels, quelle que soit leur plate-forme et leur spécialisation, pas seulement la conception Web. Rien de surprenant à cela puisque Photoshop dispose également du plus grand nombre de fonctions et d'approfondissements de tous les logiciels de traitement d'images présentés dans ce livre. J'utilise principalement Photoshop, et le présent ouvrage est orienté en sa faveur. Ce livre présente des exemples utilisant Photoshop 5.0, bien que de nombreux exercices fonctionneront également avec des versions plus anciennes de Photoshop.

Paint Shop Pro (http://www.jasc.com) est disponible en shareware et est l'un des meilleurs programmes de traitement d'images tout-venant en dehors de Photoshop d'Adobe. Il comprend un grand nombre des fonctions de Photoshop, comme les couches et les filtres, mais ne coûte qu'une fraction de son prix. Il n'en demeure pas moins que la plupart des professionnels utilisent Photoshop et, si vous cherchez un travail ou un contact avec d'autres artistes, vous ne trouverez pas autant de clients potentiels avec cette solution.

ImageReady (http://www.adobe.com) est un nouvel outil logiciel qui ressemble à Photoshop, à la différence près qu'il est orienté vers le traitement d'images Web ou d'images destinées à des écrans et non vers le traitement d'images destinées à l'impression. Vous pouvez charger une version de démonstration à partir de son site.

Fireworks (http://www.macromedia.com) est un autre nouveau logiciel de graphismes Web. C'est un éditeur d'images très puissant qui exploite les vecteurs et les bitmaps pour remplir cette fonction. Il produit également des rollovers JavaScript et comprend des fonctions d'optimisation d'images. Vous pouvez également charger une version de démonstration à partir de son site.

Je mentionne bien entendu d'autres outils logiciels dans les différents chapitres de ce livre et donne des conseils, techniques et ressources de formation à leur propos. Une description des éditeurs HTML se trouve au Chapitre 2.

Résumé premiers pas

Faire ses premiers pas dans la conception Web exige de prendre un nombre impressionnant de décisions. Ce chapitre vous a présenté quelques conseils afin de vous aider à prendre ces décisions. En voici les points clés :

- Si vous comptez vous inscrire à une formation officielle, assurez-vous que le cours que vous choisissez correspond bien à votre style d'apprentissage.
- La plupart des grands concepteurs Web sont des autodidactes dans un domaine ou un autre. Etre capable de se former soi-même est une compétence essentielle dans ce domaine.
- Un dossier de présentation disponible sur le Web vaut plus que n'importe quelle note, diplôme ou qualification.
- Tous les sites Web ne sont pas créés de la même manière : vous découvrirez qu'il existe des principes de tarification différents selon les types de site.
- Il vaut mieux être équipé d'un Mac et d'un PC pour créer des pages Web et vérifier leur compatibilité.
- Testez les logiciels avant de les acheter en visitant les sites Web des éditeurs de logiciels et en téléchargeant des versions d'essai de leurs logiciels.

Editeurs HTML

Introduction

Au sommaire de ce chapitre

- Définition du HTML
- HTML et conception
- Faut-il apprendre le HTML ?
- Editeurs WYSIWYG
- Terminologie HTML
- Comment choisir un éditeur HTML

2

J'ai décidé de consacrer un chapitre entier de ce livre au HTML et aux éditeurs HTML parce que ces questions sont aussi importantes à la survie d'un concepteur Web que le choix de la bonne plate-forme matérielle ou du bon éditeur d'images. On me pose souvent les questions suivantes : « Est-il vraiment nécessaire d'apprendre le HTML ? », « Si oui, est-ce que je peux avoir recours à un éditeur HTML ? » et « Quel éditeur faut-il acheter ? » Malheureusement, il n'y a pas de réponse générale à ces questions.

Deux catégories de personnes lisent cet ouvrage : celles qui débutent et celles qui posent depuis quelques années les premiers jalons du HTML et de la publication Web. La plupart des concepteurs Web, quel que soit leur niveau de compétence ou d'expérience, trouveront des renseignements précieux dans ce chapitre. J'ai le sentiment que nombre de personnes qui connaissent déjà le HTML ont encore beaucoup à apprendre à son sujet et celles qui débutent ont plusieurs décisions délicates à prendre.

Déterminer « la quantité de HTML à apprendre » et quel éditeur HTML utiliser, s'il en faut un, sont des décisions que vous pourrez difficilement prendre sans maîtriser certaines questions traitées dans ce chapitre. Vous y trouverez une brève description du langage HTML, une vue d'ensemble de ce langage, une discussion de l'intérêt d'apprendre à coder ou non, des conseils et ressources d'apprentissage du HTML et une présentation générale des éditeurs HTML.

Le HTML dans un ouvrage traitant du graphisme ?

A ce stade, vous vous demandez peut-être pourquoi ce livre contient un chapitre traitant du HTML. N'avez-vous pas acheté ce livre parce que vous aviez envie de comprendre comment créer des graphismes pour le Web ?

Il se trouve que, pour l'instant, HTML et graphismes sont intimement liés. Si vous n'avez rien appris d'autre que le HTML, vous ne pouvez créer que des pages remplies de texte sans aucune image. Si vous n'avez rien appris d'autres que le graphisme Web, vous ne savez absolument pas comment vous y prendre pour incorporer vos graphismes dans une page Web sans recourir au HTML.

Le HTML est l'un des maux nécessaires de la vie. Certaines personnes adorent la programmation, mais je n'en fais pas partie. J'ai autant envie que certains de voir le HTML jeté aux oubliettes de l'histoire comme un élément faisant partie des travaux des pionniers de la publication Web. Mais cette époque n'est pas encore révolue, et si vous voulez participer aujourd'hui à la fête, vous devez « affronter la bête ». Je peux vous assurer que nombreux sont ceux qui ne trouvent pas que le HTML soit difficile à maîtriser !

Définition du HTML

L'acronyme **HTML** signifie *HyperText Markup Language* (c'est-à-dire mot à mot « langage de balisage hypertexte ») et on peut expliquer le sens de ce terme par chacun de ses éléments.

La notion d'**hypertexte** est l'un des éléments les plus révolutionnaires du Web. C'est ce qui permet aux pages Web de contenir des liens qui, lorsque vous cliquez dessus, vous conduisent vers d'autres pages ou sites Web ou parties d'une même page Web. Bien que ce mot contienne l'élément texte, son sens s'applique également à des éléments visuels si une image comprend un lien.

Le **balisage** correspond au marquage de l'aspect que prendra le contenu de la page Web. En HTML, ce balisage se fait par l'intermédiaire de balises à crochet qui définissent la manière dont un élément est affiché. Ainsi, si j'écris en HTML <STRONG>C'est sympa ! </STRONG>, l'expression « C'est sympa ! » s'affichera en gras dans un navigateur Web. La balise <STRONG> a donné au navigateur l'instruction de modifier l'aspect de cette chaîne de caractères.

Lorsque j'ai commencé à me servir d'ordinateurs au début des années quatre-vingt, les traitements de texte WYSIWYG (*What You See Is What You Get*, en français « tel écrit, tel écran ») n'existaient pas. Les logiciels et les moniteurs étaient même incapables d'afficher du texte en gras. Il fallait alors signaler des attributs comme l'italique, le gras ou le souligné dans votre document traitement de texte par des balises qui ressemblent beaucoup aux balises HTML actuelles. Le résultat de ces opérations de mise en page apparaissait au moment de l'impression. Difficile de croire que le HTML nous a ramené en arrière d'une vingtaine d'années. Mais après avoir lu cette section jusqu'au bout, vous saurez peut-être vous montrer plus indulgent sur ce point.

L'élément **langage** de l'acronyme HTML est la seule partie ayant une signification douteuse dans la mesure où le HTML n'est pas du tout un langage de programmation. La plupart des langages informatiques permettent de rédiger des programmes et les pages Web ne sont pas des programmes. Le langage HTML se contente de définir la syntaxe de la mise en forme d'un document Web.

Le langage HTML a largement dépassé ses spécifications d'origine et, par voie de conséquence, les pages Web ont augmenté en complexité. Aujourd'hui, on parle de bien d'autres choses que du HTML, mais il reste néanmoins le point de départ de la publication Web.

Pourquoi le HTML est-il si problématique pour la conception ?

Pour débuter, il faut comprendre que le HTML n'a pas été créé pour être un langage de conception qui présenterait une maîtrise précise de la présentation des contenus. Il a été créé pour être un langage d'affichage afin d'afficher différemment un même contenu sur des ordinateurs différents fonctionnant avec des systèmes d'exploitation différents. Avez-vous noté que les logiciels de navigation vous permettent de modifier aisément vos polices de caractères et leur taille et d'activer ou de désactiver des images et des liens ? Le HTML était censé être un langage transportable pouvant être personnalisé selon les désirs de l'utilisateur.

C'est à la fois une bonne et une mauvaise chose. Le fait que les pages Web soient personnalisables est précisément ce qui fait du Web un support de communication universel. Il permet aux non-voyants de se faire « lire » des pages à l'aide de systèmes de traitement vocaux automatiques et les personnes souffrant de déficiences visuelles ou disposant de moniteurs de grande taille d'augmenter la taille de leurs polices. Il permet également à des plates-formes informatiques différentes d'afficher le même contenu et il fournit des fonctions de traduction automatique de l'anglais vers d'autres langues.

Lorsque j'ai été confrontée au HTML pour la première fois, je me suis demandée pourquoi on avait développé un langage de programmation aussi sot pour les concepteurs. Cette attitude n'était que le reflet de mon ignorance du rôle joué par le HTML par rapport aux objectifs du Web. Je connais maintenant — et je respecte — le compromis que constitue le HTML parce que je comprends la souplesse qu'il nécessite.

Je fais de la publication sur le Web parce que je me réjouis de savoir qu'en tant qu'individu je peux publier des contenus destinés à un public potentiel plus vaste qu'aucun autre support de publication jamais créé. Pour atteindre ce but, le langage par lequel les pages Web sont créées doit s'accompagner d'un minimum d'hypothèses sur le public, puisqu'il doit gérer le plus grand nombre possible de plates-formes, de langues étrangères, de caractéristiques matérielles et d'utilisateurs.

J'admets que le HTML est contre-productif dans de nombreuses activités de conception. L'une de mes motivations à écrire des livres à propos de ce support est d'aider les gens à découvrir des moyens de transformer ces limites en opportunités de créativité et d'expression. Conception et accessibilité peuvent être harmonieusement combinées, mais pas sans apprentissage ni effort de la part des concepteurs et programmeurs.

Si vous comprenez, comme moi, que le Web doit rester accessible pour prospérer et évoluer, peut-être serez-vous plus conciliant vis-à-vis des limites du HTML. Il faut adopter ce support tel qu'il est et relever le défi qui consiste à travailler avec ses aléas et ses défauts, parce que le résultat en vaut la peine.

Selon moi, le Web est en matière de logiciels l'expérience la plus importante à laquelle le grand public ait été confronté dans l'histoire de l'informatique. Il est important de reconnaître que les personnes qui publient aujourd'hui sur le Web participent aux premiers pas d'un support de communication exceptionnel. Le langage HTML est l'une des victimes de cette immense expérience. C'est un langage bizarre, étrange, frustrant et contraignant, mais le HTML ne va pas disparaître de sitôt et sans lui le Web que nous connaissons actuellement n'existerait pas.

Faut-il apprendre le HTML ?

Si vous n'avez jamais voulu devenir « programmeur en informatique » dans votre jeunesse et que l'idée de rédiger en HTML vous effraie, vous déplaît ou vous répugne carrément, le Web peut être une bonne raison de changer d'opinion. Le langage HTML est certes ennuyeux, mais il est loin d'être aussi difficile à maîtriser qu'un authentique langage de programmation. Les bénéfices tirés sont bien plus importants que l'effort investi, je peux vous l'assurer.

Si vous comparez le Web aux premiers temps de la PAO, le HTML ressemble beaucoup au langage PostScript. Il fallait écrire en PostScript pour produire une composition de caractères informatisée. Aujourd'hui, nous disposons de logiciels comme QuarkXPress et PageMaker, qui rédigent en PostScript en coulisses sans que nous ayons jamais à voir de code ni même à savoir qu'il en existe. Personne, en dehors de quelques durs à cuire de la programmation PostScript, n'a plus envie ni besoin d'apprendre à rédiger en PostScript à l'heure actuelle.

Comment le HTML se distingue-t-il alors du PostScript d'antan ? Le HTML est passé par plusieurs versions et révisions alors que PostScript est un langage de programmation stable qui fonctionne avec tout dispositif de traitement d'images gérant PostScript.

Depuis que je suis impliquée dans le Web, le HTML a connu des modifications massives. Certaines de ces modifications ont été avalisées par le **W3C** (le *World Wide Web Consortium*, c'est-à-dire le comité officiel de normalisation du Web) et de nombreuses autres non. Des distributeurs de navigateurs comme Mosaic, Netscape et Microsoft ont en fait modifié le cours du développement du HTML en apportant des améliorations propriétaires au code. Pour ces raisons, le HTML ne peut pas être comparé à PostScript ou à tout autre langage de programmation ou de balisage parce qu'il est toujours en cours de développement.

Suis-je alors en train de prétendre que, pour être éditeur Web aujourd'hui, vous devez apprendre le HTML ? Oui et non. Pour être franc, certains des meilleurs sites Web qu'il m'a été donné de voir ont été développés par des artistes qui ne comprenaient pas une traître ligne de code HTML et qui s'étaient mis en équipe avec un programmeur HTML. Il est donc possible de tracer une ligne de partage, de laisser les aspects artistiques aux artistes et le code aux programmeurs. Vous vous trouverez peut-être dans le camp des artistes qui ne veulent pas apprendre le HTML et ce point de vue est parfaitement acceptable. Soyez toutefois averti. Il vous arrivera de vous sentir impuissant et vous n'aimerez pas ça.

Y a-t-il un juste milieu ? Oui, et j'en parle plus loin dans ce chapitre dans la section « Editeurs HTML ». Ces logiciels écrivent du HTML de manière transparente, comme QuarkXPress et PageMaker pour PostScript, et vous n'avez pas besoin de comprendre la moindre ligne de code pour vous en servir.

Par définition, la plupart des artistes sont des accros de la maîtrise. Nous aimons choisir la couleur précise, tracer la forme exacte et créer la mise en page parfaitement adaptée. Tout au long de ce livre, je vous indiquerai quand le HTML propose ce type de précision parfaite et quand il vaut mieux renoncer à tout vouloir maîtriser.

Si l'on passe l'apprentissage du HTML par pertes et profits, on est pénalisé sur plusieurs plans. Le premier est que quelqu'un d'autre sera en position de force pour vous dire si vous pouvez ou ne pouvez pas créer certains effets, et vous le regarderez certainement d'un œil suspicieux. Le second est que, si on fait appel à vous pour rectifier un élément que vous avez conçu, vous ne saurez pas effectuer cette rectification. Vous risquez ainsi de perdre une partie de votre crédibilité professionnelle ou simplement de subir une frustration insupportable. Si vous en avez le temps et l'envie, vous devriez au moins faire en sorte d'être à l'aise face à du code HTML et de comprendre sa structure de base.

Comment apprendre le langage HTML

De nombreux moyens existent pour apprendre le langage HTML et de nombreuses ressources formidables sont disponibles en ligne. Vous en trouverez une liste dans ce chapitre et dans l'annexe à la fin de ce livre.

La commande View Source (Consulter le code source), dont sont dotés la plupart des navigateurs, devrait être votre guide principal. Si vous aimez quelque chose que vous trouvez sur le Web, consultez son code source. Vous pouvez copier et coller le code de source de quelqu'un d'autre dans votre propre traitement de texte ou éditeur HTML. Tout le monde pratique ce genre de pillage et en principe ce n'est pas mal vu par la communauté des créateurs Web. En fait, la plupart des virtuoses du HTML que je connais m'ont avoué que c'est précisément ainsi qu'ils avaient appris les finesses de ce langage de balisage.

Etudier le HTML peut sembler effrayant. Mais la plupart des gens estiment qu'en apprendre les rudiments est assez facile. Il n'est pas nécessaire d'écrire chaque ligne de code à la main, mais si vous apprenez à en écrire quelques-unes, vous saurez mieux comprendre les difficultés de certaines tâches de programmation.

On peut rédiger du code HTML dans un simple traitement de texte ou dans un éditeur HTML dédié ou WYSIWYG. Le secret de la rédaction en HTML est qu'il faut sauvegarder le code produit au format ASCII (mode texte uniquement) et inclure l'extension de fichier .html ou .htm (les deux fonctionnent). L'extension .htm est utilisée sur de nombreuses pages Web parce que le gestionnaire de fichiers Windows est incapable de gérer des extensions à quatre lettres.

Astuce

Du même auteur

Je dois reconnaître que je n'ai été enthousiasmée par aucun des ouvrages HTML disponibles sur le marché. Voilà pourquoi j'ai enrôlé mon frère programmeur pour en rédiger un avec moi. Notre livre se présente comme un cours qui propose à ses lecteurs des exercices pratiques et contient tous les supports de cours nécessaires sur un CD-ROM.

Mon éditeur, David Rogelberg, appelle ce livre un « réftoriel » parce qu'il est à la fois un ouvrage de référence et un tutoriel. Ce livre aborde de nombreux sujets, y compris comment réparer du code généré par un mauvais éditeur HTML WYSIWYG, un répertoire complet des balises et attributs de HTML 4.0, ainsi que de nombreux conseils de conception.

Creative HTML Design
Lynda & William Weinman
New Riders
ISBN : 1-56205-704-9
39.99 $

Si vous voulez vous faire une idée du livre en en parcourant un chapitre, visitez http://www.htmlbook.com.

Astuce — Références HTML en ligne

En plus de l'astuce View Source et de la lecture d'ouvrages, il existe une foule de ressources en ligne pour l'apprentissage du HTML. Voici la liste de mes préférées :

NCSA : un site pour débutants en HTML
http://www.ncsa.uiuc.edu/General/Internet/WWW/HTMLPrimer.html

HTML : un cours interactif pour débutants
http://www.davesite.com/webstation/html/

The WDVL : HTML, le langage de balisage hypertexte
http://www.stars.com/Tutorial/HTML/

Webmonkey : un cours de HTML
http://www.hotwired.com/webmonkey/teachingtool/index.html

NCDesign : un guide de conception en HTML v4.0
http://www.ncdesign.org/html/

Index DOT HTML : la référence HTML avancée
http://home.webmonster.net/mirrors/bloo-html/

HTML Writer's Guild : une liste de ressources
http://www.hwg.org/ressources/html/intros.html

Astuce — Quelques termes HTML importants

Quand j'ai commencé à apprendre le HTML, je pensais que tout ce qui se trouvait entre crochets s'appelait balise. Lorsque j'ai écrit *Creative HTML Design*, mon coauteur a rectifié cette erreur. Si vous voulez apprendre à parler correctement du HTML, voici un petit glossaire très pratique :

Balise. Tout ce qui se trouve entre les symboles « < » et « > ». Ainsi <FONT> est une balise.

Conteneur. Certaines balises nécessitent des conteneurs, également appelés « balises de fermeture ». Ainsi <FONT> nécessite la balise de fermeture </FONT>.

Contenu. Tout ce qui se trouve entre la balise d'ouverture et la balise de fermeture d'un document HTML est appelé « contenu ».

Attribut. Un attribut est un modificateur de balise. Dans l'exemple <FONT FACE= "verdana">, FONT est la balise et FACE l'attribut.

Valeur. En principe, une valeur suit un attribut. Dans l'exemple ci-dessus, <FONT FACE= "verdana">, "verdana" est la valeur de l'attribut.

Elément. Un élément décrit un ensemble de balises, attributs, valeurs et/ou conteneurs. Ainsi, la totalité de la chaîne <FONT FACE= "verdana"> est appelée élément.

Structure du langage HTML

Le HTML est un langage de balisage dont la structure est relativement simple. En voici un exemple basique comprenant des éléments clés que vous devez comprendre :

code

```
1 <HTML>
2 <HEAD>
3 <TITLE> name_of_document
4 </TITLE>
5 </HEAD>
6 <BODY> Les éléments affichés sur la page sont placés
       à l'intérieur de la balise body.
7 </BODY>
8 </HTML>
```

Explication du code

1. Tous les documents HTML doivent commencer par la balise HTML.

2. L'élément HEAD du document contient toutes les informations d'en-tête.

3. L'élément TITLE contient le nom du document, qui s'affichera au sommet de la fenêtre du navigateur.

4. Il faut refermer la balise TITLE, comme l'indique la barre oblique.

5. Il faut toujours refermer la balise HEAD, comme l'indique la barre oblique.

6. Tout ce qui est visible dans le document HTML se trouve à l'intérieur de la balise BODY.

7. Il faut refermer la balise BODY.

8. Et il faut également refermer la balise HTML.

Il existe bien entendu d'autres balises, attributs et valeurs dans un document HTML. Ce livre en présente un grand nombre dans les chapitres qui suivent. Je vous ai présenté ci-dessus la page de base la plus simple possible, uniquement pour vous montrer qu'elle est tout à fait compréhensible dès qu'on la décompose en petits blocs.

Editeurs HTML

Peut-être un jour n'aurons-nous plus besoin de comprendre le HTML pour créer des pages Web. Ce jour est déjà arrivé si vous êtes un créateur occasionnel de pages Web et si vous ne souhaitez pas exercer un contrôle parfait de l'aspect de votre contenu. Mon père, par exemple, possède un site Web. Il n'avait aucune envie d'apprendre le HTML, de créer ses propres graphismes ni toute autre opération allant au-delà de l'affichage de son contenu en ligne (émissions télé favorites, opinions politiques, nouvelles de son chat ou de sa petite-fille, etc.). Le recours à un éditeur HTML était pour lui la solution idéale pour créer une page Web et je ne pense qu'il avait besoin de connaître beaucoup de HTML pour y parvenir.

Il existe divers types d'éditeurs HTML, pouvant satisfaire un débutant ou le programmeur le plus exigeant. Comme je vous l'ai indiqué précédemment, certains types d'éditeurs vous permettent de travailler en mode WYSIWYG (tel écrit, tel écran). Cela veut dire que vous pouvez saisir directement dans l'éditeur et, au lieu de voir du code HTML, vous verrez s'afficher ce que vous avez tapé. Ces types d'éditeurs vous donnent la possibilité de changer de style de police, de taille de police ou d'alignement, ou de disposer des images par une opération de glisser-déposer. Si vous consultez le code source produit par l'éditeur WYSIWYG, il vous montrera tous les éléments HTML masqués.

Il y a des avantages et des désavantages à utiliser des éditeurs HTML. Lorsque j'enseignais à plein temps au Art Center College of Design, j'interdisais à mes étudiants d'utiliser des éditeurs HTML pendant les premières semaines du cours pour leur permettre d'apprendre à coder manuellement. Ce n'était pas parce que je pensais que les éditeurs HTML ne servaient à rien — d'ailleurs je m'en sers tout le temps. C'était parce que ces éditeurs vous empêchent d'apprendre le HTML et j'estime qu'il est important de connaître ses principes de fonctionnement avant de passer la main à un éditeur. Même les meilleurs éditeurs exigent parfois d'être dépannés et vous vous retrouverez désemparés si vous ne comprenez pas ce que vous faites.

Un autre désavantage des éditeurs HTML tient au fait que les choses évoluent très vite dans ce domaine et qu'il leur arrive de pas suivre le rythme. Il faut faire en sorte que vous restiez capable d'ajouter du code pour mettre en œuvre une nouvelle technique ou technologie. L'autre inconvénient des éditeurs HTML est leur tendance à ajouter des balises propriétaires qui n'ont pas d'autre usage hors de ce programme. Le HTML devient de plus en plus rigide et certaines de ces balises propriétaires ne seront plus valables dans quelque temps.

Il existe un large éventail d'éditeurs WYSIWYG. Certains sont grand public et d'autres professionnels. Nous entrons dans l'ère des éditeurs HTML de deuxième et troisième génération. Les logiciels s'améliorent donc et se conforment aux besoins de spécifications en constante évolution. En d'autres mots, je recommande ces éditeurs depuis quelque temps seulement. Les premières versions étaient trop rudimentaires pour être utiles. Si vous avez essayé un éditeur HTML il y a quelques années et avez haussé les épaules de dégoût, tentez à nouveau votre chance avec les nouvelles versions. Elles sont bien plus efficaces que les anciennes.

Les avantages de l'utilisation d'un éditeur sont nombreux. Ils peuvent vous faire gagner un temps énorme et ils permettent à des artistes non programmeurs de tester aisément des pages et de concrétiser rapidement leurs idées. Il y a aussi tous ceux qui ne veulent pas ou ne peuvent apprendre le HTML. Votre capacité à apprendre le HTML a moins à voir avec votre intelligence que votre aptitude à cette tâche. Je connais un grand nombre de personnes brillantes qui ne parviennent pas à penser en HTML. Pourquoi faudrait-il les y obliger ?

Cela étant dit, la question à se poser est : quel type d'éditeur HTML correspond le mieux à mes besoins ? Certains sont excellents pour concevoir des pages individuelles, d'autres pour une conception avancée en DHTML avec JavaScript, CSS et ou des modèles objets.

Astuce

Essayez avant d'acheter

L'un des aspects les plus séduisants de la plupart des éditeurs HTML est qu'en règle générale vous pouvez charger des versions de démonstration pour « essayer avant d'acheter ». Je vous recommande vivement de le faire pour vous assurer que l'éditeur répond à vos besoins. Souvent, le site de l'éditeur HTML contient beaucoup d'exercices utiles et, parfois même, des groupes d'utilisateurs qui proposent des listes de diffusion par courrier électronique.

GoLive
http://www.golive.com

Dreamweaver
http://www.dreamweaver.com/

Claris Home Page
http://www.filemaker.com/products/homepage3.html

BBEDIT
http://Web.barebones.com/products/bbedit/bbedit.html

Homesite
http://www.allaire.com/products/HOMESITE

FrontPage
http://www.microsoft.com/frontpage/default.htm

PageMill
http://www.adobe.com

NetObjects Fusion
http://www.netobjects.com

Fonctions des éditeurs HTML

Le choix du logiciel HTML dépend totalement de la taille et de la portée de votre site Web, de votre budget, de votre aptitude (ou absence d'aptitude) à programmer et de vos attentes. Je ne vais pas vous recommander un logiciel spécifique car les besoins de chacun sont différents. Je pense en revanche qu'il est utile de décrire certaines fonctions afin que vous puissiez ensuite choisir un éditeur HTML qui contient les fonctions que vous souhaitez.

Roundtrip HTML. Le terme « roundtrip » HTML (HTML aller-retour) a été fabriqué par l'équipe produit Dreamweaver de Macromedia. Il signifie que l'éditeur HTML écrit en HTML sans ajouter de balises propriétaires. L'un des dangers lié à l'utilisation d'un éditeur HTML tient au fait qu'il ajoute son propre code au HTML. Dans de nombreux éditeurs HTML, si vous supprimez les balises propriétaires, puis réimportez les fichiers pour maintenance ou modification, le programme va les réinsérer. Roundtrip HTML signifie que le code demeure tel que vous l'avez saisi, même si vous enregistrez le fichier et le réimportez.

DHTML (Dynamic **HTML).** Un ensemble de technologies qui fonctionnent conjointement pour produire plus d'interactivité et de contenu dynamique que le HTML seul est capable d'en produire. Il implique généralement le recours à HTML 4.0, CSS, JavaScript et à un modèle objet de document (DOM). HTML 4.0 est la version la plus récente du HTML (au moment de la rédaction de ces lignes) et DOM implique l'ajout d'extensions ou d'autres types de langages de scripts (tels que ActiveX ou VBasic.)

CSS (Cascading Style Sheets, feuilles de style en cascade). Les CSS sont utilisés pour spécifier des propriétés de mise en page particulières, telles que taille de police, famille de police, interlignage, retraits, et autres choses encore. Des feuilles de style individuelles peuvent être insérées dans des pages Web données ou un site Web peut faire référence à un document CSS unique. (Pour plus d'informations sur ce sujet, consultez le Chapitre 19.) Certains éditeurs HTML acceptent la création de CSS, bien que cette technique soit généralement réservée aux éditeurs HTML professionnels haut de gamme.

Support JavaScript. JavaScript est un langage de script qui étend les fonctionnalités du HTML. Les utilisations les plus appréciées de JavaScript comprennent les rollovers, les fenêtres de navigateurs de dimensions particulières et la détection de navigateur. (Vous trouverez des développements concernant JavaScript au Chapitre 22.) Certains éditeurs HTML acceptent la possibilité d'ajouter ou de modifier un JavaScript, alors que d'autres écrivent des fonctions JavaScript. Ces fonctions se trouvent généralement dans des éditeurs HTML haut de gamme et professionnels.

Support d'extensions. Les extensions sont des fichiers distincts qui doivent être installés sur un navigateur pour que le contenu des extensions soit visible. Parmi les extensions les plus courantes que vous connaissez peut-être, on trouve RealAudio, Flash et Shockwave. (Pour plus d'informations sur les extensions, reportez-vous au Chapitre.) Certains éditeurs HTML n'acceptent pas la possibilité de coder du contenu d'extension, mais c'est néanmoins le cas de la plupart des éditeurs de niveau professionnel.

Cadres. Les cadres délimitent des zones d'une page Web qui restent statiques pendant que d'autres changent. Si vous comptez utiliser des cadres, je vous recommande vivement de tester l'éditeur HTML pour cette fonction avant de l'acheter. De nombreux éditeurs HTML gèrent mal les cadres, ce qui veut dire qu'ils sont difficiles à prévisualiser et à configurer. Vous trouverez plus d'informations sur les cadres au Chapitre 18.

Polices. Tous les éditeurs HTML ou presque vous autorisent à définir des polices et à en modifier la taille ou le style. C'est standard. Pour plus d'informations sur les balises de polices et des astuces pour les contourner, reportez-vous au Chapitre 16.

Alignement. Certains éditeurs HTML sont meilleurs pour les alignements que d'autres ; dans ce cas également, mieux vaut tester avant d'acheter. Vous trouverez plus d'informations sur les alignements aux Chapitres 17 et 18.

Tables. Les tables sont très importantes pour la mise en page et les images, et certains éditeurs HTML savent mieux créer des tables que d'autres. Vous trouverez plus d'informations sur les tables au Chapitre 17.

Gestion de site. Certains éditeurs HTML comprennent des fonctions de gestion de site. Celles-ci sont très pratiques dans la mesure où elles vous permettent de modifier un lien et de propager cette modification sur l'ensemble de votre site.

Intégration de bases de données. Certains éditeurs HTML s'interfacent très bien avec des bases de données. Si vous comptez exploiter votre site avec une base de données, c'est un point à prendre en considération.

Rollovers de bouton. Les éditeurs HTML les plus récents et les plus puissants écrivent des rollovers JavaScript à votre place.

Conversion de navigateur. Certains éditeurs HTML convertissent des pages qui exploitent DHTML et CSS en pages de rechange qui utilisent un HTML accepté par des navigateurs plus anciens.

Tableau de comparaison des fonctions de navigateur								
	GoLive	**Dreamweaver**	**Claris**	**BBEDIT**	**Homesite**	**FrontPage**	**PageMill**	**NetObjects Fusion**
Roundtrip HTML		X		X	X			
DHTML	X	X						X
CSS	X	X		X				X
Support JavaScript	X	X				X		X
Support d'extension	X	X	X				X	X
Cadres	X	X	X			X	X	X
Gestion de site	X	X						X
Intégr. base de données	X	X				X		X
Rollovers de bouton	X	X						X
Conversion de navigateur	X	X						X
Plate-forme	M	M,W	M,W	M	W	M,W	M,W	M,W

Résumé Editeurs HTML

Ce chapitre traite d'un grand nombre des problèmes concernant le langage HTML et les éditeurs HTML. En voici un résumé :

- Le HTML empêche de maîtriser parfaitement la conception parce qu'il a été développé pour être accessible sur de nombreuses plates-formes, pour de nombreux langages et périphériques.
- Il vaut mieux comprendre les éléments de base du HTML pour être capable de résoudre des problèmes liés au HTML lorsqu'ils se présentent.
- Si vous comptez utiliser un éditeur HTML, testez-le avant de l'acheter. Ce chapitre contient de nombreuses adresses de sites Internet traitant de logiciels d'édition HTML.
- Il n'y a pas de meilleur éditeur HTML, mais il y en a qui correspondent très bien à vos besoins. Etudiez les différentes fonctions disponibles pour choisir celui qui vous convient le mieux.

Stratégie Introduction

Au sommaire de ce chapitre

- Définition des objectifs
- Conception d'un story-board
- Conception d'un diagramme
- Approches de navigation
- Structure de site
- Métaphores

3

Dans les éditions précédentes de cet ouvrage, je n'avais pas inclus de chapitre sur la stratégie. Or, le Web gagnant aujourd'hui en maturité, le besoin d'une stratégie est devenu plus qu'une évidence, c'est une nécessité. Le développement d'une stratégie implique la définition d'objectifs, d'un public, de limites et de méthodologies.

Ce chapitre traite de la manière de mettre au point une stratégie qui corresponde à vos besoins de développement en matière de Web. Nous allons examiner la planification, la conception d'un story-board, la définition d'objectifs et de thèmes de conception, et enfin l'établissement d'un profil d'utilisateur. En cherchant dès le départ les réponses à certaines questions et en établissant un plan de travail, vous pouvez faire l'économie d'un nombre important de travaux de rattrapage en cours de route.

Les stratégies sont aussi variées que les types de sites Web, parmi lesquels on trouve, entre autres, des sites éducatifs, expérimentaux, de loisirs, commerciaux, informatifs et d'autopromotion, ainsi que de nombreuses combinaisons hybrides de ces derniers. En vérité, il n'existe pas une méthode unique appropriée au développement d'une stratégie. Et, aussi étrange que cela puisse paraître, il y a un risque à développer une stratégie trop rigide. Les sites Web évoluent et cette évolution est dans la nature même de ce support.

Ce chapitre vous présente tous les problèmes cruciaux de la planification de site Web sans vous imposer des règles inflexibles qui risquent de ne pas correspondre à vos besoins ou aux objectifs de votre site. Il est essentiel que vous compreniez qu'il existe un trop grand nombre de types de sites pour pouvoir leur appliquer à tous une formule toute faite.

Premiers pas

La première étape du développement d'une stratégie de site Web, qui peut sembler évidente, implique de trouver une réponse à quelques questions pratiques :

- Quelle est mon public cible ?
- Qu'est-ce que le site cherche à communiquer ?
- Mon client a-t-il des objectifs ou des besoins spécifiques ?
- Ai-je demandé à mon client de m'indiquer quels sites il aime bien et pourquoi ?
- Quelle est la portée de mon site ?
- Existe-t-il des supports imprimés dont je peux m'inspirer ou extraire des éléments ?
- Quels sites sont similaires au mien en termes de portée et d'intention ?

Les réponses à ces questions vous fourniront une voie à suivre que vous ne pourriez définir autrement. Détaillons ces questions et évaluons certaines réponses possibles.

Public cible. Votre public est-il restreint ou large ? Mon mari, par exemple, est illustrateur professionnel. Son site Web (http://www.stink.com) cherche à faire la promotion de son travail afin de le vendre à des directeurs artistiques. Il peut faire l'hypothèse que ces directeurs artistiques sont équipés de systèmes performants munis d'une mémoire vive supérieure à la moyenne, de moniteurs d'une taille peu courante et d'écrans affichant toutes les couleurs. Ils accepteront probablement de charger une extension et sauront faire preuve de patience pour afficher une image grand format. Comparez ce site à celui de l'un de mes étudiants qui a participé à la conception du site Web de la bibliothèque du Congrès (http://www.loc.gov). L'administration responsable de cette bibliothèque lui a demandé de mettre en ligne en moins de trois ans toutes les images de sa collection. Le public de ce site est sensiblement plus étendu que celui de mon mari. Vous imaginez aisément que rendre ce site accessible à tous est un élément clé de ses objectifs et intentions.

Objectifs de communication. Certains sites ne visent rien de plus que répandre le doux nom de leur produit. Le site Web de Levi's (http://www.levi.com) par exemple n'est pas un site sur lequel vous pouvez acheter des jeans. Il cherche plutôt à donner un ton, une ambiance, un point de vue, un peu comme une publicité télévisée. A l'inverse, si vous consultez le site Amazon (http://www.amazon.com), vous constaterez que son objectif est de vendre des livres. Ses responsables ne visent pas la recherche esthétique et n'essaient pas de vous impressionner avec leur humour. Leur site gagne à ne pas avoir de personnalité. Leur ton neutre permet à tout visiteur de se sentir à l'aise et intégré lorsqu'il visite ce site.

Quelques adresses utiles :
http://info.med.yale.edu/caim/manual/intro/purpose.html
http://wwwwseast2.usec.sun.com/styleguide/tables/Purposes.html
http://www.ibm.com/ibm/hci/guidelines/web/web_guidelines.html

Besoins du client. Si vous avez un client (je suis consciente que certains d'entre vous sont leur propre client), cela vaut vraiment la peine d'écouter attentivement ce qu'il veut. Cela va de soi, mais vous seriez étonné par le nombre d'agences de conception et de concepteurs individuels qui réalisent un site Web complet ne répondant pas aux attentes de leur client. Il est très utile de poser beaucoup de questions à votre client et d'écouter attentivement ses réponses. Je ne sais pas combien de fois j'ai entendu un concepteur Web se plaindre qu'un client voulait quelque chose qu'il n'avait compris à l'avance. Démêlez ces problèmes dès le départ et non pas une fois que le site est achevé. Vous pesterez alors parce que vous devrez effectuer gratuitement des modifications majeures. Oubliez votre ego de concepteur. Il arrive parfois que certains clients fassent des choix très stupides, mais ce sont eux qui tiennent les cordons de la bourse. Les clients déraisonnables font partie des aléas de ce métier et votre aptitude à gérer ce paramètre est un facteur de votre réussite. Rares sont ceux qui ont la chance de trouver toujours des clients idéaux. Si vous êtes un professionnel de cette branche, vous devez souvent éduquer vos patrons et clients parce qu'ils en savent encore moins que vous dans le domaine du Web.

Sites favoris du client. Demandez à votre client de vous soumettre une liste de ses sites favoris. Consacrez quelques minutes à les passer en revue avec lui et à lui poser de nombreuses questions. Essayez de définir pourquoi il aime ou déteste certains sites et certaines fonctions. Vous en tirerez des informations précieuses concernant la structuration de votre propre travail afin qu'il réponde aux attentes et goûts de votre client.

Portée du site. Définir la portée d'un site est délicat, mais important. Souhaitez-vous enseigner, distraire, créer de l'interaction, distribuer des informations, collecter des informations ou faire du commerce électronique ? Cette étape est similaire à la définition des objectifs du site, mais elle porte plus sur les services proposés que sur la conception visuelle. Aurez-vous besoin d'un livre d'or, d'une base de données, d'un chariot de supermarché, d'une liste de diffusion, d'un formulaire de contact par courrier électronique ou de cadres ? Vous ne parviendrez peut-être pas à répondre à toutes ces questions si vous êtes nouveau venu dans la conception Web, mais si vous pouvez planifier vos travaux, elles vous aideront à monter l'équipe qu'il vous faut et à mieux estimer votre calendrier de travail.

Centrez-vous sur l'utilisateur, et non sur le concepteur. Les objectifs des utilisateurs comptent autant que les vôtres. De nombreux développeurs négligent ce point qui peut, au bout du compte, empêcher le site d'atteindre ses objectifs. Après tout, ne concevons-nous pas le site pour des utilisateurs et non pour nous ? Les objectifs de votre site doivent tourner autour de ce que l'utilisateur attend et non pas seulement de ce que vous voulez lui donner. Ainsi, vous voulez « vendre », mais votre utilisateur veut « acheter ». Mettez-vous à la place de l'utilisateur et faites en sorte que les articles soient faciles à trouver et à acheter, si c'est là l'objectif de votre site.

Existence imprimée. Votre client ou votre projet Web a-t-il déjà une existence sous forme imprimée ? Si c'est le cas, vous pouvez peut-être y puiser des idées pour la conception de votre site Web. Si vous possédez déjà un logo ou une brochure en couleurs à partir de laquelle travailler, ils peuvent vous aider à sélectionner des polices ou un code couleur. Vous pouvez décider de créer quelque chose de totalement différent pour le Web, mais si vous ne savez pas où aller chercher des thèmes de couleur ou une direction de conception, ces documents peuvent constituer un tremplin idéal. (Attention : des fichiers électroniques destinés à l'impression sont souvent difficiles à convertir en images et couleurs destinées au Web. Pour plus de détails sur ce point, consultez les Chapitres 20 et 7.)

Autres sites. Il est très important pour vous d'étudier d'autres sites avant de vous engager dans la conception du vôtre. Dressez une liste de ce que aimez et n'aimez pas. Elle vous aidera à définir votre propre orientation. Parfois, vous aimerez beaucoup un aspect donné d'un site, par exemple l'aspect d'un bouton ou d'une mosaïque d'arrière-plan. La plupart des concepteurs visuels possèdent un fichier « d'inspiration » auquel ils se reportent lorsqu'ils sont bloqués ou à la recherche d'idées. Et ne vous limitez pas aux autres sites Web ! De nombreux artistes puisent leur inspiration dans des sources inattendues. Je ne suggère pas par là que vous deviez piller les travaux artistiques ou les idées des autres. J'affirme simplement que l'inspiration est importante et que définir ce que vous aimez ou n'aimez pas est essentiel pour affiner votre propre vision. Nombreux sont ceux qui pensent que la conception Web est une discipline nouvelle qui n'a aucun passé. Bien qu'il n'y ait aucun doute que le Web soit nouveau et différent des autres médias, le passé est néanmoins riche d'enseignements. Explorez d'autres sources, par exemple les livres, les magazines ou les bibliothèques. Même les expériences de la vie courante peuvent déclencher des idées à exploiter sur votre site Web.

Conception d'un story-board

Une fois que vous avez défini les objectifs, la portée et le public de votre site, il est temps de commencer à produire des idées. Vous pouvez alors ressentir le besoin de concevoir un story-board. Le terme *story-board* est emprunté au septième art. Cet art, tout comme le nôtre, a une définition très peu précise de ce qu'est un story-board. Celui-ci peut se résumer à quelques schémas griffonnés sur une nappe en papier ou aller jusqu'aux plus beaux croquis en couleurs que vous ayez vus de votre vie. Les story-boards doivent communiquer une idée de ce que votre site Web va accomplir. Si ce travail de réflexion n'est destiné qu'à vous-même, des nappes griffonnées suffisent. Si vous faites ce travail pour un client, les story-boards peuvent également servir de panneaux de présentation qui communiqueront votre idée et l'orientation artistique de votre idée.

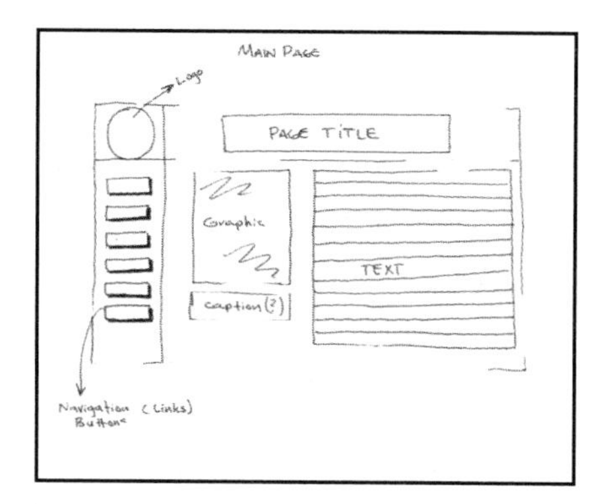

Les story-boards peuvent être aussi simples qu'un schéma illustrant des idées de positionnement. Un simple schéma comme celui-ci peut vous aider à résoudre toutes sortes de problèmes avant que vous ne débutiez vos travaux, par exemple la taille de vos graphismes et la quantité de texte à rédiger.

Elisabeth Roxby, qui a conçu le site du National Design Museum pour le **Cooper-Hewitt Museum** (http://www.si.edu/ndm/), a réalisé une capture d'écran de la fenêtre de son navigateur et en a fait des photocopies qui lui servent de modèles pour ses story-boards. Si vous voulez faire une capture de l'un de vos écrans (par exemple une fenêtre de navigateur), appuyez sur la touche **F13** de votre PC ou sur la combinaison de touches **Cmd+Maj+3** de votre Macintosh. Je vous recommande de le faire au moins une fois afin de mesurer les dimensions intérieures de votre fenêtre et avoir une meilleure idée de l'espace dont vous disposez pour travailler.

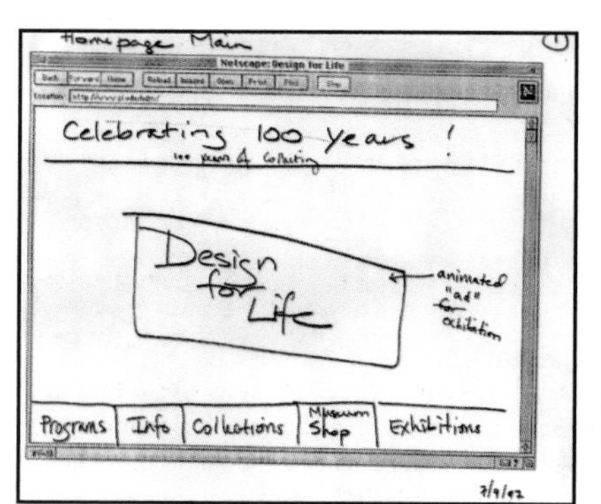

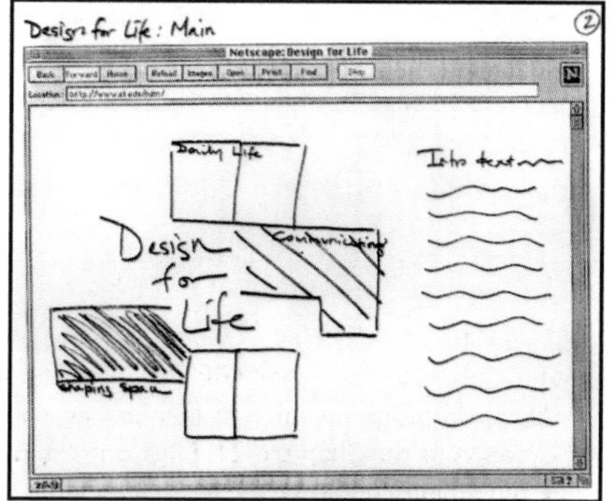

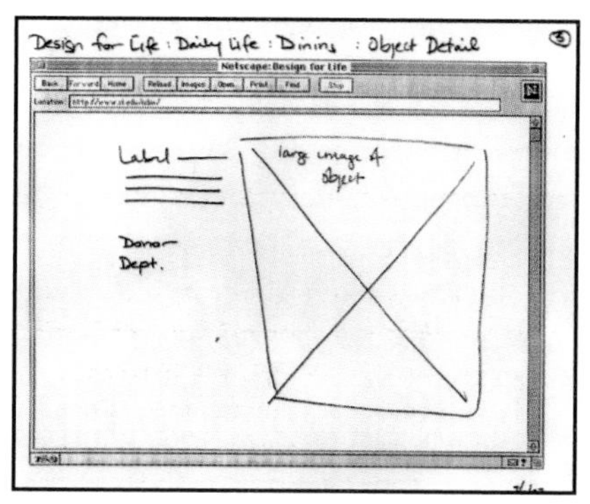

C'est une bonne idée que d'utiliser la photocopie d'une fenêtre de navigateur. Elle vous met en situation et vous fournit l'échelle et le format appropriés pour concrétiser visuellement votre idée.

Un jour, on m'a demandé conseil à propos de la reconception du site Web d'un magazine de design. Le directeur artistique m'a envoyé des tirages en couleurs des story-boards. Ils avaient été créés sous QuarkXPress et étaient exactement au format A4. Malheureusement, à la différence des feuilles de papier, la plupart des écrans d'ordinateurs sont plus larges que hauts. Mon premier conseil a été de demander au concepteur de réaliser une fenêtre modèle aux dimensions de celle d'un navigateur et de tout remettre en page. Ce point peut sembler évident, mais si vous êtes un nouveau venu dans ce domaine, ce n'est peut-être pas le cas.

Etude de cas : du story-board à la production

David Cabrera, concepteur graphique et formateur, est venu assister à l'un de mes ateliers alors qu'il n'avait jamais fait de conception Web auparavant. Il avait déjà réalisé de nombreuses brochures et invitations pour son client et avait donc des éléments de conception solides dans son esprit pour son premier site.

Il réalisa un superbe story-board de présentation sous Photoshop en utilisant des polices et des éléments graphiques tirés de sa campagne imprimée. Mais, lorsqu'il aborda la conception proprement dite, il se trouva incapable de transférer ses idées de conception vers le Web. C'est parfaitement compréhensible dans la mesure où il n'avait aucune expérience de la conception Web. J'ai pensé qu'il serait intéressant pour les lecteurs de ce livre de voir comment ce story-board a été découpé en éléments prêts pour le Web, puis réassemblé en appliquant de nombreuses techniques de traitement d'images et de HTML.

Le story-board d'origine de David sous Photoshop.

David a fait de l'arrière-plan un élément distinct et l'a enregistré sous la forme d'un fichier JPEG. Pour plus d'informations sur les mosaïques d'arrière-plan, reportez-vous au Chapitre 12.

Le logo principal est un fichier GIF transparent. Pour plus d'informations sur les GIF transparents, reportez-vous au Chapitre 13.

ALEX BAG PAULA SANTIAGO GLENN LIGON

Chaque nom est un fichier GIF transparent animé. Ainsi, les noms apparaissaient et disparaissaient sur la page d'accueil de manière aléatoire. Pour plus d'informations sur les animations, reportez-vous au Chapitre 21. Elles ont été disposées sur la page d'accueil à l'aide de tables. Pour plus d'informations sur les alignements à l'aide de tables HTML, reportez-vous au Chapitre 17.

Problème : Si vous n'avez jamais fait de conception pour le Web, il est difficile de savoir comment concevoir pour le Web. Bien qu'il soit assez logique de débuter par un story-board, vous risquez de vous enfermer dans un mode de conception que vous ne maîtrisez pas. Si vous vous trouvez dans ce cas de figure, je vous recommande vivement de montrer votre projet à un concepteur Web expérimenté avant de le soumettre à votre client. Des problèmes potentiels dont vous n'avez même pas conscience peuvent ainsi être évités. Il est bien entendu qu'une lecture attentive des différents chapitres de ce livre sera également d'une grande aide.

Conception d'un diagramme

Le terme *diagramme* désigne une représentation visuelle, c'est-à-dire un schéma, illustrant l'articulation d'un site. C'est une très bonne idée que de tracer le diagramme de votre site avant de vous engager hardiment dans sa conception. Sachez toutefois que ce diagramme va évoluer au fil du temps. Il est dangereux de s'enfermer dans une articulation de site trop rigide car vous pouvez à un moment donné créer une nouvelle rubrique ou vous rendre compte de la nécessité d'en ajouter une qui manque en cours de route.

L'une des meilleures idées que j'ai entendue à ce propos me vient de **Margaret Gould Stewart**, directrice artistique de http:www.tripod.com. Elle m'a confié cette idée et je vous la transmets aujourd'hui :

- Inscrivez toutes les rubriques de votre site Web sur des fiches cartonnées distinctes.
- Etalez-les devant vous et classez-les logiquement.
- Passez cette pile de fiches à d'autres membres de votre équipe de conception ou à votre client et voyez s'ils les classent différemment.
- Retenez les meilleures idées de chacun.

J'aime beaucoup cette approche parce qu'elle permet des apports de sources diverses concernant l'articulation du site. Il peut être très rentable de s'ouvrir au choix des autres (y compris vos clients). Il est important d'admettre que l'objectif d'un site est de fonctionner pour le plus grand nombre. Pour certaines décisions, rien de tel que de recueillir des informations en retour d'un grand nombre de personnes.

Une autre recette pour concevoir des story-boards est d'utiliser un produit inestimable appelé **Inspiration**. Visitez les sites http://www.inspiration.com et http://www.conceptmapping.com/ et voyez si vous avez envie d'ajouter cet outil à votre attirail.

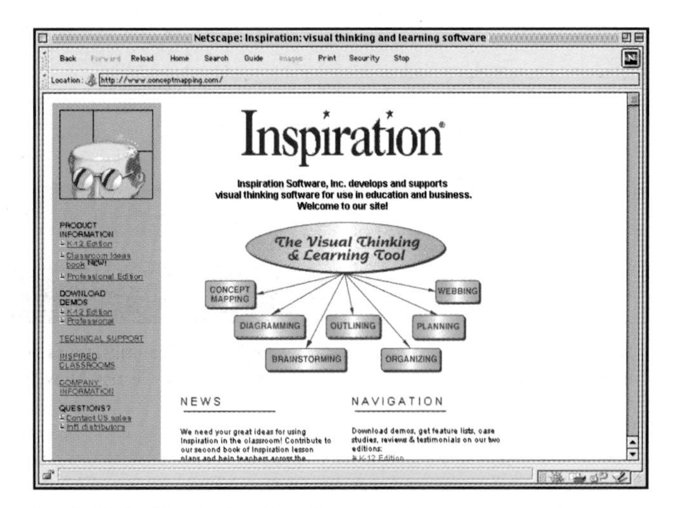

Les logiciels d'inspiration (http://www.conceptmapping.com) vous permettent de classer vos idées sous la forme de schémas ou à l'aide de graphismes. Ce sont de superbes outils pour dresser la structure d'un site.

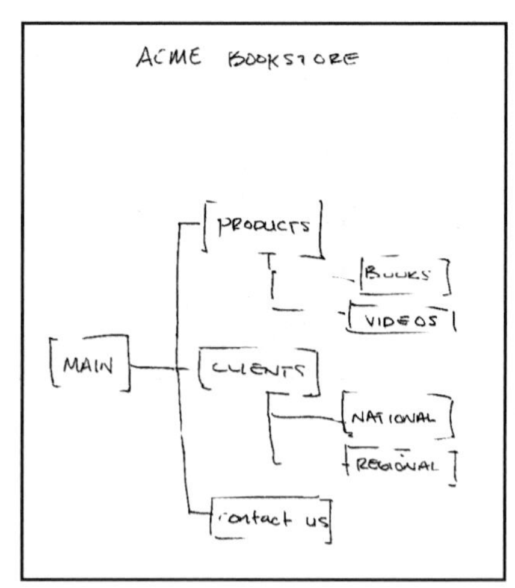

Les diagrammes, comme les story-boards, peuvent être griffonnés sur un morceau de papier ou tracés parfaitement à l'aide d'un logiciel comme Inspiration. La seule chose qui compte est que vous parveniez à définir le mode de navigation de votre site.

Modes de navigation

Le terme *architecte de site* désigne la personne qui supervise le processus de conception de la navigation et du flux des informations dans un site Web. Certaines agences de conception Web sont si importantes qu'une personne est chargée à plein temps de cette seule tâche. D'autres entreprises sont si petites qu'une personne porte parfois la casquette d'architecte de site et nombre d'autres casquettes à d'autres moments.

Il est difficile de concevoir le diagramme d'un site sans avoir une certaine connaissance des différentes possibilités de navigation. Cette question est abordée d'un point de vue théorique dans le présent chapitre et d'un point de vue pratique aux Chapitres 11 et 18.

Il existe une large palette de modes de navigation possibles, mais mon conseil en la matière est de rendre vos possibilités de navigation accessibles à partir de chaque page de votre site. Si vous vous reposez totalement sur le bouton Retour de votre navigateur, vous risquez de ne pas obtenir de résultats très probants. Sachez, par exemple, qu'il arrive fréquemment que des utilisateurs placent un signet sur une page intérieure d'un site et non sur la page d'accueil. Il en résulte dans ce cas que cette personne entre dans votre site par une page qui n'a aucun lien avec la page d'accueil de votre site et il est possible qu'elle ne voit jamais votre site comme vous l'aviez prévu.

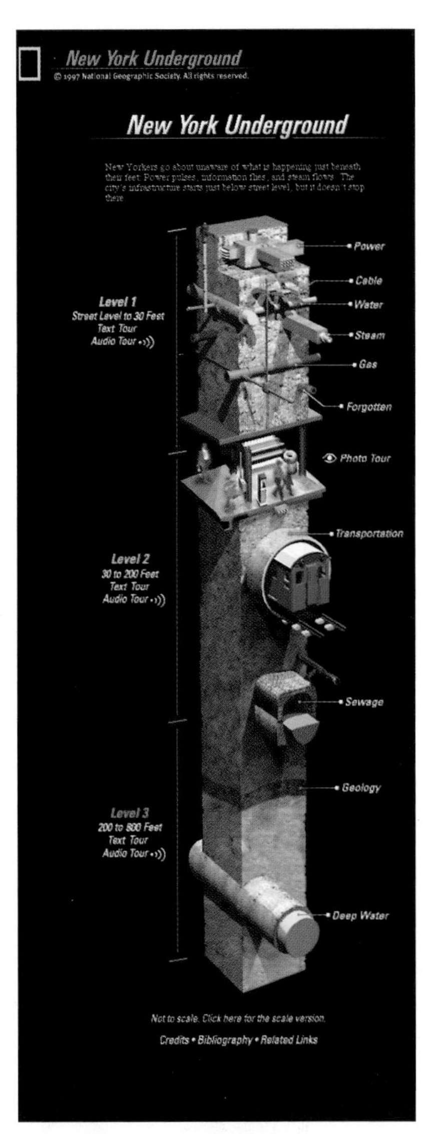

Les cadres (voir Chapitre 18) vous permettent d'afficher une barre de navigation commune à l'ensemble de votre site. Vous pouvez réaliser cette opération à l'aide de texte HTML ou d'une imagemap graphique (voir Chapitre 15).

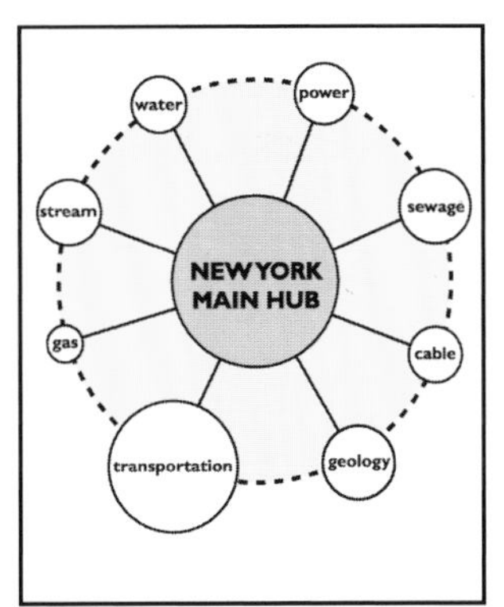

Une architecture «en moyeu et rayons» suggère que les utilisateurs reviennent au moyeu avant de visiter d'autres parties du site. Dans le site New York Underground du National Geographic (http://www.nationalgeographic.com/features/97/nyunderground/), c'est un système de navigation de ce type qui a été employé. Si vous cliquez sur l'un des liens de cette imagemap, vous allez vers un «rayon». Vous devez à nouveau cliquer sur le «moyeu» (illustré à gauche) pour accéder à d'autres points de navigation.

Autres modes de navigation

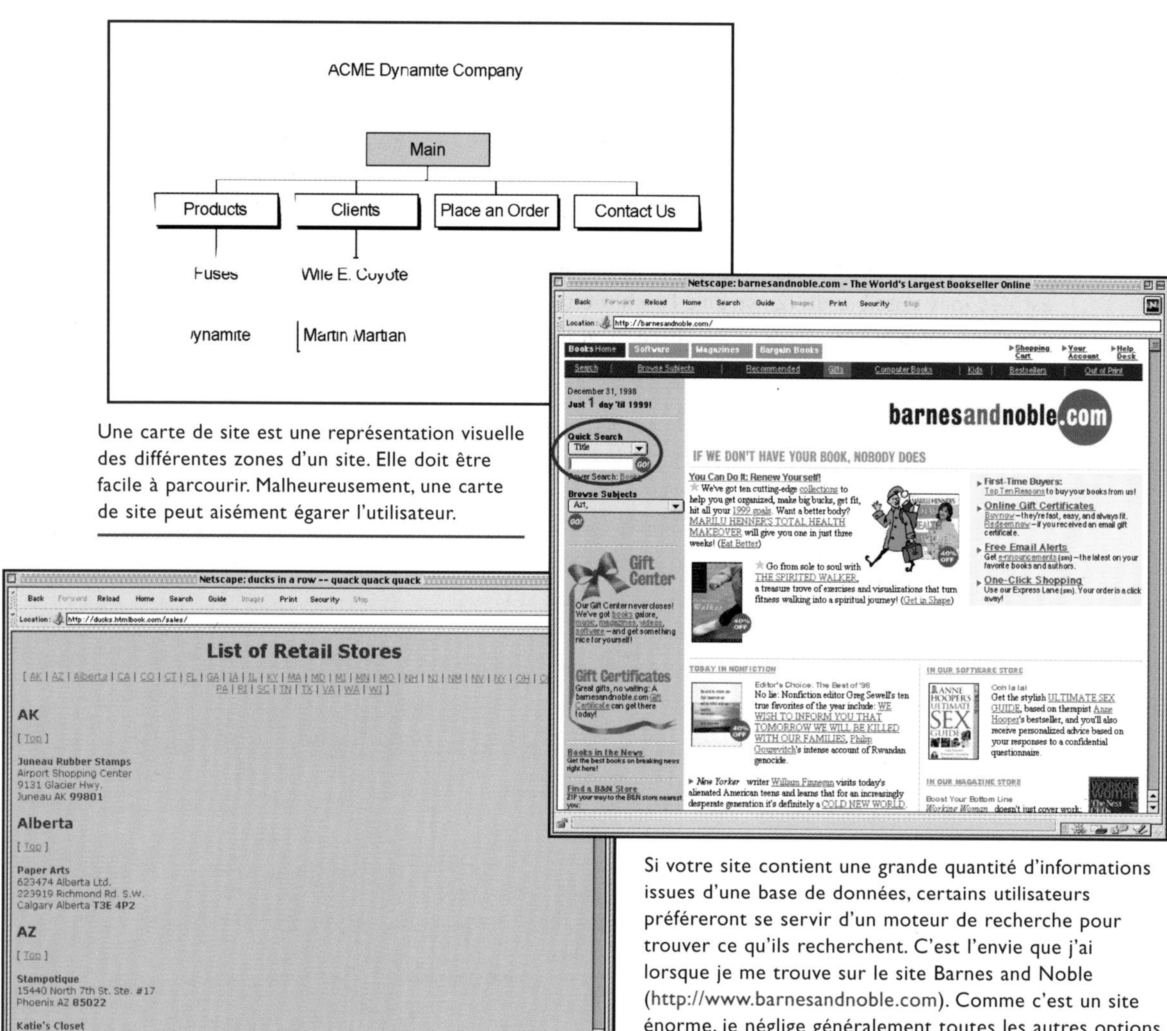

Une carte de site est une représentation visuelle des différentes zones d'un site. Elle doit être facile à parcourir. Malheureusement, une carte de site peut aisément égarer l'utilisateur.

Si votre site contient une grande quantité d'informations issues d'une base de données, certains utilisateurs préféreront se servir d'un moteur de recherche pour trouver ce qu'ils recherchent. C'est l'envie que j'ai lorsque je me trouve sur le site Barnes and Noble (http://www.barnesandnoble.com). Comme c'est un site énorme, je néglige généralement toutes les autres options de navigation et clique immédiatement sur le bouton Rechercher.

Un index est utile lorsque vous devez passer en revue de longues listes. Mais cette méthode n'est pas à toute épreuve : elle ne fonctionne que si le visiteur sait ce qu'il veut et connaît le nom de ce qu'il recherche.

Structure de site

Bien qu'il soit possible de tracer des diagrammes à la main, certains éditeurs HTML proposent des fonctions de diagramme qui affichent la structure de votre site. Il est toutefois important de définir la structure de votre site avant de lancer un éditeur HTML. Appliquer les méthodes décrites jusqu'ici vous aidera à définir vos catégories de navigation. Une fois cette tâche réalisée, vous pouvez commencer à tracer la structure de votre site.

De nombreux éditeurs HTML possèdent des fonctions de gestion de site ; il est dès lors possible de construire l'architecture de votre site et de générer des pages Web HTML à partir de votre diagramme d'origine.

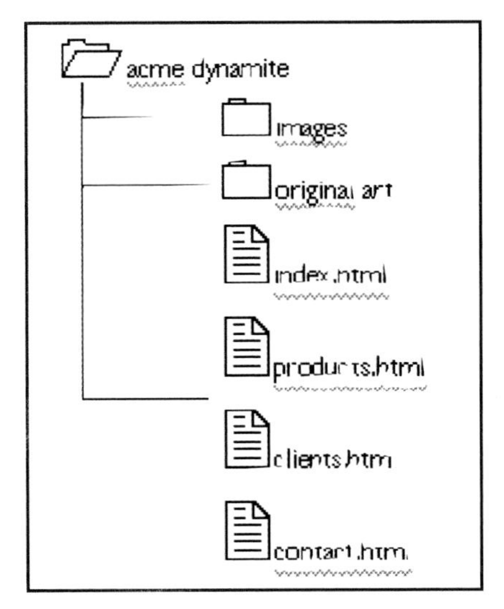

Vous pouvez imaginer votre propre structure de site. Celle-ci a été créée avec l'outil de dessin de Microsoft Word !

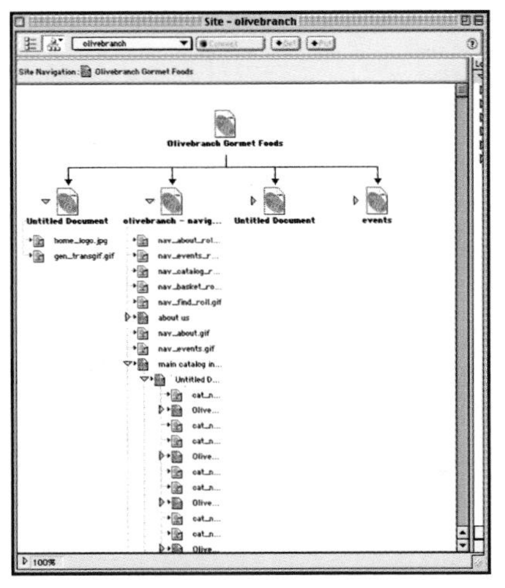

La fonction de cartographie de site de Dreamweaver 2.0.

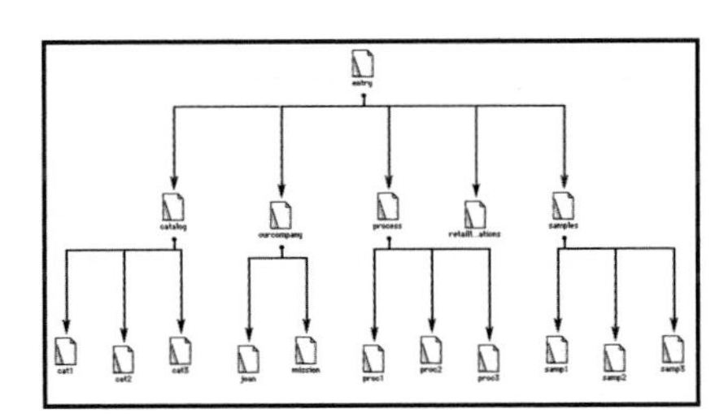

L'option de cartographie de site de GoLive Cyberstudio.

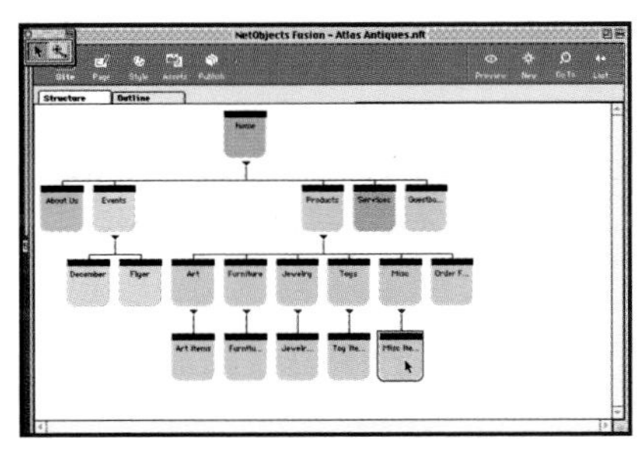

L'option de cartographie de site de NetObjects Fusion (http://www.netobjects.com).

Astuce

Lectures conseillées

Les sujets architecture de site, navigation, conception de diagrammes, planification et recherche d'idées sont suffisamment vastes pour remplir un livre à eux seuls. Voici quelques livres que je vous recommande :

Web Concept and Design
Crystal Waters
New Riders
ISBN : 1-56205-648-4
39,99 $

Web Navigation Studio
Designing the User Experience
Jennifer Flemming
O'Reilly and Associates
ISBN : 1-56592-351-0
34,95 $

Métaphores

Au moment de la planification d'un site, il est utile de dresser une liste de métaphores construites à partir d'associations libres d'objets ou d'idées. Les métaphores utiles à la création Web peuvent être liées à des sons, des images ou des mouvements. Lorsque mon frère et moi avons développé le site Web **Ducks In A Row** (canards à la queue leu leu) pour une entreprise de timbres en caoutchouc (http://www.ducks.htmlbook.com), nous avons dressé la liste suivante d'associations libres. Notre liste ne contient rien de très inattendu ou d'étonnant, ce qui est précisément le but de l'opération. Vous devez être en mesure de trouver des idées à toute vitesse lorsque vous réfléchissez de cette manière.

Liste d'idées pour le site Ducks In A Row		
Idées sonores	**Idées visuelles**	**Idées d'animation**
caquètements	vaguelettes	tampons animés
bruit d'eau	ondes sur l'eau	canards barbotants
pliage de papier	canards en caoutchouc	ondulations sur un étang
clapotis	couleur jaune	canards caquetants
gouttes de pluie	tampons réels	battements d'ailes

Une liste d'idées — sous la forme d'une liste bien organisée ou rapidement griffonnée — peut vous alimenter en idées lorsque vous créez vos animations, effets sonores, rollovers, circuits de navigation et images.

Métaphores : aide ou handicap ?

Parfois les métaphores vous aident à concevoir votre site et parfois elles constituent un handicap. C'est souvent une question de goût parce que les métaphores peuvent être trop lourdes ou trop fines pour être d'un usage pratique. Prenons par exemple www.yahoo.com. Vous pouvez discuter à foison de la métaphore de la « recherche » représentée par une grosse loupe pour chaque bouton ou un télescope au bout d'un mât. Le fait est que les personnes qui se rendent sur www.yahoo.com n'ont pas besoin d'une foule de graphismes pour les assister dans leurs opérations de recherche. Je ne suis pas convaincue que, pour un site de ce type, une métaphore soit nécessaire.

Il est difficile de savoir quand utiliser une métaphore et quand s'en passer. Mon conseil est de ne pas en utiliser à moins qu'elle ne renforce à la fois votre message et facilite les recherches de votre visiteur. C'est rarement le cas.

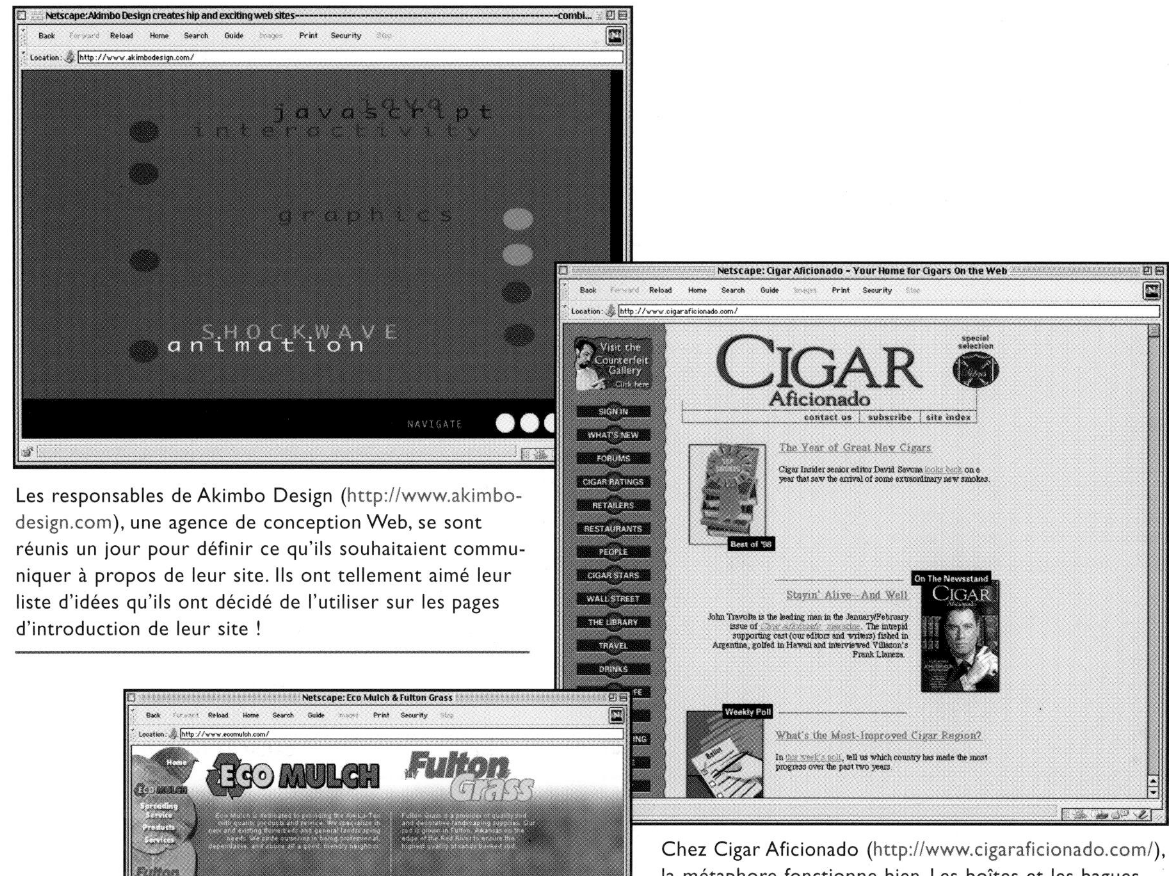

Les responsables de Akimbo Design (http://www.akimbo-design.com), une agence de conception Web, se sont réunis un jour pour définir ce qu'ils souhaitaient communiquer à propos de leur site. Ils ont tellement aimé leur liste d'idées qu'ils ont décidé de l'utiliser sur les pages d'introduction de leur site !

Chez Cigar Aficionado (http://www.cigaraficionado.com/), la métaphore fonctionne bien. Les boîtes et les bagues de cigare sont magnifiquement dessinées et leur utilisation sur le site Web constitue un renforcement visuel bénéfique.

Eco Mulch (http://www.ecomulch.com/) fait un usage efficace de la métaphore. Personne ne peut se méprendre sur l'objectif de ce site !

Résumé Stratégie

Le succès d'un site Web exige beaucoup de planification et de réflexion. Ce chapitre vous a décrit de nombreux principes et techniques de planification de site qui peuvent se révéler utiles pour votre type de site Web. En voici les points principaux :

- Définissez une stratégie qui prenne en compte les éléments de base suivants : objectifs et attentes, besoins et portée du site, public visé.
- Communiquez avec vos clients et assurez-vous de prendre en compte leurs besoins particuliers, ce qu'ils souhaitent et ce qu'ils ne souhaitent pas obtenir.
- Un story-board peut être aussi simple qu'un griffonnage sur une serviette en papier ou aussi élaboré qu'une présentation imprimée en quadrichromie. Votre choix dépend de l'objectif de ce story-board.
- Les métaphores peuvent être utiles pour la conception d'un site. Elles peuvent aussi constituer une gêne et bloquer toute communication.
- Le brassage d'idées est essentiel pour définir les zones les plus importantes de votre site.
- N'appliquez pas des stratégies trop rigides : gardez-vous une marge de souplesse pour pouvoir introduire des solutions de dernière minute.

Introduction

Environnements de création Web

Au sommaire de ce chapitre

- Conseils de compatibilité
- Navigateurs AOL
- Calibrage des couleurs entre plates-formes
- Différences de gamma
- Différence de types et de tailles
- Web TV

Dans le Web, nous aimons — comme nous appréhendons — le fait qu'il s'agisse d'un support de publication d'envergure mondiale capable de communiquer avec toutes sortes de personnes, quelle que soit leur localisation géographique ou leur option informatique.
La plupart d'entre nous n'ont jamais été confrontés à un environnement de conception dans lequel les gens voient la matière publiée différemment selon le dispositif à partir duquel elle est visualisée. Ce fait vous oblige à changer d'état d'esprit lorsque vous créez pour le Web. Il en résulte qu'un grand nombre d'entre nous doivent renoncer à une maîtrise parfaite du support et que nous devons modifier nos attentes en fonction de ce qui est possible et de ce qui ne l'est pas.

Le Web fait figure de support inhabituel dans la mesure où aucun autre mode de conception n'a jamais exigé une aussi bonne connaissance des problèmes de différences et de compatibilité entre plates-formes. J'en veux pour preuve que l'on trouve fréquemment des rayons distincts pour Mac ou PC dans les sections CD-ROM des revendeurs de logiciels. De plus, les boutiques d'informatique n'ont même en règle générale aucun rayon dédié aux plates-formes UNIX. En revanche, lorsque vous créez des site Web pour l'Internet, quelle que soit la plate-forme dont vous êtes équipé, vous êtes censé créer un contenu destiné à toutes les plates-formes du monde.

Les problèmes de compatibilité sont sans nul doute en tête de la liste des éléments que les concepteurs Web détestent à propos de ce support. Ce chapitre décrit un grand nombre de ces problèmes de compatibilité, en particulier les problèmes de différences de navigateur, de différences de gamma, de différences de moniteur, de différences d'éditeur HTML, de différences de résolution et de différences de tailles de polices. Si je n'ai pas une solution à vous proposer pour chacun de ces problèmes, je peux au moins vous permettre de mieux comprendre ces problèmes afin que vous preniez ensuite vos décisions en connaissance de cause.

Différences de navigateur

Le navigateur joue un rôle essentiel dans l'activité de visite d'un site Web. Il interprète le code HTML, les couleurs, les graphismes et la mise en page d'un écran. Cela a pour conséquence que tout visiteur de votre site obtient un résultat totalement différent selon la version du navigateur qu'il utilise. De plus, une version de navigateur identique peut se comporter d'une manière totalement différente selon qu'elle est exécutée sur une plate-forme Mac, PC ou UNIX, ce qui augmente d'autant le nombre de variables du problème.

Dans la première édition de *Conception graphique de vos pages Web*, j'ai comparé des pages Web identiques dans onze navigateurs différents sur Mac et PC. J'ai obtenu près de 21 résultats. Certaines différences étaient subtiles, d'autres moins. Aujourd'hui, quelques années plus tard, il n'y a plus onze navigateurs différents à confronter. Dans la plupart des cas, nous travaillons sur trois navigateurs : Navigator/Communicator de Netscape, Internet Explorer de Microsoft et AOL. Certes, quelques personnes utilisent encore Mosaic ou Lynx, mais leur nombre est bien plus faible que par le passé et très faible en comparaison des utilisateurs des trois grands.

Il est très important que vous répondiez à quelques-unes des questions posées dans le chapitre précédent avant de mettre au point une stratégie de navigation. Quel est votre public ? Y a-t-il plus de chances qu'il soit équipé d'ordinateurs et de navigateurs récents ou de machines anciennes et de navigateurs dépassés ? Est-ce très important pour vous de pouvoir communiquer avec des personnes équipées d'ordinateurs et de navigateurs anciens ? Pour de nombreux sites, il est essentiel de pouvoir communiquer avec ce public.

Certains d'entre vous souhaiteront suivre la voie du plus petit dénominateur commun. D'autres préféreront la voie royale, espérant que la plupart des utilisateurs disposeront de navigateurs récents, auront chargé les dernières extensions et disposeront de modems rapides. Ces deux voies sont parfaitement acceptables, mais vous devez décider de la voie à retenir.

En plus d'évaluer votre public, vous devez également connaître les fonctions qui sont plus souples que d'autres. Certaines fonctions ne sont pas de nature destructive, même si on utilise un ordinateur ou un navigateur ancien. D'autres provoquent l'affichage d'icônes fragmentées ou de pages entremêlées. Je vous signalerai dans les autres chapitres de ce livre si une fonction graphique ou HTML se comporte sans problème sur des navigateurs anciens.

Conseils en matière de navigateurs et de HTML

http://www.threetoad.com/
Captures d'écran de comparaisons entre navigateurs avec une excellente section de conseils.

http://www.browsercaps.com
Des enquêtes intéressantes que vous pouvez consulter et auxquelles vous pouvez participer. Vous pouvez même suggérer une enquête de votre choix.

http://www.tue.nl./bwk/cheops/via/maker/html4/char.htm
Des entités HTML dans différents navigateurs.

http://www.tue.nl./bwk/cheops/via/maker/html4/html/htm
Une comparaison de toutes les balises HTML pour le HTML 4.0

http://developer.netscape.com/docs/manuals/htmlguid/tags_complete.html
Les balises HTML de Netscape par versions de navigateur. Une liste de toutes les balises acceptées par Netscape, triées par versions. On trouve donc une très longue liste pour 1.0, puis quelques balises pour chacune des versions suivantes, ce qui permet d'avoir une bonne vision globale de l'évolution du HTML.

http://developer.netscape.com/docs/manuals/htmlguid/contents.htm
Les balises HTML de Netscape comprises par Navigator 4.0. Répertorie la liste de toutes les balises acceptées par Communicator 4.0.

http://www.webdeveloper.com/drweb/19970811-drweb.html
Pour faire en sorte que les tables s'affichent correctement dans les navigateurs AOL.

http://www.microsoft.com/workshop/author/ie3html/ie3dtd.asp
SGML DTD pour Microsoft Internet Explorer (MSIE) 3.0.

http://www.htmlcompendium.org/index.htm
Recueil de balises HTML. Signale les navigateurs acceptant chaque balise.

http://developer.netscape.com/docs/technote/dynhtml/cssltojs/cssltojs.html
Manipulation de CSSI à partir de JavaScript. Bien que Netscape Navigator et Internet Explorer autorisent tout deux la réalisation de CSS par l'intermédiaire de JavaScript, ils le font différemment. Ce site contient du code capable de détecter le navigateur utilisé ainsi que des exemples de différences entre ces deux navigateurs.

http://developer.netscape.com/docs/examples/javascrip/browser_type.html
Le meilleur détecteur de client JavaScript.

http://www.webreview.com/guides/style/mastergrid.html
Table de mises en œuvres de CSS dans Netscape et MSIE.

http://www.webreview.com/guides/style/safegrid.htm
La « liste sûre » des éléments CSS que vous pouvez utiliser sans (grand) risque.

http://www.webcoder.com/reference/2/index.html
Table de mises en œuvre JavaScript. Décrit des incohérences entre les mises en œuvre Netscape et MSIE de JavaScript.

Consignes en matière de compatibilité

L'application de quelques consignes générales vous aidera à éviter de sérieux problèmes d'incompatibilité sur votre site. Voici quelques conseils en la matière :

Testez plusieurs navigateurs. La plupart des studios de conception Web disposent de postes de test équipés de nombreux navigateurs anciens. Cela vaut vraiment la peine de posséder un vieil ordinateur, un modem lent et quelques anciennes versions de navigateur sur lesquelles tester vos pages. Vous pouvez vous procurer du matériel dépassé dans des brocantes ou par l'intermédiaire de petites annonces pour très peu d'argent. Si vous voulez télécharger une ancienne version de navigateur, rendez-vous sur ce site Web :
ftp://ftp.nvc.cc.ca.us/pub/internet/AntiqueBrowsers/index.html.

Utilisez des balises standards. Si vous avez le choix entre une balise propriétaire et une balise standard, utilisez la balise standard. Netscape et Explorer sont réputés pour inventer leurs propres balises. Ainsi, vous pouvez mettre des caractères en gras à l'aide de la balise Netscape B ou en utilisant la balise standard STRONG. Les spécifications HTML standards se trouvent sur http://www.w3c.org.

Fournissez des options de navigation. Si vous comptez utiliser une barre de navigation graphique, veillez à inclure également une version de rechange au format texte. Les imagemaps fonctionnent différemment sur les anciens navigateurs et vous ne savez jamais comment votre site va s'afficher. Vous apprendrez à mettre en œuvre ces solutions aux Chapitres 11, 15 et 22.

Utilisez les balises NO. De nombreuses balises ont un pendant NO. Ainsi, le pendant de la balise FRAMES est la balise NOFRAMES. Vous pouvez donc placer le contenu de rechange dans la balise NOFRAMES pour les navigateurs qui n'acceptent pas les cadres. Vous apprendrez comment mettre en œuvre ces techniques au Chapitre 11.

Activez la détection de navigateur. Si vous voulez fournir un contenu de rechange pour différents navigateurs, vous pouvez utiliser un script de détection de navigateur pour déterminer le navigateur utilisé par votre visiteur. Les scripts de détection de navigateur sont souvent utilisés en relation avec des scripts de réorientation qui commencent par déterminer la version du navigateur, puis servent ensuite la page appropriée à ce visiteur. C'est une approche qui peut se montrer très gourmande en temps pour la publication Web et qui ne doit être appliquée que si vous disposez du temps et des ressources nécessaires pour générer plusieurs versions d'un même contenu. Vous trouverez plus de détails aux Chapitres 19 et 22.

Attendez six mois. Si vous voulez vous assurer qu'une nouvelle fonction est largement acceptée, attendez six mois avant de l'appliquer. Cette règle ne s'applique pas à tous les créateurs Web, en particulier ceux qui considèrent le Web comme un terrain d'expérimentation.

Le redouté navigateur AOL

Des millions de personnes — dont je fais partie — ont fait leurs premiers pas sur le Web et dans le courrier électronique *via* AOL. J'étais l'une des premières abonnées à ce service (avant l'ère du Web) et j'ai adoré sa convivialité, ses forums d'utilisateurs et ses groupes de discussion. Mais comme AOL est un système fermé et propriétaire, ils ont pu mettre en œuvre une interface utilisateur qui facilite la vie de l'informaticien débutant. Je connais de nombreuses personnes qui ne sont pas « dans » l'informatique comme moi et qui ne recherchent rien d'autre qu'un moyen de trouver et d'afficher rapidement certaines informations. AOL est peut-être la solution idéale pour eux.

Malheureusement, pour qu'AOL puisse vous offrir cette interface personnalisée, ce fournisseur de services a créé son propre navigateur Web. L'inconvénient est que ce navigateur Web est nettement moins robuste que Netscape ou Explorer. Bien que tout utilisateur d'AOL ait la possibilité de charger une version personnalisée de Netscape ou d'Explorer, peu nombreux sont ceux qui savent ou ont envie de le faire.

Il est impossible de connaître le nombre d'internautes qui surfent sur le Net via un navigateur AOL parce qu'AOL utilise un serveur tampon (ou serveur proxy) au lieu d'autoriser ses utilisateurs à accéder librement à l'Internet. Un serveur tampon stocke des données en provenance d'autres serveurs. Dans le cas d'AOL, au lieu de permettre aux abonnés d'AOL de surfer librement sur l'Internet, ce fournisseur de services diffuse les sites extérieurs à partir de son serveur. Imaginons qu'un utilisateur d'AOL vienne sur mon site. S'il est le premier abonné AOL à visiter mon site, celui-ci est chargé sur le serveur tampon d'AOL, puis servi à cet utilisateur AOL. L'abonné AOL suivant qui souhaitera visiter mon site n'atteindra pas mon serveur. Sa requête s'arrêtera au serveur tampon d'AOL. Il en résulte que je présente peut-être des centaines de pages à des utilisateurs d'AOL et n'enregistre qu'une seule requête — celle du premier utilisateur AOL — dans mes statistiques Web. Il en résulte en outre que les utilisateurs d'AOL risquent de ne pas voir les mises à jour (sur un site d'informations générales ou boursières par exemple) aussi rapidement qu'un internaute passant par un autre fournisseur de services.

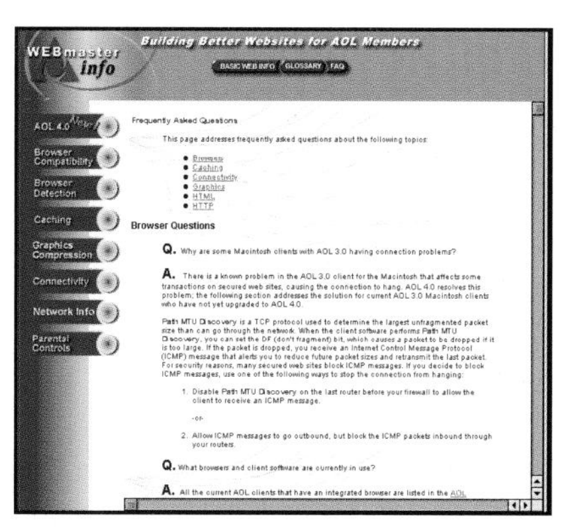

Pour plus d'informations sur le mode de fonctionnement du serveur tampon AOL, consultez le site http://webmaster.info.aol.com/.

Une autre conséquence du filtrage de sites par le système tampon d'AOL est le fait que tous les graphismes sont convertis de JPEG et GIF au format ART. Malheureusement, le format ART convient mieux aux photos qu'aux graphismes. Il n'existe que très peu de documentation sur ce format de fichier propriétaire d'AOL.

GO inside

Discovering the ART Image Format

by Joyce Kohl

April 7, 1998

On my Yorkie's Web site (Yorkies Dot Com), visitors may apply for a "Yorked by Mandy" award. If their pages qualify, then I give them permission to grab the image of their choice. The image is usually in JPG format, but can also be in GIF format. Once the image is actually up, then I add the the URL to the recipient list. Last weekend when checking the URL before adding the link, I discovered many of the graphics appeared to be broken and did not appear in Netscape Communicator. A quick view of the source revealed several images with the extension of "ART."

What is ART?
I began searching the Internet for ART. Nothing turned up. I then searched graphics programs and read the features list for each and found none included ART. The next step was inquiring of the webmaster using ART images why she wasn't using the original JPG. Her answer: "The program I use on AOL, pp2, converts the images to ART. I've asked other AOL members about the images and they see them just fine. It must be your browser that has the problem." Well! The nerve, I thought! So, okay, I quickly swallowed my pride and off I went to check her site with AOL. Sure enough, every single graphic showed up. Hmmmmm.... I then tried using Microsoft Internet Explorer. All the graphics were visible with it, too. Knowing that AOL also uses MSIE as its internal browser, then a plethora of questions began racing around in my head.

Where is ART Information?

Deux utilisateurs d'AOL ont rédigé des commentaires et conseils très intéressants concernant le format ART. Consultez à ce propos http://goinside.com/98/4/art.html (illustré ci-dessus) et http://www.rdwebworks.com/MamaBear/aol.htm.

A l'heure actuelle, toutes les extensions ne sont pas acceptées par le navigateur AOL. Avant la version 3.0, aucune extension n'était acceptée. Aujourd'hui, les extensions doivent être réadaptées pour fonctionner sur le navigateur AOL, ce qui a pour conséquence de limiter singulièrement le choix proposé. Au moment de la rédaction de ce chapitre, les seules extensions acceptées étaient Shockwave, RealAudio et VOL. Si vous voulez savoir si la liste s'est allongée, jetez un coup d'œil sur leur site : http://multimedia.aol.com/internal/ plugins.htm.

Problèmes de calibrage des couleurs entre plates-formes

L'un des problèmes du traitement de la couleur sur les écrans informatiques provient du fait que très peu de moniteurs sont bien calibrés les uns par rapport aux autres. Les nuances de couleurs varient énormément d'un ordinateur à l'autre et d'une plate-forme à l'autre. (Si vous possédez deux téléviseurs, vous savez combien la couleur peut varier d'un poste à l'autre.) Quiconque travaille dans une entreprise possédant plusieurs ordinateurs sait que les couleurs se décalent d'un système à l'autre, même avec des systèmes d'exploitation identiques sur des ordinateurs du même modèle.

Le calibrage des couleurs est un problème angoissant pour les concepteurs Web qui souhaitent que les couleurs qu'ils ont choisies aient la même allure sur tous les systèmes. Les Mac, les PC, les SGI et les Sun sont tous équipés de cartes vidéo et de moniteurs différents et aucun n'est calibré de la même manière que les autres.

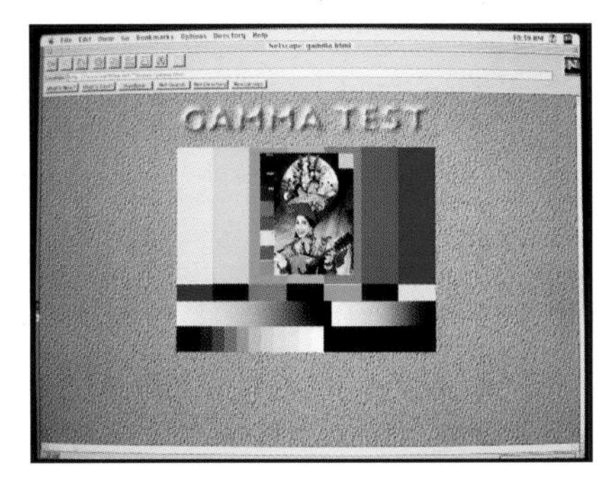

MAC

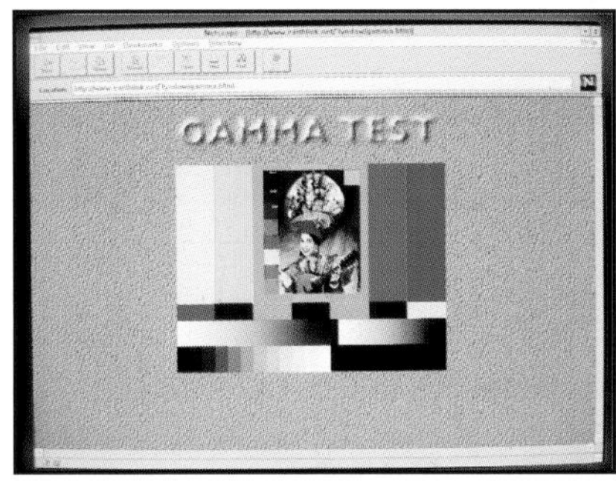

PC

SGI

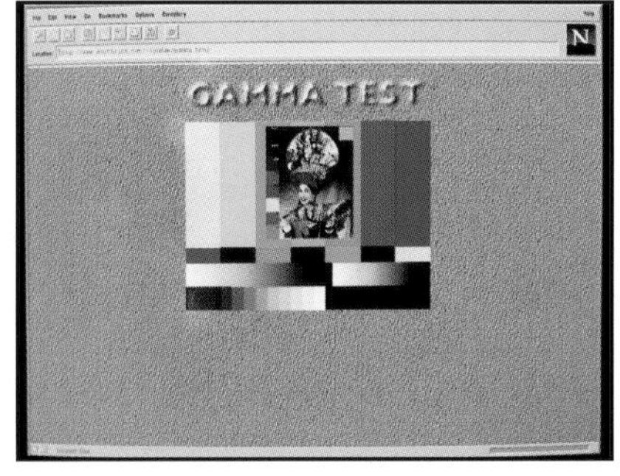

SUN

Différences de gamma

Une autre difficulté que rencontre le concepteur Web est la très redoutée différence de gamma entre ordinateurs Mac, PC et UNIX. Les réglages de gamma gèrent la luminosité et le contraste de l'affichage de votre ordinateur. Malheureusement, les préréglages en usine sont différents pour les systèmes Mac, PC et UNIX.

Réglages en usine moyens	
Mac	1,8 gamma
PC	1,8 gamma
UNIX	1,8 gamma

A l'heure actuelle, il n'existe aucune solution pour résoudre les problèmes de gamma, mais plusieurs sont en cours de mise au point. Ces nouvelles solutions sont détaillées au Chapitre 7. Pour le moment, il vous suffit de savoir que vos images seront probablement plus claires sur un Mac que sur un PC. Bien que ce point puisse sembler relativement mineur, il peut semer la pagaille dans des images créées sur Macintosh et affichées sur PC.

Bien qu'aucune solution véritable n'existe à ce problème, vous pouvez suivre quelques conseils pour mieux prendre en compte cette question. Comme je vous l'ai indiqué plus haut, vérifiez toujours votre site sur d'autres plates-formes et systèmes. Si vous détectez un problème important, vous pouvez le rectifier en éclairant ou en fonçant l'image. Diverses techniques de réglage de la luminosité et du contraste sont présentées au Chapitre 20.

ImageReady est doté d'une superbe fonction qui vous permet de prévisualiser les différences de gamma. Sur Mac, sélectionnez **View:Windows Gamma** et sur PC **View: Mac Gamma**. Cette fonction éclaire ou assombrit temporairement votre écran pour simuler les réglages de gamma de la plate-forme opposée. Elle vous permet de résoudre les problèmes sérieux avant de publier vos images.

D'autres propositions de traitement des différences de gamma sont actuellement en cours de mise au point, mais aucune n'est encore mise en œuvre de manière effective. Le format de fichier PNG (qui est présenté en détail au Chapitre 5) est capable d'enregistrer un profil de gamma. Malheureusement, les navigateurs Web sont incapables de lire ce profil et donc, même si l'image peut être bien réglée en théorie, ce problème ne peut pas encore être résolu dans la pratique.

Certains formats de fichiers (comme Photoshop 5.0) contiennent des profils ICC (*International Color Consortium*, http://www. color.org/), qui « balisent » l'image avec des informations de gamma de façon qu'elle puisse être interprétée par des imprimantes et des dispositifs d'affichage (moniteurs). Ces profils sont, malheureusement, bien souvent plus volumineux que les fichiers Web compressés. Les profils ICC ne sont donc pas très adaptés à la diffusion par le Web.

Une autre solution d'avenir pourrait être le sRGB (http://www.w3.org/Graphics/Color/sRGB.html), un nouveau standard d'espace chromatique pour l'Internet. Ce sujet est traité en détail au Chapitre 7. Il s'agit, en un mot, de définir un standard de couleur universel applicable aussi bien au Mac qu'au PC afin de supprimer les différences actuelles entre plates-formes. Le point faible du sRGB tient au fait que les moniteurs et imprimantes doivent le comprendre et comme cette spécification est toute nouvelle, il faudra attendre plusieurs années avant qu'elle ne parvienne à résoudre nos problèmes actuels.

Le question du gamma est un sujet bien plus compliqué qu'il n'y paraît. Si vous voulez en apprendre plus, consultez http://www.inforamp.net/~poynton/Poynton-articles.html. Charles Poynton est l'un des spécialistes les plus pointus sur ce sujet et il a déjà publié à ce propos plusieurs articles dignes d'intérêt.

Les notions de valeur et de contraste

Maintenant que vous avez compris que vous n'avez aucune maîtrise du calibrage des systèmes sur lesquels votre travail sera affiché, que pouvez-vous faire pour réaliser des graphismes attrayants qui auront belle allure sur tous les écrans ? Les points qui importent plus que les couleurs que vous choisissez et sur lesquels j'insiste dans ce livre sont le contraste et la valeur d'un graphisme. Si vous parvenez à trouver le point d'équilibre entre contraste et valeur, les paramètres de luminosité et de différence de couleurs selon les plates-formes deviendront secondaires.

La notion de valeur est particulièrement importante dans le contexte des graphismes Web. Les différences dues aux plates-formes informatiques, aux réglages de gamma ou au calibrage d'un moniteur peuvent nuire fortement à la lisibilité des images. Une image sombre créée sur un ordinateur peut s'afficher en noir ou sembler teintée sur un autre. Les Macintosh sont généralement plus clairs que les ordinateurs sous Windows. Les pages Web peuvent également être consultées par l'intermédiaire d'un écran de télévision, qui sont également calibrés différemment des moniteurs informatiques.

Dès lors, comment pouvez-vous savoir si vous créez une image dont les valeurs seront affichées correctement sur d'autres ordinateurs ? Vous pouvez commencer par vous assurer qu'elles présentent une plage étendue du noir au blanc. Ne placez pas toutes les informations importantes dans les zones sombres parce qu'elles peuvent virer au noir et devenir invisibles sur certains PC. Le même conseil vaut pour les zones claires. Vous ne pouvez pas avoir une maîtrise absolue de la manière dont vos images seront visualisées par vos visiteurs. C'est pourquoi les rendre aussi lisibles que possible en terme de valeur doit être votre principal souci. Affichez toujours vos images sur d'autres plates-formes pour voir si vous obtenez les valeurs attendues.

Un test efficace consiste à régler votre moniteur en niveaux de gris, puis à y afficher vos images pour vérifier que leurs valeurs sont rendues comme vous l'espériez. Cette opération convertit toutes les données de couleurs en noirs, blancs et gris. Ce changement de réglage fournit des informations bien plus pertinentes en matière de luminosité et de contraste qu'un affichage en couleurs.

Les couleurs sont réputées trompeuses lorsqu'il s'agit d'évaluer la luminosité ou l'absence de luminosité parce des paramètres tels que la fluorescence ou le coloriage à la main dominent quand vous jugez les valeurs.

Voici l'image d'origine.

Lorsque vous l'affichez en niveaux de gris, elle disparaît presque totalement. Cela tient au fait que ses valeurs (zones claires et sombres) sont trop proches les unes des autres.

Voici la version en couleurs rectifiée de cette image.

Observez combien sa version en niveaux de gris est lisible.

Haute ou basse résolution

Comme le support de présentation ciblé est un écran d'ordinateur et non une page imprimée, les fichiers haute résolution ne présentent aucun intérêt pour les concepteurs Web. Les graphismes haute résolution sont destinés à être imprimés sur des imprimantes haute résolution et non affichés sur les moniteurs informatiques standards. Une résolution d'écran typique est de 72 ppp et une image haute résolution est souvent supérieure à 300 ppp. Je vous conseille de toujours travailler à « résolution d'écran » lorsque vous créez des images pour le Web (ou tout autre support à écran, par exemple la télévision ou le multimédia interactif). La mesure courante d'une « résolution d'écran » est de 72 ppp (72 points par pouce). Sur un écran 72 ppp, chaque pouce d'écran compte 72 pixels.

Ceux d'entre vous qui ont déjà travaillé avec des fichiers haute résolution se souviennent peut-être que, pour les afficher au format 1:1, il faut utiliser plusieurs fois la loupe, ce qui produit une image coupée sur un écran informatique. Si vous placez un fichier haute résolution sur le Web, il ne pourra s'afficher qu'au format 1:1, ce qui veut dire qu'il sera bien plus grand que prévu. Si vous travaillez en haute résolution, c'est certainement pour donner le niveau de qualité le plus élevé possible à votre image ; en fait, vous atteignez généralement l'objectif opposé.

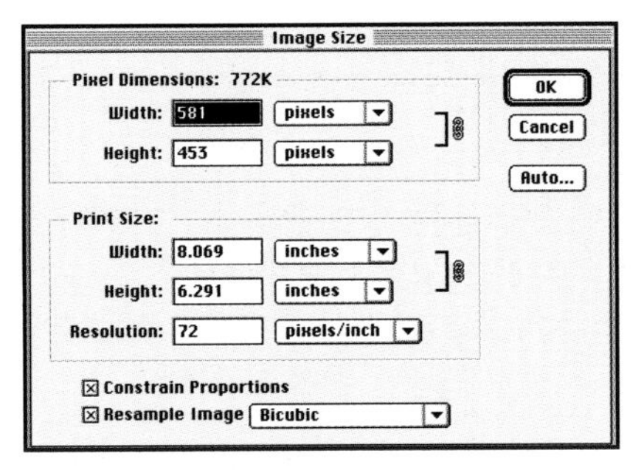

Dans Photoshop, vous pouvez connaître la résolution en ouvrant le menu Image, puis en sélectionnant l'option Taille de l'image (Image:Image Size). Dans le cas présent, elle est de 72 pixels par pouce.

Voici la même image 72 ppp dans Netscape. Elle s'affiche exactement comme vous le souhaitiez.

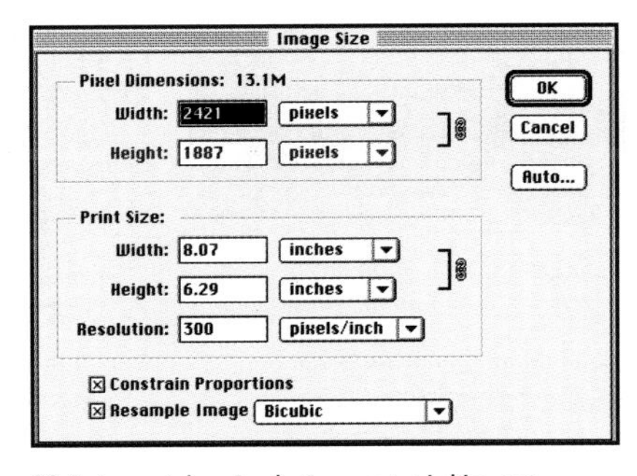

Maintenant la résolution est réglée sur 300 ppp. Pour des graphismes imprimés, la qualité de l'image serait franchement améliorée. Dans le cas de graphismes Web, l'image devient nettement trop grande pour pouvoir être affichée sur l'écran.

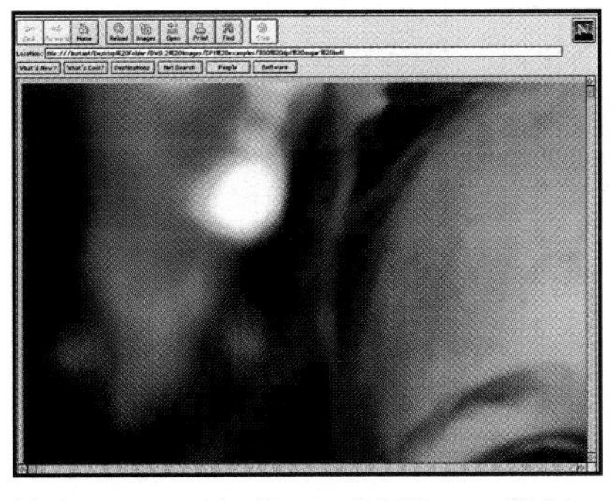

Voici un exemple d'image à 300 ppp affichée dans Netscape. Vous saisissez le problème ?

Astuce

Réglages des préférences Photoshop

Lorsque vous travaillez sur des images pour le Web, réglez vos graphismes de façon qu'ils soient mesurés en pixels et non en centimètres ni en pouces. Les centimètres sont utiles pour la création d'illustrations destinées à être imprimées sur du papier. Les pixels sont l'unité de mesure standard pour les images destinées à des écrans.

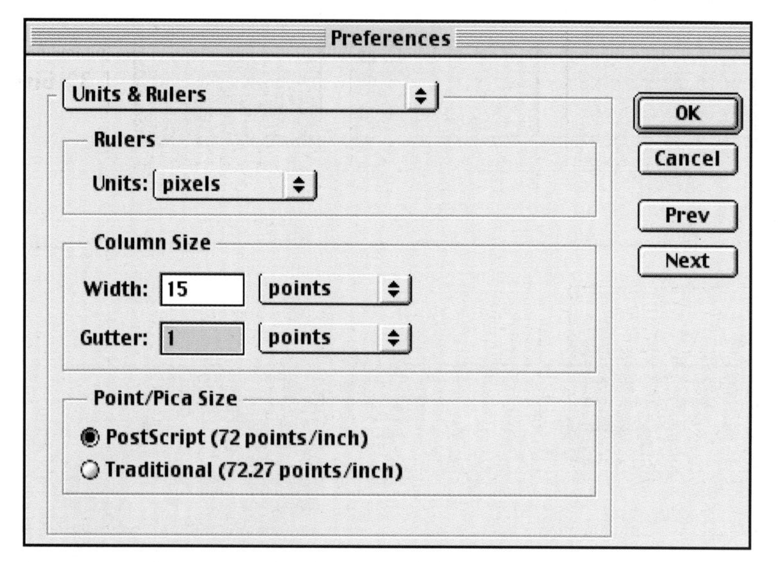

Je vous conseille vivement de sélectionner Fichier:Préférences:Unités et règles (File:Preferences:Units &Rulers) puis de définir Règles, Unités sur Pixels.
Si vous utilisez des grilles pour aligner les graphismes Web ou si vous découpez des images pour les insérer dans des tables, vous devez toujours régler cette préférences sur Pixels.

Profondeur de bit

Comprendre la notion de profondeur de bit est extrêmement important pour maîtriser les graphismes Web. La profondeur de bit peut désigner le nombre de couleurs d'une image ou le nombre de couleurs qu'un ordinateur est capable d'afficher. Pour « calculer » la profondeur de bit, il faut savoir qu'un bit vaut deux couleurs. Il faut ensuite multiplier deux par deux pour arriver au niveau de profondeur de bit suivant et ainsi de suite pour chaque niveau supérieur. Vous trouverez ci-dessous un tableau de valeurs vous permettant d'identifier les différentes profondeurs de bit.

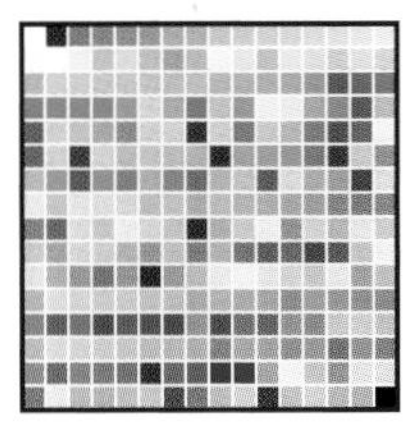

8 bits - 45,3 Ko - 256 couleurs

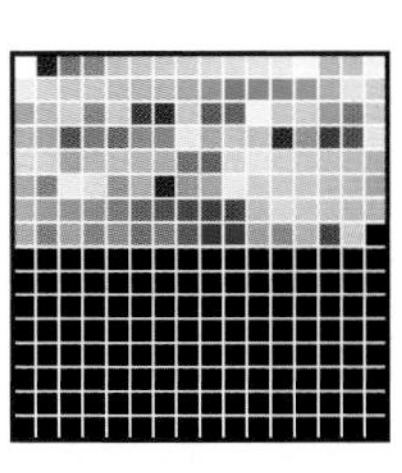

7 bits - 38,2 Ko - 128 couleurs

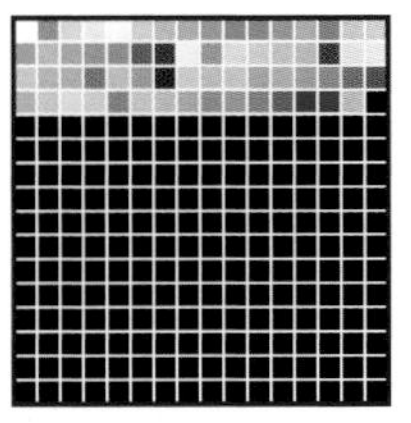

6 bits - 32 Ko - 64 couleurs

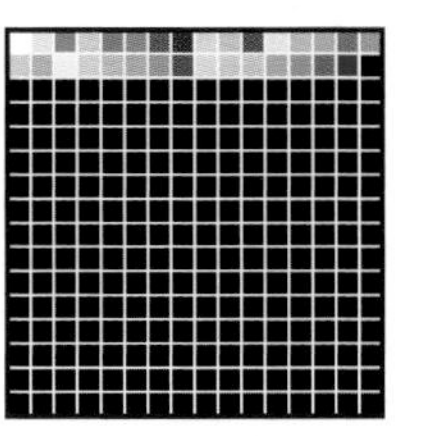

5 bits - 26,7 Ko - 32 couleurs

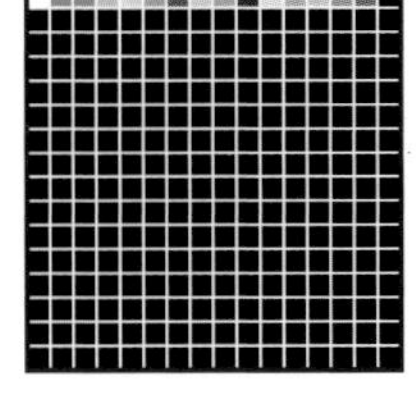

4 bits - 21,4 Ko - 16 couleurs

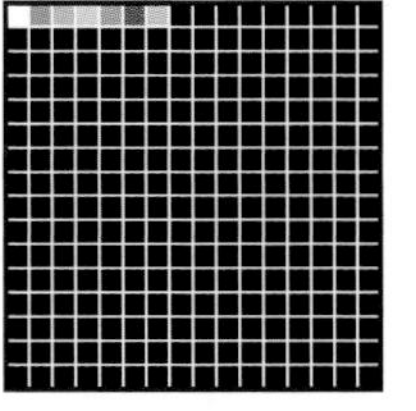

3 bits - 15,9 Ko - 8 couleurs

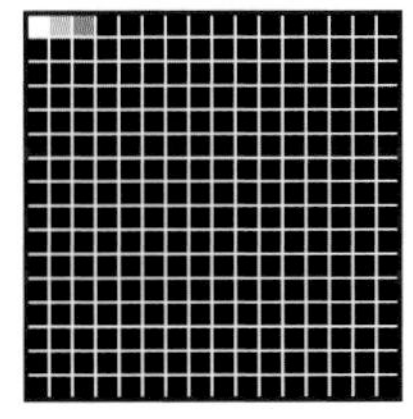

2 bits - 10,7 Ko - 4 couleurs

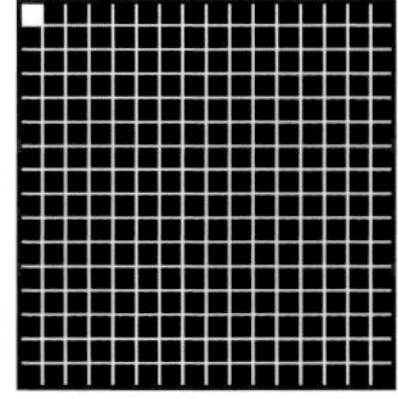

1 bit - 7,2 Ko - 2 couleurs

Profondeurs de bit	
32 bits	Plus de 16,7 millions de couleurs plus un masque de niveaux de gris 8 bits (256 niveaux)
24 bits	Plus de 16,7 millions de couleurs
16 bits	65 500 couleurs
15 bits	32 800 couleurs
8 bits	256 couleurs
7 bits	128 couleurs
6 bits	64 couleurs
5 bits	32 couleurs
4 bits	16 couleurs
3 bits	8 couleurs
2 bits	4 couleurs

Avez-vous noté qu'à mesure que la profondeur de bit décroît, la qualité et la taille du fichier diminuent également ? Vous trouverez plus d'informations sur la manière de choisir la profondeur de bit adaptée à vos graphismes Web au Chapitre 6.

Profondeur de bit des moniteurs

Jusqu'ici nous avons défini la profondeur de bit en fonction des images. En fait, la notion de profondeur de bit doit être considérée selon deux points de vue. Le premier est la profondeur de bit d'une image et le second la profondeur de bit du moniteur de l'utilisateur. Dans cette section, je traite de la profondeur de bit du moniteur.

La plupart des artistes professionnels du numérique sont équipés de cartes vidéo 24 bits capables d'afficher jusqu'à 16,7 millions de couleurs. La majorité des utilisateurs d'ordinateurs possède une carte vidéo 8 bits qui n'est capable d'afficher que 256 couleurs. C'est normal si l'on considère que la plupart des moniteurs informatiques appartiennent à des utilisateurs moyens qui ont acheté la version la moins chère de leur système informatique et à des artistes graphiques professionnels équipés de systèmes très évolués.

Cela pose un gros problème. La majorité des créateurs d'illustrations pour sites Web voit ses créations dans de meilleures conditions que l'utilisateur moyen. cette situation crée un fossé de communication que ce livre cherche à combler et non à contourner (encore moins à ignorer).

Si un ordinateur n'est équipé que d'une carte couleur 8 bits, il est incapable matériellement d'afficher plus de 256 couleurs à la fois. Lorsqu'une personne équipée d'un système à 256 couleurs affiche vos écrans Web, elle ne peut pas voir des images en 24 bits même si elle en a envie. Elle n'y peut rien et vous non plus. Le Chapitre 6 et le Chapitre 7 contiennent des conseils précis pour traiter des fichiers et des couleurs 8 bits.

Comment modifier la profondeur de bit de votre moniteur

Je vous recommande de toujours exécuter un test de prévisualisation de profondeur de bit sur vos pages Web avant de les mettre sous les yeux du monde entier. Réglez votre moniteur sur 256 couleurs et vous verrez comment vos graphismes se comportent dans ces conditions. **Conseil :** modifiez le réglage de votre moniteur, puis quittez le navigateur et relancez-le. Si vous modifiez le réglage pendant que le navigateur est ouvert, vous n'obtiendrez pas un rendu exact de l'effet.

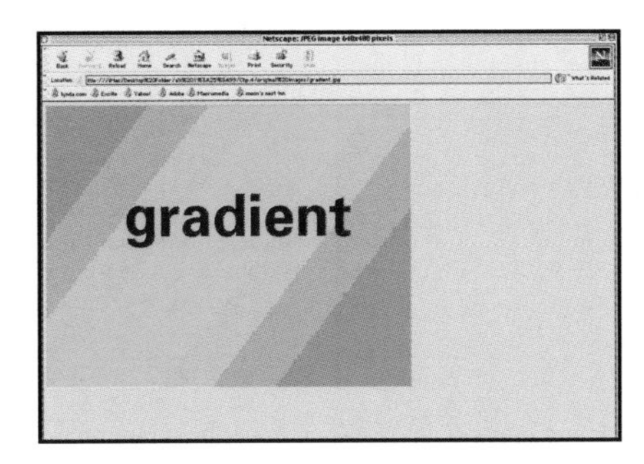

Résultat obtenu en passant à 256 couleurs au milieu d'une session de navigation.

Résultat obtenu après avoir d'abord refermé le navigateur, puis être passé en 256 couleurs. C'est la manière correcte de prévisualiser des sites Web en 256 couleurs.

Vous trouverez ci-dessous les instructions à suivre pour modifier les réglages de votre moniteur de façon qu'il affiche 256 couleurs et vous permette de prévisualiser la mauvaise surprise avant que tout le monde n'en profite.

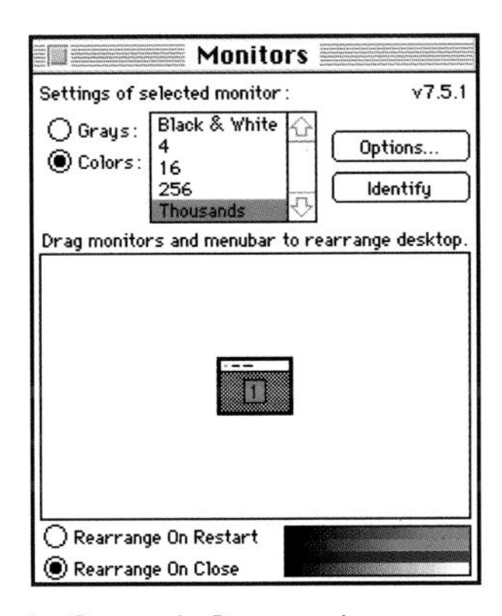

Macintosh. Ouvrez le Panneau de commande appelé Moniteurs ou Moniteurs et Sons (les éléments Panneau de commande se trouvent dans le dossier Système).

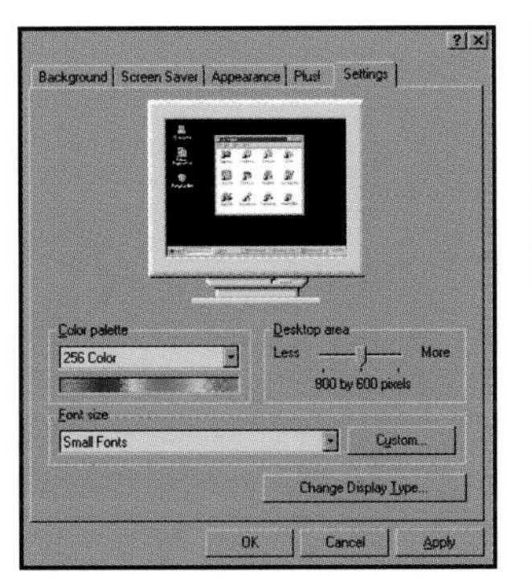

Windows 95 et/ou Windows 98 pour PC. Pour accéder aux propriétés d'affichage, cliquez du bouton droit sur une zone vide du bureau (une zone non occupée par une icône) et sélectionnez Propriétés dans le sous-menu en incrustation.

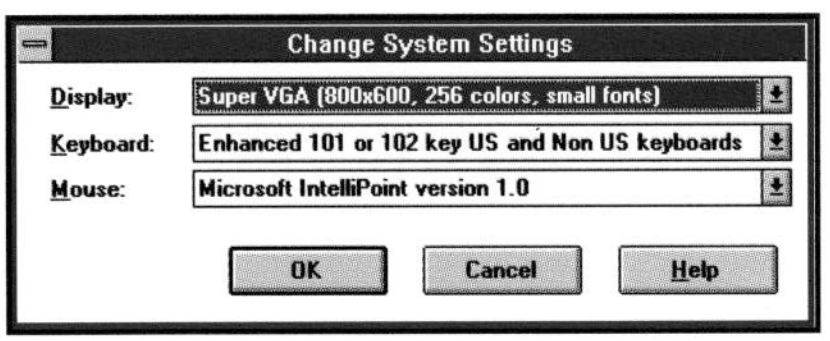

Windows 3.1. Dans le Gestionnaire de programmes, affichez la boîte de dialogue Configurer le système en cliquant deux fois sur l'icône Windows Installation (qui se trouve dans le Groupe principal). Choisissez Options, Configurer le système.

Différences de typographie

Pour allonger encore la liste des frustrations, les caractères sont affichés différemment sur Mac et PC. Les Macintosh affichent les caractères en 72 ppp et les PC en 96 ppp. Pour illustrer le problème, j'ai réalisé une capture d'écran de mon site sur un PC utilisant une police de taille 12 puis sur un Mac également avec une police de taille 12. En dehors du fait que les deux systèmes utilisent des polices par défaut différentes (le Mac utilise le Times Roman et le PC le Times New Roman), vous noterez que les caractères sont affichés différemment sur les deux systèmes. C'est une conséquence de la différence du nombre de pixels par pouce entre ces deux plates-formes.

MAC

PC

Combination MAC/PC

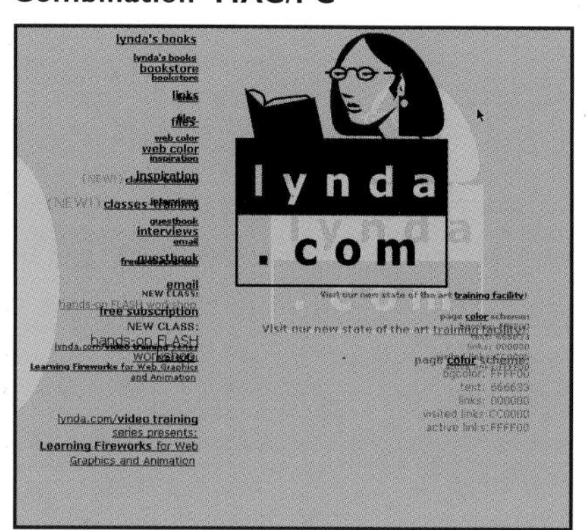

Vous remarquerez que les images sont de la même taille sur les deux moniteurs, mais que les caractères diffèrent. C'est une illustration de l'application de deux modes de mesure différents entre Mac et PC.

Les solutions à ce problème, par exemple les CSS, l'incrustation de polices et l'utilisation d'images à la place de caractères, sont traitées au Chapitre 16. Je peux néanmoins vous offrir dès à présent un conseil incontournable : n'utilisez jamais de petits caractères lorsque vous concevez sur un PC. Ils seront minuscules sur un Macintosh. Comme pour tous les autres problèmes traités dans ce chapitre, il est impératif de vérifier les résultats de vos travaux sur plusieurs plates-formes afin de rectifier immédiatement tout problème grave.

Considérations de taille de moniteur

L'un des aspects les plus délicats à gérer lorsque vous cherchez à réaliser une mise en page efficace de votre site est le fait qu'une page Web n'a pas de taille fixe. Certains navigateurs ont une taille prédéfinie dans laquelle la fenêtre du navigateur vient s'insérer ; d'autres vous laissent dimensionner l'écran de façon qu'il occupe tout le moniteur. Certains de vos visiteurs verront votre page sur de minuscules écrans de portables, alors que d'autres seront munis de moniteurs 21 pouces.

Mon ami **Mike Kuniavsky**, qui travaille chez **wired.com**, est responsable dans cette entreprise des études d'utilisation. Ils ont mis au point un système leur permettant d'étudier le comportement des personnes débutant dans la navigation Web afin d'évaluer leurs réactions face au mode de navigation du site Hotwired. Ces études ont apporté la preuve qu'un grand nombre de débutants dans le Web ne comprennent pas qu'il est possible de faire défiler le premier écran. Cette étude corrobore mon impression intuitive que l'écran d'accueil de votre site doit tenir dans une seule fenêtre sans nécessiter aucun défilement.

Aucune méthode existante ne vous permet de détecter la taille du moniteur de votre visiteur. Vous pouvez émettre des hypothèses en fonction de certains éléments présentés au Chapitre 1. Vous pouvez aussi opter pour la méthode du plus petit dénominateur commun. C'est d'ailleurs celle que j'ai adoptée pour mon site.

J'ai tendance à forcer dans le sens de la prudence lorsque je conseille des limites de largeur des graphismes sur une page Web. La largeur d'un moniteur d'ordinateur moyen — même dans le cas de nombreux portables — est de 640 pixels et j'estime qu'il faut encore laisser une marge de manœuvre autour de cet espace. Sur un Macintosh, l'écran d'ouverture de Netscape est par défaut de 505 pixels en largeur. Je considère donc que 480 pixels est une bonne largeur pour un titre ou un graphisme d'ouverture. C'est approximativement la largeur de la barre de menus de la page d'accueil de Netscape.

Mais cette règle n'est pas gravée dans le marbre. Je vous présente simplement les dimensions de certains environnements dans lesquels votre page sera visualisée, afin de vous permettre de déterminer une taille appropriée correspondant à l'affichage souhaité pour vos graphismes.

Si vous avez décidé d'utiliser des extensions pour votre site, vous pouvez opter pour la création d'un site basé sur Flash. Flash est décrit en détail aux Chapitres 5 et 25. Il s'agit d'un format graphique de type vectoriel qui va se dimensionner en fonction des dimensions de la fenêtre dans laquelle il est visualisé. La version 4.5 de Netscape accepte Flash sans extension et il paraît qu'Explorer va bientôt l'imiter sur ce point.

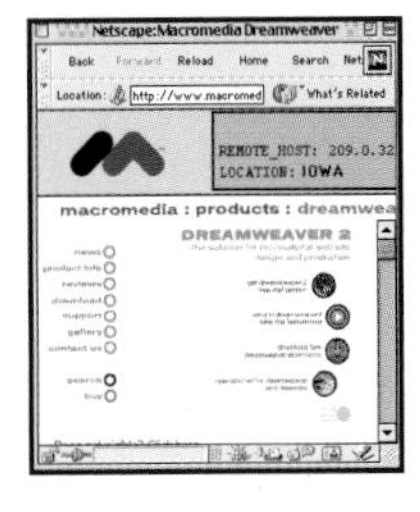

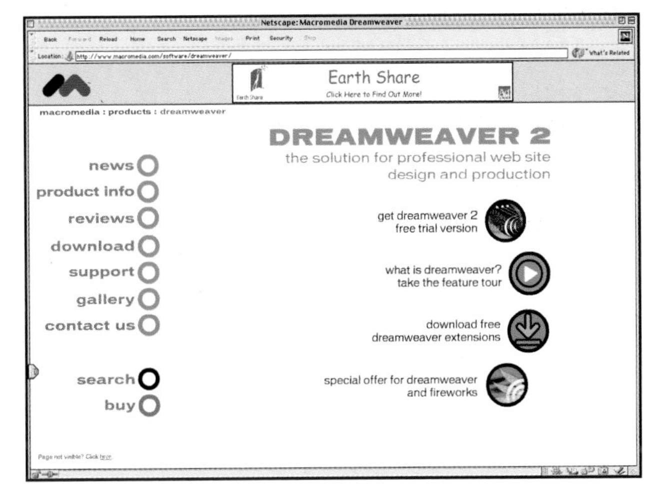

Le site basé sur Flash de Macromedia (http://www.macromedia.com) se dimensionne automatiquement en fonction des dimensions de la fenêtre du navigateur dans laquelle il s'affiche.

WebTV

L'avènement de la diffusion Web sur des écrans de télévision apporte un nouveau public à vos pages, ainsi qu'une nouvelle source de soucis aux créateurs Web. Comme l'illustre la capture d'écran ci-dessous, WebTV permet au téléspectateur de régler ses préférences en matière de taille de texte et de dimensionnement. Encore un secteur dans lequel vous devrez vous résoudre à renoncer à la si précieuse maîtrise de la conception dont nous rêvons tous.

La télévision est un support très différent de l'ordinateur. Sa résolution est plus faible : un moniteur d'ordinateur standard affiche 640 × 480 pixels, alors qu'un moniteur de télévision standard n'en affiche que 544 × 378. La télévision exploite la norme de couleurs SECAM (ou NTSC aux Etats-Unis), qui est très sensible aux couleurs fortement saturées, comme les rouges, les verts, les bleus, les jaunes, les cyans ou les magentas purs. L'écran de télévision est entrelacé, c'est-à-dire qu'il affiche deux images alternées pour créer une seule image. Cela provoque un scintillement des lignes d'un seul pixel. Le système WebTV exploite une technologie de filtrage à convolution afin de réduire le clignotement qui fonctionne très bien.

Les dimensions d'un écran WebTV sont de 420 × 560 pixels. Une partie de cet espace est réservée à l'interface WebTV et aux barres de navigation :

- une marge de 6 pixels au sommet de l'écran ;
- une marge de 8 pixels à droite et à gauche de l'écran ;
- une zone de 36 pixels au bas de l'écran pour la barre de titres.

La majorité des personnes qui ont eu la possibilité de voir un terminal WebTV en vrai (allez vous en rendre compte chez votre revendeur de télévision ou d'informatique) a été impressionnée par l'excellent rendu des pages. L'une des différences est que les balises de police que vous utilisez (pour plus d'informations sur les balises de polices HTML, reportez-vous au Chapitre 16) seront remplacées par des polices plus grandes, comme le montre la reproduction ci-dessous.

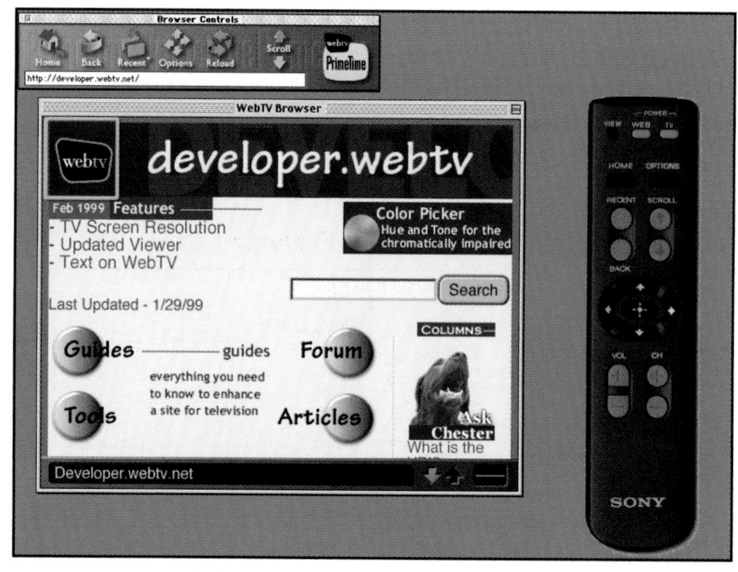

Si vous téléchargez l'afficheur WebTV, vous pouvez simuler le comportement de votre site sur WebTV. Rien ne vaut l'affichage réel sur un terminal WebTV, mais c'est une excellente solution de rechange. Vous pouvez télécharger cet afficheur à partir de http://developer.webtv.net/tools/viewer/Default.htm.

WebTV accepte
Les GIF animés
Les tables
Les couleurs d'arrière-plan
Les textes en couleurs
Les mosaïques d'arrière-plan
Les sons (RealAudio v2, AU, WAV, VMF, AIFF, Shockwave audio, GSM, MPEG II audio et MPEG I niveau 3)
Inline JPG, GIG89a
Les cadres
Shockwave
Flash (assurez-vous que les films Flash ne dépassent pas 100 Ko)

WebTV n'accepte pas
Flash (assurez-vous que les films Flash ne dépassent pas 100 Ko)
Les extensions VRML
JavaScript
Les films QuickTime
Les extensions propriétaires
Java
Les cadres

Note : un grand nombre des technologies de diffusion de films en flux continu (streaming) basées sur des extensions sont trop gourmandes en mémoire vive. Souvenez-vous que WebTV n'est pas un ordinateur et se vend à un prix incompatible avec les équipements dédiés haut de gamme.

Balises HTML non acceptées
Comité HTML
<APPLET>
<A TITLE REL REV URN>
<DFN>
<DL COMPACT>
<FORM ENCTYPE>
<FRAME>
<FRAMESET>
<IMG ALT LOWSRC>
<META NAME>
<NEXTID>
<OL COMPACT>
<PARAM>
<PRE WIDTH>
<SCRIPT>
<STYLE>
<TABLE HEIGHT>
<TD NOWRAP>
<UL COMPACT>
<TEXTAREA WRAP>
Netscape
<BLINK>
<BODY ALINK>
<EMBED>
<ISINDEX PROMPT>
<LI VALUE>
<SERVER PUSH>
<WBR>
Internet Explorer
<FONT FACE>
<IMG DYNSRC LOOP>
<PLAINTEXT>

Si vous avez envie de concevoir pour WebTV, étudiez leur documentation pour développeurs sur http://developer.webtv.com.

Conseils de conception pour WebTV

Vous trouverez ci-dessous une liste de conseils de conception pour créer des sites agréables à visionner sur WebTV. Cette liste est réécrite à partir de la liste de conseils de conception du site WebTV. Elle comprend également mes propres commentaires, annotations et conseils (http://www.developer.webtv.com).

- On vous recommande de ne pas utiliser du rouge ou du blanc pur, ces deux couleurs pouvant provoquer des distorsions d'écran. De nombreux sites utilisent toutefois des arrière-plans en blanc pur et, jusqu'ici, ceux que j'ai eu l'occasion de voir personnellement sur WebTV avaient l'air acceptables.
- Utilisez des imagemaps côté client et non pas côté serveur ; elles fonctionnent mieux avec une télécommande. Reportez-vous au Chapitre 15 pour plus de détails sur la programmation des imagemaps côté client.
- On vous recommande d'éviter les textes en petits caractères en HTML. En fait, si vous utilisez des petits caractères, WebTV les convertira en caractères plus grands à la volée. Vous n'avez pas vraiment besoin de revoir vos pages, mais sachez que WebTV va intervenir et remplacer vos petits caractères.
- Evitez les petits caractères dans les graphismes. La résolution d'un écran de télévision ne permet pas de produire une image aussi nette que celle d'un moniteur d'ordinateur et, du coup, les petits caractères sont beaucoup plus difficiles à lire.
- Evitez les colonnes étroites : les images sont redimensionnées et les renvois à la ligne de votre texte seront nombreux.
- Essayez de réduire le nombre d'éléments sur votre page parce que les téléspectateurs ont l'habitude de fixer un seul point focal.
- Utilisez du texte de couleur claire sur un fond sombre : les téléspectateurs ont moins de mal à le lire. Le contraste est un paramètre important : des changements de couleurs subtils visibles sur un écran d'ordinateur risquent de ne pas se voir sur un écran de télévision.
- N'utilisez pas de lignes horizontales à un seul pixel parce qu'elles scintillent sur les postes de télévision.
- Utilisez des images comprenant des indications de dimension (les attributs de hauteur et de largeur IMG) pour réduire les temps de chargement.
- Le meilleur moyen de s'assurer que vos pages passent bien sur WebTV consiste à les visionner sur un terminal Internet WebTV. Le site WebTV vient de créer un afficheur que vous pouvez télécharger à partir de http://developer.webtv.net/tools/viewer/Default.htm.
- Si vous comptez utiliser un script de détection de navigateur pour diffuser des pages distinctes pour WebTV, l'information agent utilisateur est : « ~/WebTV ». Vous trouverez plus d'informations sur la détection de navigateur et sur les informations d'agent utilisateur au Chapitre 22.

Comparaison de WebTV et de l'Internet

Les reproductions ci-dessous vous montrent comment WebTV a converti mon site. J'ai utilisé l'afficheur WebTV pour effectuer ces captures d'écran.

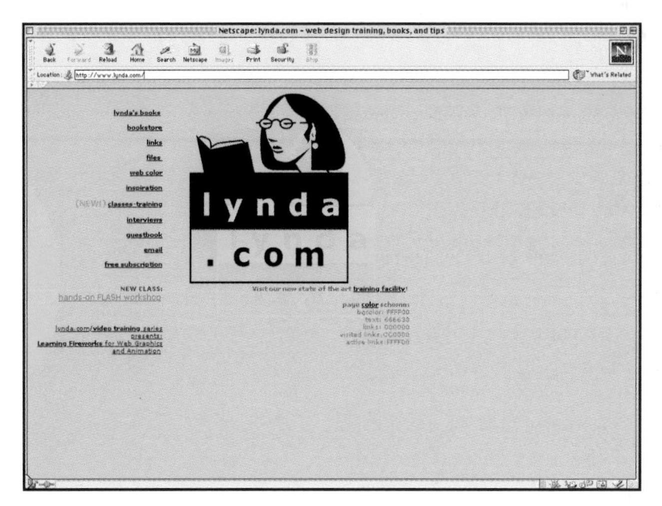

Voici http://www.lynda.com vu de Netscape.

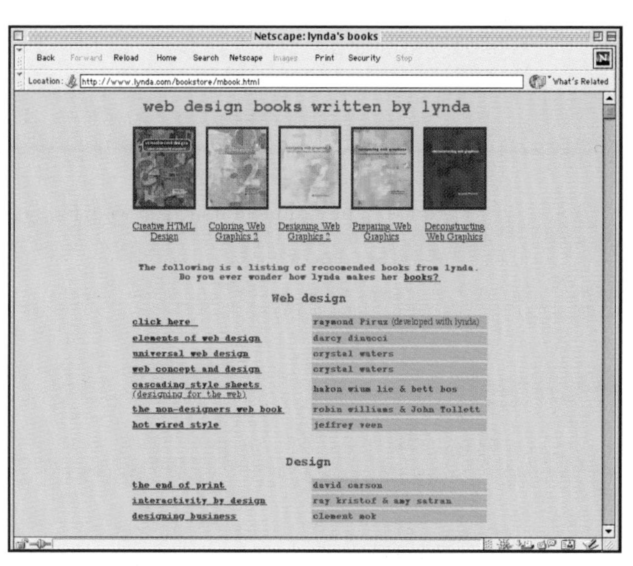

Voici http://www.lynda.co/bookstore/ vu de Netscape.

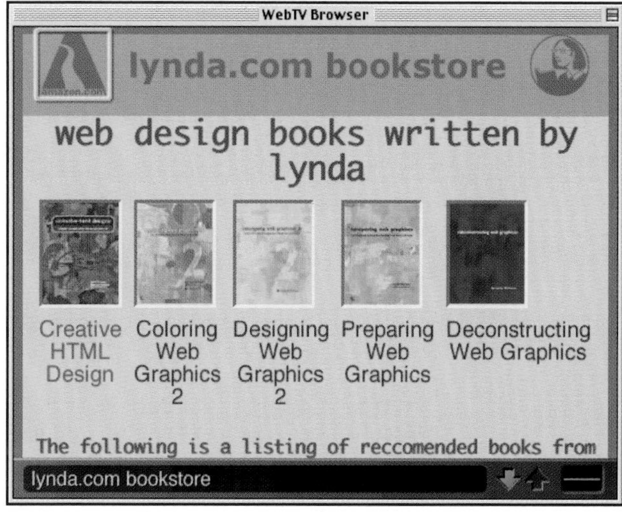

Sur WebTV, il n'y a pas de barres de défilement. A la place, le système vous propose de faire défiler les pages à l'aide de touches fléchées. Les caractères sont agrandis par le navigateur WebTV pour assurer une meilleure lisibilité sur un moniteur de télévision.
Remarque : les liens sont signalés par des encadrés jaunes.

Résumé Environnements de création Web

L'environnement Web est l'un des supports les plus intéressants de l'informatique actuelle. La création entre plates-formes est possible sur le Web, mais il ne faut pas en déduire hâtivement qu'elle réussit toujours. Prenez en compte les éléments suivants et vous saurez tirer le meilleur parti de situations de conception délicates :

- Faites l'hypothèse que votre site n'aura pas la même allure sur des plates-formes ou des moniteurs informatiques différents.
- Travaillez en 72 ppp et faites attention à la taille des moniteurs pour lesquels vous créez.
- Testez vos pages sur d'autres plates-formes et décidez en toute connaissance de cause d'effectuer certaines modifications.
- Soignez la luminosité et le contraste de vos graphismes afin qu'ils conservent leurs qualités, même s'ils sont affichés sur des moniteurs aux performances médiocres.
- Evitez les petits caractères. Testez vos polices pour vous assurer qu'elles sont bien lisibles sur diverses plates-formes informatiques.
- Dimensionnez votre écran d'ouverture de telle façon qu'il tienne dans une fenêtre de navigateur sans que l'on ait à utiliser les barres de défilement.

Introduction

Formats de fichiers Web

Au sommaire de ce chapitre

- Bitmap ou vectoriel
- Avec ou sans pertes
- GIF
- JPEG
- PNG
- Filigranes numériques
- MNG

5

La plupart d'entre nous se sont toujours souciés comme d'une guigne des formats de fichiers. Un format de fichier est un élément qui demeure à l'arrière-plan de vos tâches quotidiennes, une formalité à exécuter pour enregistrer des fichiers informatiques, rien de plus. Vous avez peut-être l'habitude d'enregistrer des fichiers aux formats BMP, PICT, TIFF, EPS ou Photoshop (PSD), sans pour autant que ces types de fichiers vous importent particulièrement.

Le Web a apporté dans son sillage de nouveaux formats de fichiers qui, au-delà de la formalité à remplir, affectent directement les performances de votre site Web. Si vous comprenez un peu comment fonctionnent les différents formats de fichiers Web, votre site y gagnera en performances.

Ce chapitre vous permet d'entrer dans l'intimité des formats de fichiers Web sans pour autant tomber dans un excès de technicité. Comme d'habitude, j'ai cherché à réduire les informations à l'essentiel afin de vous épargner le plus gros des détails techniques. Mais je ne peux vous épargner la totalité de ces informations, sinon j'échouerais dans ma mission qui consiste à vous aider à réaliser des sites Web plus rapides et plus attrayants.

Il existe un grand nombre de formats de fichiers dans le monde à propos desquels on pourrait écrire, mais ce chapitre se limite à présenter une vue d'ensemble des principaux concurrents en matière de formats de fichiers destinés au Web. Le Chapitre 6 contient des informations détaillées sur la manière de réaliser des graphismes les moins volumineux possible.

Bitmap ou vectoriel

Les formats de fichiers des graphismes informatiques se rangent généralement en deux catégories : bitmap et vectoriel. Si vous avez déjà travaillé dans les graphismes informatiques, les formats bitmap suivants vous sont peut-être familiers : Photoshop (PSD), PICT, BMP ou TIFF. Les formats vectoriels les plus courants sont Illustrator, QuarkXPress, FreeHand, EPS et PostScript. Aucun de ces formats n'est utilisé pour le Web parce qu'ils produisent des fichiers bien trop volumineux à télécharger.

Les formats d'image les plus courants sur le Web sont GIF, JPEG et bientôt PNG. L'une des raisons pour lesquelles ils sont si largement répandus tient au fait que sont des formats de fichiers de type MIME natif pour la plupart des navigateurs. Il en résulte que les visiteurs peuvent aisément afficher ces types de graphismes sans avoir à modifier les réglages de leur navigateur ou effectuer une opération quelconque autre que la saisie d'une URL. Les développeurs Web comme nous peuvent publier des GIF et des JPEG (et bientôt des PNG) à volonté sans craindre qu'ils ne puissent être visualisés. Comme vous pouvez l'imaginer, un format de fichier comme type MIME non reconnu par les revendeurs de navigateurs ou le W3C (*World Wide Web Consortium*) est condamné à disparaître.

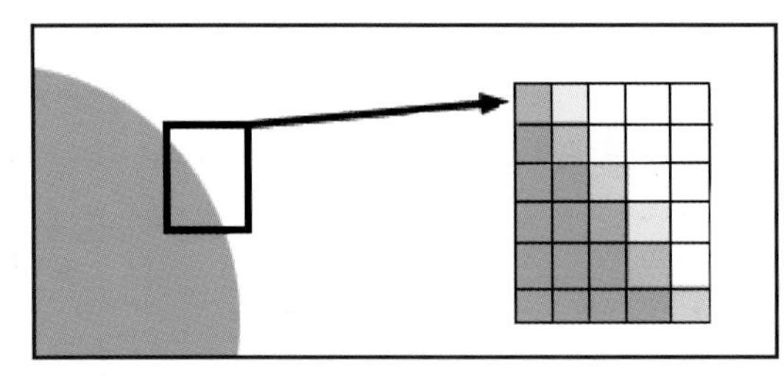

Les illustrations tramées, ou bitmap, sont stockées sous la forme d'une série de valeurs.

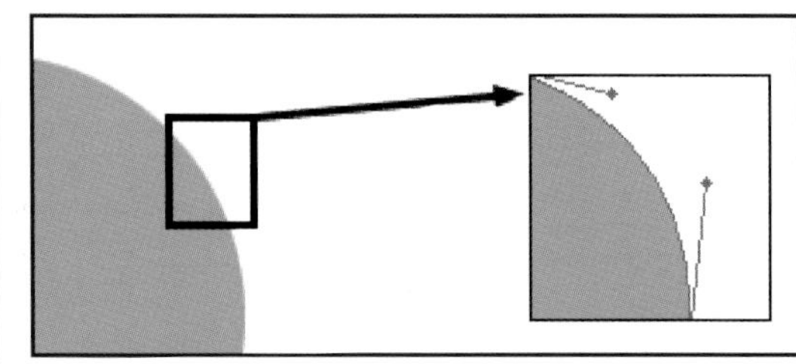

Les illustrations vectorielles sont stockées sous la forme d'instructions mathématiques.

Les formats GIF, JPEG et PNG sont tous des formats bitmap, également appelés « graphismes tramés » dans certains milieux. Un fichier bitmap est enregistré par un ordinateur sous la forme d'une série de valeurs, chaque pixel occupant une quantité de mémoire donnée. C'est pourquoi une image donnée agrandie à 100 % occupera plus d'espace mémoire que la même image réduite à 50 %. Chaque pixel compte pour une quantité de mémoire définie.

Les graphismes vectoriels sont autre chose. Ils contiennent une série de droites et de courbes qui constituent des formes différentes par l'intermédiaire d'instructions mathématiques. Voici une explication simple : supposons que vous ayez une image contenant une ligne de vingt pixels de long.
Au format bitmap, cette image occupe vingt pixels, alors que la même image dans un format vectoriel peut ne nécessiter qu'une seule instruction, par exemple le point d'origine et le point d'aboutissement de la ligne. A la différence des formats tramés, les formats vectoriels occupent la même quantité de mémoire qu'ils soient agrandis ou réduits.

Les formats vectoriels sont indépendants de la résolution, ce qui veut dire qu'ils seront dimensionnés en fonction du périphérique de sortie, sans que l'espace mémoire occupé n'en soit affecté (ou, en termes Web, sans affecter la durée de téléchargement requise ou les dimensions de la fenêtre du navigateur). Dans le monde de l'impression, la même image graphique vectorielle de 100 Ko s'imprimera à 300 ppp sur une imprimante personnelle ou à 2 400 ppp sur une flasheuse professionnelle. Le format vectoriel est imprimé à la résolution la plus élevée autorisée par le périphérique d'impression, puisqu'il contient déjà un jeu d'instructions mathématiques interprété par le périphérique d'impression.

Le principe des fichiers bitmap est diamétralement opposé. Si l'un d'entre vous a déjà créé des images bitmap pour des graphismes destinés à l'impression, il pourra témoigner du besoin de recourir à des fichiers très volumineux. Il n'est pas rare qu'une image Photoshop pour un magazine dépasse les 100 Mo. Comme l'économie en terme de volume de fichiers et l'indépendance en terme de périphériques des formats vectoriels sont des avantages indéniables, vous commencez peut-être à saisir l'efficacité du format vectoriel sur le Web.

Soulignons que les graphismes vectoriels sont plus adaptés aux dessins au trait, aux illustrations, aux caractères et aux dessins à plat que le format bitmap. Les fichiers bitmap conviennent mieux aux images en tons continus, comme les photographies, les images floues, les bordures estompées, les lueurs et les ombres portées. Bien que vous puissiez parfaitement présenter des dessins au trait au format bitmap et tenter de simuler une image en tons continus dans un format vectoriel (avec une foule de remplissages et de gradients complexes), chacun de ces formats convient mieux à certains types spécifiques de contenus.

Les formats vectoriels peuvent en principe être agrandis à volonté tout en conservant une résolution parfaite. Cela tient au fait qu'ils sont indépendants de la résolution.

Les images bitmap, comme GIF ou JPEG, sont horribles lorsqu'elles sont redimensionnées. Le nombre de pixels ne varie pas, mais comme elles sont agrandies, elles ont un aspect déformé et dentelé.

Comme le format des fichiers graphiques du Web est le format bitmap, la plupart des graphismes vectoriels doivent être tramés avant de pouvoir être affichés. Une fois agrandis, ils perdent en qualité comme tous les fichiers bitmap. Vous avez certainement déjà vu des GIF ou des JPEG sur le Web qui ont été agrandis à l'aide des attributs HEIGHT et WIDTH. En règle générale, les images qui ont été ainsi modifiées ont l'air déformées et dentelées. Cela tient au fait que les images bitmap ne se redimensionnent pas bien. Le contraire vaut pour les images vectorielles !

Les outils de création d'images les plus courants qui permettent de créer des images vectorielles sont CorelDraw, Illustrator, FreeHand, QuarkXPress et PageMaker. Pour créer des images bitmap, on utilise généralement Photoshop, Paint Shop Pro, Image Composer, et Macromedia Director.

A l'heure actuelle, le seul format vectoriel largement accepté par les navigateurs est Flash, distribué par Macromedia (Flash est traité en profondeur au Chapitre 25). Adobe a proposé au W3C un format vectoriel pour le Web appelé PGML (*Precision Graphics Markup Language*), qui n'a pas encore été accepté. Personnellement, je nourris l'espoir que les formats vectoriels seront largement acceptés à l'avenir, car ils constituent un moyen bien plus intelligent et nettement moins lourd de fournir certains styles de graphismes, par exemple les dessins de caractères, les dessins au trait et certaines formes d'illustrations.

Avec ou sans pertes

Quel est le point commun de tous les formats de fichiers destinés au Web ? La compression. La compression est le secret de la création des graphismes de petite taille. La compression n'est pas une caractéristique nécessaire dans les autres spécifications de format de fichier graphique pour ordinateur. C'est pourquoi il est possible que les formats de fichiers que vous trouverez sur le Web soient nouveaux pour vous. Les formats de fichiers d'images destinées au Web doivent mettre en œuvre des procédures de compression impressionnantes pour transformer de grandes images en fichiers de petite taille. Malheureusement, la compression entraîne parfois une perte de qualité.

Avant de détailler la question des formats, il est nécessaire de définir quelques termes. Une compression sans pertes signifie que, bien que le fichier soit compressé (et donne lieu à une taille de fichier plus petite que dans le cas d'un fichier non compressé), il ne perd rien au niveau de la qualité. Une image sans pertes contient exactement les mêmes données, qu'elle soit compressée ou non. Le format de fichier GIF très connu exploite une compression sans pertes.

Une compression avec pertes est le contraire d'une compression sans pertes. Des données sont supprimées de l'image pour réaliser la compression. Bien souvent, cette perte de données n'est pas visible parce que l'algorithme de compression a été conçu de façon à supprimer uniquement les données non essentielles. Le format JPEG bien connu exploite la compression avec pertes.

Compression GIF

A la différence de la plupart des autres formats de fichiers graphiques, GIF (*Graphics Interchange Format*) a été conçu spécifiquement pour la diffusion en ligne puisqu'il a été développé à l'origine par CompuServe à la fin des années 1980. GIF exploite un protocole de compression appelé LZW, basé sur des travaux réalisés par Lempel-Ziv et Welch. Le brevet de la compression LZW est la propriété d'une société appelée Unisys, qui fait payer à des développeurs comme Netscape ou Photoshop un droit de licence et des droits d'auteur pour la commercialisation de produits utilisant le format de fichier GIF. Les utilisateurs, comme nous (les concepteurs Web) et notre public (les internautes), n'ont pas de droits de licence à payer ni à se soucier de ces questions.

On dit que le format GIF pourrait perdre de sa popularité à l'avenir à cause de cette question de droits, mais j'espère que ce ne sera pas le cas. Les GIF sont acceptés par tous les navigateurs, ils sont légers et permettent des opérations dont de nombreux autres formats de fichiers sont incapables, comme l'animation, la transparence ou l'entrelacement.

Par définition, le format GIF ne peut pas comprendre plus de 256 couleurs. Ce n'est pas le cas du format JPEG, qui, par définition, peut contenir plusieurs millions de couleurs (24 bits). Comme GIF est un format de fichier en couleurs indexées (256 couleurs ou moins), il est très utile d'avoir une bonne connaissance des réglages de profondeur de bit et de la gestion des palettes lorsque l'on crée des images GIF.

GIF existe en deux versions différentes : **GIF87a** et **GIF89a**. GIF87a accepte la transparence et l'entrelacement alors que GIF89a accepte la transparence, l'entrelacement et l'animation (vous trouverez plus de détails sur ces fonctions ci-dessous). Au moment de la rédaction de ces lignes, tous les principaux navigateurs (Netscape, Internet Explorer et Mosaic) acceptent les spécifications des deux versions de ce format. En fait, vous n'avez pas vraiment besoin d'utiliser les désignations GIF89a ou GIF87a, à moins que vous ne vouliez donner l'impression d'être un spécialiste. La plupart d'entre nous se contentent d'appeler ces fichiers par la fonction appliquée, par exemple GIF transparent, GIF animé ou GIF classique.

La compression GIF est de type sans pertes, c'est-à-dire que l'algorithme de compression GIF ne provoque aucune dégradation d'image intempestive.
En revanche, le processus de conversion d'une image 24 bits en 256 couleurs ou moins provoque à lui seul suffisamment de dégradation d'image pour s'abstenir de crier victoire.

GIF entrelacés

Si vous avez déjà beaucoup navigué sur le Web, vous avez certainement rencontré des GIF entrelacés. Il s'agit d'images qui s'affichent d'abord sous la forme de blocs avant de devenir progressivement plus nettes.

Ces illustrations simulent l'effet de l'entrelacement sur un navigateur. Au départ, l'image est morcelée, puis elle devient plus nette. Le visiteur peut dès lors choisir d'attendre que le graphisme s'affiche parfaitement ou poursuivre sa navigation.

L'entrelacement n'affecte pas la taille globale ni la vitesse d'affichage d'un GIF. En théorie, l'entrelacement est censé permettre à votre visiteur de se faire une idée globale de vos graphismes et de choisir entre attendre ou cliquer pour poursuivre sa navigation avant la fin de l'affichage de l'image. En théorie au moins, cette technique est destinée à gagner du temps. Malheureusement pour le visiteur contraint d'attendre que l'image devienne suffisamment nette pour lire l'essentiel des informations, cette expérience est souvent source de frustrations. En d'autres mots, les images entrelacées ne vous permettent de gagner du temps que si vous n'avez pas besoin d'attendre qu'elles s'affichent complètement.

Mon conseil est de ne pas utiliser de GIF entrelacés pour des informations visuelles importantes ou essentielles à la consultation de votre site. Une imagemap ou une icône de navigation, par exemple, doivent être parfaitement visibles pour remplir leur fonction. Bien que les GIF entrelacés soient utiles pour des graphismes non essentiels, ils sont frustrants pour l'utilisateur lorsqu'on les applique à des graphismes essentiels.

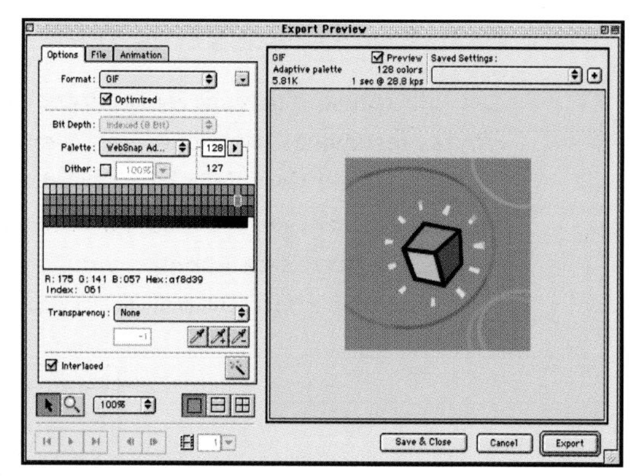

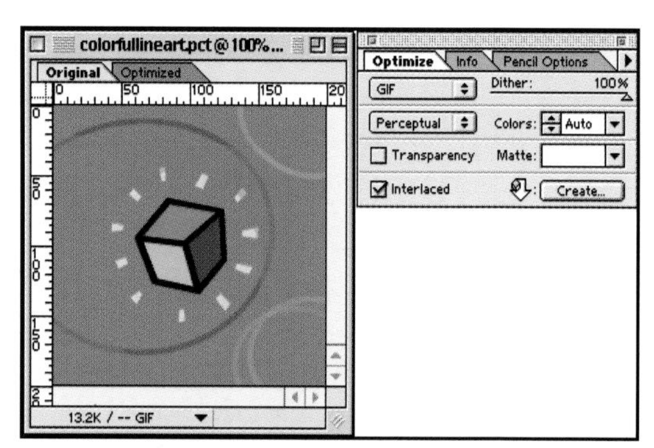

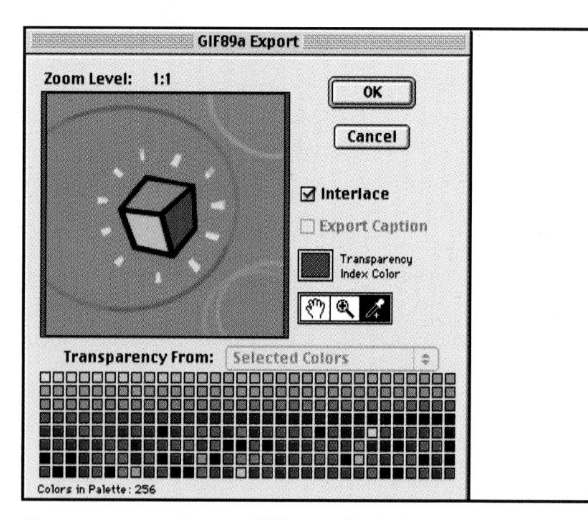

Vous pouvez créer un GIF entrelacé dans un programme d'édition d'images. Dans Photoshop, ImageReady et Fireworks, il vous suffit de cocher la case GIF entrelacé et le fichier est automatiquement converti. Vous ne pourrez voir le résultat de cette opération dans aucun autre logiciel qu'un navigateur.

GIF transparents

Les GIF transparents servent à créer l'illusion de graphismes aux formes irrégulières. Toutes les images fabriquées par ordinateur se présentent sous la forme de fichiers rectangulaires ; c'est dans la nature du support. Certains formats de fichiers, par exemple GIF, peuvent enregistrer des zones masquées, qui créent l'illusion de formes autres que des rectangles. Cette « zone masquée » donne l'impression d'être transparente. La création de GIF transparents est traitée au Chapitre 13.

Cette figure illustre le fonctionnement des images transparentes en contexte. Une fois que la transparence GIF est détectée par le navigateur, celui-ci permet à une image rectangulaire de s'afficher sous une forme irrégulière.

GIF animés

Les GIF animés font partie de la spécification GIF89a. On les appelle aussi GIF multiblocs parce que plusieurs images peuvent être enregistrées sous la forme de blocs distincts au sein d'un seul document GIF. Lorsque ce document GIF est consulté, ces images multiples s'affichent les unes après les autres pour produire un effet de diaporama. Une fois que le fichier GIF animé est totalement chargé, il peut être diffusé très rapidement et donner l'impression d'une animation plutôt que d'un diaporama.

Les GIF animés peuvent comprendre des informations de palette personnalisées et être définis pour une diffusion à différentes vitesses. Ils peuvent également comprendre des réglages d'entrelacement et de transparence. L'intérêt des GIF animés tient au fait qu'ils n'exigent aucune extension et que leurs outils de création sont généralement gratuits et faciles à apprendre. De plus, les principaux navigateurs (Netscape, Internet Explorer et AOL) les acceptent. Vous pouvez donc les inclure dans vos pages Web sans vous soucier de questions de compatibilité ou d'accessibilité. Des instructions précises concernant la création de GIF animés et l'application de palettes personnalisées se trouvent au Chapitre 21.

Voici un GIF à 30 vues. Les légères modifications sont difficiles à percevoir d'une vue à l'autre lorsqu'on les observe en séquence. Mais, dès qu'elles sont diffusées en mouvement, notre quinquagénaire commence à opiner de la tête et à agiter son doigt avec des petits rayons émanant du côté gauche de son visage. Ce GIF ne pèse que 64 Ko. Comment y est-on parvenu ? Il est en noir et blanc sans lissage.

JPEG

Le format de fichier JPEG (prononcez « jipeg ») est une solution de remplacement 24 bits au format de fichier 8 bits. Il est particulièrement adapté aux contenus photographiques, car les photos 24 bits sont toujours plus jolies que les photos 8 bits. L'avantage supplémentaire des fichiers JPEG est qu'ils ne vous demandent pas de définir leur palette au contraire des fichiers GIF. Chaque fois qu'un format d'image comprend des millions de couleurs (24 bits), les problèmes de palette et de mise en correspondance des couleurs sont automatiquement résolus. Cela provient du fait qu'un nombre suffisant de couleurs est autorisé pour prendre en compte les informations de couleur de l'image d'origine et que les couleurs de substitution ne sont plus nécessaires.

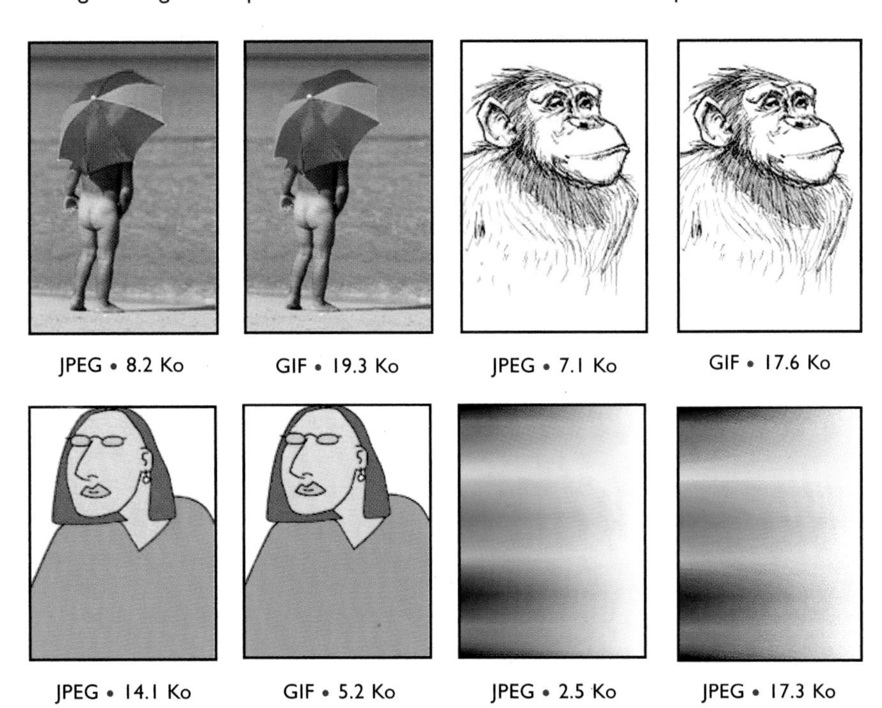

JPEG gère magnifiquement les images contenant des gradations de couleurs subtiles. Cela tient surtout au fait que ce format de fichier permet à l'image de rester en 24 bits. Comparez les images JPEG de gauche aux images GIF 8 bits de droite. Le format JPEG compresse mieux les images de type photographique que les images de type graphique qui, de plus, ont meilleure allure.

JPEG a été développé spécifiquement pour les images de type photographique. Il recherche les zones contenant des modifications subtiles de couleurs et de tons et propose un excellent taux de compression lorsqu'il rencontre ce type d'image. En fait, il a beaucoup de mal à bien compresser les couleurs unies.

Voici un dessin au trait enregistré sous la forme d'un JPEG basse résolution. Il pèse 7,6 Ko.

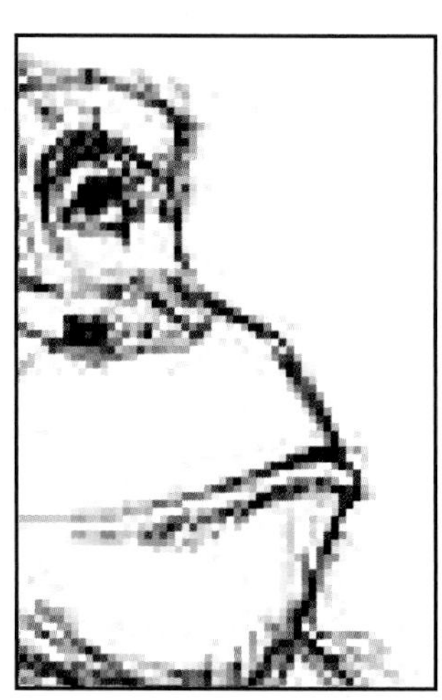

Un gros plan des trucages JPEG.

Le fichier GIF a meilleure allure (pas de trucages), mais pèse plus lourd avec ses 17,6 Ko.

JPEG est doté d'un algorithme de compression avec pertes, ce qui revient à dire qu'il supprime des informations de votre image et, dès lors, provoque une perte de qualité. JPEG réalise cette opération très efficacement et, du coup, la différence entre les images est souvent imperceptible et tout à fait admissible. Il introduit des trucages dans certains cas, en particulier lorsqu'il rencontre des couleurs unies. C'est l'une des conséquences de ses méthodes de compression avec pertes.

A la différence du format GIF, JPEG exige à la fois une compression et une décompression. Il en résulte que les fichiers JPEG doivent être décompressés pour pouvoir être affichés. Lorsqu'un GIF et un JPEG sont de taille équivalente, parfois même lorsque le JPEG est plus petit, il prend plus de temps à charger ou à afficher dans un navigateur à cause du temps qu'il faut compter pour la décompression.

Le fait de pouvoir enregistrer les JPEG avec différents taux de compression est un autre point qui distingue les GIF des JPEG. Cela veut dire que l'on peut augmenter ou diminuer le taux de compression appliqué à une image selon la qualité du résultat obtenu.

JPEG progressifs et JPEG standards

Les JPEG progressifs acceptent l'entrelacement (c'est-à-dire le fait de commencer par afficher une image morcelée qui devient progressivement de plus en plus nette). Ils ont été introduits par Netscape et sont maintenant également acceptés par Microsoft Internet Explorer. Les outils de création de JPEG progressifs pour Mac et PC sont répertoriés sur http://www.in-touch.com/pjpeg2.html#software.

L'un des inconvénients des JPEG progressifs tient au fait que de nombreux navigateurs anciens ne les acceptent pas. Un JPEG progressif s'affiche sous la forme d'une image morcelée sur ces navigateurs, ce qui constitue une gêne que la plupart d'entre nous n'ont aucune envie de supporter.

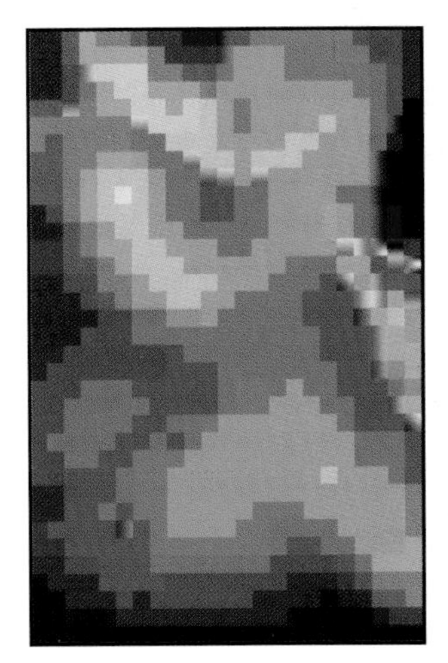

Faible • 8,7 Ko

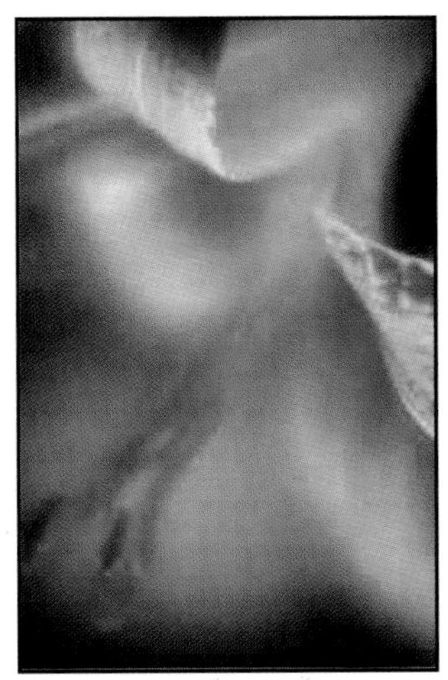

Moyen • 10,5 Ko

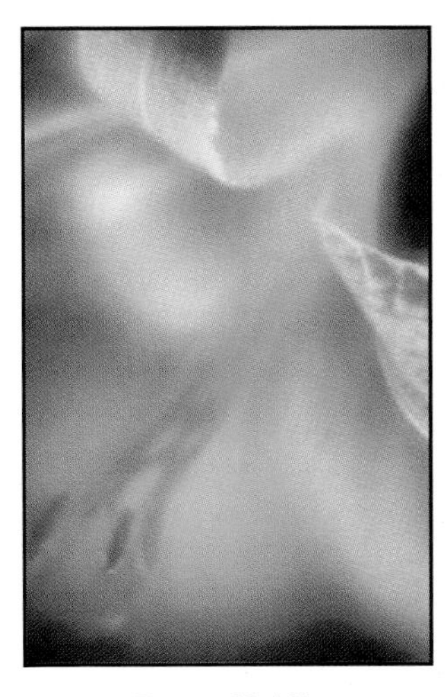

Elevé • 12,4 Ko

Maximum • 28,9 Ko

PNG

Le format PNG (*Portable Network Graphics*) est très prometteur comme nouveau format de fichier pour le Web. Le W3C (*World Wide Web Consortium* accessible à l'adresse http://www.w3.org/pub/WWW/Press/PNG-PR.en.html) a officiellement avalisé PNG. Du coup, Netscape et Explorer l'acceptent partiellement.

PNG exploite une méthode de compression sans pertes, ce qui veut dire qu'aucune perte de qualité n'est subie par les images auxquelles on l'applique. Les fichiers PNG sont compressés à l'aide d'un certain nombre de filtres de précompression, puis sont décompressés au moment de leur affichage. Cela permet aux fichiers PNG de conserver tous les détails et pixels d'origine sans aucune déperdition de qualité.

A la différence de GIF et JPEG, PNG peut être enregistré à différentes profondeurs de bit par l'application de différentes méthodes de stockage. GIF, en revanche, ne peut être enregistré qu'à des profondeurs de bit de 8 bits ou moins. JPEG doit être enregistré à 24 bits et pas moins. PNG peut être enregistré en 8 bits, 24 bits ou 32 bits. Cela fait de PNG l'un des formats les plus souples disponibles pour les images Web, mais également l'un des formats les plus difficiles à programmer pour les développeurs. Pour cette raison, l'incorporation de PNG dans les navigateurs et les logiciels de traitement d'images se fait lentement.

PNG a été développé par Thomas Boutell (vous pouvez visiter son site étonnant à l'adresse http://www.boutell.com ; consultez en passant les pages de spécifications W3C de PNG à l'adresse http://www.boutell.com/boutell/png/). A la différence de JPEG et GIF, PNG a été créé afin d'être un format entre plates-formes et il contient des informations concernant les caractéristiques de la plate-forme de création de façon que le logiciel d'affichage soit en mesure de compenser automatiquement et d'afficher l'image correctement.

Corrections de gamma

Les corrections de gamma permettent à une image de s'afficher correctement sur différentes plates-formes sans pertes de contrastes ou de luminosité lors de cette conversion. Les différences de gamma entre différentes plates-formes peuvent conduire une image à être plus sombre ou plus claire sur une plate-forme différente de celle sur laquelle elle a été créée. PNG présente la possibilité d'enregistrer une valeur représentant le gamma du système sur lequel l'image a été créée. Cette valeur peut ensuite être utilisée par le système d'affichage pour modifier sa propre valeur de gamma si elle est connue.

La seule condition à remplir pour que la correction de gamma fonctionne est que les systèmes de création et d'affichage connaissent leur propre gamma, ce qui n'est pas le cas dans le monde Web actuel. C'est l'exemple type de la bonne idée qui n'a guère obtenu de soutien de la part des concepteurs de navigateurs et d'outils Web.

Transparence de la couche alpha

Le format PNG est capable d'enregistrer une valeur de transparence variable connue sous le nom de transparence de la couche alpha. Elle permet à vos images de présenter jusqu'à 256 niveaux différents de transparence partielle (ou translucidité).

J'avais l'impression que les images PNG devaient appliquer une palette 32 bits pour pouvoir exploiter la transparence de la couche alpha, ce qui est faux. Le format PNG autorise toute entrée dans n'importe quelle palette pour représenter une couche quelconque, rouge, vert, bleu ou alpha (ces palettes sont appelées RVBA et non plus RVB).

Note

Ressources PNG

L'extension PNG Live pour Netscape 4.0 de Siegel & Gale à :
http://codelab.siegelgale.com/solutions/pnglive2.html

Les spécifications PNG de W3C à :
http://www.w3.org/TR/REC-png-multi.html

Filigranes numériques

Le terme *filigrane* est traditionnellement employé pour décrire un papier imprimé d'une manière spéciale qui présente une preuve d'authenticité et de propriété. Les billets de banque sont un bon exemple de papier avec filigrane. Ce filigrane permet d'intégrer dans le papier des informations particulières afin d'empêcher les contrefaçons.

Les filigranes numériques représentent une nouvelle technologie qui respecte un principe similaire, à la différence près que les informations de copyright imbriquées ne deviennent visibles qu'au moment où elles sont chargées sur un ordinateur capable de les lire. Cette technologie du filigrane permet d'insérer des informations de copyright, de propriété, de public autorisé (adulte ou grand public), ainsi que des informations de limitation d'utilisation (utilisation restreinte ou libre de droits). La signature en filigrane peut être lue par Photoshop et Digimarc.

Digimarc (http://digimarc.com/) propose un service de marquage par filigranes numériques avec logiciels de marquage et service de base de données/recherche pour les professionnels. Ses tarifs sont détaillés sur son site.

L'extension **PictureMarc** pour Photoshop est un logiciel de marquage par filigranes numériques qui vous permet d'imbriquer des filigranes dans des documents numériques destinés au Web ou à l'impression. Lorsque PictureMarc est lancé, vous avez la possibilité de créer votre propre identifiant de créateur qui associe vos images à des informations de contact mises à jour et stockées sur le site Digimarc.

Chaque fois qu'une image est ouverte ou numérisée dans Photoshop, Digimarc effectue une détection rapide et ajoute la marque © à la barre de titre de la fenêtre Image. Si vous cliquez sur le © de la barre de titres, PictureMarc ouvre votre navigateur Web et affiche des informations détaillées concernant l'image ainsi que tous les renseignements de contact que vous avez fournis.

Ce service accepte les espaces colorimétriques CMJN, RVB, LAB, Niveaux de gris et Index Color et fonctionne avec tous les types de formats de fichiers que Photoshop accepte sur les plates-formes Windows NT, Windows 95, Windows 3.1 et Macintosh (68000 et PPC). Une taille d'image minimale de 256 × 256 pixels est requise, ce qui limite son application dans le cas du Web à des images de bonne taille, excluant ainsi malheureusement les graphismes de navigation, les boutons, les puces et autres règles.

MNG

Je vous ai déjà présenté PNG et expliqué qu'il était moins performant que le format GIF uniquement du fait de l'absence de fonctions d'animation (et d'un large support de navigateurs). Une nouvelle proposition a été soumise au W3C pour un format de fichier appelé MNG. Glenn Randers-Pehrson, chercheur en physique à l'US Army Research Laboratory et l'un des développeurs du format PNG, dirige les travaux de développement de MNG.

Il a affiché un article intéressant concernant MNG sur le site W3 Journal à l'adresse http://www.w3j.com/5/s3.randers.html. (Je vous signale en passant que le site W3 Journal est très attrayant. Supprimez toutes les barres obliques finales de l'URL et consultez-le le jour où vous aurez le temps de lire énormément d'articles et de commentaires intéressants.) La dernière version de la proposition MNG du groupe de développement PNG est disponible sur ftp://swrinde.nde.swri.edu/pub/mng/.

MNG est le sigle de Multiple image Network Graphics et est un nouveau membre de la famille des formats de fichier PNG. Il sera utilisé pour enregistrer et présenter des animations d'images multiples.

Avantages du format MNG

Comme toutes les images d'un fichier MNG sont des fichiers PNG, MNG présente les mêmes avantages que PNG. Pour les concepteurs visuels, ces avantages sont les suivants :

- Transparence de couche alpha : la possibilité de disposer de modifications subtiles d'opacité et de superpositions afin de créer des animations d'une allure bien plus professionnelle que ce que GIF est en mesure de proposer.
- Fidélité des couleurs indépendante de la plate-forme, car les fichiers enregistrent des informations de gamma et de chrominance qui restent attachées au document et lui permettent d'être affiché correctement, quel que soit le moniteur sur lequel il est visualisé.
- Les fichiers GIF à image unique peuvent être convertis sans pertes au format PNG.

MNG présente en outre les caractéristiques suivantes :

- Il peut être diffusé en flux continu (être diffusé rapidement sur des connexions par modem).
- Il présente la possibilité de définir des boucles et des délais variables entre vues.
- Il utilise des « sprites » qui permettent de combiner des films distincts. Ainsi, il peut y avoir un « film d'arrière-plan » et des objets qui se déplacent au premier plan. Le format de fichier n'enregistre dans ce cas que les valeurs des données déplacées évitant ainsi de représenter chaque vue sous la forme d'une image complète.
- Il peut mettre en œuvre la différenciation de vue : les données semblables sont retranchées des données modifiées pour produire des fichiers moins volumineux.
- Il présente la possibilité d'être inclus dans des scripts en JavaScript et d'autres extensions basées sur DHTML de HTML, de façon que les films, leur synchronisation et leur diffusion puissent être gérés de manière externe.

Inconvénients du format MNG

L'inconvénient principal de MNG tient au fait qu'il n'en est qu'au stade de la proposition. Il faudra attendre plusieurs années avant que sa spécification ne soit finalisée, qu'il soit distribué par les revendeurs de navigateurs et accepté par les concepteurs d'outils. On prétend que MNG prend un temps considérable pour se décompresser, ce qui limiterait grandement son aptitude à être diffusé en continu ou à rivaliser avec l'animation GIF, même si les fichiers eux-mêmes sont moins volumineux.

Résumé Formats de fichiers Web

Il est très important de comprendre les notions de base des formats de fichiers pour pouvoir en choisir un pour la diffusion Web. Chaque format présente des atouts et des faiblesses, et convient mieux à certains types d'images ou modes de présentation. Voici un bref résumé de chaque type de format de fichier présenté dans ce chapitre :

- Pour les dessins au trait, les fichiers vectoriels sont nettement plus petits et plus rapides à télécharger que les fichiers bitmap. Malheureusement, le seul format vectoriel destiné au Web largement accepté (Flash) exige encore des extensions avec la plupart des versions de navigateur. Adobe a proposé un nouveau langage de balisage vectoriel appelé PGML, mais il n'a pas encore reçu l'aval du W3C.
- GIF exploite une procédure de compression sans pertes, mais il est limité à 256 couleurs (c'est-à-dire 8 bits). Il accepte l'entrelacement, la transparence et les animations.
- JPEG exploite une compression avec pertes et est limité à 24 bits. Il accepte l'entrelacement dans sa version progressive, mais n'accepte pas la transparence ni les animations.
- PNG peut exploiter la compression avec ou sans pertes et est capable d'enregistrer des informations de gamma et de couche alpha. Malheureusement, les navigateurs anciens sont incapables d'afficher des images PNG sans extension.
- MNG en est encore au stade de la proposition, mais il pourrait un jour étendre les possibilités du format PNG en incluant les animations et les actions inscrites dans des scripts.

Introduction

Graphismes à bande passante étroite

Au sommaire de ce chapitre

- Taille des fichiers et vitesse de téléchargement
- Fabrication de petits JPEG
- Fabrication de petits GIF
- Lissage et crénelage
- Simulation et répartition en bandes
- Images hybrides
- Traitement par lots

Si vous feuilletez un livre ou un magazine et tombez sur une reproduction superbe, vous vous moquez de savoir si le fichier correspondant fait un zilliard de mégaoctets ou un seul kilo-octet. Dans le monde de l'impression, personne n'est pénalisé s'il cherche à afficher des images dont les fichiers sont volumineux. Sur le Web, c'est exactement le contraire parce que des fichiers trop volumineux peuvent provoquer la fuite de votre public, quel que soit l'attrait promis par vos images.

Un artiste n'a jamais eu à se soucier auparavant des caractéristiques d'enregistrement d'une illustration. Si apprendre à réaliser des graphismes Web petits et rapides à charger est une nouveauté pour vous, sachez que vous n'êtes pas seul dans ce cas. C'est une nouveauté pour beaucoup de gens. Heureusement, depuis la sortie de l'édition précédente de ce livre, une foule de nouveaux outils ont été créés qui simplifient grandement les travaux d'optimisation des images.

Ce chapitre passe en revue les formats de fichiers les plus courants — GIF, JPEG et PNG — et vous montre comment alléger vos graphismes de tout kilo-octet superflu pour faire en sorte qu'ils soient petits, rapides à charger et néanmoins jolis à regarder. Ce résultat est atteint par une explication des principes de compression et une présentation des outils d'optimisation des images Web.

Si vous avez lu le chapitre précédent, vous savez déjà ce que recouvrent les notions de méthodes de compression avec et sans pertes et vous possédez les connaissances de base nécessaires pour entrer dans le détail des subtilités de gain de volume de fichiers. Ce chapitre présente quelques outils totalement nouveaux, comme Adobe ImageReady et Macromedia Fireworks, ainsi que des outils dont l'histoire est plus longue comme DeBabelizer, les extensions Boxtop Software, les extensions Digital Frontiers et GIFWizard.

Taille de fichiers et vitesse de téléchargement

Vous savez maintenant que les images sur le Web doivent être petites, mais que veut dire petit au juste ? Si vous êtes concepteur pour l'impression numérique, vous ne vous souciez probablement pas de fichiers volumineux et avez l'habitude de travailler quotidiennement sur des images allant de quelques dizaines à plusieurs centaines de mégaoctets. Mais même si vous ne travaillez pas dans les arts graphiques ou l'impression, vous avez certainement entendu dire que les graphismes Web doivent être petits. Et je repose la question : que veut dire petit précisément ?

A ceux d'entre vous qui aiment la précision des chiffres (je m'inclus dans ce groupe), je me permets de signaler qu'un kilo-octet représente 1024 octets, un mégaoctet 1 048 576 octets et un gigaoctet 1 073 741 824 octets. L'un des mythes du Web prétend qu'il faut une seconde pour télécharger un kilo-octet. Cette méthode de mesure signifierait qu'il faut trente secondes pour charger une image de 30 Ko et des semaines pour un fichier de 80 Mo.

En vérité, il existe des vitesses de connexion différentes. Les universités et les grandes entreprises ont en règle générale des vitesses de connexion qui dépassent celles de la plupart des particuliers. Sur une **ligne T1** (disponible dans la plupart des universités et grandes entreprises), le chargement d'un graphisme peut prendre une ou deux secondes, alors qu'il faudra au moins une minute pour charger la même image sur une connexion plus lente. Malheureusement, vos images Web ne peuvent pas détecter la vitesse de connexion de votre visiteur. C'est l'une des raisons pour lesquelles il vaut mieux créer des graphismes légers pour tout le monde.

Nous vivons dans une culture de la commande à distance. Le jour où les vitesses de navigation sur le Web correspondront aux vitesses de navigation sur les chaînes de télévision, le Web deviendra un support d'information, de diffusion et de loisir bien plus viable. Tant que les problèmes de bande passante ne seront pas réglés, les concepteurs seront contraints de se limiter à de petits fichiers capables d'être chargés rapidement sur des connexions à faible débit.

Astuce

La vitesse de téléchargement n'est pas uniquement tributaire de la taille des images

Mon site comprend des images très petites en terme de taille de fichiers. Il arrive néanmoins qu'il soit très lent. Cela n'a rien à voir avec mes images, mais résulte du débit de mon serveur Web ou d'engorgements imprévisibles sur l'Internet un jour donné.

Un grand nombre de nouveaux venus à la conception Web s'abonnent à un grand fournisseur de services comme AOL, Earthlink ou Geocities. Ces derniers vous accordent gratuitement 15 Mo d'espace Web pour héberger votre premier site Web. Cet espace peut parfaitement convenir pour de petits sites, mais pour des sites professionnels importants, il vaut mieux s'adresser à un fournisseur spécialisé dans l'hébergement de sites Web (un fournisseur de présence) et non pas à un fournisseur qui propose de la connexion Internet (c'est-à-dire un fournisseur de services Internet ou FSI).

Il arrive parfois que l'on soit impuissant face aux vitesses de connexion. Ainsi, il y a quelques semaines, la connexion vers mon routeur est tombée en panne et mon site Web ainsi que l'accès à mon courrier électronique sont devenus d'une lenteur extrême. Il arrive que personne ne puisse maîtriser le débit du Web et c'est là l'une des inconnues de ce support. Mais vous pouvez tout de même maîtriser une bonne partie du problème en créant des images aussi petites que possible. Si chacun fait un effort, le Web deviendra un lieu plus accueillant pour tout le monde.

Taille réelle de votre fichier

Comment savoir combien de kilo-octets une image représente réellement ? Vous pensez peut-être qu'il suffit de consulter votre disque dur, mais même cet outil peut être trompeur.

Mac et PC n'ont pas le même système de calcul de la taille des fichiers. Sur un Mac, si vous examinez votre disque dur pour connaître la taille de fichier d'une image, vous remarquerez que toutes les valeurs de tailles de fichiers sont bien arrondies : 11 Ko, 33 Ko et 132 Ko. Votre ordinateur arrondit la taille d'un fichier au nombre entier supérieur le plus proche en fonction de la partition de votre disque dur. Avez-vous déjà noté qu'un fichier pouvait présenter deux tailles différentes sur un disque dur et sur une disquette ? Cela résulte du fait que l'ordinateur arrondit la taille du fichier en fonction de la taille du support de stockage sur lequel il se trouve.

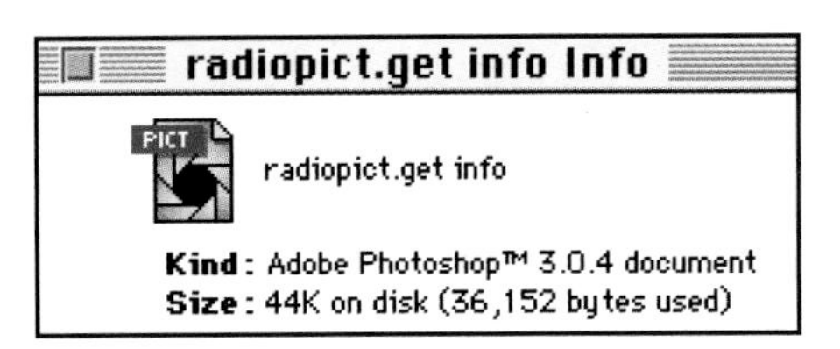

Sur un Macintosh. Le seul moyen d'obtenir des informations sur la taille effective en octets d'un fichier est de recourir à la commande Lire les informations. Surlignez d'abord le fichier que vous voulez vérifier dans le Finder, puis allez dans le menu Fichier et choisissez Lire les informations.

Sur un PC. La taille de fichier indiquée dans le menu est très proche de la taille réelle du fichier, cette valeur étant arrondie à l'entier inférieur le plus proche. Sous DOS, vous pouvez obtenir une indication plus précise de la taille du fichier, mais elle n'est pas très différente de celle que vous obtenez sous Windows.

La plupart des utilisateurs de Photoshop pensent que la valeur fournie dans l'angle inférieur gauche d'un document indique la taille du fichier. Faux ! Cette valeur signale la quantité de mémoire vive que Photoshop alloue à votre image sur le système de mémoire virtuelle du disque de travail. La seule façon de connaître la taille exacte de votre document Photoshop est de consulter votre disque dur sur un PC et d'aller à Lire les informations sur un Mac.

Astuce

Les icônes Photoshop occupent de l'espace

En principe, Photoshop enregistre les images avec une icône. Cette icône est une petite représentation visuelle de votre image avec les références de fichier. Les icônes Photoshop occupent un peu d'espace supplémentaire sur votre disque dur. Au bout du compte, cela importe peu parce qu'au moment où vous envoyez les fichiers à votre serveur, vous les transmettez sous la forme de données brutes, ce qui supprime l'icône. Mais si votre objectif est d'obtenir une indication plus précise de la taille exacte de votre fichier, mieux vaut régler vos préférences dans Photoshop de façon à ne pas enregistrer d'icône.

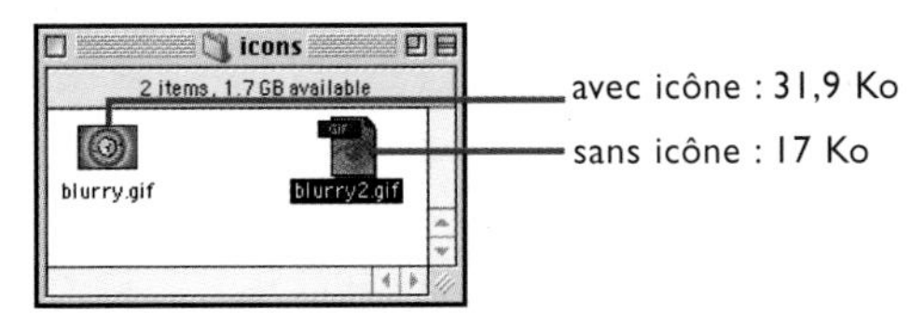

Personnellement, je préfère activer les icônes Photoshop. Je gère tant d'images sur mon disque dur que pouvoir consulter ces icônes m'aide beaucoup. Je sais que l'accroissement de la taille de fichier sera supprimé au moment de l'envoi des images vers un site Web et je peux profiter du luxe d'une représentation visuelle de mes images sur mon disque dur. Malheureusement, les systèmes d'exploitation des PC sont incapables d'afficher des icônes d'images dans les répertoires. C'est donc l'une des raisons pour lesquelles je préfère réaliser mes travaux de création sur mon Macintosh.

Pour régler vos préférences de façon à ne pas enregistrer d'icône, choisissez Fichier:Préférences:Enregistrement des fichiers (File:Preferences:File Saving). Dans la boîte de dialogue Préférences, choisissez Choix à l'enregistrement (Ask When Saving) dans la liste déroulante Prévisualisations (Image Previews).

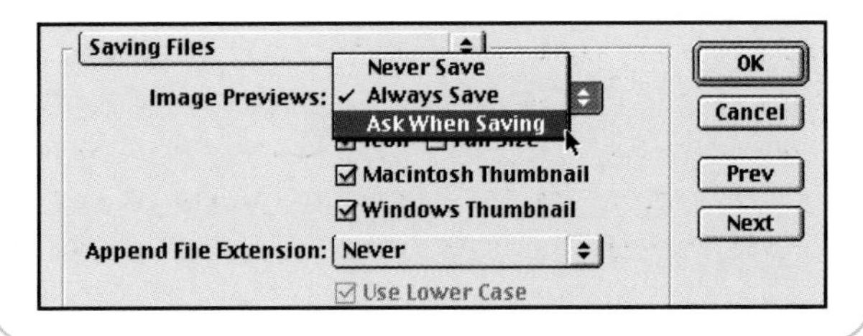

Indication de la taille de fichier dans ImageReady et Fireworks

Fireworks et ImageReady donnent tous deux de meilleures indications de taille de fichier que Photoshop. Ces outils ont été développés en tant qu'outils de graphismes Web, à l'inverse de Photoshop qui a été développé à l'origine pour les graphismes imprimés. Voici quelques exemples qui vous expliquent comment lire la taille des fichiers d'images dans ces deux produits :

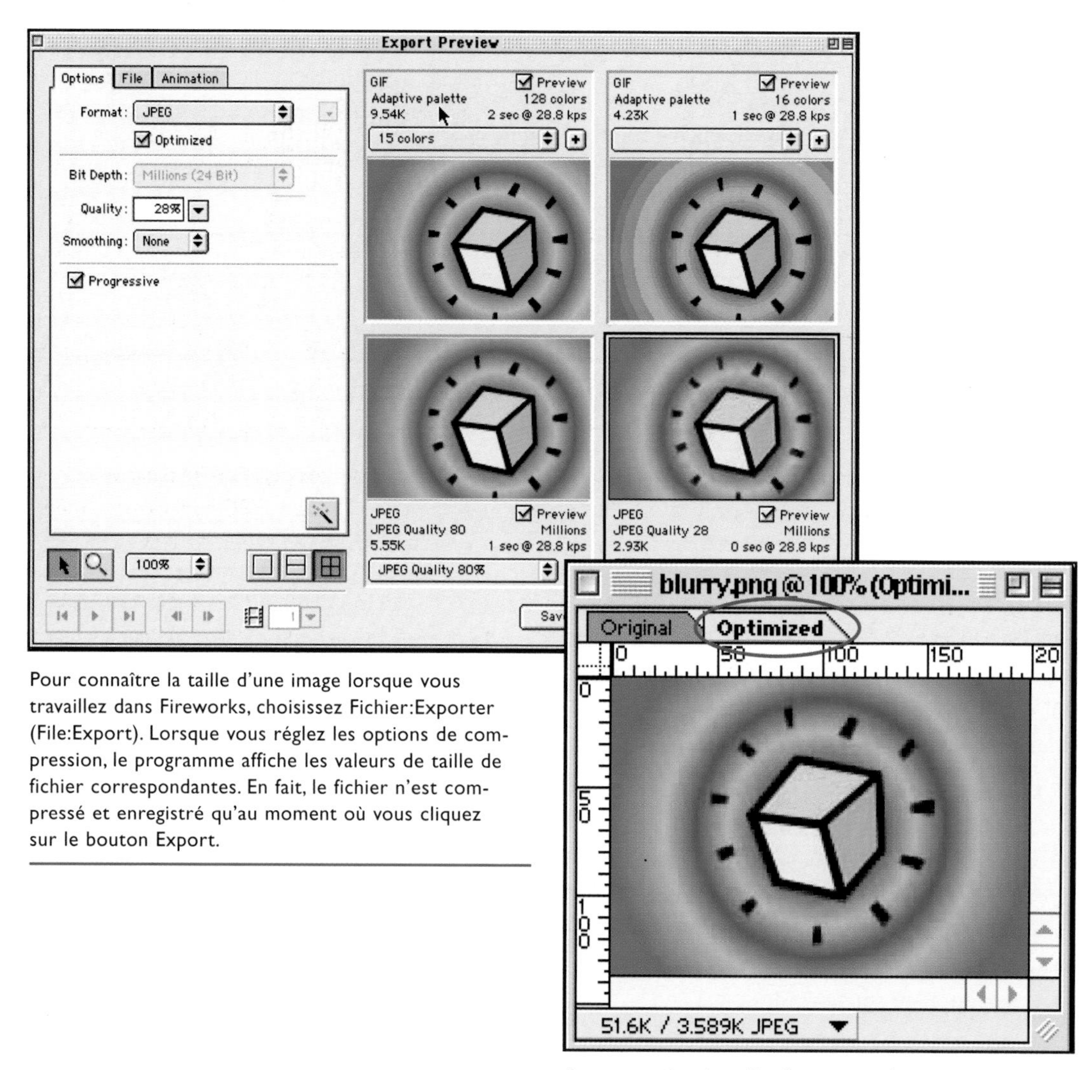

Pour connaître la taille d'une image lorsque vous travaillez dans Fireworks, choisissez Fichier:Exporter (File:Export). Lorsque vous réglez les options de compression, le programme affiche les valeurs de taille de fichier correspondantes. En fait, le fichier n'est compressé et enregistré qu'au moment où vous cliquez sur le bouton Export.

Pour connaître la taille d'une image lorsque vous travaillez dans ImageReady, cliquez sur l'onglet Optimisé (Optimize) de la fenêtre de l'image. Vous obtenez alors les informations de taille d'image, la vitesse de chargement ou les dimensions de l'image au bas du menu en incrustation Image Info en fonction de l'option sélectionnée.

Evaluation du style de votre image

Vous remarquerez que, tout au long de cet ouvrage, je fais référence à différents styles d'images. Le style dessin au trait est un style qui contient de nombreuses lignes et aplats de couleurs, par exemple des graphiques, des illustrations ou des logos. Le style image en tons continus est un style qui contient des dégradés ou des tons subtils comme ceux que l'on trouve sur des documents photographiques. Le style hybride est une combinaison de ces deux styles.

Dessin au trait

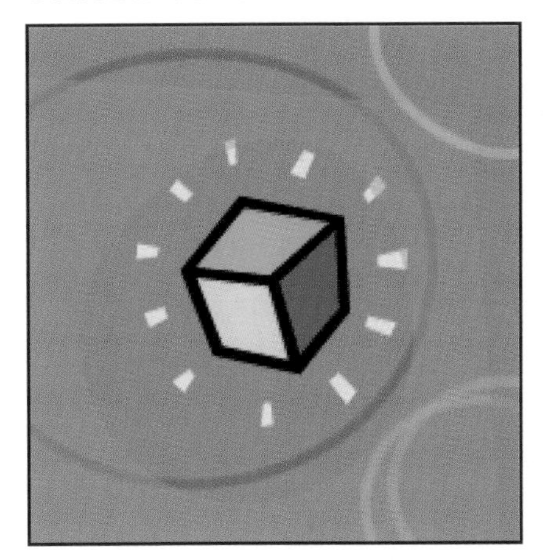

Image en tons continus

Image hybride

Des modes de compression différents ont été conçus pour chacun de ces styles d'images. La compression GIF fonctionne mieux sur les dessins au trait que les photographies. La compression JPEG fonctionne mieux sur les photos. Les documents hybrides fonctionnent mieux en JPEG ou en GIF selon le contenu de l'image.

Bien identifier le style d'une image vous aidera à mieux savoir par où commencer votre recherche d'un mode de compression approprié. N'oubliez pas que la désignation en clair des acronymes GIF (*Graphic Interchange Format*) et JPEG (*Joint Photographic Expert Group*) vous indique le type de fichier pour lesquels ces algorithmes de compression ont été conçus : GIF pour les graphismes et JPEG pour les photos.

Enregistrement de photos sous la forme de GIF – Méthode sans simulation

GIF 8 bits • 78,5 Ko

GIF 7 bits • 66,9 Ko

GIF 6 bits • 54,8 Ko

GIF 5 bits • 41,9 Ko

GIF 4 bits • 32,7 Ko

GIF 3 bits • 18,6 Ko

GIF 2 bits • 13,3 Ko

GIF 1 bit • 8,7 Ko

Enregistrement de photos sous la forme de JPEG

Maximale • 51,4 Ko

Supérieure • 36,2 Ko

Moyenne • 28,3 Ko

Réduite • 24,8 Ko

Enregistrement de photos sous la forme de GIF – Méthode avec simulation

GIF 8 bits • 81,1 Ko

GIF 7 bits • 69,1 Ko

GIF 6 bits • 56,1 Ko

GIF 5 bits • 44,2 Ko

GIF 4 bits • 34,4 Ko

GIF 3 bits • 22,9 Ko

GIF 2 bits • 17,7 Ko

GIF 1 bit • 12 Ko

Bien que certains fichiers GIF soient plus petits, leur qualité n'est pas aussi bonne que celle des petits JPEG. Cet exemple montre clairement que JPEG est une méthode de compression supérieure pour les documents photographiques.

Enregistrement de graphismes sous la forme de GIF – Méthode sans simulation

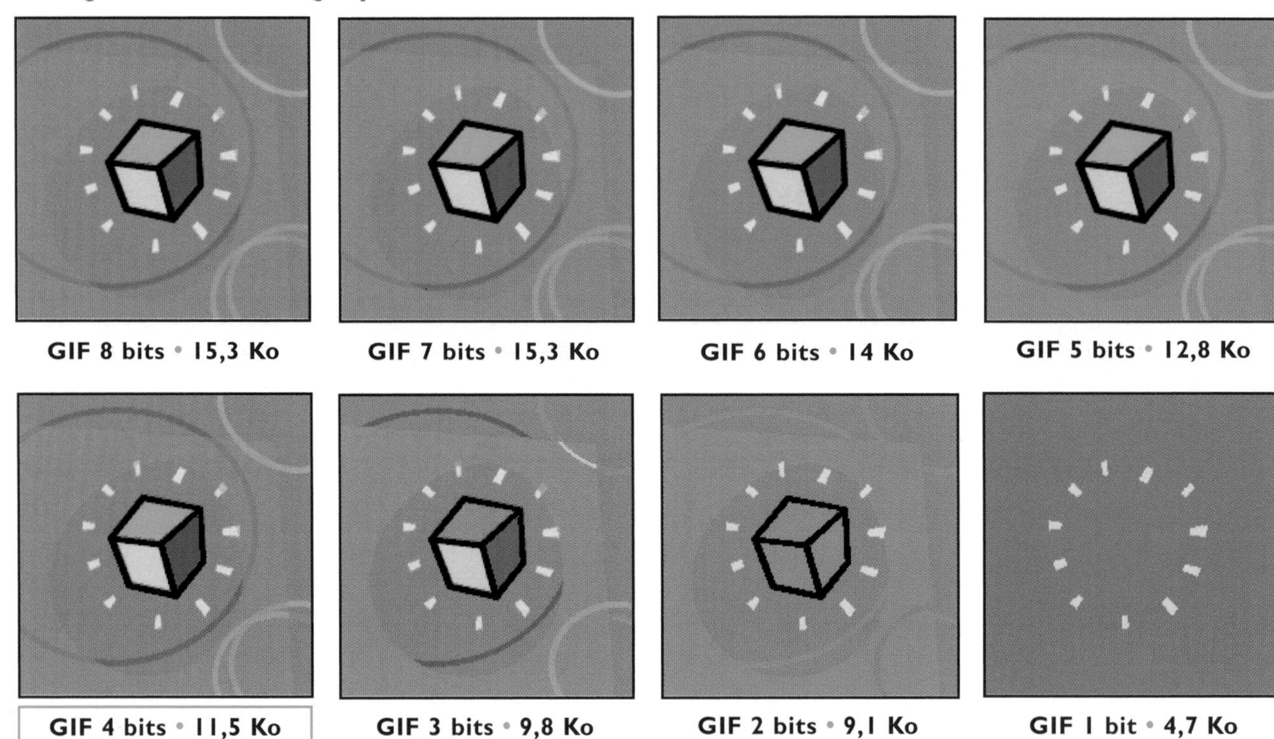

GIF 8 bits • 15,3 Ko | GIF 7 bits • 15,3 Ko | GIF 6 bits • 14 Ko | GIF 5 bits • 12,8 Ko

GIF 4 bits • 11,5 Ko | GIF 3 bits • 9,8 Ko | GIF 2 bits • 9,1 Ko | GIF 1 bit • 4,7 Ko

Enregistrement de graphismes sous la forme de JPEG

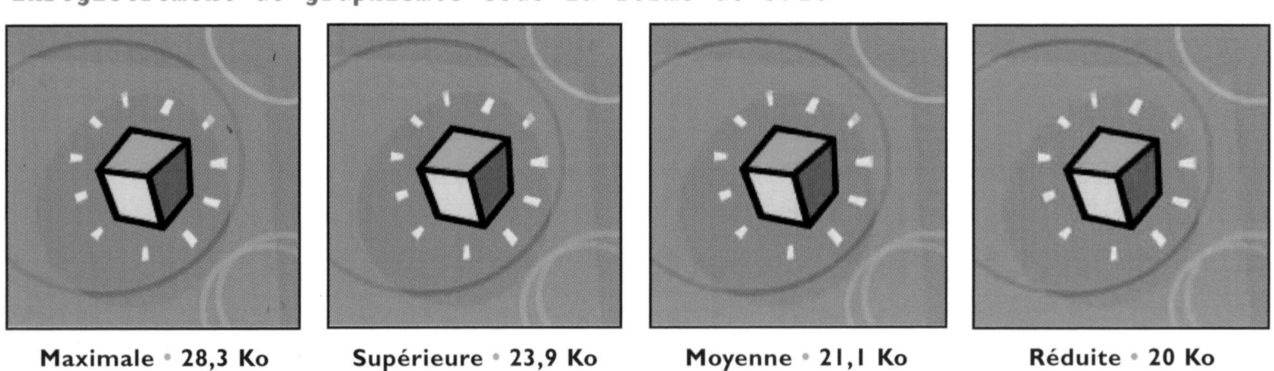

Maximale • 28,3 Ko | Supérieure • 23,9 Ko | Moyenne • 21,1 Ko | Réduite • 20 Ko

Enregistrement de graphismes sous la forme de GIF – Méthode avec simulation

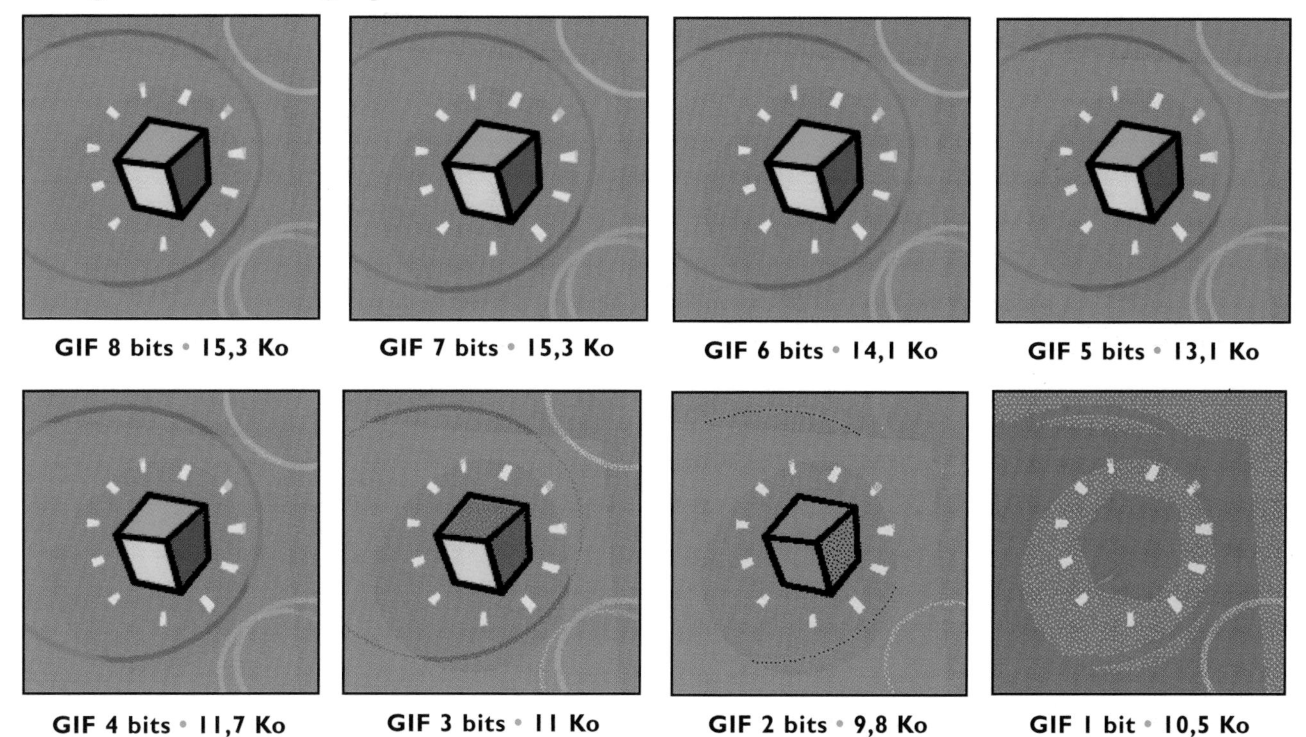

GIF 8 bits • 15,3 Ko — **GIF 7 bits • 15,3 Ko** — **GIF 6 bits • 14,1 Ko** — **GIF 5 bits • 13,1 Ko**

GIF 4 bits • 11,7 Ko — **GIF 3 bits • 11 Ko** — **GIF 2 bits • 9,8 Ko** — **GIF 1 bit • 10,5 Ko**

Ces simples exemples apportent une preuve flagrante que le format de fichier GIF produit des fichiers plus petits pour des contenus de type graphique.

Création de petits JPEG

La bonne nouvelle est que créer de petits JPEG est infiniment plus facile que de créer de petits GIF. Il n'y a pas de problèmes de palettes, de simulation, d'indexation ou de profondeur de couleur, problèmes qui sont décrits plus loin dans ce chapitre. L'opération est assez simple : les JPEG sont excellents pour des photos ou des images en tons continus. La compression JPEG est appliquée à une image au moment où vous l'enregistrez et s'affiche sous la forme d'un choix de formats de fichiers dans Photoshop ou d'autres applications de traitement d'images qui acceptent les graphismes Web.

Les fichiers JPEG peuvent être enregistrés en RVB, CMJN ou niveaux de gris. J'ai bloqué mon navigateur Web en cherchant à afficher des fichiers JPEG de type CMJN. Je vous déconseille donc cette option. Tous les fichiers Web doivent de préférence être préparés en RVB ou niveaux de gris (reportez-vous au Chapitre 7 pour plus de détails).

La compression JPEG applique une méthode avec pertes, c'est-à-dire qu'elle supprime des données. Il en résulte que plus la compression que vous appliquez à l'image est élevée, plus faible est la taille du fichier et plus médiocre la qualité. A vous de trouver la frontière entre taille de fichier intéressante et qualité suffisante.

Photoshop met en œuvre trois types de compression JPEG : de base standard, de base optimisée et progressive.

Compression de base standard. La compression JPEG peut être réglée sur différents niveaux. Plus vous augmentez la compression sur une échelle de 1 à 10, plus le fichier produit est petit. Cette échelle est aussi une échelle de qualité dans laquelle 10 est le plus haut niveau de qualité avec la compression la plus faible et la taille de fichier la plus grande.

Compression de base optimisée. La compression de base optimisée peut produire des fichiers JPEG légèrement plus petits. Elle n'est pas acceptée par les anciennes versions de navigateurs.

Compression progressive. Les fichiers JPEG progressifs peuvent être légèrement plus gros que ceux produits par les méthodes de base, mais ce format accepte l'entrelacement, ce qui signifie que l'image s'affiche en blocs avant de devenir plus nette en fin d'affichage. Le format JPEG progressif n'est pas accepté par les anciennes versions de navigateurs.

Attention

Problème des anciennes versions de navigateurs

J'applique la compression JPEG optimisée sur mon site Web parce que les JPEG de base standards et progressifs ne sont pas acceptés par les anciennes versions de navigateurs (tout navigateur antérieur à Netscape 2.0 et IE 3.0). La pénalité infligée pour l'utilisation de ces types de JPEG est l'affichage d'une icône d'image morcelée. Une telle pénalisation est trop lourde pour moi. Si vous utilisez la détection de navigateur (voir Chapitre 22) ou toute autre méthode de distribution de jeux multiples de pages à votre public, les avantages des JPEG de base optimisés et progressifs peuvent être intéressants pour vous.

Exemples de JPEG

Une différence importante entre GIF et JPEG tient au fait que vous pouvez enregistrer les JPEG à plusieurs niveaux de compression différents. Ce qui veut dire que vous pouvez appliquer plus ou moins de compression à une image en fonction de la qualité recherchée.

Les exemples suivants sont tirés de Photoshop. Photoshop applique les réglages de compression suivants : qualité maximale, qualité supérieure, qualité moyenne et qualité réduite. Dans Photoshop, comme vous le voyez, ces termes font référence au niveau de qualité et non à la quantité de compression.

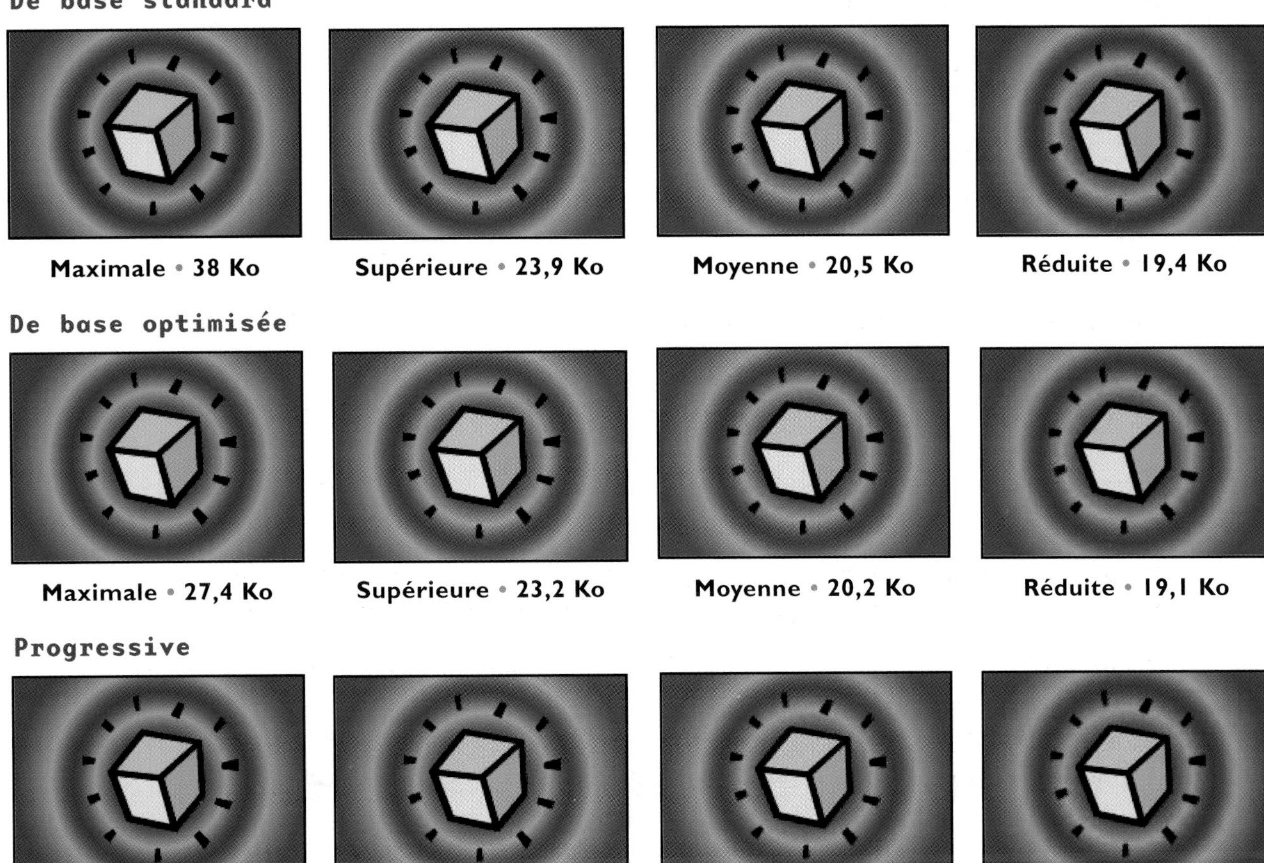

De base standard

Maximale • 38 Ko | Supérieure • 23,9 Ko | Moyenne • 20,5 Ko | Réduite • 19,4 Ko

De base optimisée

Maximale • 27,4 Ko | Supérieure • 23,2 Ko | Moyenne • 20,2 Ko | Réduite • 19,1 Ko

Progressive

Maximale • 27,2 Ko | Supérieure • 23,2 Ko | Moyenne • 20,2 Ko | Réduite • 19,2 Ko

Ce test vous montre qu'il n'y a pas une énorme différence entre les réglages de qualité maximale et de qualité réduite, sauf pour les images contenant beaucoup de traits ou d'aplats de couleur. Comme je vous l'ai signalé, réservez les graphismes au format GIF et les photos au format JPEG. Bien qu'il existe de bonnes raisons d'enregistrer des graphismes au format GIF (animation et transparence), il n'existe pas de bonnes raisons d'enregistrer des graphismes au format JPEG à moins qu'ils ne soient associés à des photos. En règle générale, pour les documents photographiques, n'hésitez pas à tester des réglages de qualité réduite. L'économie en terme de taille de fichier est généralement substantielle, alors que les pénalisations en terme de qualité ne sont pas excessives.

Extensions Photoshop pour créer de petits JPEG

Si vous comptez adopter Photoshop comme outil graphique pour le Web, sachez qu'il existe deux extensions qui produisent des JPEG plus petits que Photoshop. Ces produits s'appellent **ProJPEG** (http://www.boxtopsoft.com) et **HVS Color JPEG** (http://www.digfrontiers.com). Ils viennent se placer dans le dossier Extensions de Photoshop pour pouvoir être exécutés.

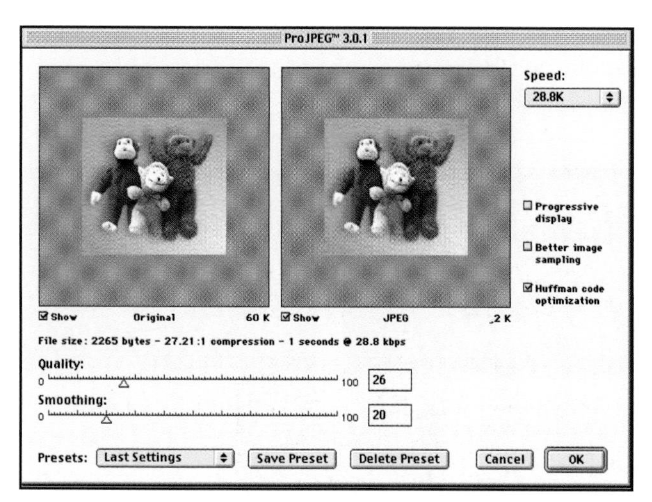

Pour accéder à l'extension ProJPEG, choisissez Fichier:Enregistrer sous:ProJPEG (File:Save as:ProJPEG)et la boîte de dialogue ci-dessus s'affichera. Il est très pratique de disposer de l'image en prévisualisation avant et après, ce qui vous permet de régler interactivement le curseur de qualité. Lorsque le réglage vous satisfait, cliquez sur OK et votre fichier est enregistré sous la forme d'un fichier JPEG.

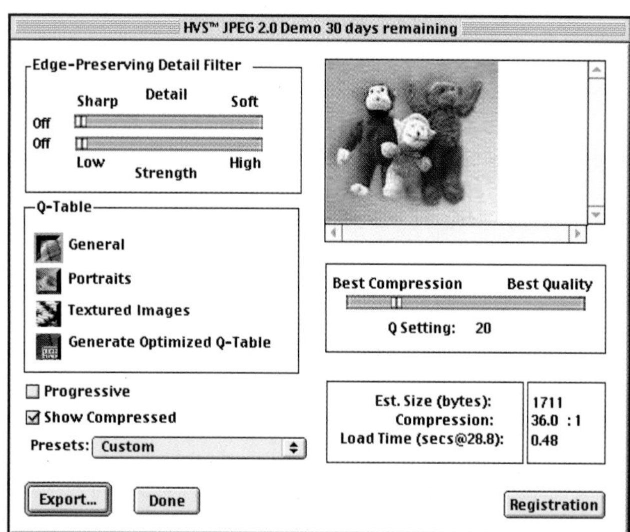

Pour accéder à l'extension HVS JPEG, choisissez Fichier:Exportation: HVS JPEG (File:Export:HVS JPEG) et la boîte de dialogue ci-dessus s'affichera. La Q-Table représente différents algorithmes de compression pour différents types d'images. Très pratique. Les économies en termes de taille de fichiers sont également impressionnantes.

Attention

Ne compressez pas en JPEG un fichier JPEG

N'appliquez pas la compression JPEG à un fichier qui a déjà fait l'objet d'une telle compression. Chaque fois que vous ajoutez une compression JPEG, l'image perd en qualité. La première fois, c'est à peine perceptible, mais plusieurs applications successives de JPEG vont dégrader l'image de manière irréparable. Enregistrez vos fichiers sous la forme de fichiers Photoshop ou dans un autre format non destructeur (PICT, TIFF, EPS, BMP ou TGA) et faites en sorte que l'enregistrement de l'image au format JPEG soit la dernière étape.

Création de petits GIF

L'algorithme de compression de fichiers GIF offre une réduction impressionnante de la taille de fichier, mais le niveau d'économie en terme de taille de fichier est fortement lié au mode de création de vos images GIF. Comprendre comment GIF s'y prend pour compresser est la première étape de cette opération.

GIF applique une méthode de compression connue sous le nom de compression LZW, qui recherche des motifs répétés de données. Chaque fois qu'elle rencontre des zones d'une image qui ne présentent pas de modifications, elle peut mettre en œuvre une compression bien plus élevée. Le principe est similaire à celui d'un autre type de compression appelé « compression en longueur de ligne » (appliqué dans les formats BMP, TIFF et PCX), mais LZW écrit, enregistre et retrouve son code d'une manière légèrement différente. La méthode de compression GIF, bien que similaire à de nombreux types de compression en longueur de ligne, recherche des modifications le long d'un axe horizontal et, chaque fois qu'elle détecte une nouvelle couleur, elle augmente la taille du fichier.

Voici une image de départ enregistrée au format GIF qui comprend des lignes horizontales. Elle pèse 6,7 Ko.

Voici la même image tournée de 90°. Ses lignes sont maintenant verticales. Elle a gonflée de 72 % à 11,5 Ko.

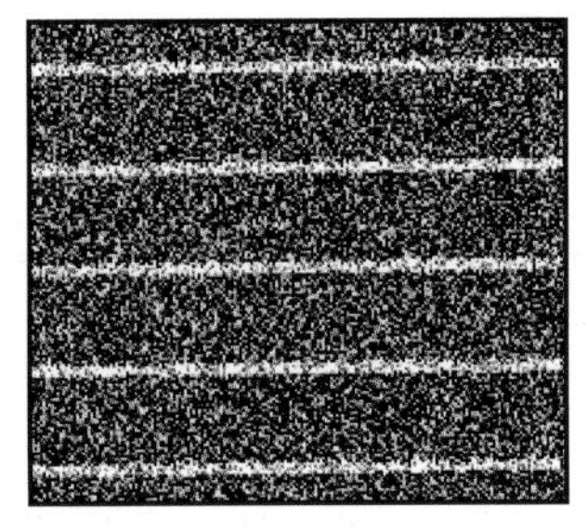

Ajoutez un peu de bruit à l'original. Vous multipliez la taille du fichier de départ par au moins huit pour atteindre 56 Ko.

Que cherche à nous dire précisément ce test des lignes ? Il nous dit que les images qui contiennent des modifications horizontales se compressent mieux que celles qui n'en contiennent pas ; que toute forme de bruit quadruple au moins la taille de votre image ; que les grandes zones d'aplats de couleur se compressent bien et que les dessins au tracé compliqué ou avec simulation se compressent mal.

La profondeur de bit affecte la taille

En dehors de la complexité visuelle d'une image, deux autres facteurs affectent la taille des fichiers : la profondeur de bit et la méthode de simulation.

Pour tous les GIF, moins il y a de couleurs (profondeur de bit plus faible), plus le fichier produit est petit. Les GIF peuvent être enregistrés à la profondeur de bit de votre choix entre 8 et 1 bit. La profondeur de bit est une indication du nombre de couleurs de l'image. En règle générale, plus la profondeur de bit est faible, plus le fichier GIF est petit.

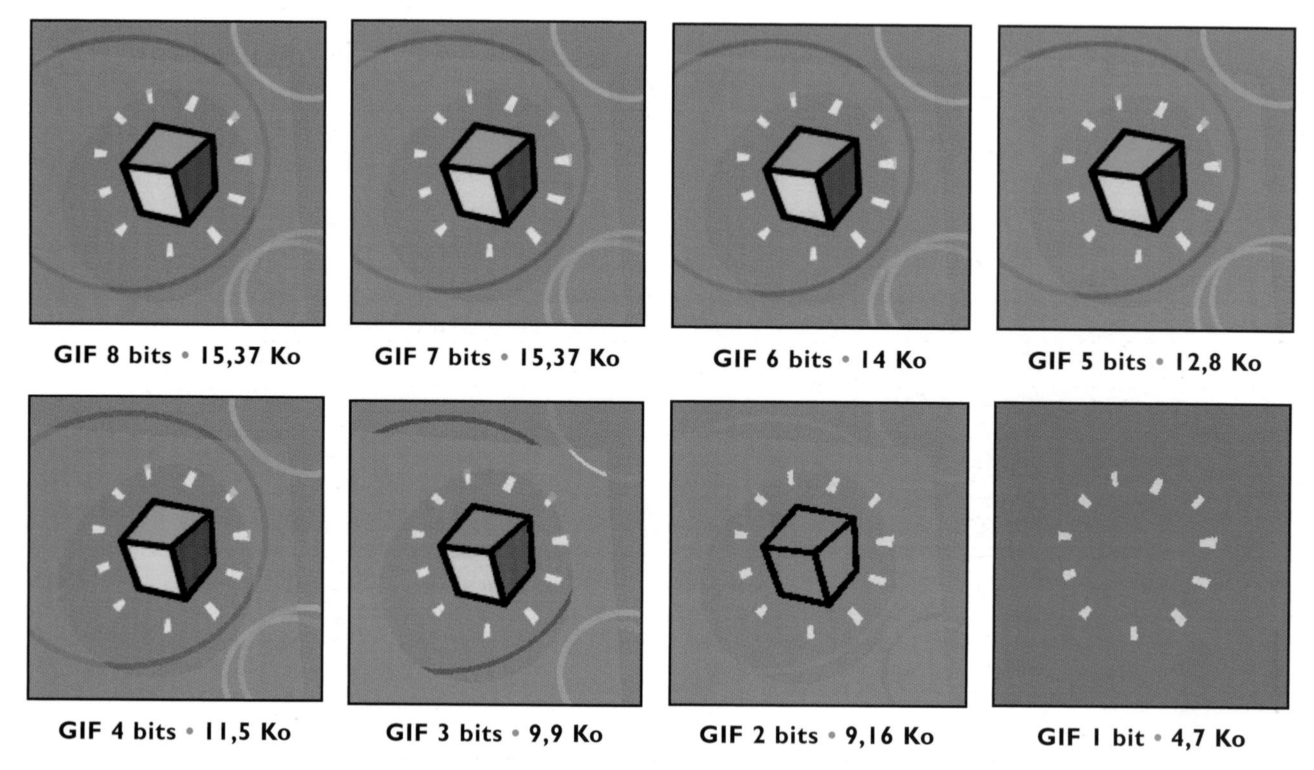

GIF 8 bits • 15,37 Ko **GIF 7 bits • 15,37 Ko** **GIF 6 bits • 14 Ko** **GIF 5 bits • 12,8 Ko**

GIF 4 bits • 11,5 Ko **GIF 3 bits • 9,9 Ko** **GIF 2 bits • 9,16 Ko** **GIF 1 bit • 4,7 Ko**

Votre travail au moment de la création d'une image GIF est de la réduire à sa profondeur de bit minimale tout en conservant une qualité d'image acceptable. Selon l'importance de l'image, la notion de qualité acceptable peut descendre à 4 bits, c'est-à-dire une réduction de 25 % de la taille du fichier par rapport à la version 8 bits de la même image.

Lissage et crénelage

ALIAS or ANTI-ALIAS

Voici un exemple de texte non lissé. Il a produit un fichier totalisant 5,78 Ko enregistré sous la forme d'un GIF.

ALIAS or ANTI-ALIAS

Voici un exemple de texte lissé. Il a produit un fichier totalisant 7,5 Ko enregistré sous la forme d'un GIF. L'opération de lissage a provoqué une augmentation de 23 % de la taille du fichier.

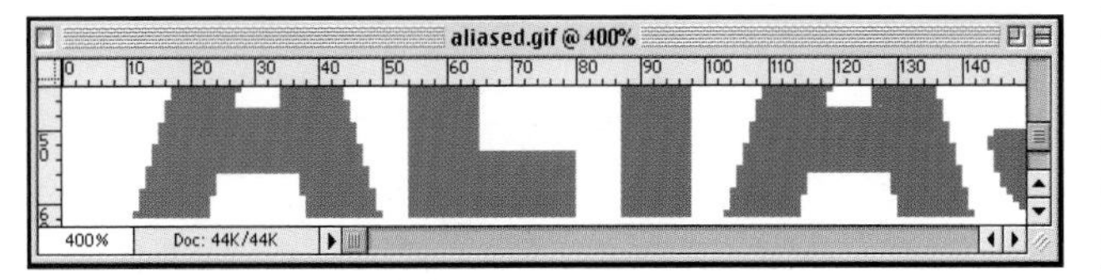

Vue en gros plan : le crénelage ne masque pas la nature en escalier des dessins construits à partir de pixels.

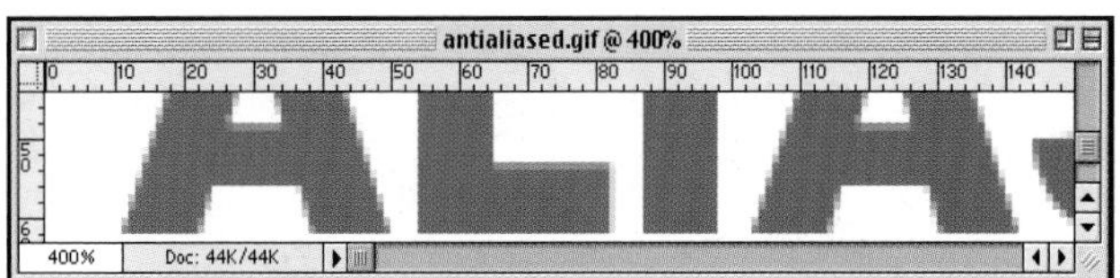

Vue en gros plan : le lissage crée une bordure en fondu. Ce fondu masque la construction à partir de pixels des dessins informatiques.

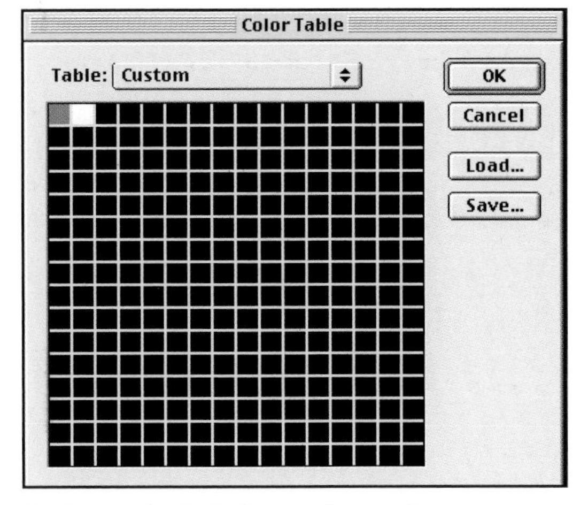

Un dessin crénelé n'utilise que deux couleurs.

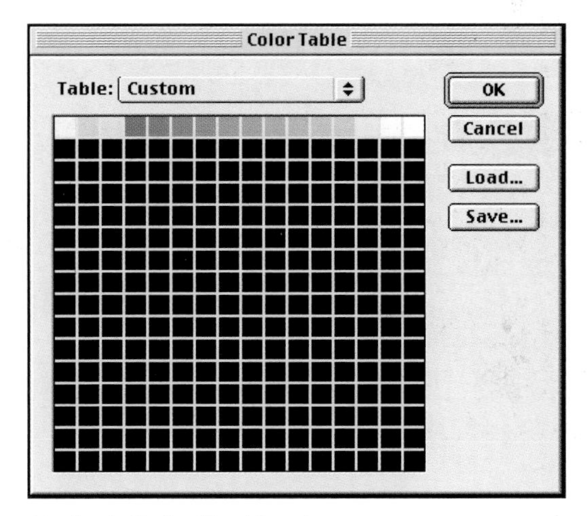

Un dessin lissé utilise 16 couleurs.

L'opération de lissage peut affecter la profondeur de bit. En revanche, si vous travaillez avec des images crénelées, la taille de vos fichiers sera toujours plus faible. Les dessins crénelés n'étant pas toujours jolis, c'est une décision que vous devez peser en fonction de la nature de l'image.

Images crénelées

La plupart des infographistes n'imaginent même pas de travailler sur des images crénelées. Ils font l'hypothèse qu'une image est toujours plus belle si ses bordures sont lissées. C'est tout simplement faux. Jusqu'alors, les artistes n'ont jamais eu à prendre en compte la taille des fichiers dans leurs considérations de conception. Avoir une image qui se charge 23 % plus vite n'est pas négligeable. Dans de nombreux cas, les images crénelées sont aussi agréables à l'œil que des images lissées et choisir entre ces deux approches est un paramètre que les concepteurs Web doivent prendre en compte chaque fois que c'est possible.

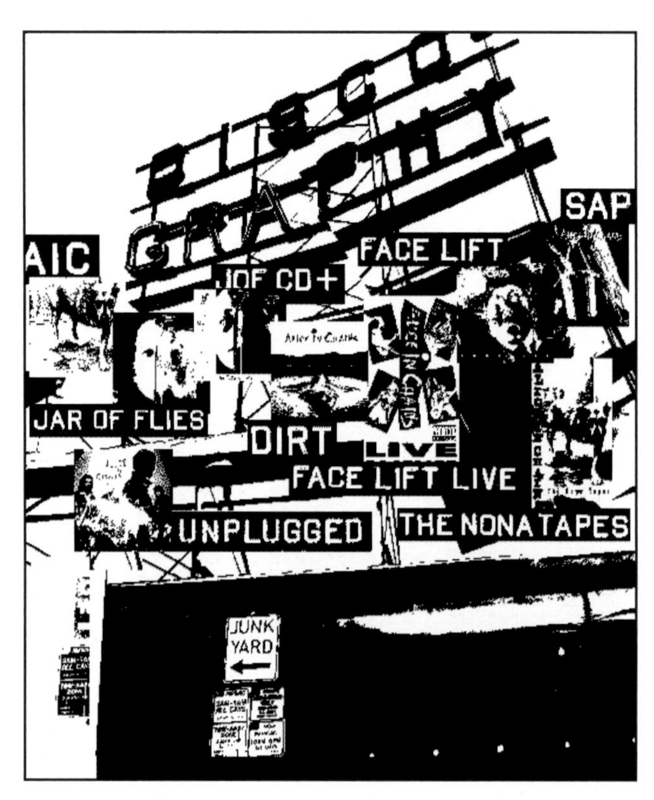

Une partie de l'attrait du site Alice in Chains est la rapidité de son chargement et ses graphismes frustes (qui sont crénelés). Adresse du site : http://www.sonymusic.com/artists/AliceInChains/discog.html.

Cette mosaïque d'arrière-plan est crénelée, mais a néanmoins l'air superbe. Pour le constater par vous-même et, en passant, observer d'autres mosaïques d'arrière-plan non lissées, visitez le site http://www.donbarnett.com/tilesets/setl.htm.

Parallèlement au choix entre graphismes lissés et crénelés, je vous conseille également de toujours travailler en couleurs indépendantes des navigateurs lorsque vous créez des images de type dessin pour le Web. Des exemples de la manière dont les couleurs indépendantes des navigateurs permettent d'améliorer la qualité des images sont présentés au Chapitre 7.

Des GIF pour les images de type dessin au trait

Les GIF se prêtent mieux aux graphismes qu'aux photos. Par graphismes, j'entends dessins au trait, croquis, cartoons et logos. De tels graphismes font une utilisation abondante des zones en aplats de couleur et le format GIF gère mieux les aplats de couleurs que les variétés de couleurs que l'on trouve dans les documents photographiques. Comme le format de fichier GIF est de type sans pertes, les illustrations comprenant un nombre limité de couleurs (moins de 256) ne perdent rien en qualité. Comme JPEG est une méthode avec pertes, elle introduit en fait des trucages d'images dans les aplats de couleurs.

L'image de gauche est enregistrée sous la forme d'un fichier GIF et pèse 15,3 Ko. L'image de droite est enregistrée au format JPEG et pèse 20 Ko. Non seulement l'image JPEG est de moins bonne qualité, mais en plus, elle est plus volumineuse. Morale de cette histoire : utilisez le format GIF pour les dessins au trait.

Palettes de couleurs GIF

La mise en correspondance de couleurs désigne l'opération concernant les couleurs attribuées à une image GIF qui peuvent être tirées soit de l'image elle-même, soit d'une palette de couleurs prédéfinies. Photoshop appelle les palettes dérivées de couleurs existantes des *palettes adaptatives*. Elles permettent d'appliquer des palettes externes (les palettes système et les palettes indépendantes des navigateurs en sont deux exemples) ou de fabriquer une palette la meilleure possible (adaptative) basée sur le contenu de l'image. Si le nombre de couleurs d'une image (sa profondeur de bit) affecte la taille de l'image, la palette affecte pour sa part la qualité de l'image. Certaines images peuvent supporter une réduction du nombre de couleurs, alors que d'autres ne le peuvent pas. Si vous comprenez bien comment la couleur affecte la taille et la qualité d'une image, vous serez capable de créer des pages Web qui auront meilleure allure tout en se chargeant plus rapidement.

Palette adaptative

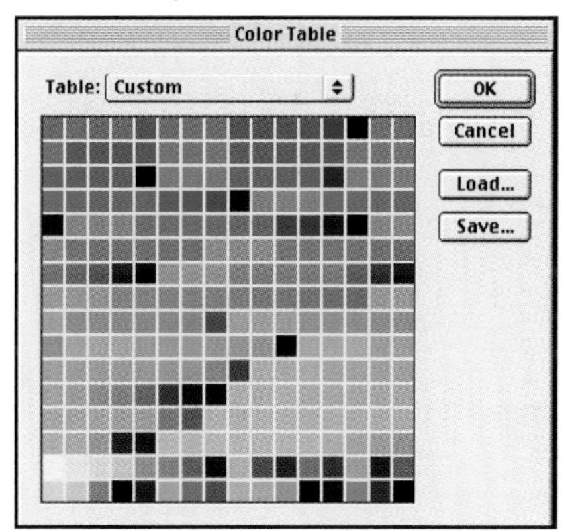

La palette adaptative a le plus bel aspect parce que ses couleurs sont basées sur le contenu de l'image. Paint Shop Pro appelle ce type de palette Nearest Color palette (palette des couleurs les plus proches). Photoshop parle de palette adaptative.

Palette système Macintosh

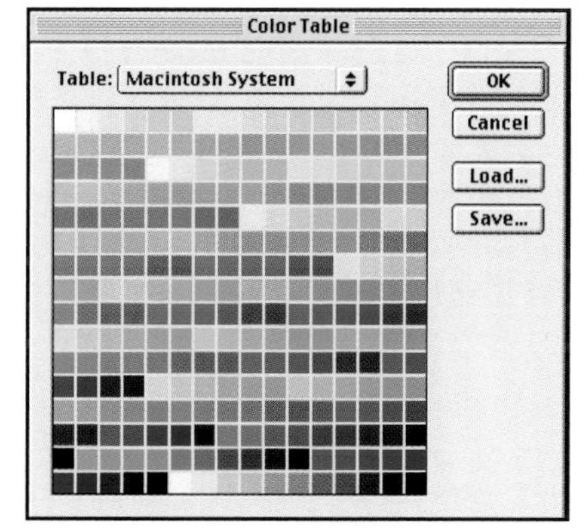

L'image palette système est de bien moins bonne qualité. Bien qu'elle possède le même nombre de couleurs que la palette adaptative, ses couleurs n'ont aucun lien avec l'image et nuisent à sa qualité.

Palette 216 c., indépendante du navigateur

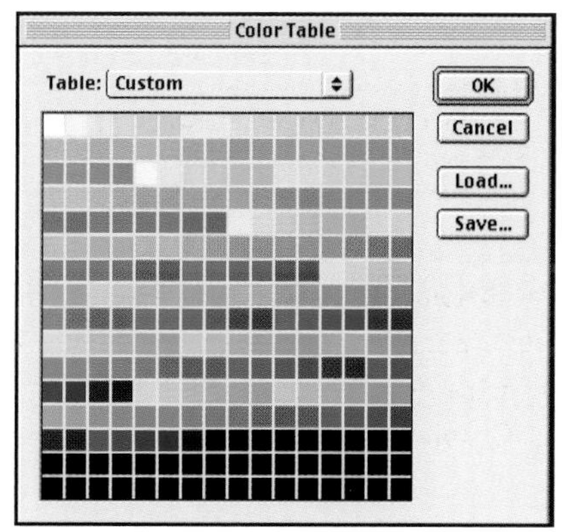

La palette indépendante du navigateur est la pire. Elle possède non seulement le nombre le plus faible de couleurs, mais en plus, comme pour la palette système, ses couleurs n'ont aucun lien avec l'image.

Simulation et répartition en bandes

Lorsqu'une image en millions de couleurs est convertie en une image en 256 couleurs ou moins, elle perd énormément en qualité. Essentiellement, si des couleurs doivent être retirées d'une image, il faut faire des sacrifices. Ces sacrifices peuvent prendre deux formes : la simulation ou la répartition en bandes. Voici quelques définitions à mémoriser :

La simulation est le positionnement de différents pixels de couleurs sur une image qui utilise une palette de 256 couleurs pour simuler une couleur qui n'existe pas dans la palette. Une image juxtaposée sur une autre présente souvent du bruit ou comprend des pixels éparpillés.

Une palette adaptative est utilisée pour convertir l'image en 256 couleurs à partir des couleurs existant dans l'image. En règle générale, la simulation adaptative est la méthode de simulation qui donne les meilleurs résultats.

La simulation de trame est l'opération qui se produit lorsqu'une image 24 bits ou 16 bits est affichée sur un ordinateur équipé d'une carte vidéo 256 couleurs. Les couleurs de l'image sont réduites à 256 couleurs et la simulation a l'air uniforme comme si on avait utilisé un motif.

La répartition en bandes est une opération de réduction des couleurs à 256 ou moins sans simulation. Elle produit des zones d'aplat de couleurs et génère un effet postérisé.

Bien comprendre le sens des concepts de simulation et répartition en bandes est essentiel en conception Web parce qu'il s'agit d'effets qui sont souvent indésirables. Réduire la qualité des images est parfois nécessaire pour des questions de débit, mais si vous franchissez la ligne de démarcation qui sépare la réduction de la taille du fichier et le maintien de la qualité de l'image, vous obtenez souvent des résultats insuffisants. Ces nouveaux termes vous aideront à décrire les problèmes que vous devrez surmonter lorsque vous créerez des graphismes Web et vous les rencontrerez souvent dans la suite de ce livre.

La simulation de trame se présente sous la forme d'un motif répété qui donne une impression de moirage.

Voici un exemple de simulation d'image à l'aide d'une palette adaptative. En règle générale, l'image est de meilleure qualité qu'avec la simulation d'écran parce que le motif de simulation est basé sur le contenu de l'image et non sur une trame prédéfinie.

La répartition en bandes sur cette image saute aux yeux. Elle évoque un effet de postérisation.

Les points sur une image simulée avec trame ont l'air uniformes ; en effet, ils sont basés sur un motif de trame généralisé.

Bien que cet exemple de simulation d'image soit composé de points pixelisés, ils sont moins évidents et donc moins indésirables parce qu'il n'y a pas de motif ou de trame qui saute aux yeux.

Voici un gros plan de la répartition en bandes. Au lieu des points que l'on trouve dans les méthodes de simulation, l'ordinateur prend l'image et la décompose en zones de couleur unie.

Osez simuler

La simulation de couleurs donne parfois l'impression d'être une solution de rafistolage. S'il est vrai que la simulation augmente la taille des images GIF, vous êtes parfois contraint d'utiliser la simulation dans des opérations de réduction des couleurs si vous ne voulez pas que votre image soit exécrable.

GIF enregistré avec simulation : 40,7 Ko.

GIF enregistré avec l'option Sans simulation de Photoshop : 37,2 Ko.

Il n'y a pratiquement aucune différence perceptible entre ces deux images, que l'on ait utilisé une méthode de simulation des couleurs pour convertir en couleurs 8 bits ou la méthode Sans simulation de Photoshop. Pourquoi ? L'image possède au départ de nombreuses zones de couleur unies. L'économie en terme de taille de fichier entre 40,7 Ko et 37,2 Ko n'est pas énorme non plus. Il n'en demeure pas moins que la méthode sans simulation produit un fichier plus petit.

GIF enregistré avec simulation : 17,6 Ko.

GIF enregistré sans simulation : 14,5 Ko.

Dans cet exemple, le GIF sans simulation est nettement plus petit, de 17 % exactement. Le problème est qu'il est horriblement laid ! Certains gains en terme de volume de fichier ne compensent pas la perte de qualité. Chaque fois qu'une photo comprend des lumières, des bordures atténuées ou des gradations de couleurs subtiles, vous devrez utiliser la simulation pour convertir de 24 bits à 8 bits et conserver un certain niveau de qualité.

Vous trouverez ci-dessous les instructions nécessaires pour définir des méthodes avec et sans simulation dans Photoshop, ImageReady, Fireworks, Paint Shop Pro et Photo-Paint. Tous ces logiciels vous donnent la possibilité de définir votre méthode de simulation ou de non-simulation des couleurs.

Note

Quatre règles de compression GIF

Pour résumer, voici quatre règles pour créer des GIF plus petits :

- Essayez d'enregistrer le fichier à la profondeur de bit la plus faible possible (utilisez le moins de couleurs possible) tout en surveillant la qualité.
- Essayez d'éviter la simulation des couleurs si l'image peut le supporter.
- Créez si possible des images comprenant un grand nombre de zones unies et évitez le bruit, les gradations et/ou les éléments photographiques.
- Evitez le lissage si l'image peut le supporter.

Il n'existe jamais de réponse toute faite pour parvenir à créer les fichiers GIF les plus petits possible. Les choix entre profondeur de bit et méthodes de simulation devraient toujours se fonder sur le contenu de l'image. En règle générale, les images contenant des gradations subtiles n'ont pas besoin de simulation. Les images comprenant des aplats de couleur auront plus belle allure sans simulation.

Réduction du nombre de couleurs d'un fichier GIF à l'aide de Photoshop

La boîte de dialogue Couleurs indexées possède trois fonctions importantes qui permettent de régler **l'échantillonnage de couleurs**, la **palette** et la **simulation**. La **résolution** affecte le nombre de couleurs de l'image ; la **palette** permet de définir les couleurs utilisées et la **simulation** indique au logiciel la méthode de réduction des couleurs à appliquer : simulation, trame ou pas de simulation.

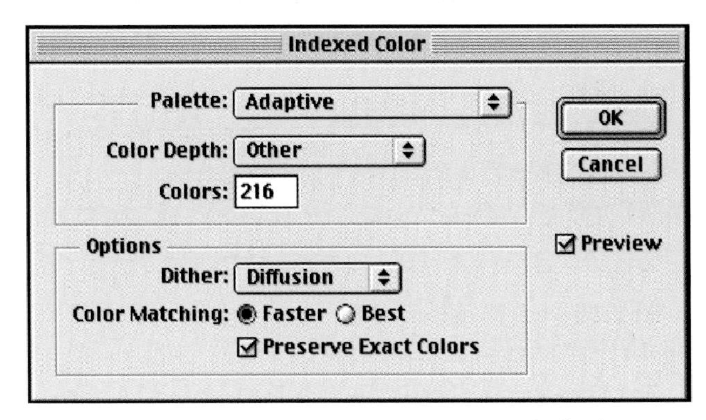

Etape 1. Une image RVB doit être convertie en mode Couleurs indexées avant qu'elle ne puisse être enregistrée sous la forme d'un GIF. Dans le menu Image, Mode, choisissez Couleurs indexées.

Etape 2. Vous pouvez indiquer le nombre de votre choix dans la zone Couleurs. Descendez jusqu'à ce que l'image soit d'une qualité insuffisante, puis remontez d'un degré. Vous vous assurez ainsi d'avoir atteint la limite la plus basse possible en termes de couleurs pour obtenir un fichier aussi petit que possible qui présente néanmoins un niveau de qualité acceptable.

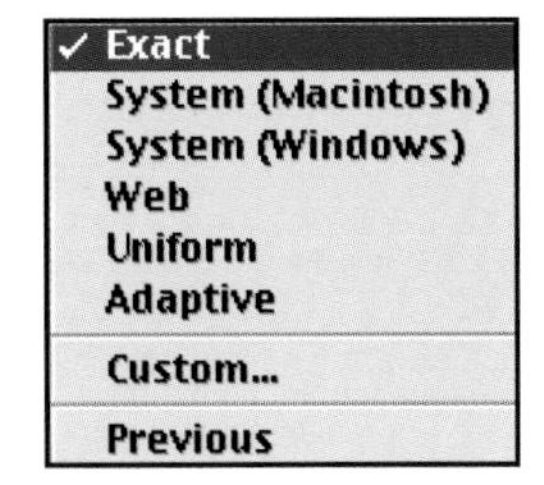

Options de palette Photoshop

Le choix d'une palette dépend de la nature de votre image. Voici une description des choix offerts par l'option palette de Photoshop :

Exacte. Cette option n'est disponible que si votre image d'origine compte moins de 256 couleurs. Comme il n'y a aucune raison dans ce cas que le programme réduise le nombre de couleurs, vous n'avez accès à aucun des choix de simulation et le fichier ne fera pas l'objet d'une simulation de couleurs.

Système (Windows). Applique la palette Windows.

Système (Mac). Applique la palette Macintosh.

Web. Applique à l'image la palette de 216 couleurs, indépendante des navigateurs (plus de détails sur ce point au Chapitre 7).

Uniforme. Applique une palette utilisant toutes les couleurs du spectre par incréments uniformes. Pas très utile pour les graphismes Web.

Adaptative. Choisit des couleurs dans l'image d'origine et oriente les couleurs de la palette en fonction de ces dernières. Ainsi, une image de feuilles d'automne possédera probablement beaucoup de rouges, de bruns, d'oranges et de jaunes. Il est moins probable qu'elle contienne des bleus, des violets ou des verts vifs.

Autre. Si vous avez enregistré une palette Photoshop (vous trouverez les instructions pour effectuer cette opération au Chapitre 7 « Problèmes de calibrage des couleurs »), vous pouvez la charger en tant que palette personnalisée en choisissant cette option.

Précédente. Applique à l'image actuelle la dernière palette utilisée sur l'image précédente.

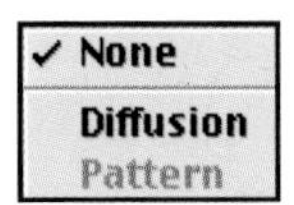

Options de simulation

- Si vous choisissez **Sans**, aucune simulation ne sera opérée. Sur des images comprenant de nombreuses couleurs unies, cette option est recommandée dans la mesure où elle produit des fichiers GIF plus petits.
- Si vous choisissez **Diffusion**, une simulation sera effectuée. Sur les images comprenant de nombreux tons, par exemple les photos ou les graphismes avec gradients, ombres et lumières, cette option est recommandée pour accroître la qualité de l'image, même si le fichier GIF résultant est plus volumineux.

Réduction des couleurs dans ImageReady

La réduction des couleurs dans ImageReady est assez simple ; elle se limite à saisir une nouvelle valeur dans la palette Optimize en s'assurant que GIF est bien sélectionné. Si vous cliquez sur l'onglet Optimize dans la fenêtre LiveWindow, vous verrez vos modifications s'afficher instantanément sur l'image. Cela vous permet d'affiner les réglages de réduction des couleurs, de palette et de simulation tout en visualisant interactivement vos résultats.

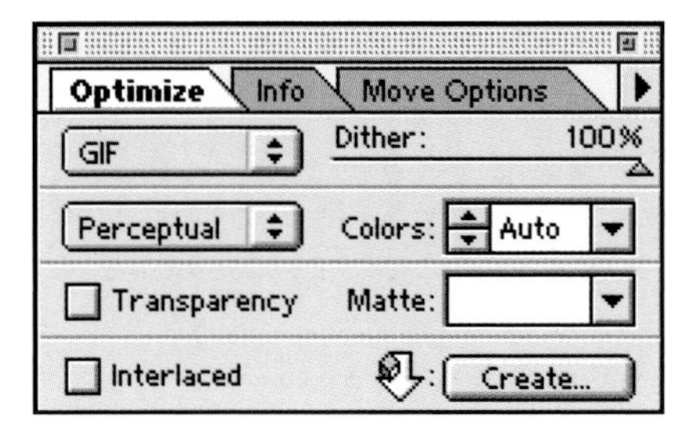

Les options de la palette ImageReady
ImageReady a un comportement de palette légèrement différent de celui de Photoshop. Voici une définition des options de la palette ImageReady :

Perceptual. La palette Perceptual utilise des couleurs de l'image d'origine comme le fait la palette adaptative de Photoshop. La différence tient au fait que les couleurs sont choisies en fonction de la perception visuelle et des couleurs de l'image. Si une image de départ contient des couleurs indépendantes du navigateur (voir Chapitre 7), ces couleurs risquent de se décaler lorsqu'elles sont réduites à l'aide de la palette Perceptual.

Adaptive. La seule différence avec la palette adaptative de Photoshop est qu'ImageReady ne décale pas les couleurs indépendantes des navigateurs. C'est un avantage énorme pour les concepteurs Web qui utilisent ce produit.

Web. La palette Web est identique à la palette Web de Photoshop.

Astuce

Réglage Auto dans Fireworks

Le réglage Auto du champ de profondeur de couleur de la palette Optimize réduit automatiquement le nombre de couleurs au plus petit nombre nécessaire.

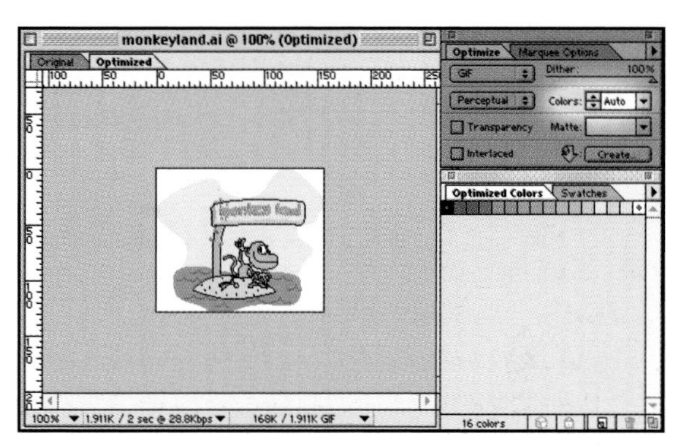

Pour connaître le nombre de couleurs que le réglage Auto a sélectionnées, assurez-vous que les onglets Optimized et Optimized Colors sont actifs afin que vous puissiez voir les résultats.

Réduction des couleurs dans Fireworks

Toutes les réductions de couleurs s'effectuent dans le module Export de Fireworks. Sélectionnez File, Export pour accéder à ce module.

Vous pouvez saisir des valeurs personnalisées dans les champs en incrustation nombre de couleurs.

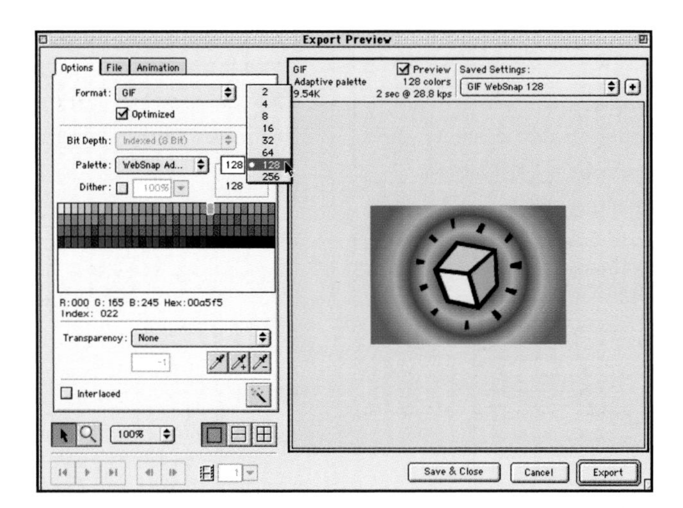

Options de la palette Fireworks

Adaptive. Semblable à la palette adaptative de Photoshop ; les réglages proviennent des couleurs réelles de l'image.

Websnap Adaptive. Une palette adaptative qui décale les couleurs dont la valeur est proche de couleurs indépendantes des navigateurs sur la couleur indépendante des navigateurs la plus proche.

Web 216. Les 216 couleurs indépendantes des navigateurs présentées en détail au Chapitre 7.

Exact. Si votre image de départ contient moins de 256 couleurs, cette option de palette conserve les couleurs exactes utilisées.

System (Windows) et System (Macintosh). Les palettes appliquées par chacun de ces systèmes d'exploitation.

Grayscale. Une palette de 256 gris au maximum, qui, si on l'applique à une image en couleurs, produit une image en niveaux de gris.

Black and White. Convertit une image en couleurs en noir et blanc (pas de gris, pas de couleurs !)

Custom. Il est possible d'enregistrer une palette personnalisée dans Fireworks, de la recharger et de l'appliquer à toute image Fireworks.

Réduction des couleurs dans Paint Shop Pro

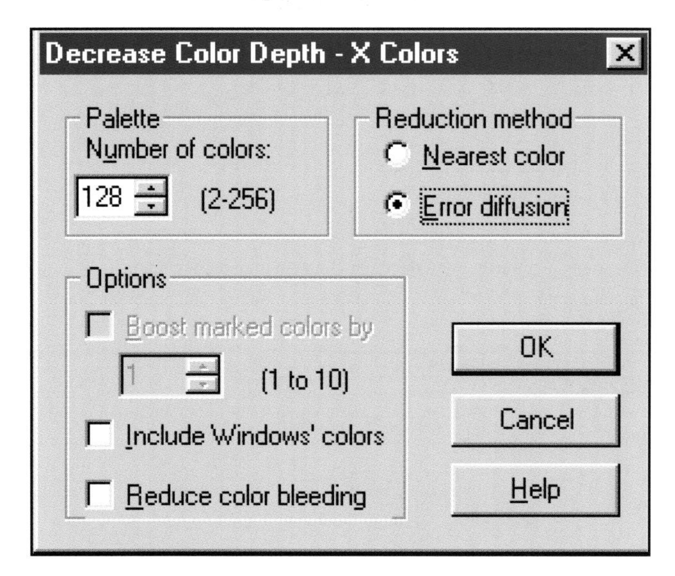

Options de la palette Paint Shop Pro

Number of Colors. Indique la profondeur de l'image.

Nearest Color Reduction method. Identique à l'option Sans simulation de Photoshop et Photo Paint. Elle crée une répartition des couleurs en bandes.

Error Diffusion. Crée une simulation en fonction de l'image elle-même.

Boost Masked Colors. Vous permet de sélectionner des couleurs appartenant au document et de faire en sorte que la palette favorise ces couleurs.

Include Windows' Colors. Garantit que les 16 couleurs de Windows sont réservées dans la palette de couleurs de l'image. Voir l'encadré ci-dessous.

Reduce Color Bleeding. Réduit les bavures de couleurs de gauche à droite qui se produisent parfois avec l'option Error Diffusion.

Note

La palette 16 couleurs Windows

Seize couleurs sont réservées à une palette native que l'on trouve sur tous les ordinateurs Windows. Malheureusement, seules les six dernières couleurs sont des couleurs indépendantes des navigateurs. Vous pouvez avoir envie d'utiliser ces couleurs, par exemple pour un Intranet basé sur Windows pour lequel la compatibilité entre plates-formes n'est pas un problème.

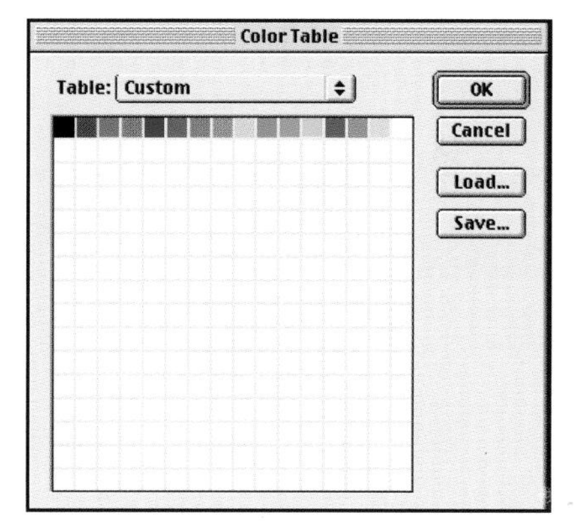

Voici les 16 couleurs natives réservées aux systèmes Windows. Seules les six dernières sont des couleurs indépendantes des navigateurs.

Images hybrides

Comme je vous l'ai signalé auparavant, il peut arriver que votre image n'entre ni dans la catégorie des images à tons continus, ni dans celle des dessins au trait, parce qu'elle contient des éléments des deux catégories. C'est dans ce cas de figure que le choix d'une méthode de compression est le plus délicat. La seule manière de traiter une telle image est d'essayer de la compresser au format GIF puis JPEG et de voir quelle méthode produit le fichier le plus petit.

De nombreux logiciels de traitement d'images proposent la possibilité de créer des fichiers GIF et JPEG, mais si vous voulez comparer ces deux méthodes de compression, il est préférable d'être équipé d'un éditeur d'images dédié que vous réservez aux travaux Web. Deux produits de ce type ont été mis sur le marché récemment : Macromedia Fireworks et Adobe ImageReady. Voici la procédure à suivre pour comparer les méthodes de compression dans Fireworks et ImageReady :

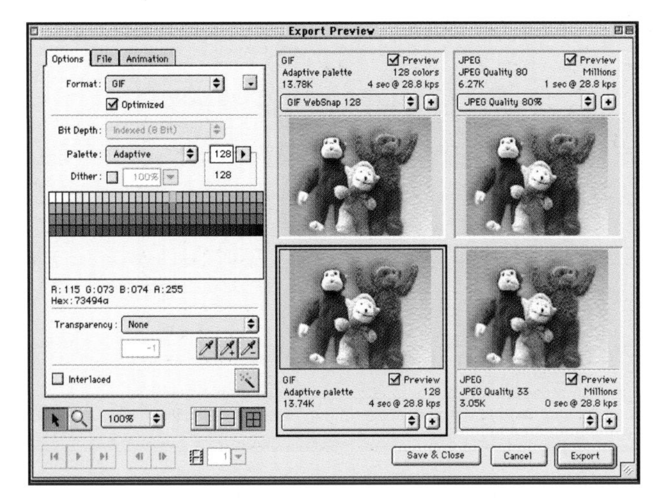

Fireworks possède une fonction appelée *SplitView* qui vous permet de voir la même image compressée de quatre manières différentes sur le même écran. Pour mettre en œuvre cette fonction, choisissez Fichier:Exporter (File, Export) et cliquez sur l'outil SplitView.

ImageReady vous permet de régler la compression au niveau de la palette Optimize, puis de visualiser le résultat en cliquant sur l'onglet Optimized. Vous pouvez détacher l'onglet Optimized et créer plusieurs versions avec des réglages de compression différents. Chaque fois que vous détachez un onglet Optimized, un nouvel onglet apparaît dans lequel vous pouvez saisir de nouveaux réglages.

Extensions Photoshop pour l'optimisation GIF

Pour ceux d'entre vous qui ne souhaitent pas ou ne comptent pas acheter une application graphique Web distincte, il existe plusieurs extensions intéressantes qui vous permettront d'optimiser vos GIF bien plus efficacement qu'avec Photoshop. Je vous en indique deux ici : **PhotoGIF** de Boxtop Software (http:/www.boxtopsoft.com) et **HVS ColorGIF** de Digital Frontier (http://www.digfrontiers.com). Ces extensions fonctionnent avec Photoshop et doivent être installées dans le dossier Extensions de Photoshop.

BoxTop Software

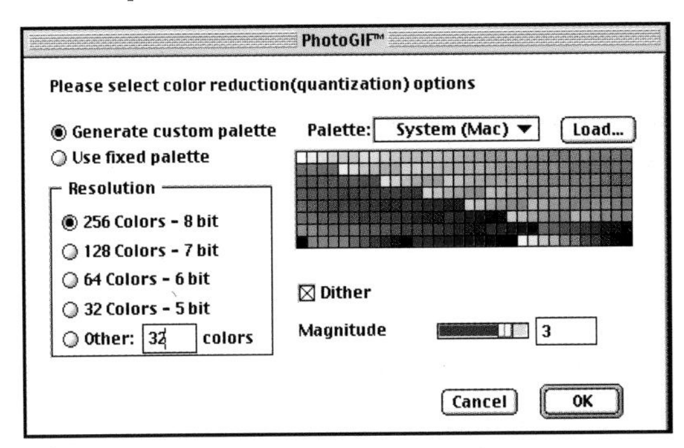

Etape 1. L'utilisation de PhotoGif est une opération en deux temps. Une fois que l'extension est installée, elle s'affiche dans le menu lorsque vous cliquez sur Enregistrer sous. Vous choisissez vos réglages de nombre de couleurs et de palette dans la première boîte de dialogue.

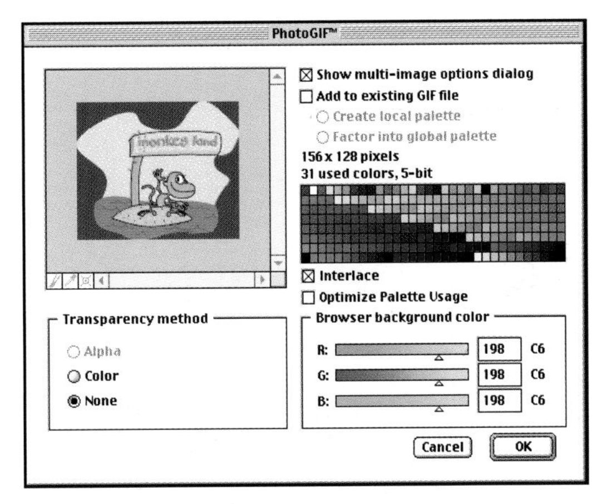

Etape 2. Une fois que vous avez défini le nombre de couleurs et effectué les autres réglages, une prévisualisation s'affiche avant que le fichier ne soit finalisé par un clic sur OK.

HVS ColorGIF

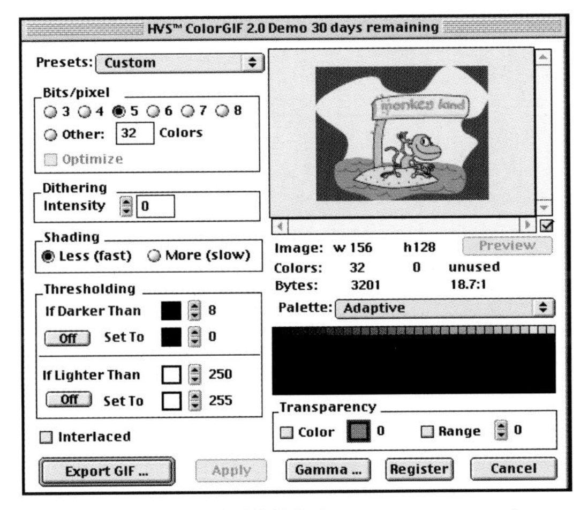

Etape 1. La méthode HVS Color ne comporte qu'une seule étape. Choisissez Fichier, Exportation, HVS Color GIF et la boîte de dialogue ci-dessus s'affiche. Saisissez vos propres réglages (la prévisualisation est très pratique pour cela) et cliquez sur Export GIF lorsque vous avez terminé.

Réduction en ligne de la taille des fichiers : GIFWizard

Une nouvelle tendance de l'optimisation GIF est accessible en ligne à l'adresse http://www.gifwizard.com. En visitant ce site, vous pouvez tester différents taux de compression en soumettant une URL de votre choix, puis en regardant GIFWizard opérer sa magie sur vos fichiers. Ce service n'est pas gratuit.

GIFWizard, à l'adresse http://www.gifwizard.com, compresse vos graphismes en ligne pour toutes plates-formes à des tarifs variables. Visitez ce site pour consulter la grille de tarifs qui va des licences annuelles à une utilisation ponctuelle.

Problèmes des GIF animés

Comme pour les autres fichiers GIF, le nombre de couleurs et la quantité de bruit des vues d'une séquence animée affectent la taille globale du fichier. Si vous avez une animation comprenant cent vues, chaque vue pesant 5 Ko, votre GIF animé sera de 500 Ko. Il gonfle en fonction du nombre de vues créées et de la taille de chaque vue individuelle. En revanche, votre visiteur n'attend que des portions de 5 Ko à la fois, ce qui est nettement moins pénible que l'envoi d'un GIF statique 500 Ko d'un seul bloc.

Si vous voulez apprendre à contrôler les palettes des GIF animés et/ou maîtriser des techniques d'optimisation, reportez-vous au Chapitre 21.

Cette animation, http://www.lynda.com/bookstore/process.htm, ne pèse que 15 Ko. Chaque vue ne dépasse pas 1 Ko. Comment ? Beaucoup d'aplats de couleurs et pas de lissage.

Création de petits fichiers PNG

PNG est complexe en théorie parce qu'il présente un grand nombre de permutations différentes. Vous pouvez enregistrer un fichier PNG en 8 ou 24 bits ; le mode 8 bits ressemble au format GIF, alors que le mode 24 bits rappelle JPEG. En d'autres mots, toutes les subtilités de GIF et JPEG sont rassemblées en un seul format complexe.

Comme vous devez choisir entre différents réglages, je vous conseille vivement ImageReady et Fireworks plutôt que Photoshop ou d'autres outils de traitement d'images pour compresser vos fichiers PNG. L'interactivité supplémentaire que ces deux produits apportent à l'opération est très utile. Ni ImageReady ni Fireworks ne vous donnent accès aux filtres pour PNG proposés par Photoshop, mais, comme la plupart de ces filtres n'ont guère d'utilité, ce n'est pas vraiment un inconvénient.

Pour évaluer les réglages PNG dans Fireworks ou ImageReady, reportez-vous à la section précédente. En revanche, si vous êtes équipé de **Photoshop**, voici ses **options PNG** et une description de leur signification :

Entrelacement

Non : Pas d'entrelacement.

Adam7 : Entrelacement.

Filtrage

Aucun. Comme l'indique son nom, cette option ne propose aucun filtrage. On peut s'étonner qu'Adobe recommande ce réglage comme étant le meilleur pour les images Web. Je ne vois pas très bien à quoi servent les filtres s'ils ne participent pas à la compression...

Inférieur. Compare et optimise les valeurs de pixels placés les uns à côté des autres sur un axe horizontal.

Supérieur. Compare et optimise les valeurs de pixels placés les uns à côté des autres sur un axe vertical.

Moyen. Optimise toutes les valeurs de pixels d'un document en calculant leur moyenne.

Tracé. Applique des calculs linéaires pour optimiser et comparer les différentes valeurs des pixels.

Adaptatif. Le meilleur choix. Utilisez cette option si vous voulez appliquer un filtre, car il choisit la meilleure option possible parmi celles proposées ci-dessus en fonction de la nature de l'image à traiter.

Traitement par lots

Le traitement par lots vous permet d'utiliser un réglage unique sur plusieurs fichiers. Imaginons que vous ayez un dossier ou un répertoire rempli d'images qui sont en CMJN à 300 ppp. Vous souhaitez les utiliser pour le Web, mais vous savez qu'elles ne présentent pas le bon mode de couleur et qu'elles sont bien trop volumineuses. Vous pourriez rédiger un script qui modifierait le mode de couleurs en RVB, 72 ppp et réduirait les fichiers à 50 % de leur taille initiale. Si vous avez cent images, vous devriez répéter l'opération cent fois. Pas question. Une telle tâche est idéale pour un traitement par lots.

De nombreux outils gèrent le traitement par lots, mais, malheureusement, je ne les connais pas tous ni n'ai suffisamment de place ici pour les traiter. Je vais donc me limiter à quatre d'entre eux, plus précisément **Photoshop, ImageReady, Fireworks** et **DeBabelizer**.

Les scripts Photoshop

La palette Scripts de Photoshop et Actions d'ImageReady enregistre des *macros*, c'est-à-dire de petits scripts qui peuvent être réexécutés. Ces scripts peuvent être appliqués à des images uniques ou en mode traitement par lots où ils peuvent être appliqués à des centaines de fichiers.

Voici la procédure à suivre pour enregistrer un script dans ces deux logiciels.

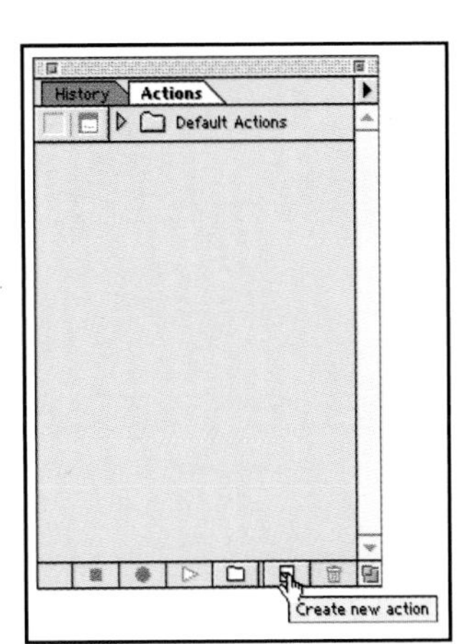

Etape 1. Ouvrez le fichier que vous souhaitez modifier. Cliquez sur l'icône Commencer un nouveau script (Create New Action) pour lancer un enregistrement.

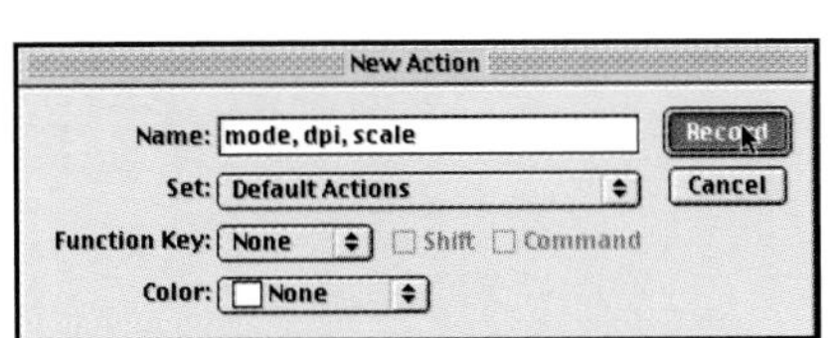

Etape 2. Donnez un nom à votre script.

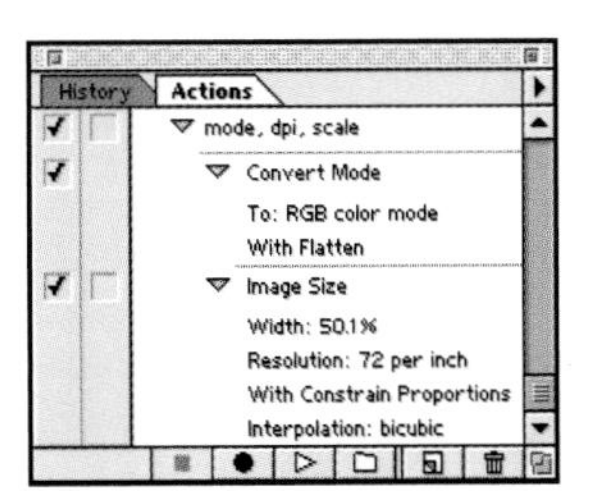

Etape 3. Effectuez les modifications. Dans le cas présent, j'ai changé le mode en RVB, 72 ppp et réduit l'image à 50 %. Lorsque vous avez terminé, cliquez sur le bouton Arrêter (Stop) et cliquez sur la flèche pointée vers le bas pour parcourir la liste et vérifier que toutes les opérations ont bien été enregistrées.

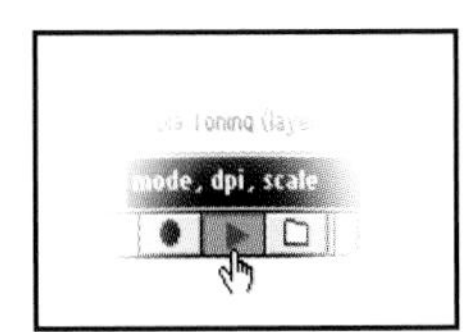

Etape 4. Cliquez sur le bouton Exécuter (Play) placé au bas de la palette Scripts pour tester cette macro sur une image quelconque.

Traitement par lots dans Photoshop et ImageReady

Exécuter le script précédent sur de nombreuses images exige le recours au traitement par lots. Cette opération se passe différemment dans Photoshop et ImageReady.

Dans Photoshop 5.0

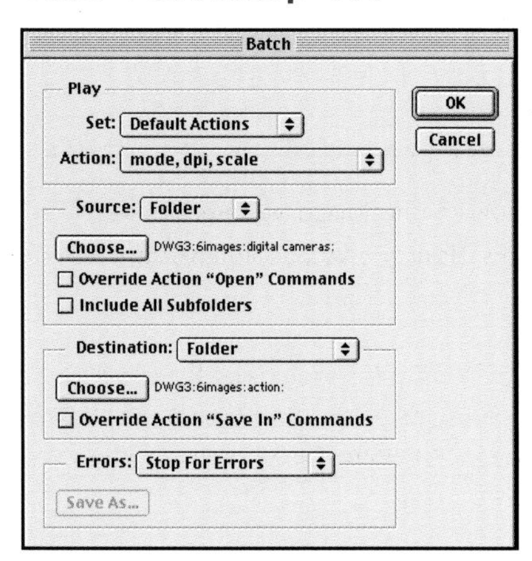

Etape 1. Choisissez Fichier, Automatisation, Traitement par lots (File:Automate:Batch).

Etape 2. Complétez les réglages. Si vous souhaitez choisir un dossier Source et Destination, cliquez sur les boutons Sélectionner respectifs pour sélectionner les répertoires appropriés. Conseil important : travaillez toujours sur des doubles de vos documents au cas où un script endommagerait des fichiers importants.

Dans ImageReady 1.0

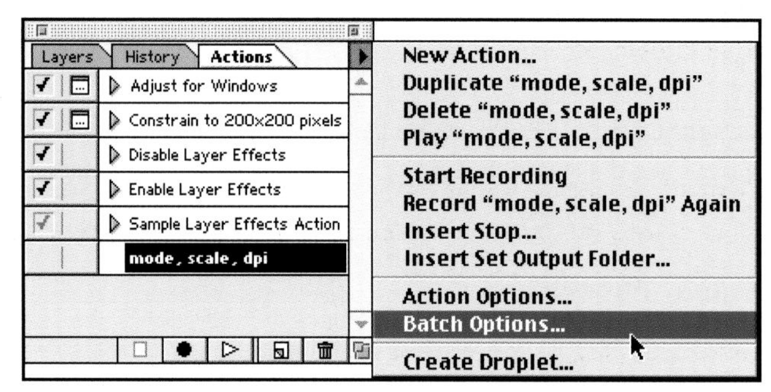

Etape 1. Vous accédez à l'option de menu (Options par lots) Batch Options à partir du menu en incrustation situé dans l'angle supérieur droit de la palette Scripts.

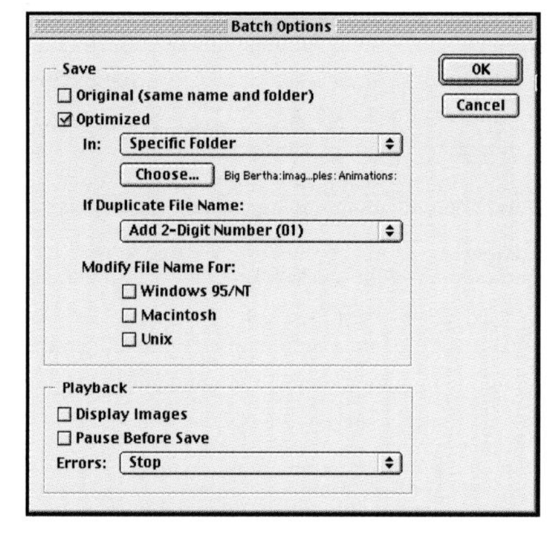

Etape 2. La boîte de dialogue (Options par lots) Batch Options vous permet de sélectionner différentes options de menu dans la liste déroulante In et dans la liste déroulante Si nom de fichier dupliqué (If Duplicate File Name).

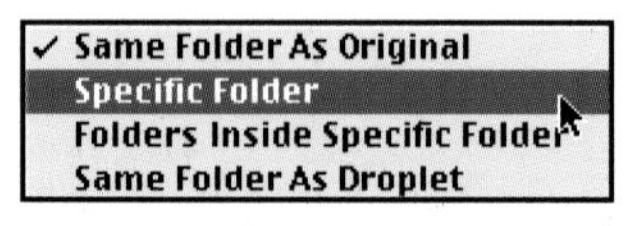

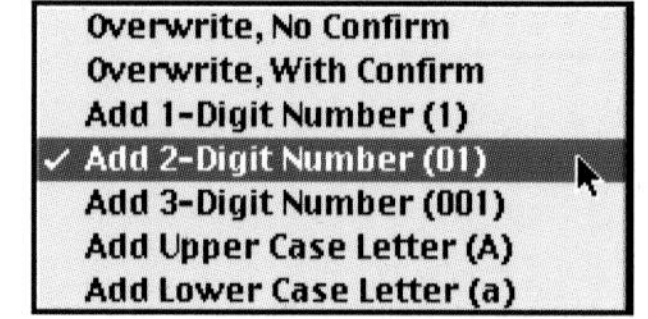

Etape 3. Les options du menu In sont bien plus adaptées aux graphismes Web que les options de traitement par lots de Photoshop. La possibilité d'ajouter des extensions numériques aux éléments traités par lots est également plus puissante que les options de nommage de Photoshop.

Les droplets d'ImageReady

Les droplets sont un nouveau type de fonction de traitement par lots mis au point par ImageReady. Un droplet peut être fabriqué à partir d'un **script** ou de la palette **Optimize**.

Le terme *droplet* fait référence au fait que vous pouvez déposer (en anglais *drop*) des fichiers ou des dossiers sur l'icône et celle-ci va alors exécuter les opérations pour lesquelles elle a été conçue. Les droplets peuvent être créés à partir de la palette Actions ou de la palette Optimize. Voici le détail des opérations à effectuer.

A partir de la palette Actions

Conseil : avant de lancer cette opération, assurez-vous que vous avez bien réglé les paramètres d'optimisation dans la palette Optimisation ; dans le cas contraire, le droplet applique le réglage de compression par défaut.

Etape 1. Créez un script basé sur les instructions précédentes.

Etape 2. Faites glisser le script de la palette Actions vers le bureau.

Etape 3. Tout fichier, dossier ou répertoire que vous déposez sur le droplet va faire l'objet de l'exécution du script.

Note : si vous double-cliquez sur le droplet, vous pouvez consulter le contenu du script.

A partir de la palette Optimize

Etape 1. Ouvrez une image et sélectionnez le type d'optimisation que vous souhaitez appliquer.

Etape 2. Faites glisser l'icône droplet de la palette Optimiser vers votre bureau ou cliquez sur le bouton Créer une application Droplet (Create droplet).

Etape 3. En cliquant deux fois sur le droplet, vous pouvez modifier les options de traitement par lots et spécifier l'emplacement dans lequel résideront les fichiers ainsi traités.

L'icône du droplet ImageReady peut se trouver sur votre bureau. Vous pouvez ainsi aisément faire glisser des fichiers ou dossiers sur celle-ci.

Traitement par lots dans Fireworks

Le traitement par lots de Fireworks vous permet d'appliquer tout Preset (informations de paramètres d'optimisation) et informations de dimensionnement à un dossier ou répertoire d'images. La première opération consiste à définir un Preset.

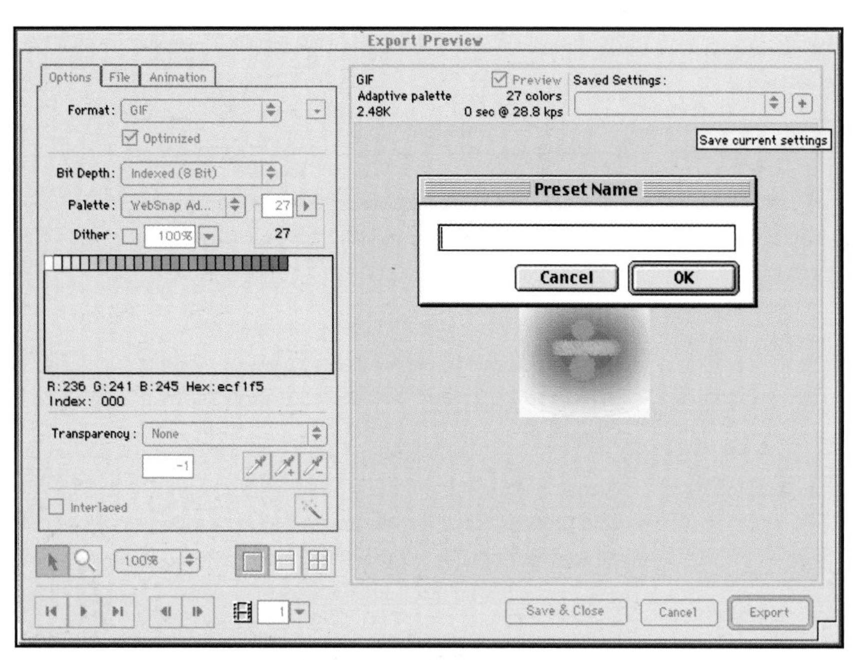

Etape 1. Ouvrez une image et choisissez Fichier:Exporter (File:Export). Choisissez vos réglages. Dans le cas présent, j'ai choisi une palette adaptative indépendante des navigateurs de 27 couleurs. Lorsque les paramètres me convenaient, j'ai cliqué sur le symbole plus placé dans l'angle supérieur droit sous les mots Paramètres enregistrés (Saved Settings). Cette opération a ouvert la fenêtre Nom du réglage prédéterminé (Preset Name). Dès que vous avez créé un réglage qui vous satisfait ou avez choisi de travailler avec l'un de vos réglages existants, vous êtes prêt à lancer le traitement par lots. Cliquez sur le bouton situé dans l'angle inférieur droit nommé Suivant (Next), puis enregistrez le fichier.

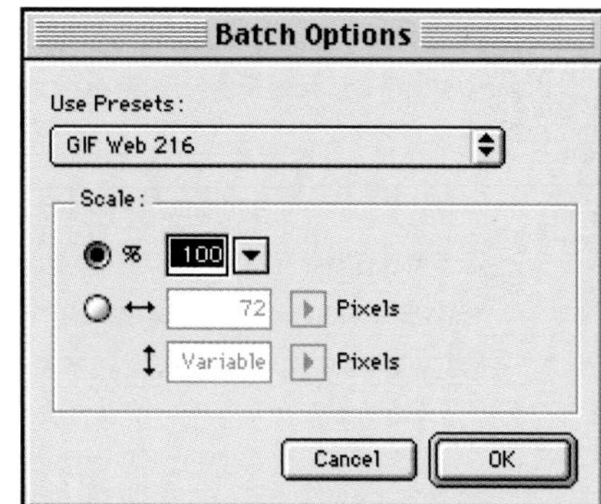

Etape 2. Choisissez Fichier:Traitement par lots (File:Batch). Vous serez invité à localiser un dossier auquel appliquer le traitement par lots. Une fois ce dossier sélectionné, la boîte de dialogue Options de traitement par lots (Batch Options) s'affiche. Vous pouvez sélectionner tout réglage enregistré existant dans le menu en incrustation et choisir de dimensionner en pourcentage ou en valeur. Les paramètres saisis dans cette boîte de dialogue s'appliqueront au dossier ou répertoire que vous avez présélectionné.

Traitement par lots dans DeBabelizer

La plupart des professionnels sérieux du Web et du multimédia qui gèrent de gros volumes d'images utilisent DeBabelizer (disponible pour Mac et PC) pour le traitement par lots. Bien que Photoshop, ImageReady et Fireworks, proposent tous cette fonctionnalité, aucun d'eux ne considère que cette fonction constitue l'objet essentiel de leur produit.

DeBabelizer est doté d'une fonction appelé *Batch List*, qui vous permet de dresser une liste de fichiers à traiter. Alors que tous les autres programmes ne fonctionnent que sur un seul dossier ou répertoire, DeBabelizer est capable de constituer une liste à partir de plusieurs disques durs, dossiers et répertoires.

Il est également muni de fonctions de scripts capables d'effectuer des opérations évoluées, par exemple inclure des paramètres de script conditionnels du type Si, Alors, Sinon et des instructions en boucle. Il en résulte que vous pourriez demander au script d'exécuter différentes fonctions sur différentes images dans votre script de traitement par lots. Imaginons que vous ayez demandé à votre script de compresser toutes les images comprenant la lettre X dans leur nom de fichier sous la forme de fichiers GIF et toutes les images comprenant la lettre Z sous la forme de JPEG. Ce type d'opération dépasse largement les possibilités offertes par les autres logiciels de traitement par lots.

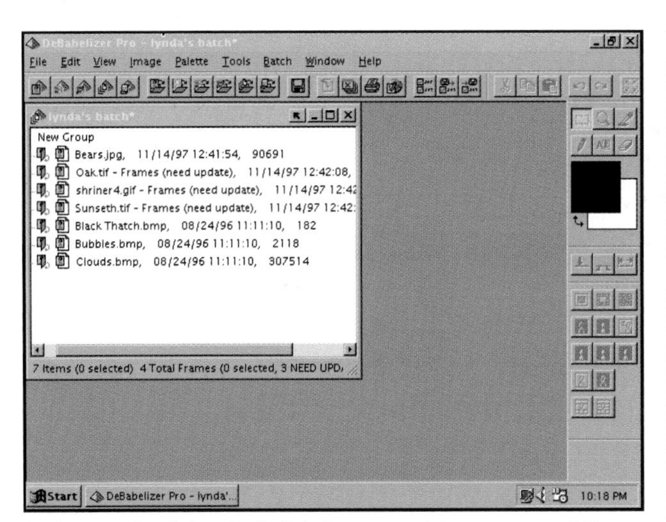

La fonction Batch List de DeBabelizer est précieuse parce qu'elle peut prendre des images sur tout disque dur, dossier ou répertoire. Une fois que les images se trouvent sur cette liste, un nombre quelconque de scripts peut leur être appliqué.

Astuce

Ressources d'optimisation d'images

The Bandwidth Conservation Society
http://www.infohiway.com/faster/index.html

Web Reference
http://www.webreference.com/dev/graphics/

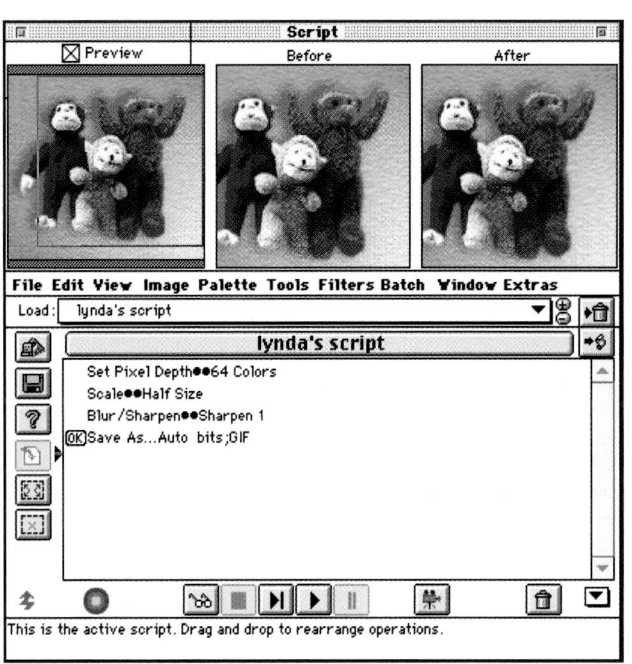

C'est dans la fenêtre Script que vous pouvez définir toutes les fonctions de script, y compris les scripts conditionnels capables de prendre en compte les fonctions Si, Alors, Sinon, ainsi que les fonctions en boucle.

Résumé — Graphismes à bande passante étroite

Un aspect important de la conception Web consiste à s'assurer que les images sont petites en taille et se chargent rapidement. La contrepartie de la vitesse est la qualité. Votre travail consiste donc à bien situer la ligne de partage. Il existe un grand nombre d'outils parmi lesquels vous pouvez faire un choix pour cette opération, mais voici quelques principes à respecter, quel que soit l'outil que vous choisissez d'utiliser :

- La compression JPEG est à préconiser pour les images photographiques ou les dessins en tons continus.
- Les paramètres de qualité dans JPEG affectent la taille du fichier. Trouvez les réglages de qualité les plus bas qui, néanmoins, produisent une image acceptable, de sorte que la taille du fichier soit aussi minime que possible.
- N'appliquez jamais la compression JPEG à un fichier qui a déjà été enregistré en JPEG. La méthode de compression avec pertes va dégrader la qualité de l'image.
- La compression GIF est à préconiser pour les graphismes ou les images qui contiennent des dessins au trait.
- Vous pouvez optimiser la taille d'un fichier GIF en réduisant le nombre de couleurs qu'il contient. Moins il y a de couleurs, plus petits sont les fichiers.
- La simulation de couleurs augmente la taille d'un fichier GIF, mais doit néanmoins être utilisée pour des images qui contiennent des gradients ou des éléments flous. Si votre image présente un grand nombre d'aplats de couleurs, elle n'exige pas de simulation et sera plus petite si vous n'appliquez aucune méthode de simulation des couleurs au moment de l'enregistrement de votre fichier.
- Dans le cas d'images hybrides (c'est-à-dire des images qui comprennent des dessins au trait et des graphismes en tons continus), il est préférable de les enregistrer à la fois en GIF et JPEG, puis de comparer les résultats.

Introduction

Problèmes de calibrage des couleurs

Au sommaire de ce chapitre

7

Avant l'arrivée du Web, la plupart des infographistes créaient des illustrations destinées à être imprimées et non présentées sur écran. Si vous êtes familier de l'impression, vous connaissez très certainement l'espace chromatique appelé CMJN. CMJN est un système colorimétrique qui permet aux couleurs affichées sur écran d'être traduites avec précision en encres d'impression. Sur le Web, nos encres d'impression sont des luminophores et des pixels soumis à toutes sortes de variables qui n'existent pas dans le monde de l'impression, tels le calibrage de moniteur et les différences de gamma entre plates-formes.

Par de nombreux aspects, travailler sur des couleurs d'écran peut se révéler plus amusant que de travailler avec des encres d'impression. Pas besoin d'attendre les épreuves en couleurs, inutile de travailler avec des valeurs CMJN (bien moins chatoyantes que les couleurs RVB), pas de fichiers haute résolution et pas de trames de points à gérer. Bien que travailler pour une présentation sur ordinateur soit plus simple à certains points de vue, ne soyez pas naïf au point d'imaginer que ce que vous voyez sur votre écran correspond exactement à ce que d'autres verront sur le leur. En effet, à l'instar des couleurs imprimées, les couleurs « informatiques » présentent leur propre ensemble de problèmes et de solutions.

Ce chapitre traite de quelques aspects des couleurs associés à la conception Web du point de vue du calibrage des couleurs. Nous allons comparer RVB et CMJN, examiner les gammas, sRVB et les profils ICC. Plusieurs entreprises de matériels et de logiciels informatiques s'efforcent de résoudre les nombreux problèmes liés à l'utilisation des couleurs sur ordinateur. Ce chapitre contient des conseils pratiques ainsi qu'une présentation d'ensemble des différentes technologies associées à la couleur sur le Web.

RVB et CMJN

La couleur d'un pixel est composée de trois couleurs de lumière projetées qui se mélangent d'un point de vue optique. Ces trois couleurs projetées sont le rouge, le vert et le bleu. Mélangées, elles créent un espace chromatique appelé RVB. Vous entendrez également parler de l'espace chromatique CMJN, composé des couleurs cyan, magenta, jaune et noir. Sur un ordinateur, l'espace chromatique CMJN simule les encres d'impression et est utilisé couramment par les concepteurs du monde de l'impression. A l'inverse, l'essentiel du travail des concepteurs Web se fait sur un écran d'ordinateur ; c'est pourquoi nous utilisons en général uniquement l'espace chromatique RVB.

Les couleurs **CMJN** sont dites soustractives, c'est-à-dire que le mélange de plusieurs couleurs crée du noir. Cet espace chromatique a été créé pour des infographies destinées à être transférées sur papier à l'aide d'un procédé quadrichromique.

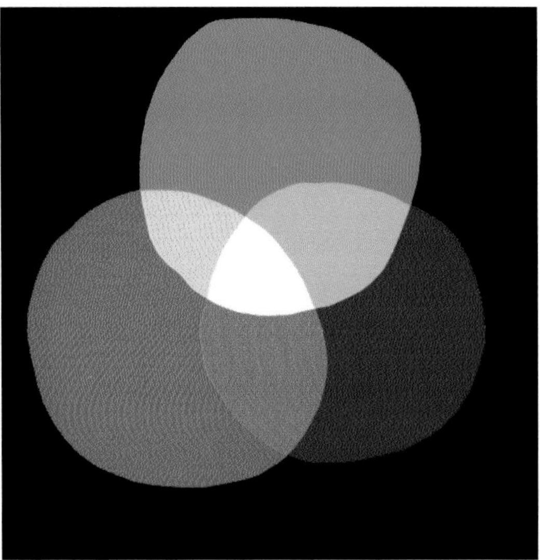

Les couleurs **RVB** sont dites additives, c'est-à-dire que le mélange de plusieurs couleurs crée du blanc. Cet espace chromatique a été créé pour des infographies destinées à être vues uniquement sur un écran d'ordinateur.

RVB et profils ICC

Peut-être avez-vous déjà observé une image sur deux ordinateurs différents et constaté un décalage des couleurs et des contrastes ? Cela résulte du fait qu'il n'existe pas de modèle de calibrage universel pour les couleurs d'écran.

Le problème de l'imprévisibilité des couleurs est actuellement étudié sous divers angles par les fabricants de matériels informatiques et les éditeurs de logiciels. Deux stratégies s'opposent. La première s'appelle sRVB ; elle propose un espace chromatique précisément défini, taillé sur mesure pour une présentation sur écran. La seconde implique le recours à des profils ICC qui voyagent avec le fichier concerné et indiquent au périphérique (imprimante ou moniteur) comment afficher les couleurs avec précision.

La section ci-dessous examine ces deux approches et explique comment elles peuvent affecter votre stratégie couleur en matière de publication Web.

Définition de sRVB

Le 5 août 1996, Microsoft et Hewlett-Packard ont proposé un nouveau standard d'espace chromatique appelé sRVB. Ce standard a été accepté par le W3C et va bientôt être introduit dans de nombreux logiciels et matériels informatiques.

Cette proposition vient du fait que les tubes à rayons cathodiques (TRC), c'est-à-dire les moniteurs informatiques, peuvent être réglés selon une combinaison quasiment infinie de paramètres de calibrage. Le principe de base de sRVB consiste à produire une méthode fiable de description des couleurs pouvant être comprise par les TRC et optant pour un calibrage basé sur un moniteur moyen et appliqué par défaut à tout le monde.

Les navigateurs et les logiciels de traitement d'images tireraient profit d'une seule description de RVB parce qu'ils n'auraient plus à gérer tous les types possibles de RVB (comme c'est le cas actuellement sans standard de calibrage). Comme sRVB est basé sur un moniteur moyen, la plupart des utilisateurs n'auront pas besoin de recalibrer leurs réglages. Les utilisateurs les plus touchés seront les utilisateurs de machines non PC, en particulier ceux qui travaillent sur des systèmes Macintosh ou UNIX (SUN, SGI et Linux sur Mac).

Au lieu de se baser sur des profils de couleurs (détaillés dans la section suivante) pour une gestion précise des couleurs, sRVB décrit un espace chromatique d'une définition plus précise que RVB. L'idée est que les logiciels de traitement d'images permettraient aux développeurs de créer des images dans un espace chromatique sRVB et que les moniteurs et navigateurs comprendraient comment afficher les résultats avec précision. Les spécifications de sRVB étant plus rigoureuses que celles de RVB, les différences de couleurs imprévisibles rencontrées aujourd'hui seraient éliminées.

La **proposition sRVB** comprenait une **invitation à passer à l'action** ; vous allez avoir une idée plus précise de ce qu'il faut mettre en place avant que sRVB ne soit largement accepté :

- Les systèmes d'exploitation et les outils de création doivent accepter le calibrage sRVB.
- Les outils de création devraient permettre l'utilisation de l'outil de gestion de la couleur du système d'exploitation afin de convertir les images entrantes en sRVB.
- Les outils de création devraient permettre aux utilisateurs d'afficher et d'éditer du texte en sRVB.
- Les créateurs de pages Web devraient publier des contenus en sRVB.
- Les éditeurs de navigateurs devraient accepter les extensions de feuilles de style qui utilisent les outils de gestion de la couleur des systèmes d'exploitation.
- Les organisations qui créent et diffusent des formats de fichiers doivent s'assurer que ces formats sont capables de déclarer leur espace chromatique.
- Toute cette mise en place va demander du temps. Il va falloir patienter avant que les programmes de traitement d'images acceptent sRVB (je reviens sur ce point ci-dessous) et pour que les périphériques matériels le reconnaissent.

Les trois problèmes de la **mise en œuvre de sRVB** sont :

- L'image d'origine doit être créée en sRVB.
- Le périphérique d'affichage (moniteur) doit reconnaître sRVB.
- Le logiciel de navigation doit afficher sRVB.

Voici quelques scénarios dans lesquels le logiciel de traitement d'images, le navigateur ou le moniteur ne connaissent pas sRVB :

- **L'image n'est pas créée en sRVB et le système ne reconnaît pas sRVB.** C'est l'état actuel du problème. Les couleurs diffèrent largement d'une plate-forme à une autre ou d'un moniteur à un autre.
- **L'image est créée en sRVB, mais le système ne reconnaît pas sRVB.** Sur les moniteurs non compatibles sRVB, les couleurs s'afficheront probablement d'une manière plus sombre que sur l'original. (La situation est comparable à la création d'une image sur Macintosh affichée sur PC.)
- **L'image est créée en sRVB et le système reconnaît sRVB.** Les couleurs seront affichées avec précision sur tous les périphériques qui reconnaissent sRVB.

La proposition sRVB suggérait aux développeurs Web de créer des images en sRVB, ce dont je ne suis pas convaincue. La plupart des concepteurs Web moyens n'ayant jamais entendu parler de sRVB, il est donc peu probable que ce format soit rapidement adopté. Comme le standard sRVB repose sur une participation active des fabricants de matériels, des éditeurs de logiciels et des concepteurs Web, il faudra très certainement attendre de nombreuses années avant que cette solution devienne véritablement une solution au sens propre du terme.

Profil ICC : définition

L'ICC (*International Color Consortium*), fondé par Adobe, Agfa, Apple, Kodak, Microsoft, SGI, Sun et Taligent, rassemble aujourd'hui 29 distributeurs de matériels et de logiciels. Le but de cette organisation est de créer et de diffuser un système de gestion de la couleur indépendant du périphérique et de la plate-forme. Si cet objectif est très proche de celui de sRVB, ses moyens sont néanmoins différents.

sRVB est un espace chromatique conçu exclusivement pour un affichage à l'écran sur des tubes cathodiques. Les profils ICC sont plus spécifiquement destinés à l'industrie de l'impression, mais peuvent également être utilisés pour des moniteurs. Dans l'idéal, vous créez une image sur votre ordinateur qui a toujours la même apparence, qu'elle soit affichée sur un écran ou imprimée sur du papier.

Les profils de couleur ICC sont imbriqués dans un format de fichier sous la forme de données complémentaires spécifiant les caractéristiques des couleurs d'une image. Ainsi, le profil d'image RVB indique le gamma (lumières et ombres), le blanc de référence (un blanc « chaud » ou « froid ») et les couleurs des luminophores (parce que les moniteurs ne possèdent pas de lignes pures de rouge, vert et bleu). Ces mesures et réglages sont intégrés au fichier, et tout dispositif qui affiche cette image peut interpréter ces données avec précision.

L'un des problèmes des systèmes de gestion de la couleur (CMS) ICC provient du fait que ces profils augmentent la taille d'un document. Ce n'est pas très pratique pour une présentation sur le Web puisque le profil de couleur à lui seul peut représenter jusqu'à 750 Ko dans le cas d'un profil complet, volume qui dépasse largement la taille d'une image Web optimisée.

None
Ask When Opening
✓ Monitor RGB

sRGB
Apple RGB
CIE RGB
ColorMatch RGB
NTSC (1953)
PAL/SECAM
SMPTE-240M
SMPTE-C
Wide Gamut RGB

Adobe Illustrator Monitor Default
Apple 12" RGB Standard
Apple 13" RGB Standard
Apple 16" RGB Page-White
Apple 16" RGB Standard
Apple 21" RGB Page-White
Apple 21" RGB Standard
Apple Multiple Scan 14
Apple Multiple Scan 15
Apple Multiple Scan 17 - 9300
Apple Multiple Scan 17 - D50
Apple Multiple Scan 17 - D65
Apple Multiple Scan 1705
Apple Multiple Scan 20 - 9300
Apple Multiple Scan 20 - D50
Apple Multiple Scan 20 - D65
Apple Performa Display
Apple Performa Plus Display
AppleVision - 9300
Color SW 1500 Pattern
Color SW 1500 Scatter
Color SW 2500 Pattern
Color SW 2500 Pattern Best 1
Color SW 2500 Pattern Best 2
Color SW 2500 Scatter
Color SW 2500 Scatter Best 1
Color SW 2500 Scatter Best 2
Color SW Automatic
ColorSync Display - 9300
Epson ES-800C Single Pass
Epson ES-800C Three Pass
Generic Monitor
Hewlett Packard ScanJet IIc
HP ScanJet IICX/T
KODAK Generic DCS Camera Input
KODAK Open Interchange RGB
Kodak Professional RFS 2035 Film Scanner
Macintosh LC520 Standard
Microtek 600ZS
Nikon LS-3510 AF
PowerBook 520C Standard
PowerBook 540C Standard

La liste des profils de couleurs fournis avec Photoshop 5.0 est si longue qu'elle ne tient pas sur l'écran. Il est préférable de sélectionner le périphérique de sortie au moment où vous travaillez sur votre image. Ainsi, lorsque vous l'enregistrez, le profil de couleur approprié est attaché à cette image.

A propos des profils ICC et de sRVB

C'est une très bonne chose que les acteurs les plus importants de ce secteur industriel cherchent à établir des standards qui, au bout du compte, apporteront un calibrage plus précis des couleurs. Malheureusement, tant que ces nouveaux standards ne seront pas largement adoptés, ils ne seront d'aucune utilité.

sRVB présente l'inconvénient de ne pas être encore largement adopté par les programmes de traitement d'images et les périphériques d'affichage. La probabilité qu'une image ait été créée en sRVB et qu'elle sera également affichée en sRVB est faible. Les couleurs des images qui ont été créées en RVB risquent d'être modifiées lorsqu'elles sont affichées en sRVB.

sRVB est basé sur une hypothèse simple. En l'absence d'un profil de couleur, tout logiciel qui sait effectuer une compensation de couleurs va adopter une forme « plus petit dénominateur commun » de RVB, basée sur un écran Windows courant. De plus, même si le logiciel ne sait pas comment mettre en œuvre les profils de couleur, les résultats seront proches de l'original si les réglages du moniteur sont standard (hypothèse valable pour tout le monde, à l'exception des utilisateurs de Macintosh).

La méthode de création de profil de couleur ICC ne convertit pas l'image originale en un autre espace chromatique. Elle se contente d'ajouter une description des caractéristiques des couleurs au fichier. C'est ensuite aux différents périphériques et logiciels de lire cette description et d'en tenir compte. Toutefois, les navigateurs, par exemple, sont incapables de lire des profils de couleurs. De plus, le point névralgique de cette méthode réside dans le fait que les profils de couleur augmentent significativement la taille d'un fichier, défaut rédhibitoire pour les graphismes Web.

En conclusion, aucune de ces options n'est très utile aux développeurs Web pour l'instant.

Note

Quelques URL utiles

Proposition sRVB
http://www.w3.org/Graphics/Color/sRGB

Spécification des profils de couleurs ICC (en PDF)
ftp://sgigate.sgi.com/pub/icc/ICC34.pdf

Gestion de la couleur pour le Web
http://www.color.org/wwwcolor.html

Assistance Adobe pour la gestion de la couleur dans Photoshop 5.0
http://www.adone.com/supportservice/custsupport/TECHGUIDE/PSHOP/main.html

Site Colorsync d'Apple
http://www.apple.com/colorsync/

Autres problèmes de gamma

Des trois principales variables de calibrage des couleurs (couleurs des luminophores, référence de blanc et gamma), la couleur des luminophores est celle dont les effets sont les plus subtils (seuls les concepteurs équipés de moniteurs très sensibles aux couleurs peuvent voir la différence). La couleur des luminophores est la seule variable impossible à modifier, et ce parce qu'elle relève du matériel et non du logiciel. Référence de blanc et gamma, en revanche, sont totalement réglables et peuvent être modifiés à l'aide d'un utilitaire de calibrage gratuit (Gamma d'Adobe). Le gamma est de loin la variable la plus visible, et elle varie le plus significativement entre PC et autres plates-formes.

L'une des composantes clés de sRVB est le fait que ce standard exige un réglage de gamma standardisé de 2.20. A l'heure actuelle, RVB peut être affiché à différents réglages de gamma. La plupart des Macintosh sont réglés sur un gamma de 1.80, la plupart des SGI sur 1.70, la plupart des PC sur 2.2. Voilà pourquoi les images Macintosh apparaissent en général plus foncées sur les PC.

Comme la majorité des internautes qui naviguent sur le Web sont équipés de PC, il me semble raisonnable d'adopter en standard un réglage de gamma de 2.20. Il est possible de régler un Mac sur un gamma de PC.

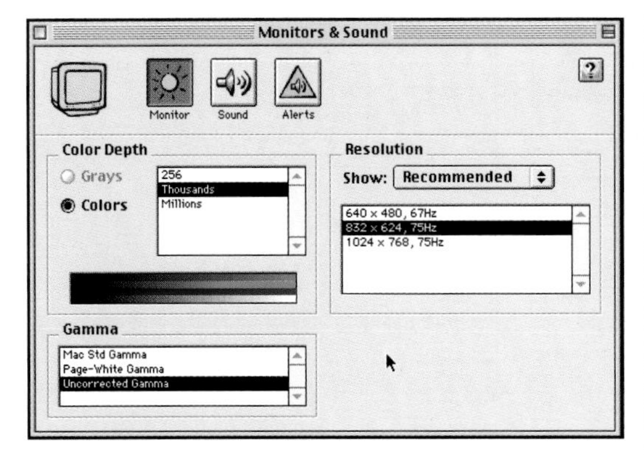

Allez à Control Panels, Monitors & Sound, puis choisissez Uncorrected Gamma. Votre écran va devenir plus sombre, mais se rapprochera du standard obtenu par la plupart des internautes.

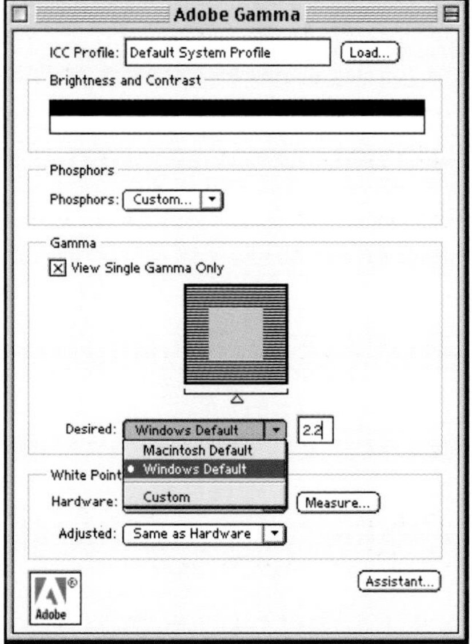

Vous pouvez également utiliser l'utilitaire Adobe Gamma fourni avec Photoshop pour régler le gamma de votre Macintosh sur le réglage Windows par défaut. Cet utilitaire se trouve dans le dossier Goodies/Calibration du répertoire Photoshop. En revanche, il ne semble y avoir aucun moyen de régler un PC sur le gamma d'un Mac.

sRVB dans Photoshop 5.0

A ma connaissance, Photoshop 5.0 est l'un des premiers logiciels de traitement d'images à exploiter sRVB. En fait, il est livré avec sRVB comme espace chromatique par défaut (bien que ce point ait été modifié sur Photoshop 5.01). A mon avis, ce n'est pas idéal pour le développement Web, parce que les fichiers sont modifiés et s'affichent différemment en fonction des réglages propres à chaque moniteur.

Comparez cette même image, à gauche dans Photoshop 5.0 d'Adobe, à droite dans ImageReady d'Adobe. Photoshop 5.0 est livré avec sRVB comme espace chromatique par défaut, alors qu'ImageReady et d'autres applications Web utilisent l'ancien type indéfini ou RVB.

Je ne sais pas ce que vous en pensez, mais cela m'agace de voir mes couleurs modifiées d'une application à l'autre. Si c'est également votre cas, je vous conseille de désactiver sRVB dans Photoshop.

Désactiver sRVB dans Photoshop 5.0

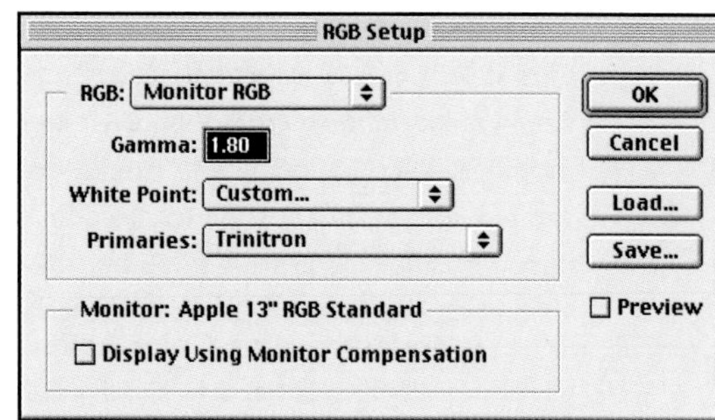

Etape 1. Dans Fichier, choisissez Couleurs:Réglages RVB (Color Settings:RGB Setup) et réglez RVB sur Moniteur RVB (RGB Monitor).

Etape 2. Dans l'écran de configuration RVB, supprimez la coche de la case Affichage avec compensation du moniteur (Display Using Monitor Compensation).

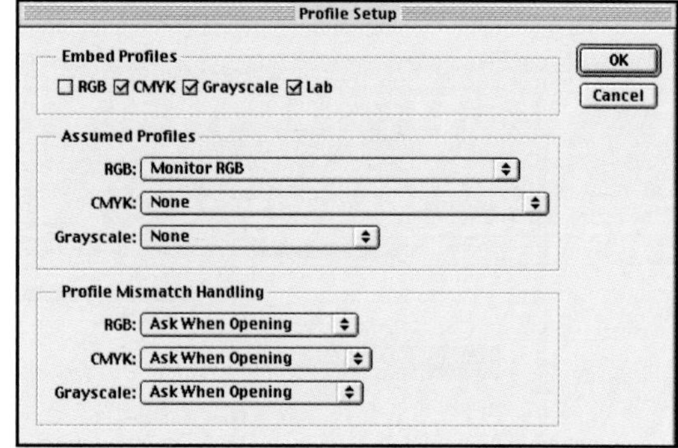

Etape 3. Dans Fichier, choisissez Couleurs:Configuration du profil (Color Settings:Profile Setup) et modifiez l'option Profils par défaut en RVB Moniteur (Monitor RGB).

Etape 4. Modifiez Gestion des non-concordances de profils (Profile Mismatch Handling) en Choix à l'ouverture (Ask When Opening).

Etape 5. Dans Insertion des profils (Embed Profiles), supprimez la coche de la case RVB. Ces réglages rétablissent les paramètres anciens de Photoshop, ceux d'avant l'époque sRVB.

Sites Web exigeant des couleurs exactes

Certains sites Web exigent des couleurs exactes, même si cela doit se faire au détriment de l'obligation de charger une extension par les visiteurs. Imaginons que vous ayez affaire à un site Web catalogue de prêt-à-porter ou à un site de vente d'automobiles. Il est extrêmement important dans ce type de situation de pouvoir afficher des couleurs ultraprécises pour chaque article.

Pantone dispose d'un produit appelé Personal Color Calibrator, qui garantit la précision des couleurs écran à écran et écran à impression. Il exige une carte Pantone Color Reference et le recours à un profil de couleur ICC qui décrit les caractéristiques de votre moniteur. Le profil est ensuite utilisé pour assurer l'exactitude des couleurs écran à écran et écran à imprimante. Si vous souhaitez en apprendre plus sur cet outil, rendez-vous sur le site Pantone à l'adresse http://www.pantone.com/catalog/p2c2ss.html.

Apple Computer distribue sous licence une technologie baptisée **ColorSync**, et de nombreux éditeurs comme Adobe, Kodak et GoLive CyberStudio l'ont intégrée à leurs logiciels. ColorSync est un système de calibrage des couleurs qui implique le téléchargement d'une extension d'Apple. Si vous souhaitez en savoir davantage, rendez-vous sur le site d'Apple à l'adresse http://www.apple.com/colorsync/.

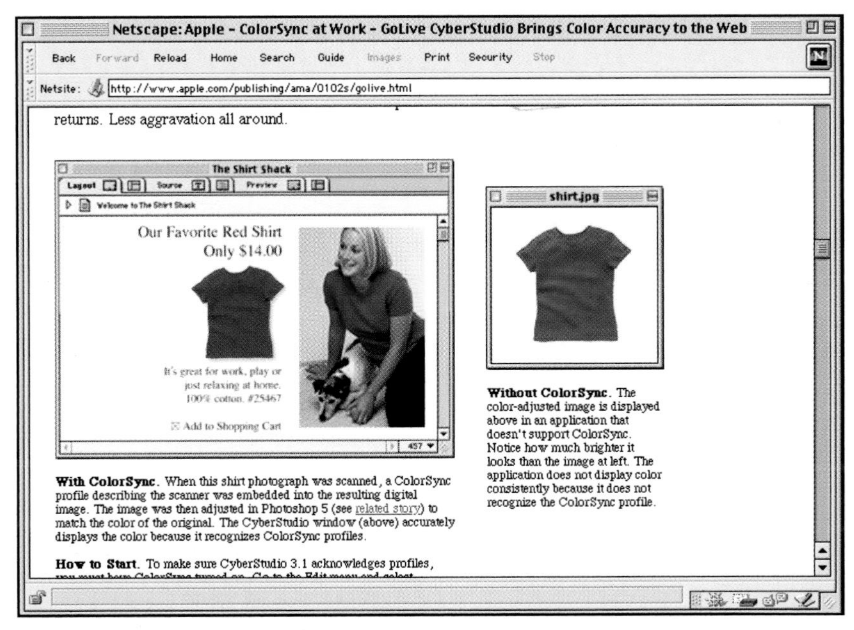

GoLive CyberStudio a annoncé récemment la compatibilité de ses produits avec ColorSync d'Apple. Cette image est extraite du site Web d'Apple (http://www.apple.com/publishing/ama/0102s/golive.html) où vous trouverez également des instructions sur la manière d'installer ColorSync dans Photoshop et CyberStudio.

Résumé

Problèmes de calibrage des couleurs

sRVB, profils de couleur et réglages de gamma rendent la vie sur le Web pour le moins passionnante. Les défenseurs d'ICC et de sRVB parviendront un jour à créer un calibrage des couleurs standardisé, mais pour l'instant, ces nouveaux standards apportent davantage de confusion que d'aide à la publication Web.

Voici un résumé des points abordés dans ce chapitre :

- sRVB est une proposition d'espace chromatique qui sera adoptée à l'avenir par les éditeurs d'images et les constructeurs de tubes cathodiques. L'industrie en profitera lorsque ce standard sera largement répandu. En attendant, mieux vaut ne pas faire office de pionnier dans ce domaine sous peine de travailler avec un espace chromatique très peu accepté.

- Les profils ICC garantissent que les images apparaissent correctement sur différents dispositifs. Malheureusement, ces profils étant trop volumineux pour être adaptés au Web, ils ne sont pas encore très utiles aux développeurs Web.

- Les réglages de gamma diffèrent selon un PC, un Mac ou un SGI. La majorité des internautes étant équipée de PC, je vous conseille de modifier vos réglages de gamma et d'adopter les réglages des PC si, comme moi, vous créez vos contenus sur un Mac.

- Pour les sites qui exigent des couleurs exactes, vous pouvez recourir à des extensions telles que Personal Color Calibrator de Pantone. Sachez cependant que ces extensions considèrent que les visiteurs de votre site sont équipés d'écrans correctement calibrés.

Introduction

Couleurs indépendantes des navigateurs

Au sommaire de ce chapitre

- Définition des couleurs indépendantes des navigateurs
- Quand doit-on utiliser les couleurs indépendantes ?
- Couleurs hexadécimales
- Bon choix de couleurs
- Nuanciers indépendants des navigateurs
- Couleurs garanties
- JPEG jamais indépendants des navigateurs

Vous avez peut-être entendu parler de la palette indépendante des navigateurs, de la palette Netscape, de la palette Web et/ou du cube des couleurs 6×6×6. Tous ces termes désignent le même jeu de couleurs. Je vais vous présenter des techniques qui vont vous permettre de travailler avec des couleurs indépendantes des navigateurs dans une variété de situations et d'applications pour vous aider à mieux comprendre à quel moment utiliser cette palette et à quel moment vous devrez vous en abstenir.

L'un des paradoxes de la conception Web tient au fait que la plupart des développeurs sont équipés de systèmes informatiques plus évolués que les utilisateurs pour lesquels ils développent des contenus. Ce point est plus particulièrement vrai pour les concepteurs visuels. La plupart d'entre eux possèdent de grands moniteurs, de grandes quantités de RAM, une foule de couleurs et des disques durs gigantesques. Le problème, c'est que si la création d'images est facilitée et que ces images fonctionnent bien sur ce système, c'est nettement moins le cas sur des systèmes moins évolués.

La plupart de ceux qui surfent sur le Web ne sont pas des concepteurs visuels, ni des développeurs Web. Nombreux sont ceux qui possèdent des systèmes dépassés et des cartes vidéo qui ne gèrent que 256 couleurs. Aucune statistique n'existe à ce sujet parce qu'il n'existe pas de mécanisme de détection capable d'interroger les composants d'une carte vidéo. Ce qui veut dire que vous ne connaîtrez jamais le pourcentage de votre public ayant des problèmes avec les couleurs que votre système est capable d'afficher.

Mon objectif est de vous aider à savoir en toute connaissance de cause quand vous devez ou ne devez pas utiliser cette palette. L'utilisation de la palette est largement expliquée et comporte des exemples de techniques détaillées tirées de diverses applications. Si vous décidez de travailler avec des couleurs indépendantes des navigateurs, comme je vous suggère de le faire sous certaines conditions, ce chapitre devrait vous aider à produire des images condensées et jolies qui ne vont pas faire l'objet de simulations ou de conversions intempestives.

Palette indépendante des navigateurs : définition

Imaginons que vous ayez créé des images avec des millions de couleurs (JPEG) ou des images GIF avec des couleurs personnalisées. Que se passe-t-il en cas de consultation par un navigateur installé sur un système limité à 256 couleurs (8 bits) ? Il convertit toutes vos couleurs vers sa propre palette fixe. Sur un système en couleurs 8 bits, et même si votre visiteur souhaite voir toutes les couleurs de votre page Web, il n'y parviendra pas. Il se heurte aux limitations de son matériel et à celles du navigateur.

La limitation matérielle provient de la carte vidéo de votre visiteur. Une carte vidéo 8 bits ne peut afficher plus de 256 couleurs. Mais quelles sont les 256 couleurs que la carte vidéo va afficher si elle rencontre une image comportant des milliers ou des millions de couleurs ? C'est là que le logiciel intervient : le navigateur décide des couleurs à afficher. Au lieu d'échantillonner des couleurs de l'image Web, il choisit des couleurs de sa propre palette fixe. Il ne dispose d'aucun moyen d'afficher des couleurs en dehors de cette palette fixe.

Heureusement, les trois navigateurs les plus populaires (Netscape, Mosaic et Internet Explorer) partagent la même palette fixe. Elle contient un noyau de 216 couleurs et autorise l'ajout de 40 couleurs supplémentaires, qui diffèrent d'une plate-forme à l'autre. La plupart des concepteurs préfèrent travailler avec ces 216 couleurs communes. J'appelle cette palette *palette indépendante des navigateurs*. En d'autres termes, si vous vous limitez aux 216 couleurs communes, elles s'afficheront correctement partout, quels que soient le navigateur, le système d'exploitation ou la plate-forme informatique.

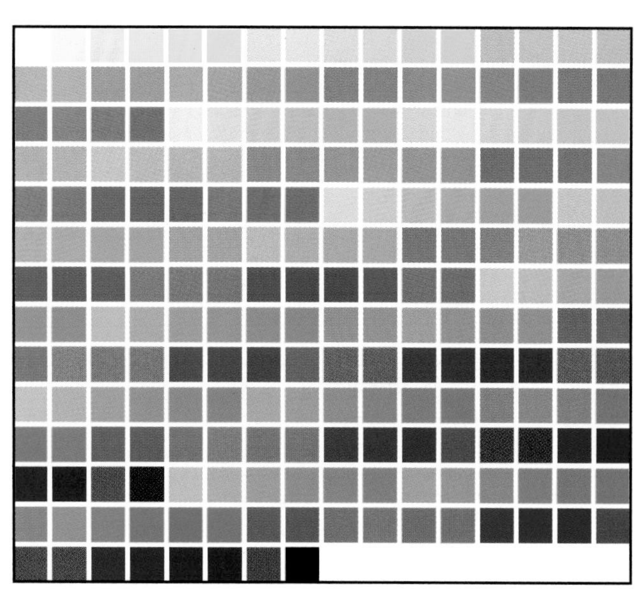

Les couleurs indépendantes des navigateurs ont été choisies par une méthode mathématique, pas en fonction de critères esthétiques. Voici un exemplaire de la palette indépendante des navigateurs directement extraite de l'ordinateur.

Vous remarquerez que ces couleurs ne présentent aucune forme d'organisation. Elles ont été classées selon une méthode mathématique et non en fonction de critères esthétiques.

La palette indépendante des navigateurs est composée de combinaisons de couleurs classées en fonction de critères mathématiques. Si vous avez la phobie des nombres et pensez que vous allez devoir mémoriser 216 combinaisons numériques différentes pour assimiler cette palette, rassurez-vous : il n'y a que six nombres à retenir. D'ailleurs, ce système de couleurs est parfois appelé *cube des couleurs* $6\times6\times6$ parce qu'il contient six valeurs possibles de rouge, de vert et de bleu (RVB).

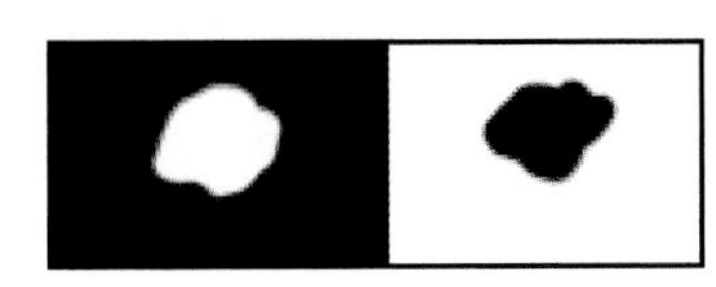

	R	G	B
blanc	255	255	255
noir	0	0	0

255 est la valeur de plus haute intensité, 0 la valeur de plus faible intensité. Un blanc pur contient la valeur 255 sur les trois couches R, V et B. Un noir pur contient la valeur 0 sur les trois couches.

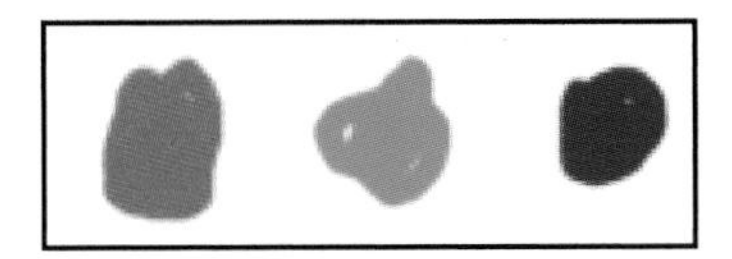

	R	G	B
rouge	255	0	0
vert	0	255	0
bleu	0	0	255

Pour créer du rouge, du vert ou du bleu, une seule des trois couleurs est activée.

	R	G	B
jaune	255	0	255
cyan	0	255	255
magenta	255	255	0

Le jaune, le cyan et le magenta sont formés grâce à différentes combinaisons de RVB.

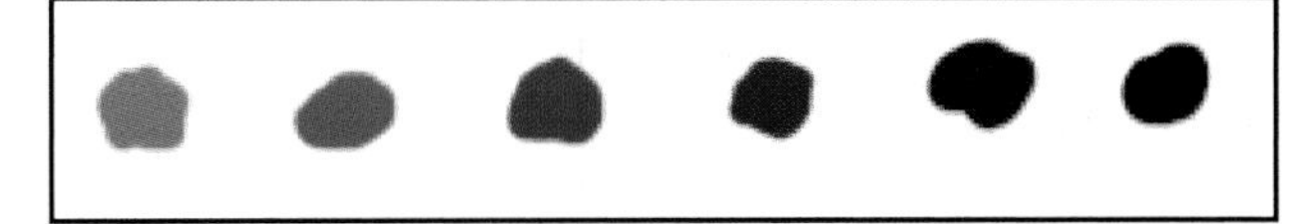

R	G	B
0	0	0
51	0	0
102	0	0
153	0	0
204	0	0
255	0	0

Les six valeurs RVB sont 0, 51, 102, 153, 204 et 255, du plus sombre au plus clair. Vous remarquerez que ces nombres augmentent de 51 en 51. Pour comprendre le principe qui sous-tend la réalisation d'une gamme de valeurs de couleurs, il suffit d'examiner les nombres d'une même couleur. Voici les nombres de la gamme des rouges.

Remarque : je suis bien consciente que c'est une manière abstraite d'aborder les couleurs, mais si vous saisissez bien le principe de ces couleurs, vous comprendrez que les couleurs indépendantes des navigateurs respectent une logique mathématique. Les sections suivantes vous expliquent pourquoi on a mis au point cette palette, à quel moment il faut ou non l'utiliser.

Grille des couleurs indépendantes des navigateurs classées par valeurs

FFFFFF R=255 G=255 B=255	FFFFCC R=255 G=255 B=204	FFFF99 R=255 G=255 B=153	CCFFFF R=204 G=255 B=255	FFFF66 R=255 G=255 B=102	CCFFCC R=204 G=255 B=204	FFFF33 R=255 G=255 B=051	CCFF99 R=204 G=255 B=153
99FF99 R=153 G=255 B=153	CCFF00 R=204 G=255 B=000	CCCCFF R=204 G=204 B=255	66FFFF R=102 G=255 B=255	FFCC66 R=255 G=204 B=102	99FF66 R=153 G=255 B=102	CCCCCC R=204 G=204 B=204	66FFCC R=102 G=255 B=204
33FFFF R=051 G=255 B=255	CCCC66 R=204 G=204 B=102	66FF66 R=102 G=255 B=102	FF99CC R=255 G=153 B=204	99CCCC R=153 G=204 B=204	33FFCC R=051 G=255 B=204	CCCC33 R=204 G=204 B=051	66FF33 R=102 G=255 B=051
FF9966 R=255 G=153 B=102	99CC66 R=153 G=204 B=102	33FF66 R=051 G=255 B=102	CC99CC R=204 G=153 B=204	66CCCC R=102 G=204 B=204	00FFCC R=000 G=255 B=204	FF9933 R=255 G=153 B=051	99CC33 R=153 G=204 B=051
9999FF R=153 G=153 B=255	33CCFF R=051 G=204 B=255	CC9966 R=204 G=153 B=102	66CC66 R=102 G=204 B=102	00FF66 R=000 G=255 B=102	FF66CC R=255 G=102 B=204	9999CC R=153 G=153 B=204	33CCCC R=051 G=204 B=204
00FF00 R=000 G=255 B=000	CC66FF R=204 G=102 B=255	6699FF R=102 G=153 B=255	00CCFF R=000 G=204 B=255	FF6666 R=255 G=102 B=102	999966 R=153 G=153 B=102	33CC66 R=051 G=204 B=102	CC66CC R=204 G=102 B=204
FF6600 R=255 G=102 B=000	999900 R=153 G=153 B=000	33CC00 R=051 G=204 B=000	FF33FF R=255 G=051 B=255	9966FF R=153 G=102 B=255	3399FF R=051 G=153 B=255	CC6666 R=204 G=102 B=102	669966 R=102 G=153 B=102
996699 R=153 G=102 B=153	339999 R=051 G=153 B=153	CC6600 R=204 G=102 B=000	669900 R=102 G=153 B=000	00CC00 R=000 G=204 B=000	CC33FF R=204 G=051 B=255	6666FF R=102 G=102 B=255	0099FF R=000 G=153 B=255
339933 R=051 G=153 B=051	CC3399 R=204 G=051 B=153	666699 R=102 G=102 B=153	009999 R=000 G=153 B=153	FF3300 R=255 G=051 B=000	996600 R=153 G=102 B=000	339900 R=051 G=153 B=000	FF00FF R=255 G=000 B=255
CC3333 R=204 G=051 B=051	666633 R=102 G=102 B=051	009933 R=000 G=153 B=051	FF0099 R=255 G=000 B=153	993399 R=153 G=051 B=153	336699 R=051 G=102 B=153	CC3300 R=204 G=051 B=000	666600 R=102 G=102 B=000
6633CC R=102 G=051 B=204	0066CC R=000 G=102 B=204	FF0033 R=255 G=000 B=051	993333 R=153 G=051 B=051	336633 R=051 G=102 B=051	CC0099 R=204 G=000 B=153	663399 R=102 G=051 B=153	006699 R=000 G=102 B=153
9900CC R=153 G=000 B=204	3333CC R=051 G=051 B=204	CC0033 R=204 G=000 B=051	663333 R=102 G=051 B=051	006633 R=000 G=102 B=051	990099 R=153 G=000 B=153	333399 R=051 G=051 B=153	CC0000 R=204 G=000 B=000
990033 R=153 G=000 B=051	333333 R=051 G=051 B=051	660099 R=102 G=000 B=153	003399 R=000 G=051 B=153	990000 R=153 G=000 B=000	333300 R=051 G=051 B=000	3300FF R=051 G=000 B=255	660066 R=102 G=000 B=102
330066 R=051 G=000 B=102	0000CC R=000 G=000 B=204	330033 R=051 G=000 B=051	000099 R=000 G=000 B=153	330000 R=051 G=000 B=000	000066 R=000 G=000 B=102	000033 R=000 G=000 B=051	000000 R=000 G=000 B=000

FFFF00 R=255 G=255 B=000	**FFCCFF** R=255 G=204 B=255	**99FFFF** R=153 G=255 B=255	**CCFF00** R=204 G=255 B=102	**FFCCCC** R=255 G=204 B=204	**99FFCC** R=153 G=255 B=204	**CCFF33** R=204 G=255 B=051	**FFCC99** R=255 G=204 B=153
FFCC33 R=255 G=204 B=051	**99FF33** R=153 G=255 B=051	**CCCC99** R=204 G=204 B=153	**66FF99** R=102 G=255 B=153	**FFCC00** R=255 G=204 B=000	**99FF00** R=153 G=255 B=000	**FF99FF** R=255 G=153 B=255	**99CCFF** R=153 G=204 B=255
FF9999 R=255 G=153 B=153	**99CC99** R=153 G=204 B=153	**33FF99** R=051 G=255 B=153	**CCCC00** R=204 G=204 B=000	**66FF00** R=102 G=255 B=000	**CC99FF** R=204 G=153 B=255	**66CCFF** R=102 G=204 B=255	**00FFFF** R=000 G=255 B=255
33FF33 R=051 G=255 B=051	**CC9999** R=204 G=153 B=153	**66CC99** R=102 G=204 B=153	**00FF99** R=000 G=255 B=153	**FF9900** R=255 G=153 B=000	**99CC00** R=153 G=204 B=000	**33FF00** R=051 G=255 B=000	**FF66FF** R=255 G=102 B=255
CC9933 R=204 G=153 B=051	**66CC33** R=102 G=204 B=051	**00FF33** R=000 G=255 B=051	**FF6699** R=255 G=102 B=153	**999999** R=153 G=153 B=153	**33CC99** R=051 G=204 B=153	**CC9900** R=204 G=153 B=000	**66CC00** R=102 G=204 B=000
6699CC R=102 G=153 B=204	**00CCCC** R=000 G=204 B=204	**FF6633** R=255 G=102 B=051	**999933** R=153 G=153 B=051	**33CC33** R=051 G=204 B=051	**CC6699** R=204 G=102 B=153	**669999** R=102 G=153 B=153	**00CC99** R=000 G=204 B=153
00CC66 R=000 G=204 B=102	**FF33CC** R=255 G=051 B=204	**9966CC** R=153 G=102 B=204	**3399CC** R=051 G=153 B=204	**CC6633** R=204 G=102 B=051	**669933** R=102 G=153 B=051	**00CC33** R=000 G=204 B=051	**FF3399** R=255 G=051 B=153
FF3366 R=255 G=051 B=102	**996666** R=153 G=102 B=102	**339966** R=051 G=153 B=102	**CC33CC** R=204 G=051 B=204	**6666CC** R=102 G=102 B=204	**0099CC** R=000 G=153 B=204	**FF3333** R=255 G=051 B=051	**996633** R=153 G=102 B=051
9933FF R=153 G=051 B=255	**3366FF** R=051 G=102 B=255	**CC3366** R=204 G=051 B=102	**666666** R=102 G=102 B=102	**009966** R=000 G=153 B=102	**FF00CC** R=255 G=000 B=204	**9933CC** R=153 G=051 B=204	**3366CC** R=051 G=102 B=204
009900 R=000 G=153 B=000	**CC00FF** R=204 G=000 B=255	**6633FF** R=102 G=051 B=255	**0066FF** R=000 G=102 B=255	**FF0066** R=255 G=000 B=102	**993366** R=153 G=051 B=102	**336666** R=051 G=102 B=102	**CC00CC** R=204 G=000 B=204
FF0000 R=255 G=000 B=000	**993300** R=153 G=051 B=000	**336600** R=051 G=102 B=000	**9900FF** R=153 G=000 B=255	**3333FF** R=051 G=051 B=255	CC0066 R=204 G=000 B=102	**663366** R=102 G=051 B=102	**006666** R=000 G=102 B=102
663300 R=102 G=051 B=000	**006600** R=000 G=102 B=000	**6600FF** R=102 G=000 B=255	**0033FF** R=000 G=051 B=255	**990066** R=153 G=000 B=102	**333366** R=051 G=051 B=102	**6600CC** R=102 G=000 B=204	**0033CC** R=000 G=051 B=204
003366 R=000 G=051 B=102	**3300CC** R=051 G=000 B=204	**660033** R=102 G=000 B=051	**003333** R=000 G=051 B=051	**330099** R=051 G=000 B=153	**660000** R=102 G=000 B=000	**003300** R=000 G=051 B=000	**0000FF** R=000 G=000 B=255

Grille des couleurs indépendantes des navigateurs classées par teintes

330000 R=051 G=000 B=000	660000 R=102 G=000 B=000	990000 R=153 G=000 B=000	CC0000 R=204 G=000 B=000	FF0000 R=255 G=000 B=000	663333 R=102 G=051 B=051	993333 R=153 G=051 B=051	CC3333 R=204 G=051 B=051
CC0033 R=204 G=000 B=051	FF3366 R=255 G=051 B=102	990033 R=153 G=000 B=051	CC3366 R=204 G=051 B=102	FF6699 R=255 G=102 B=153	FF0066 R=255 G=000 B=102	660033 R=102 G=000 B=051	CC0066 R=204 G=000 B=102
CC0099 R=204 G=000 B=153	FF33CC R=255 G=51 B=204	FF00CC R=255 G=000 B=204	330033 R=051 G=000 B=051	660066 R=102 G=000 B=102	990099 R=153 G=000 B=153	CC00CC R=204 G=000 B=204	FF00FF R=255 G=000 B=255
FF99FF R=255 G=153 B=255	FFCCFF R=255 G=204 B=255	CC00FF R=204 G=000 B=255	9900CC R=153 G=000 B=204	CC33FF R=204 G=051 B=255	660099 R=102 G=000 B=153	9933CC R=153 G=051 B=204	CC66FF R=204 G=102 B=255
330099 R=051 G=000 B=153	6633CC R=102 G=051 B=204	9966FF R=153 G=102 B=255	3300CC R=051 G=000 B=204	6633FF R=102 G=051 B=255	3300FF R=051 G=000 B=255	000000 R=000 G=000 B=000	000033 R=000 G=000 B=051
666699 R=102 G=102 B=153	6666CC R=102 G=102 B=204	6666FF R=102 G=102 B=255	9999CC R=153 G=153 B=204	9999FF R=153 G=153 B=255	CCCCFF R=204 G=204 B=255	0033FF R=000 G=051 B=255	0033CC R=000 G=051 B=204
3399FF R=051 G=153 B=255	6699CC R=102 G=153 B=204	99CCFF R=153 G=204 B=255	0099FF R=000 G=153 B=255	006699 R=000 G=102 B=153	3399CC R=051 G=153 B=204	66CCFF R=102 G=204 B=255	0099CC R=000 G=153 B=204
00CCCC R=000 G=204 B=204	33CCCC R=051 G=204 B=204	66CCCC R=102 G=204 B=204	99CCCC R=153 G=204 B=204	00FFFF R=000 G=255 B=255	33FFFF R=051 G=255 B=255	66FFFF R=102 G=255 B=255	99FFFF R=153 G=255 B=255
006633 R=000 G=102 B=051	339966 R=051 G=153 B=102	00CC66 R=000 G=204 B=102	66CC99 R=102 G=204 B=153	33FF99 R=051 G=255 B=153	99FFCC R=153 G=255 B=204	00FF66 R=000 G=255 B=102	009933 R=000 G=153 B=051
009900 R=000 G=153 B=000	339933 R=051 G=153 B=051	669966 R=102 G=153 B=102	00CC00 R=000 G=204 B=000	33CC33 R=051 G=204 B=051	66CC66 R=102 G=204 B=102	99CC99 R=153 G=204 B=153	00FF00 R=000 G=255 B=000
66CC33 R=102 G=204 B=051	99FF66 R=153 G=255 B=102	66FF00 R=102 G=255 B=000	336600 R=051 G=102 B=000	669933 R=102 G=153 B=051	66CC00 R=102 G=204 B=000	99CC66 R=153 G=204 B=102	99FF33 R=153 G=255 B=051
333300 R=051 G=051 B=000	666600 R=102 G=102 B=000	666633 R=102 G=102 B=051	999900 R=153 G=153 B=000	999933 R=153 G=153 B=051	999966 R=153 G=153 B=102	CCCC00 R=204 G=204 B=000	CCCC33 R=204 G=204 B=051
CC9900 R=204 G=153 B=000	FFCC33 R=255 G=204 B=051	996600 R=153 G=102 B=000	CC9933 R=204 G=153 B=051	FFCC66 R=255 G=204 B=102	FF9900 R=255 G=153 B=000	663300 R=102 G=051 B=000	996633 R=153 G=102 B=051
CC3300 R=204 G=051 B=000	FF6633 R=255 G=102 B=051	FF3300 R=255 G=051 B=000	333333 R=051 G=051 B=051	666666 R=102 G=102 B=102	999999 R=153 G=153 B=153	CCCCCC R=204 G=204 B=204	FFFFFF R=255 G=255 B=255

FF3333 R=255 G=051 B=051	**996666** R=153 G=102 B=102	**CC6666** R=204 G=102 B=102	**FF6666** R=255 G=102 B=102	**CC9999** R=204 G=153 B=153	**FF9999** R=255 G=153 B=153	**FFCCCC** R=255 G=204 B=204	**FF0033** R=255 G=000 B=051
993366 R=153 G=051 B=102	**FF3399** R=255 G=051 B=153	**CC6699** R=204 G=102 B=153	**FF99CC** R=255 G=153 B=204	**FF0099** R=255 G=000 B=153	**990066** R=153 G=000 B=102	**CC3399** R=204 G=051 B=153	**FF66CC** R=255 G=102 B=204
663366 R=102 G=051 B=102	**993399** R=153 G=051 B=153	**CC33CC** R=204 G=051 B=204	**FF33FF** R=255 G=051 B=255	**996699** R=153 G=102 B=153	**CC66CC** R=204 G=102 B=204	**FF66FF** R=255 G=102 B=255	**CC99CC** R=204 G=153 B=204
9900FF R=153 G=000 B=255	**330066** R=051 G=000 B=102	**6600CC** R=102 G=000 B=204	**663399** R=102 G=051 B=153	**9933FF** R=153 G=051 B=255	**9966CC** R=153 G=102 B=204	**CC99FF** R=204 G=153 B=255	**6600FF** R=102 G=000 B=255
000066 R=000 G=000 B=102	**000099** R=000 G=000 B=153	**0000CC** R=000 G=000 B=204	**0000FF** R=000 G=000 B=255	**333366** R=051 G=051 B=102	**333399** R=051 G=051 B=153	**3333CC** R=051 G=051 B=204	**3333FF** R=051 G=051 B=255
3366FF R=051 G=102 B=255	**003399** R=000 G=051 B=153	**3366CC** R=051 G=102 B=204	**6699FF** R=102 G=153 B=255	**0066FF** R=000 G=102 B=255	**003366** R=000 G=051 B=102	**0066CC** R=000 G=102 B=204	**336699** R=051 G=102 B=153
33CCFF R=051 G=204 B=255	**00CCFF** R=000 G=204 B=255	**003333** R=000 G=051 B=051	**006666** R=000 G=102 B=102	**336666** R=051 G=102 B=102	**009999** R=000 G=153 B=153	**339999** R=051 G=153 B=153	**669999** R=102 G=153 B=153
CCFFFF R=204 G=255 B=255	**00FFCC** R=000 G=255 B=204	**00CC99** R=000 G=204 B=153	**33FFCC** R=051 G=255 B=204	**009966** R=000 G=153 B=102	**33CC99** R=051 G=204 B=153	**66FFCC** R=102 G=255 B=204	**00FF99** R=000 G=255 B=153
33CC66 R=051 G=204 B=102	**66FF99** R=102 G=255 B=153	**00CC33** R=000 G=204 B=051	**33FF66** R=051 G=255 B=102	**00FF33** R=000 G=255 B=051	**003300** R=000 G=051 B=000	**006600** R=000 G=102 B=000	**336633** R=051 G=102 B=051
33FF33 R=051 G=255 B=051	**66FF66** R=102 G=255 B=102	**99FF99** R=153 G=255 B=153	**CCFFCC** R=204 G=255 B=204	**33FF00** R=051 G=255 B=000	**33CC00** R=051 G=204 B=000	**66FF33** R=102 G=255 B=051	**339900** R=051 G=153 B=000
CCFF99 R=204 G=255 B=153	**99FF00** R=153 G=255 B=000	**669900** R=102 G=153 B=000	**99CC33** R=153 G=204 B=051	**CCFF66** R=204 G=255 B=102	**99CC00** R=153 G=204 B=000	**CCFF33** R=204 G=255 B=051	**CCFF00** R=204 G=255 B=000
CCCC66 R=204 G=204 B=102	**CCCC99** R=204 G=204 B=153	**FFFF00** R=255 G=255 B=000	**FFFF33** R=255 G=255 B=051	**FFFF66** R=255 G=255 B=102	**FFFF99** R=255 G=255 B=153	**FFFFCC** R=255 G=255 B=204	**FFCC00** R=255 G=204 B=000
CC6600 R=204 G=102 B=000	**CC9966** R=204 G=153 B=102	**FF9933** R=255 G=153 B=051	**FFCC99** R=255 G=204 B=153	**FF6600** R=255 G=102 B=000	**993300** R=153 G=051 B=000	**CC6633** R=204 G=102 B=051	**FF9966** R=255 G=153 B=102

Pourquoi la palette indépendante des navigateurs a-t-elle été créée ?

Pourquoi les éditeurs de logiciels de navigation ont-ils développé une palette indépendante des navigateurs ? Parce que la réponse la plus simple à la limitation matérielle 8 bits est une palette fixe imposée par le navigateur.

Ceux parmi vous qui ont déjà créé des supports multimédias avec Macromedia Director savent que l'on peut attribuer des palettes personnalisées à des éléments spécifiques de certaines illustrations en utilisant des couches de palette. Le HTML ne dispose d'aucun moyen de réaliser cela. Il n'existe pas de balise « changer la palette », et les tableaux de couleurs (CLUT) ne sont pas un type MIME reconnu par les navigateurs. De ce fait, le navigateur doit gérer lui-même le problème et ne pas compter sur votre contribution.

Si le navigateur créait des palettes de 256 couleurs basées sur les couleurs contenues dans les images, il serait très vite à court de couleurs. Il devrait ensuite associer toutes les images restantes à la palette définie à partir des premières images. Mieux vaut que le navigateur utilise une palette fixe : vous êtes sûr de l'identifier et de travailler dans le respect de ses contraintes.

Astuce

Les couleurs indépendantes des navigateurs sont-elles vraiment importantes ?

Peut-être estimez-vous que toute cette controverse autour des couleurs indépendantes des navigateurs ne vous concerne pas. Si vous pensez que votre site ne sera vu qu'à partir de moniteurs capables d'afficher des millions de couleurs (24 bits), vous avez probablement raison. Il est toujours important de choisir son public avant de concevoir un site et de créer des images adaptées à un type de visiteurs.

Les activités les plus couramment exécutées sur des ordinateurs personnels sont le traitement de texte, les calculs dans un tableur, les opérations sur une base de données et les jeux. Aucune de ces activités n'exige plus de 256 couleurs. Dès lors, la plupart des propriétaires d'ordinateurs destinés à ce type de travaux n'ont aucune raison de régler leurs moniteurs sur des profondeurs de bit plus élevées, si tant est qu'ils disposent de cartes vidéo capables d'afficher un plus grand nombre de couleurs.

Si vous comptez choisir des couleurs pour vos arrière-plans, vos caractères, vos textes, vos liens ou vos illustrations, je vous conseille donc de puiser dans les couleurs compatibles avec toutes les plates-formes. Un jour peut-être, tout le monde possédera une carte vidéo capable de gérer plus de 256 couleurs. Dans quelques années...

Quand utiliser la palette indépendante des navigateurs ?

Vous pensez que je vous conseille d'utiliser la palette indépendante des navigateurs en permanence ? Ce n'est pas le cas, et je ne suis pas fâchée lorsque je constate que cette palette est mal utilisée. Pour vous expliquer à quel moment il faut utiliser cette palette, je vais définir quatre scénarios liés aux couleurs indépendantes des navigateurs :

> **Couleurs hexadécimales.** Dans le code HTML, lorsque vous définissez des couleurs pour votre arrière-plan, votre texte, vos liens, visités ou actifs, vous devez utiliser du code hexadécimal.

> **Dessins au trait.** Graphismes qui contiennent des traits ou des aplats de couleur.

> **Images en tons continus.** Graphismes ou photos qui contiennent des mélanges de couleurs, des gradients, des nuances et des couleurs floues.

> **Images hybrides.** Images qui combinent tons continus et dessins au trait.

Les sections ci-dessous détaillent les situations dans lesquelles il est préférable de recourir ou non aux couleurs indépendantes des navigateurs.

Quand utiliser des couleurs indépendantes des navigateurs ?	
Couleurs hexadécimales	Toujours
Dessins au trait	Uniquement pour les aplats de couleur
Images en tons continus	Jamais
Images hybrides	Uniquement pour les aplats de couleur

Couleurs hexadécimales

Si vous souhaitez ajouter des couleurs à votre site, par exemple du texte, des liens, des arrière-plans ou des bordures en couleurs, les décrire à l'aide de leurs valeurs hexadécimales est la seule possibilité que vous offre le HTML.

#	0	1	2	3	4	5	6	7	8	9	10	11	12	13	14	15
HEX	0	1	2	3	4	5	6	7	8	9	A	B	C	D	E	F

Qu'est-ce qu'une valeur hexadécimale ? Les valeurs hexadécimales sont des nombres en base 16. Voici un tableau de conversion en hexadécimaux des nombres de notre système de calcul classique en base 10.

RGB	0	51	102	153	204	255
HEX	00	33	66	99	CC	FF

Voici un tableau de conversion des valeurs RVB indépendantes des navigateurs en valeurs hexadécimales. Notez que les valeurs hexadécimales ne dépassent jamais deux chiffres, à la différence des valeurs RVB, dont certaines ont une longueur de trois chiffres. Cette particularité fait du code hexadécimal un système plus uniforme que les données RVB.

Imaginons que vous souhaitiez décrire un rouge pur indépendant des navigateurs en code hexadécimal. Sa valeur RVB est 255, 0, 0. Selon le tableau ci-contre, ce réglage devient FF0000 en hexadécimal.

Vous trouverez plus d'informations sur la sélection et la conversion de RVB en HEX plus loin dans ce chapitre. Revenons pour l'instant à la question qui nous préoccupe : pourquoi utiliser des couleurs indépendantes des navigateurs comme couleurs hexadécimales dans votre HTML ?

Si un navigateur installé sur un système 8 bits rencontre une page Web avec des codes de couleurs qui ne sont pas indépendants des navigateurs, il convertit ces couleurs en valeurs indépendantes des navigateurs à votre place. C'est très attentionné de sa part, mais le problème est que vous ne pouvez pas choisir la couleur pour laquelle le navigateur va opter. J'ai reçu des lettres de personnes se plaignant que lorsqu'on chargeait leurs sites, le client ne pouvait pas voir le texte. Pourquoi ? Parce que le client était équipé d'un système 8 bits et que le navigateur avait opté pour une couleur de texte identique à celle de l'arrière-plan.

Inutile de prendre un tel risque. Pour cela, utilisez toujours des couleurs indépendantes des navigateurs pour vos valeurs hexadécimales. Vous trouverez plus loin dans ce chapitre des instructions pour choisir et mettre en œuvre ces couleurs.

Les couleurs non indépendantes des navigateurs sont remplacées

Voici un exemple de ce qui peut arriver si vous n'utilisez pas des couleurs indépendantes des navigateurs dans votre code HTML. Le code suivant sera remplacé automatiquement sur des systèmes dotés de couleurs 8 bits :

<BODY BGCOLOR="#090301" TEXT="#436E58" LINK="#CF7B42" VLINK="#323172" ALINK="#FFFFFF">

Vous devriez être capable de deviner du premier coup d'œil que ces couleurs ne sont pas indépendantes des navigateurs. Souvenez-vous que les combinaisons hexadécimales indépendantes des navigateurs sont toujours formées à partir de combinaisons des valeurs 00, 33, 66, 99, CC et FF.

Ecran Macintosh 8 bits

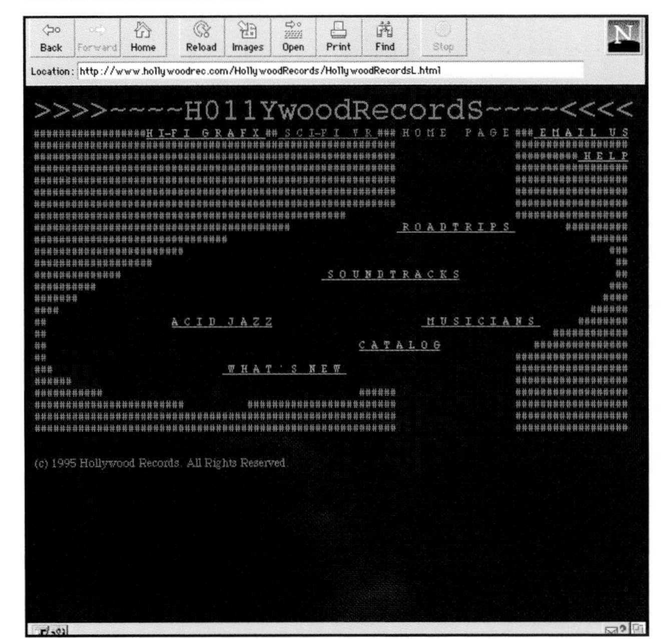

Ecran PC 8 bits

Cette comparaison illustre le type de décalage qui se produit avec des images de type hexadécimal sur des systèmes 8 bits lorsque les couleurs utilisées ne sont pas indépendantes des navigateurs.

Images riches en illustrations

Avec des images riches en illustrations, si vous créez des logos, des dessins humoristiques ou des dessins au trait avec des couleurs ne faisant pas partie du jeu de 216, le navigateur va les convertir. Au lieu de décaler la couleur vers une couleur proche, comme c'est le cas pour les couleurs hexadécimales, il crée des simulations de couleurs dans l'image. Voici quelques exemples d'effets indésirables dus à des simulations.

Sur un écran à plusieurs millions de couleurs, vous ne remarquerez peut-être aucune différence entre ces deux images. Celle de gauche a été créée à l'aide de couleurs non indépendantes des navigateurs, celle de droite avec des couleurs indépendantes des navigateurs.

Sur un système 8 bits, regardez à gauche ce qui s'est produit : l'image est criblée de points provoqués par la simulation. Les couleurs du logo de droite sont indépendantes des navigateurs, ce qui n'est le cas de celles du logo de gauche.

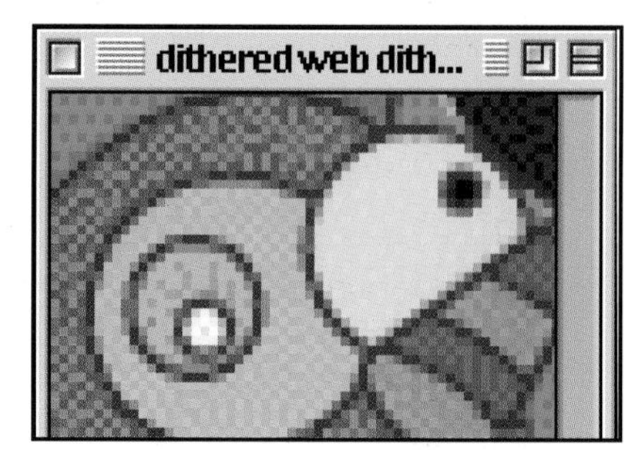

Voici un gros plan de la simulation effectuée sur la version non indépendante des navigateurs de cette image vue à partir d'un système 8 bits (256 couleurs).

Le gros plan de la version créée avec des couleurs indépendantes des navigateurs ne présente pas cet effet de simulation, quelle que soit la profondeur de bit acceptée par le système de l'utilisateur final. Conclusion : utilisez toujours des couleurs indépendantes des navigateurs pour créer ce type d'image.

Images photographiques

Les images en tons continus (en particulier les photos) constituent le seul type d'images qui ne tire aucun profit du recours aux couleurs indépendantes des navigateurs. Cela tient au fait que les navigateurs convertissent très bien les photos, à l'inverse du travail bâclé qu'ils effectuent sur les images riches en illustrations et en couleurs hexadécimales.

Il n'est pas nécessaire de convertir des images photographiques vers la palette indépendante des navigateurs ou même vers une palette 8 bits. Le navigateur se charge du travail de simulation des couleurs, quel que soit votre mode de préparation de l'image. Mieux vaut laisser l'image dans un format de palette adaptative ou 24 bits, parce que les photos ont un rendu optimal dans des environnements de navigateur 24 bits. La compression JPEG produira toujours les fichiers les plus petits pour des photos, et JPEG est un format de fichier 24 bits, à la différence de GIF, qui ne peut pas enregistrer des images à des profondeurs de bit supérieures à 8 bits (256 couleurs). Vous trouverez ci-dessous plus d'informations sur la manière d'enregistrer des images JPEG et GIF avec des palettes adaptatives et indépendantes des navigateurs.

Voici quelques comparaisons :

Affichées en 24 bits	**Affichées en 8 bits**
 JPEG	
 Palette adaptative	
 GIF indépendant des navigateurs	

Vous remarquerez que toutes les images de la colonne 24 bits ont meilleure allure que celles de la colonne 8 bits. Les utilisateurs équipés de cartes vidéo plus performantes voient le Web avec de plus jolies couleurs. Si vous observez attentivement, vous verrez que toutes les images 8 bits sont identiques, et que JPEG et palette adaptative sont de meilleure qualité. Cela prouve que les navigateurs ne convertissent pas mieux les images 8 bits que vous ne pourriez le faire. Alors pourquoi ne pas laisser votre fortuné public admirer vos images avec une plus grande fidélité ? Conclusion : n'utilisez pas de couleurs indépendantes des navigateurs sur les photographies.

Utiliser les couleurs indépendantes des navigateurs

Maintenant que vous savez quand utiliser des couleurs indépendantes des navigateurs, il vous reste à savoir comment les utiliser. Les sections suivantes contiennent mes conseils et techniques favoris pour appliquer des couleurs indépendantes des navigateurs à des choix de couleurs hexadécimales et à des images. Nous avons identifié trois scénarios pour l'utilisation de couleurs indépendantes des navigateurs : les couleurs hexadécimales, les images de dessins au trait et les images hybrides. Commençons donc par les couleurs hexadécimales.

Choix de couleurs hexadécimales indépendantes des navigateurs

Le choix d'une palette de couleurs pour l'arrière-plan, le texte, les liens, les liens actifs et les liens visités de votre site peut se faire à l'aide d'une panoplie d'outils. De nombreux éditeurs HTML comprennent des sélecteurs de couleurs et des palettes indépendantes des navigateurs. Les logiciels de traitement d'images comprennent aussi des sélecteurs de couleurs indépendantes des navigateurs. Voici quel en est le principe.

Etape 1. Choisissez les couleurs que vous souhaitez utiliser. (Vous trouverez plus loin plus d'informations sur les choix et soucis esthétiques.) Vous pouvez choisir ces couleurs dans les grilles imprimées des pages 126 à 129 ou en téléchargeant **nhue.gif** ou **nvalue.gif** à partir de mon site Web à l'adresse http://www.lynda.com/ files/. Les fichiers électroniques sont plus précis puisque les grilles sont imprimées avec des encres CMJN et ne peuvent donc pas représenter les couleurs avec précision.

Etape 2. Si nécessaire, convertissez les valeurs RVB en valeurs hexadécimales. Certains logiciels de traitement d'images et HTML utilisent des pourcentages à la place des valeurs RVB. Voici un tableau d'équivalence :

RGB	POURCENTAGES	HEX
0	0%	00
51	20%	33
102	40%	66
153	60%	99
204	80%	CC
255	100%	FF

Etape 3. Rédigez le HTML de la balise BODY de votre document. La balise BODY contient les informations de couleur de votre page Web. Je choisis par exemple la combinaison de couleurs suivante :

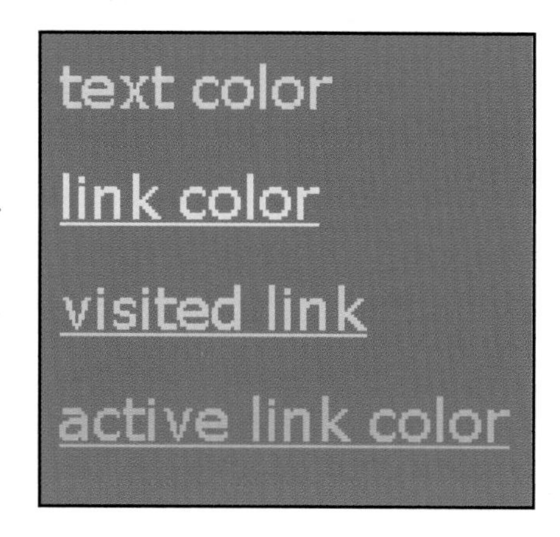

Voici ce que serait mon code HTML concernant les couleurs d'arrière-plan, du texte, des liens, des liens visités et des liens actifs :

```
<BODY BGCOLOR="#336699"
TEXT="#CCFF99" LINK ="#CCFFCC"
VLINK="#99CCCC" ALINK="#9999CC">
```

Remarque : le symbole dièse (#) n'est pas obligatoire, mais il fait partie de la spécification officielle HTML 4.0. A l'heure actuelle, les navigateurs ne l'exigent pas. Si, à l'avenir, les navigateurs deviennent plus stricts, ce symbole sera obligatoire. Essayez de prendre l'habitude de l'utiliser afin de protéger votre site contre d'éventuels problèmes dans le futur. La tendance actuelle en matière du HTML va dans le sens d'une syntaxe plus rigoureuse.

Autres méthodes de conversion

Voici une grille qui permet d'opérer la conversion de RVB (0 à 255) en hexadécimal. Les couleurs indépendantes des navigateurs sont surlignées.

00=00	01=01	02=02	03=03	04=04	05=05	06=06	07=07	08=08
09=09	10=0A	11=0B	12=0C	13=0D	14=0E	15=0F	16=10	17=11
18=12	19=13	20=14	21=15	22=16	23=17	24=18	25=19	26=1A
27=1B	28=1C	29=1D	30=1E	31=1F	32=20	33=21	34=22	35=23
36=24	37=25	38=26	39=27	40=28	41=29	42=2A	43=2B	44=2C
45=2D	46=2E	47=2F	48=30	49=31	50=32	**51=33**	52=34	53=35
54=36	55=37	56=38	57=39	58=3A	59=3B	60=3C	61=3D	62=3E
63=3F	64=40	65=41	66=42	67=43	68=44	69=45	70=46	71=47
72=48	73=49	74=4A	75=4B	76=4C	77=4D	78=4E	79=4F	80=50
81=51	82=52	83=53	84=54	85=55	86=56	87=57	88=58	89=59
90=5A	91=5B	92=5C	93=5D	94=5E	95=5F	96=60	97=61	98=62
99=63	100=64	101=65	**102=66**	103=67	104=68	105=69	106=6A	107=6B
108=6C	109=6D	110=6E	111=6F	112=70	113=71	114=72	115=73	116=74
117=75	118=76	119=77	120=78	121=79	122=7A	123=7B	124=7C	125=7D
126=7E	127=7F	128=80	129=81	130=82	131=83	132=84	133=85	134=86
135=87	136=88	137=89	138=8A	139=8B	140=8C	141=8D	142=8E	143=8F
144=90	145=91	146=92	147=93	148=94	149=95	150=96	151=97	152=98
153=99	154=9A	155=9B	156=9C	157=9D	158=9E	159=9F	160=A0	161=A1
162=A2	163=A3	164=A4	165=A5	166=A6	167=A7	168=A8	168=A9	170=AA
171=AB	172=AC	173=AD	17=AE	175=AF	176=B0	177=B1	178=B2	179=B3
180=B4	181=B5	182=B6	183=B7	184=B8	185=B9	186=BA	187=BB	188=BC
189=BD	190=BE	191=BF	192=C0	193=C1	194=C2	195=C3	196=C4	197=C5
198=C6	199=C7	200=C8	201=C9	202=CA	203=CB	**204=CC**	205=CD	206=CE
207=CF	208=D0	209=D1	210=D2	211=D3	212=D4	213=D5	214=D6	215=D7
216=D8	217=D9	218=DA	219=DB	220=DC	221=DD	222=DE	223=DF	224=E0
225=E1	226=E2	227=E3	228=E4	229=E5	230=E6	231=E7	232=E8	233=E9
234=EA	235=EB	236=EC	237=ED	238=EE	239=EF	240=F0	241=F1	242=F2
243=F3	244=F4	245=F5	246=F6	247=F7	248=F8	249=F9	250=FA	251=FB
252=FC	253=FD	254=FE	**255=FF**					

Cette grille vous indique comment convertir les valeurs RVB qui vont de 0 à 255 en valeurs hexadécimales.

Accessoires pour couleurs hexadécimales

Une variété d'accessoires présentant les couleurs hexadécimales sont disponibles. Ils vont du tapis de souris à la calculette hexadécimale.

Christopher Shmitt, de christopher.org, a créé un tapis de souris avec les couleurs indépendantes des navigateurs disposées en cercle. Vous pouvez commander votre exemplaire à l'adresse http://www.christopher.org/NETWORK/webdesignpad.com/.

Raymond and Dante Pirouz ont créé une entreprise de fournitures pour concepteurs Web à l'adresse http://www.r35.com. Vous pouvez commander un tapis de souris ou un poster comprenant la palette indépendante des navigateurs si vous voulez avoir à portée d'ordinateur une référence imprimée. Ces articles ainsi que les grilles de couleurs imprimées dans cet ouvrage ont cependant un petit défaut : il est impossible de recréer des couleurs RVB avec des encres CMJN. C'est pourquoi les guides de couleurs les plus fiables se présentent sous forme électronique et non imprimée (par exemple ceux que vous pouvez trouver à l'adresse http://www.lynda.com/files/). Il n'en demeure pas moins qu'avoir à portée de main une grille imprimée peut vous faire gagner beaucoup de temps, même si cette grille n'est pas précise à 100 %.

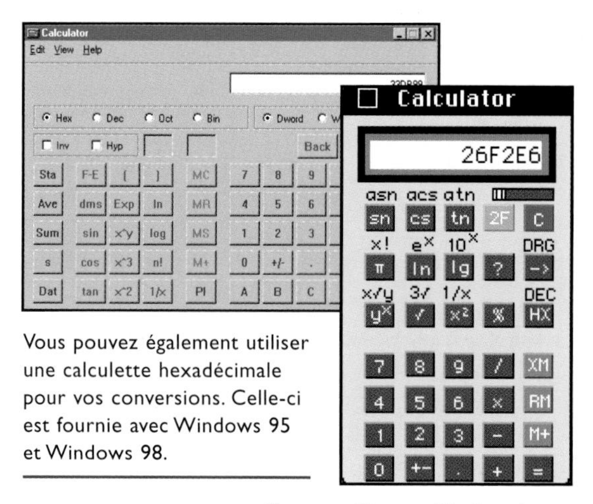

Vous pouvez également utiliser une calculette hexadécimale pour vos conversions. Celle-ci est fournie avec Windows 95 et Windows 98.

Si vous utilisez un Macintosh, vous devez télécharger une calculette hexadécimale. Ma calculette favorite est disponible à l'adresse ftp://ftp.amug.org/pub/mirrors/info-mac/sci/calc/calculator-ii-15.hqx.

Solution indépendante des navigateurs de Pantone

Pantone est venu au secours des couleurs indépendantes des navigateurs avec deux produits pour Macintosh uniquement : ColorWeb et ColorWeb Pro (http://www.pantone.com). Ces deux produits comprennent un système de sélection des couleurs indépendantes d'Internet, composé d'un jeu de nuanciers imprimés et d'un sélecteur de couleurs système qui affiche les 216 couleurs indépendantes des navigateurs dans la boîte de dialogue Color Picker d'Apple.

Le Pantone Internet Color Guide ressemble beaucoup à un livre de nuanciers Pantone, excepté son cercle de couleurs Web. Il présente les 216 couleurs indépendantes des navigateurs dans un ordre chromatique et indique leurs valeurs en RVB, CMJN, hexadécimal et hexachrome (le format de couleur propriétaire de sélection des couleurs d'encre pour l'impression).

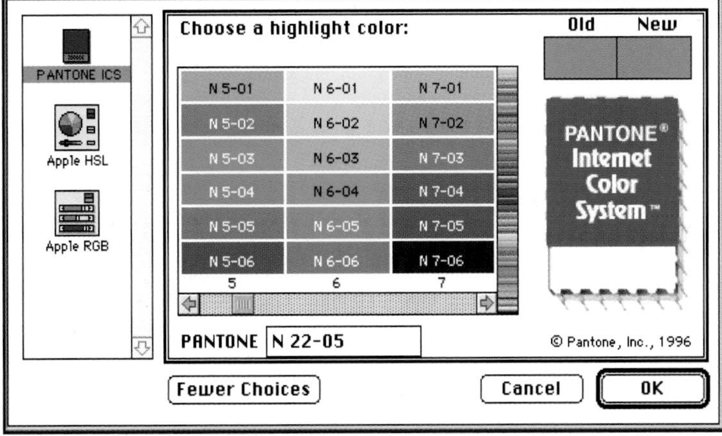

Si vous installez le logiciel ColorWeb de Pantone, il ajoute une nouvelle entrée, appelée Pantone ICS, aux options du Color Picker d'Apple. Pantone ICS permet de choisir parmi les 216 couleurs indépendantes des navigateurs.

Attention

CMJN n'est pas indépendant des navigateurs

Il faut savoir qu'il n'existe aucun moyen parfaitement précis de convertir des valeurs CMJN en RVB. Les nombres que donne le Pantone Internet Color Guide comme valeurs CMJN indépendantes d'Internet sont des approximations hasardeuses qui ne donnent pas des couleurs indépendantes des navigateurs lorsqu'elles sont converties en RVB. Les deux espaces chromatiques RVB et CMJN ne partagent pas les mêmes couleurs. Certaines couleurs RVB ne figurent pas dans la palette CMJN et aucun paramètre ne peut être réglé pour obtenir une méthode de conversion fiable.

ColorWeb Pro comprend un sélecteur de couleurs complémentaire qui affiche 1 024 couleurs Pantone et vous permet de localiser pour chacune d'elles la couleur indépendante des navigateurs qui s'en rapproche le plus. Il est fourni aussi avec un livret imprimé qui contient l'ensemble des 1 024 couleurs. Ce livret est un outil à la fois utile et joli, même si vous n'êtes pas concepteur graphique. Tarif et bon de commande de ColorWeb Pro se trouvent sur le site Web Pantone.

Choix de couleurs indépendantes des navigateurs

Pour créer des images contenant des couleurs indépendantes des navigateurs, vous devez apprendre à sélectionner les couleurs appropriées, à peindre et à remplir des surfaces avec celles-ci, puis à convertir des documents existants de façon qu'ils contiennent ces couleurs. La première étape consiste à apprendre à charger la palette dans votre éditeur d'images, l'étape suivante consistant à apprendre à peindre, à remplir des surfaces et à convertir les documents dans ces couleurs.

Il existe malheureusement tant d'éditeurs d'images sur le marché que je n'ai pas suffisamment de place ici pour les citer tous. De tous ces outils, mon préféré est ImageReady parce qu'il possède les meilleures fonctions de gestion de la couleur de tous les produits graphiques pour le Web que je connaisse. Vous pouvez charger une version démo d'ImageReady (Mac ou PC) à partir de l'adresse http://www.imageready.com/ pour tester les techniques présentées ici. Dans la mesure de la place disponible, je mentionnerai également d'autres outils.

Astuce

Qu'est-ce qu'un CLUT ?

LUT est l'acronyme de *Color LookUp Table* (tableau de couleurs). Le CLUT est le fichier qui attribue des couleurs spécifiques à toute image informatique 8 bits ou moins. Photoshop et ImageReady utilisent des fichiers CLUT de deux manières différentes. Vous pouvez charger un CLUT dans la palette Nuancier pour sélectionner des couleurs ou vous pouvez attribuer des couleurs à une image en utilisant un CLUT. Dans Photoshop, un fichier CLUT s'appelle également un *nuancier*, une *palette* ou un *tableau de couleurs*. D'autres programmes de traitement d'images utilisent aussi des fichiers CLUT, mais il arrive parfois qu'ils n'ont aucun moyen de les afficher, ni de les atteindre.

Charger un nuancier indépendant des navigateurs dans Photoshop

Pour réinitialiser, charger, remplacer et enregistrer des nuanciers dans Photoshop 5.0 et 4.0, il faut aller à la palette Nuancier et cliquer sur le triangle placé dans l'angle supérieur droit pour accéder aux options de menu.

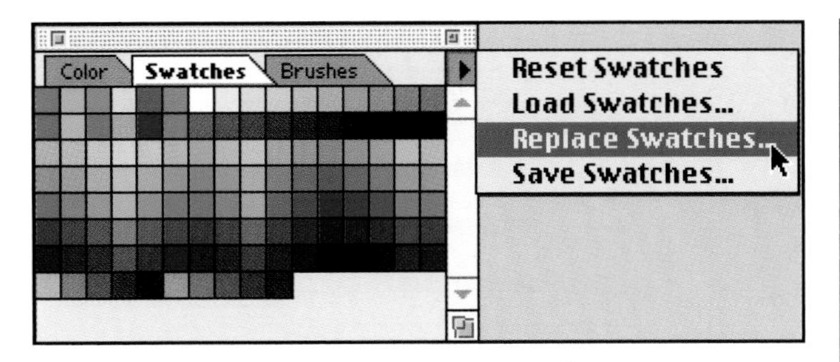

Réinitialiser le nuancier (Reset Swatches). Choisissez cette option si vous avez chargé d'autres nuanciers et souhaitez revenir au nuancier par défaut.

Charger un nuancier (Load Swatches). Choisissez cette option si vous souhaitez ajouter d'autres nuanciers au jeu courant de nuanciers. Il va ouvrir une fenêtre à partir de laquelle vous pouvez charger plusieurs nuanciers à la fois.

Remplacer les nuances (Replace Swatches). Choisissez cette option si vous souhaitez remplacer le nuancier existant par un nouveau. Je recommande généralement cette option pour travailler avec des couleurs indépendantes des navigateurs. Vous savez ainsi que vous n'avez aucune couleur non indépendante des navigateurs dans la palette Nuancier affichée.

Enregistrer le nuancier (Save Swatches). Choisissez cette option si vous avez créé votre propre nuancier (instructions fournies ci-dessous) et souhaitez l'enregistrer afin de pouvoir le recharger ultérieurement ou le passer à d'autres utilisateurs de Photoshop (comme par exemple une équipe de conception Web travaillant sur votre site !).

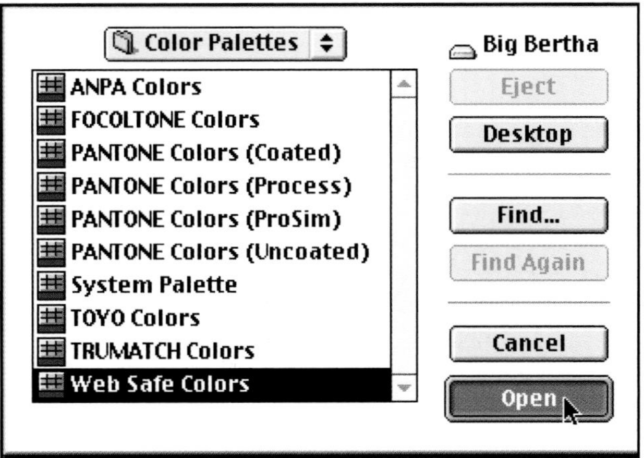

Photoshop 5.0 est fourni avec une palette de couleurs indépendantes des navigateurs. Vous pouvez charger cette palette en choisissant Remplacer les nuances (Replace Swatches) dans le menu de la palette Nuancier (Swatch). Vous trouverez cette palette dans les dossiers ou répertoires Photoshop en faisant Photoshop, Goodies, Color Palettes puis en sélectionnant Web Safe Colors.

Pour les versions antérieures de Photoshop, vous pouvez télécharger le fichier bclut2.aco de mon site Web http://www.lynda.com/files/. Vous pouvez le placer dans la palette Nuancier de Photoshop en utilisant le triangle supérieur droit de la palette Nuancier puis en cliquant sur Remplacer les nuances (Replace Swatches) dans le menu déroulant.

Charger la palette indépendante des navigateurs dans ImageReady

ImageReady ayant été développé pour être un outil graphique dédié au Web, la palette indépendante des navigateurs fait partie d'ImageReady et n'a pas besoin d'être importée, ni chargée. Il vous suffit d'aller à la palette Swatches : elle est là, déjà chargée, et nettement mieux organisée que celle de Photoshop 5.0, non ?

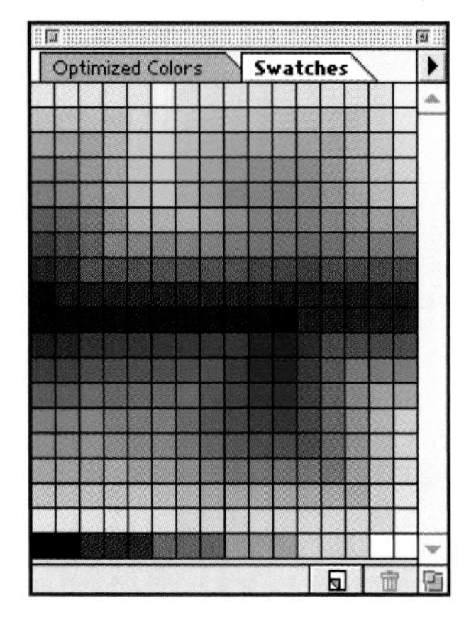

ImageReady va bien au-delà de Photoshop dans la mesure où il comprend un sélecteur de couleurs indépendantes des navigateurs dans sa palette de couleurs.

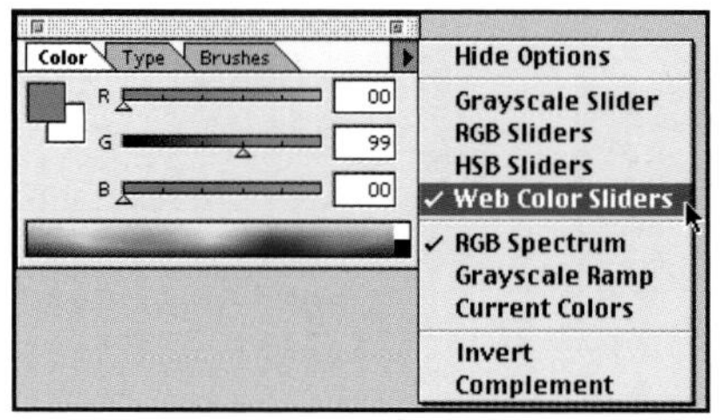

Vous pouvez faire glisser les curseurs RVB et savoir si la couleur que vous choisissez se situe dans la plage des couleurs indépendantes des navigateurs.

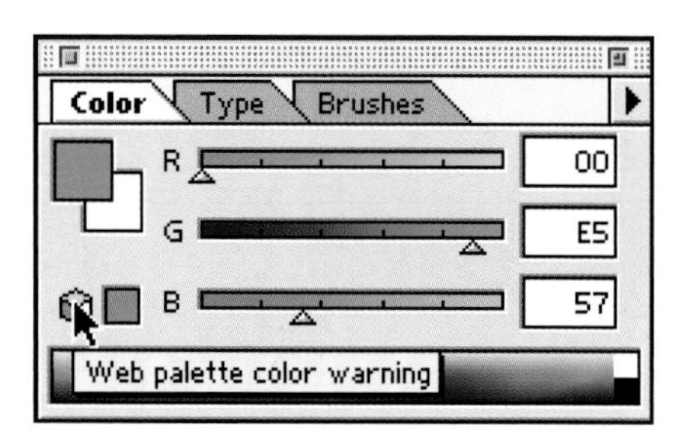

Le sélecteur RGB Spectrum (Spectre RVB) situé sous les curseurs permet de sélectionner efficacement parmi des millions de couleurs. Si vous sélectionnez une couleur qui n'est pas indépendante des navigateurs, le cube d'alerte s'affiche dans l'angle inférieur gauche de la palette Color. Cliquez sur l'icône du cube : la couleur non indépendante des navigateurs que vous avez sélectionnée va se caler sur la couleur indépendante des navigateurs la plus proche.

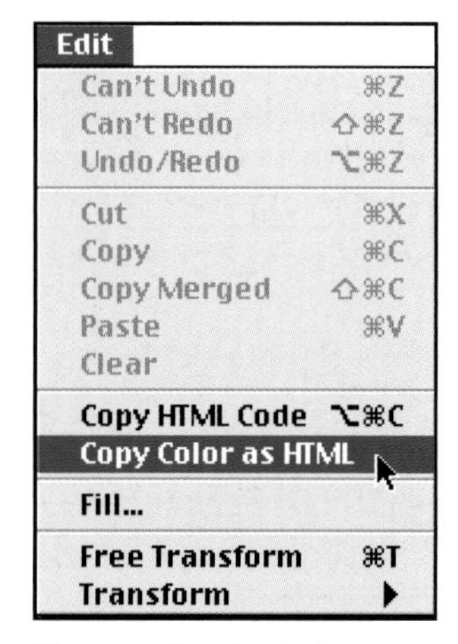

Une autre fonction intéressante d'ImageReady est la possibilité de sélectionner une couleur au sein d'un nuancier ou d'une palette de couleurs, puis de copier cette couleur en code hexadécimal dans un éditeur HTML. Il suffit pour cela de choisir une couleur, puis de sélectionner Edit, Copy Color as HTML. Lorsque vous collez, le code s'affichera sous une forme similaire à : COLOR ="#009900"

Palette Info de Photoshop

Navigator | Info | Options | History

R : 0 G : 255 B : 255 — C : 37! M : 0! Y : 15! K : 0!

X : 75 Y : 27 — W : H :

Palette Info d'ImageReady

Optimize | Info | Marquee Options

R : 0 G : 255 B : 255 Op : 100% — Hex : 00FFFF Index : 36

X : 77 Y : 29 — W : 1 H : 1

A la différence de Photoshop, la fenêtre Info dans ImageReady affiche les valeurs hexadécimales en plus des valeurs RVB. ImageReady, lui, se moque éperdument des informations CMJN !

Charger la palette indépendante des navigateurs dans Fireworks

Fireworks ayant été lui aussi développé spécifiquement pour être une application graphique Web, il gère également mieux les couleurs Web que Photoshop. La palette indépendante des navigateurs est aussi ici la palette par défaut.

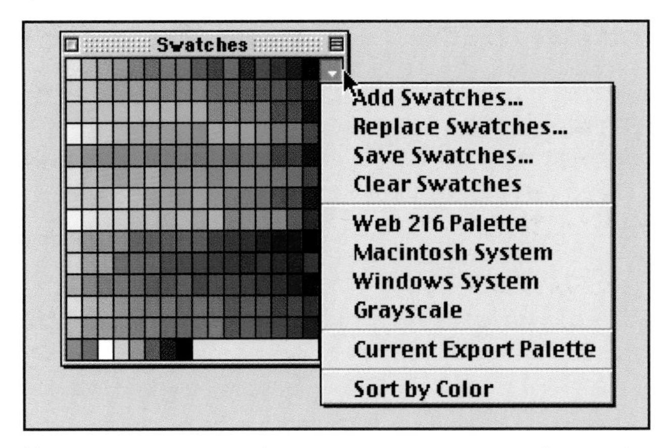

Vous pouvez ajoutez, remplacer, enregistrer et supprimer des nuanciers dans Fireworks. La palette Nuancier (Swatches) affiche par défaut les couleurs indépendantes des navigateurs. Vous pouvez également choisir l'option Trier par couleurs (Sort by Color) (illustrée ci-dessus) pour classer vos couleurs d'une manière plus agréable que le tri mathématique fourni par Photoshop.

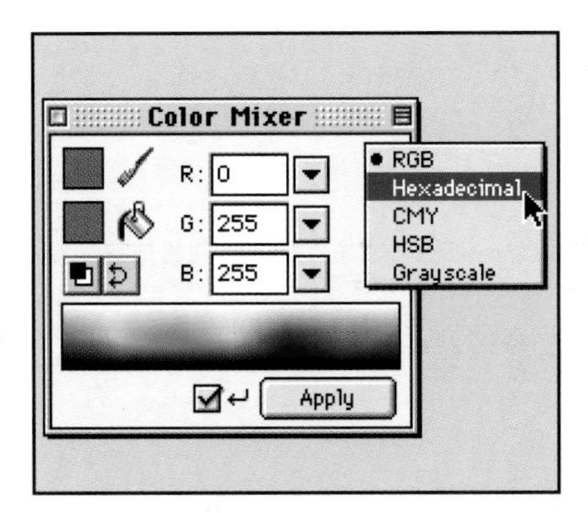

La palette Mélangeur (Color Mixer) de Fireworks se place par défaut sur le spectre RVB. Vous pouvez choisir la palette Hexadécimal en ouvrant le menu déroulant disponible dans l'angle supérieur droit.

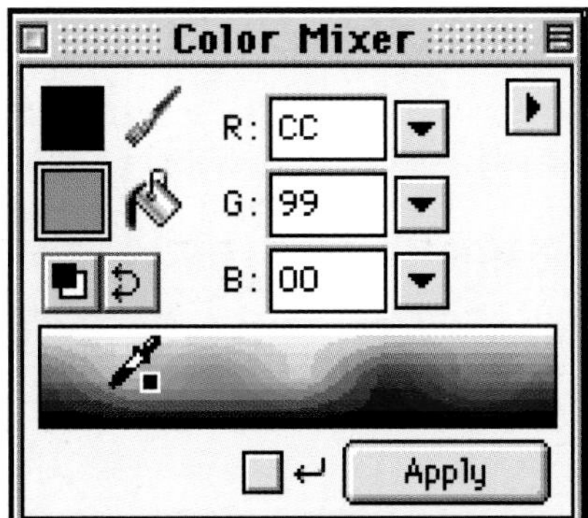

Le réglage Hexadecimal limite les couleurs du spectre aux valeurs indépendantes des navigateurs ; les cases numériques affichent le code hexadécimal à la place des valeurs RVB.

S'assurer que les images GIF restent indépendantes des navigateurs

Si vous travaillez avec des couleurs indépendantes des navigateurs lorsque vous créez des images, vous devez veiller à ce que ces couleurs restent indépendantes des navigateurs après l'opération de conversion de format de fichier vers GIF. Cette opération est simple dans ImageReady et Fireworks, plus délicate dans Photoshop. Les sections suivantes détaillent cette opération pour chacune de ces applications.

Enregistrer des fichiers GIF dans Photoshop

Malheureusement, Photoshop se débrouille très mal avec cette opération, et vous devez apprendre à maîtriser quelques ruses pour être sûr que vos images conservent les couleurs indépendantes. Même si vous créez une image à l'aide de couleurs indépendantes des navigateurs, elles peuvent être perdues au moment de l'enregistrement. Voici comment protéger vos images :

Etape 1. Ouvrez ou créez une image qui contient des couleurs indépendantes des navigateurs (il doit s'agir en outre d'un fichier **.psd**, **.pict**, **.tiff** ou **.bmp**).

Etape 2. Choisissez **Image:Mode:Couleurs indexées (Image:Mode:Indexed Color),** puis **Web**. Vous convertissez ainsi votre image en couleurs indépendantes des navigateurs. Notez que cette table de couleurs comprend la totalité des 216 couleurs indépendantes des navigateurs.
Ce n'est pas nécessaire et gonflera inutilement le fichier GIF.

Etape 3. Choisissez **Image:Mode:RVB.** Vous reconvertissez ainsi l'image en couleurs RVB. Choisissez ensuite **Image:Mode:Couleurs indexées (Image:Mode:Indexed Color),** puis **Exacte**. Dans cet exemple, la palette exacte ne comprend que 21 couleurs et elles sont toutes indépendantes des navigateurs. Vous créez ainsi une image indépendante des navigateurs en supprimant toutes les couleurs non utilisées.

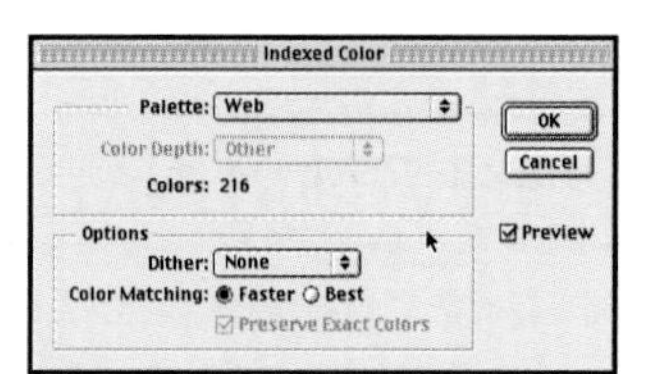

La boîte de dialogue Couleurs indexées de Photoshop, avec Web sélectionné.

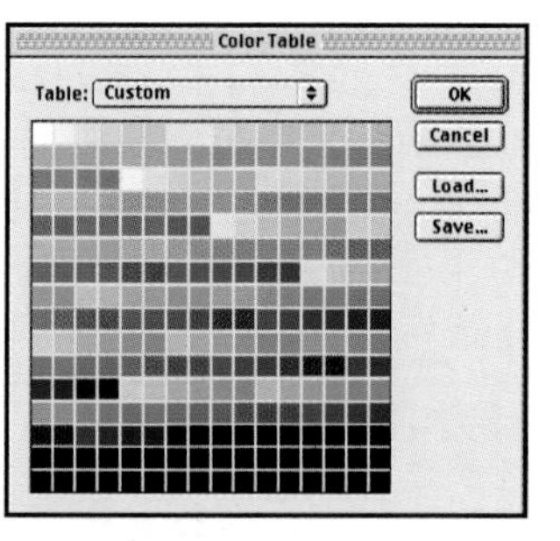

La table des couleurs résultante.

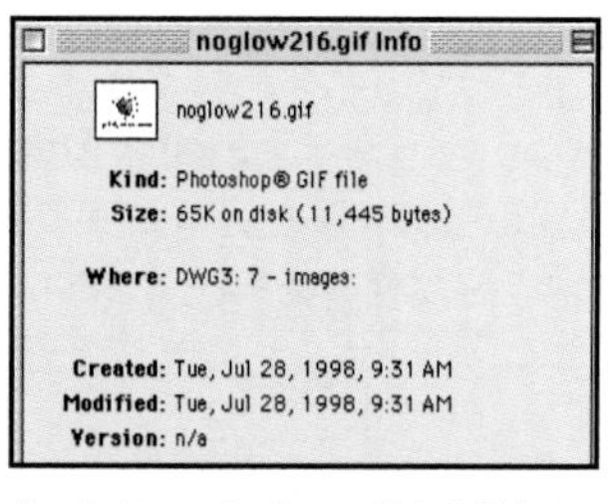

Le fichier résultant (11,4 Ko) est bien trop volumineux.

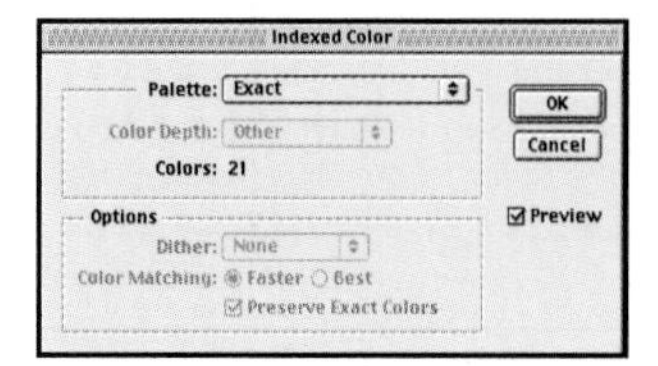

La boîte de dialogue Couleurs indexées de Photoshop, avec l'option Exacte sélectionnée après avoir appliqué Web.

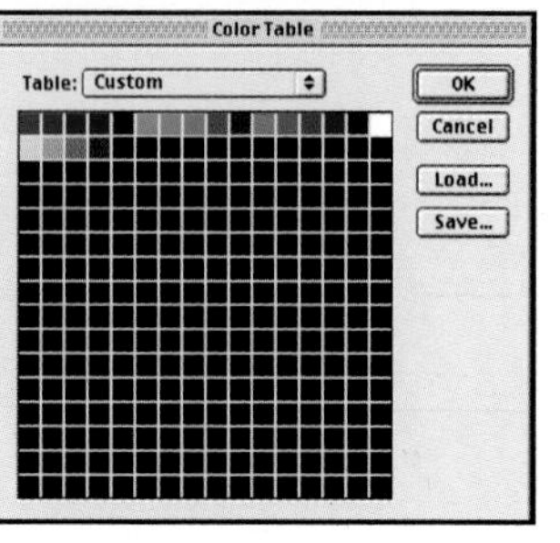

La table des couleurs résultante comprend moins de couleurs, toutes indépendantes des navigateurs.

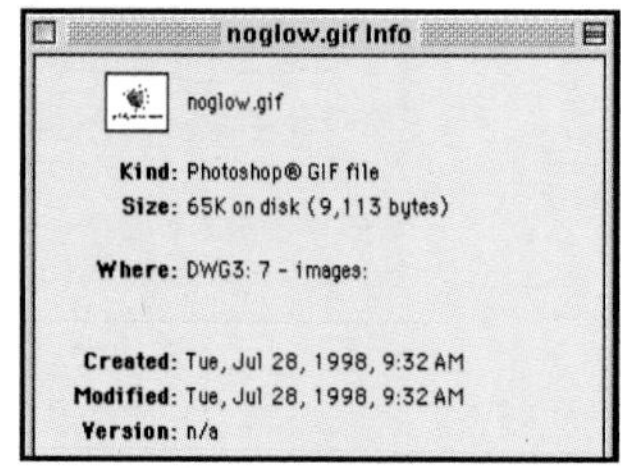

Le fichier résultant (9,3 Ko) est bien plus satisfaisant.

Enregistrer des fichiers GIF dans ImageReady

Dans Fireworks, choisissez Fichier:Exporter (File:Export) pour afficher la boîte de dialogue Aperçu avant exportation (Export Preview). Si vous choisissez la palette Web 216 parmi les options, le logiciel élimine également automatiquement les couleurs non utilisées. Notez que Fireworks a également trouvé 21 couleurs indépendantes des navigateurs et que le fichier qu'il a produit ne pèse que 2,33 Ko, soit nettement moins que Photoshop et à peine plus qu'ImageReady.

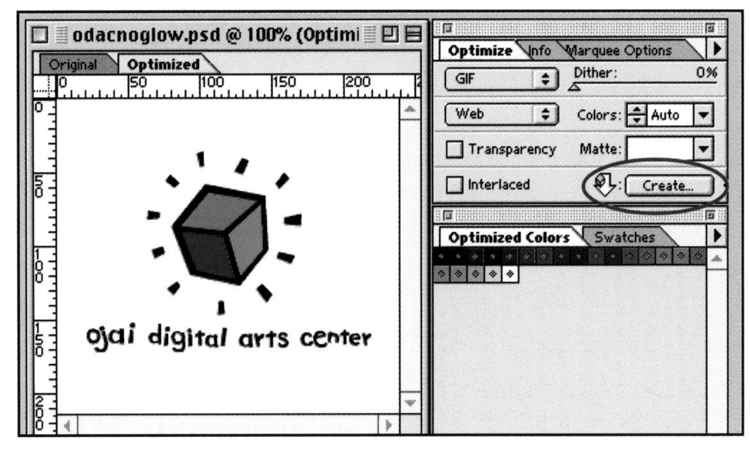

Le paramètre Auto calcule le nombre minimal de couleurs indépendantes des navigateurs nécessaires au fichier.

Enregistrer des fichiers GIF dans Fireworks

Dans Fireworks, choisissez File, Export pour afficher la boîte de dialogue Export Preview. Si vous choisissez la palette GIF Web 216 parmi les options Saved Settings, le logiciel élimine automatiquement les couleurs non utilisées. Notez que Fireworks a également trouvé 21 couleurs indépendantes des navigateurs et que le fichier qu'il a produit ne pèse que 2,33 Ko, soit nettement moins que Photoshop et à peine plus qu'ImageReady.

Le bouton Optimized sélectionne le nombre minimal de couleurs indépendantes des navigateurs nécessaires.

Logiciels vectoriels : Illustrator et FreeHand

La plupart des logiciels vectoriels ont été conçus pour des machines à imprimer et non pour le Web basé sur des écrans. C'est pourquoi de nombreux logiciels vectoriels n'acceptent que les couleurs CMJN et non les couleurs RVB.

Couleurs indépendantes des navigateurs dans Illustrator 8.0

A l'instar de nombreux autres logiciels d'infographie, Illustrator a été conçu pour générer des images destinées à des documents imprimés et ne fonctionnait qu'en CMJN. Avec la popularisation du Web et le fait que de nombreux utilisateurs employaient ce produit pour créer des graphismes Web, un support de l'espace chromatique RVB a été intégré. Malheureusement, toutes les versions d'Illustrator antérieures à cette mise à niveau n'acceptent pas les couleurs RVB. Il est donc impossible de travailler sur des couleurs indépendantes des navigateurs avec les versions plus anciennes.

Utilisation des nuanciers Illustrator 8.0

Illustrator 8.0 est livré avec une palette Web qui ne fonctionne pas comme les palettes de Photoshop. Si vous installez Illustrator avec son dossier Swatch Libraries, il vous suffit d'ouvrir ce dossier, puis d'ouvrir le document appelé Web dans la version Mac, **Web.ai** dans la version Windows. Vous chargez ainsi automatiquement les couleurs indépendantes des navigateurs dans la palette Swatches.

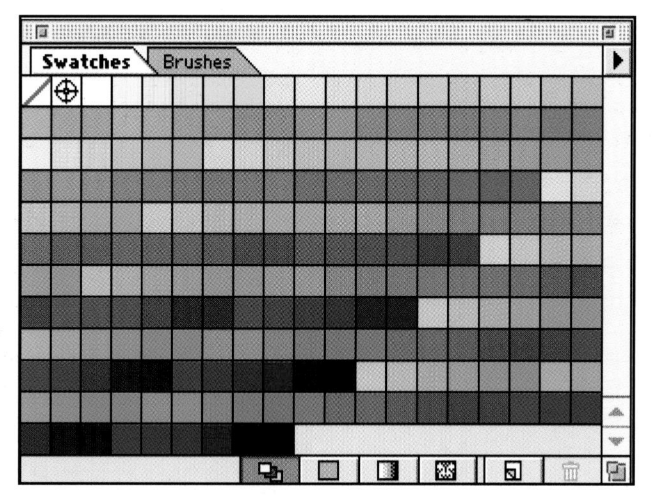

La palette Swatches d'Illustrator 8.0, avec la palette Web chargée. Les palettes de nuanciers ne peuvent être ni chargées ni enregistrées dans Illustrator comme dans Photoshop. Globalement, toute couleur que vous utilisez ou mélangez dans n'importe quel document Illustrator 8.0 est intégrée à la palette Swatches.

Attention

Problème CMJN dans Illustrator 7.0 et 8.0

Assurez-vous que les couleurs que vous sélectionnez dans la palette de nuanciers sont en RVB. S'il s'agit de couleurs CMJN, elles vont être converties en couleurs non indépendantes des navigateurs lorsque l'image sera tramée en RVB. Vérifiez sur votre palette de couleurs si vos valeurs sont indiquées en CMJN (voir figure ci-dessous). Un indice de présence de couleurs CMJN est l'affichage des quantités de couleurs en pourcentages. Vérifiez également les options Fill et Stroke lorsque vous changez de couleur. En fait, contrôlez tous les éléments et pensez à les régler sur RVB pour qu'aucune de vos couleurs ne s'égare.

Autres points à garder en mémoire :

- Illustrator 7 trame vos images en RVB directement dans le logiciel. Elles seront plus propres et plus nettes si elles sont tramées à l'aide de la fonction de placement de Photoshop.
- Les gradients entre couleurs indépendantes des navigateurs ne sont pas indépendants des navigateurs.

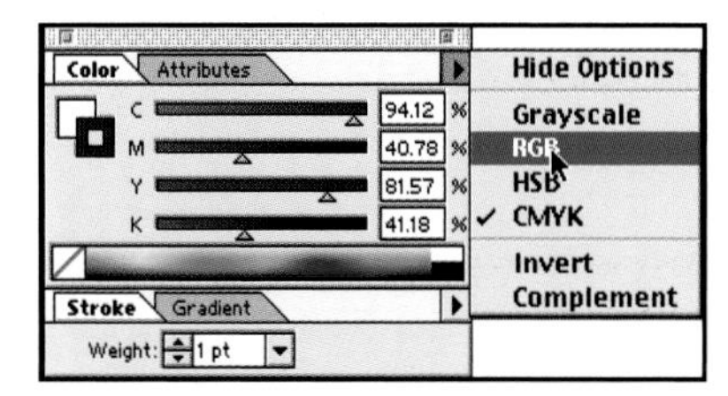

Si les valeurs sont affichées en CMJN, changez-les en RVB. Cliquez pour cela sur le bouton en forme de triangle, dans l'angle supérieur droit. La gamme des valeurs des couleurs s'étendra alors de 0 à 255.

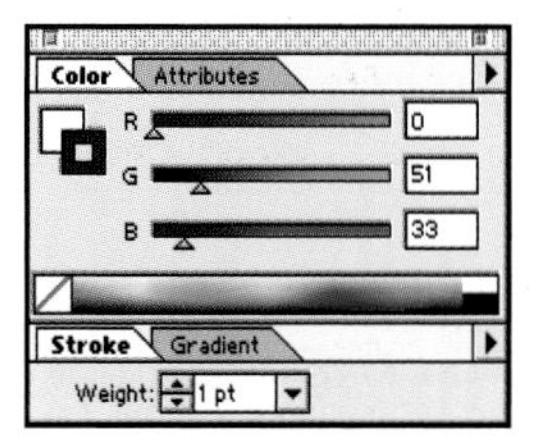

Dans Illustrator, limitez vos choix de couleurs indépendantes des navigateurs à six valeurs. Ces valeurs sont 0, 51, 102, 153, 204 et 255 pour les couches rouge, vert et bleu. Si vous souhaitez utiliser la palette de couleurs pour faire vos propres mélanges de couleurs, ramenez les couleurs que vous choisissez à la valeur la plus proche parmi celles indiquées ci-dessus pour obtenir les versions indépendantes des navigateurs de ces couleurs.

Création avec Freehand 8.0

Les artistes qui utilisent FreeHand pour ses excellents outils de gestion des caractères et de dessin vectoriel ont bien de la chance. FreeHand leur permet de travailler directement en RVB et comprend en outre une palette de couleurs indépendantes des navigateurs.

FreeHand utilise des pourcentages RVB au lieu de valeurs RVB précises. Il est possible de mélanger des couleurs indépendantes des navigateurs directement en RVB dans FreeHand. Il vous suffit de mémoriser ce tableau de conversion :

Pourcentage	RGB	HEX
100	255	FF
80	204	CC
60	153	99
40	102	66
20	51	33
0	0	0

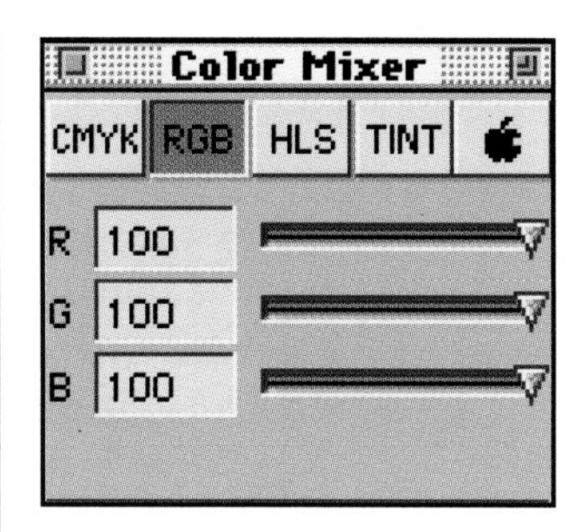

Les opérations décrites ci-dessous vous permettent d'accéder à la palette des couleurs indépendantes des navigateurs de Freehand 8.0 :

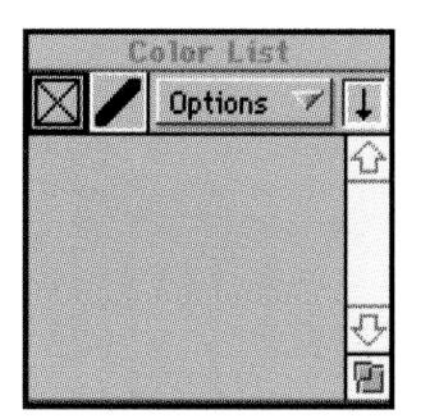

Etape 1. Ouvrez la palette Color List. Dans Options, choisissez Import. Localisez ensuite Web Safe Color Library.

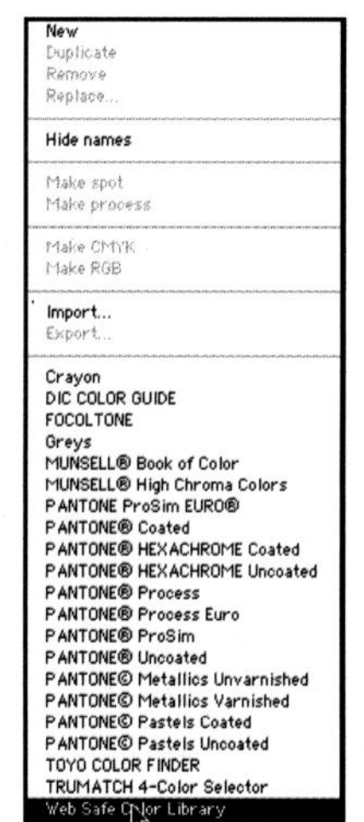

Etape 2. Sélectionnez Web Safe Color Library.

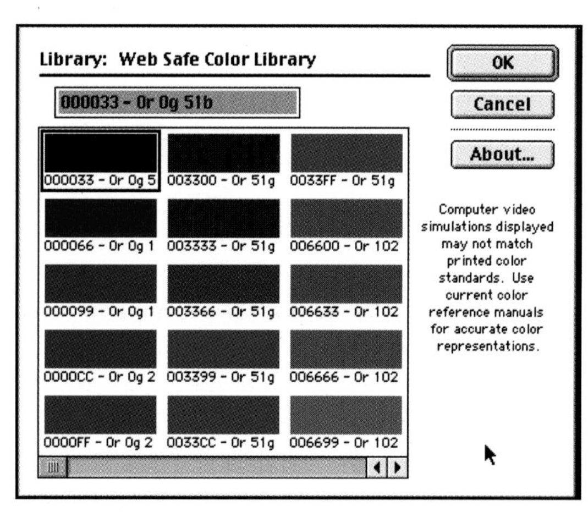

Etape 3. Si vous utilisez ces couleurs pour peindre, vous pouvez choisir File, Export dans le format de fichier GIF. Cliquez sur le bouton Options pour activer la simulation des couleurs et la transparence GIF.

Les images JPEG ne conservent pas les couleurs indépendantes des navigateurs

Malheureusement, les fichiers convertis en JPEG ne conservent pas avec précision les informations de couleurs. La méthode de compression avec pertes qui est appliquée supprime des informations et introduit des artifices de compression, même si, en règle générale, ils ne sont pas facilement visibles. De ce fait, il n'existe aucun moyen de maîtriser les couleurs avec précision lorsqu'on utilise le format de fichier JPEG.

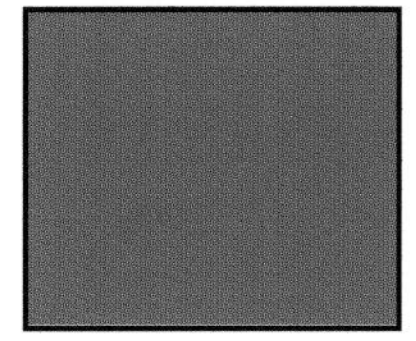

Voici un exemple de couleur unie indépendante des navigateurs. Ses valeurs hexadécimales sont 51, 153, 153.

Une fois enregistrée au format GIF, cette couleur reste indépendante des navigateurs.

Une fois enregistrée au format JPEG, cette couleur a été convertie de 51, 153, 153 à 54, 154, 156. Elle n'est plus indépendante des navigateurs, comme l'indique à l'évidence l'effet de simulation qui apparaît lorsqu'elle est affichée dans Netscape dans des conditions de moniteur 8 bits. Si vous utilisez des JPEG du niveau de qualité le plus élevé, les incohérences de couleurs peuvent être évitées, mais vous obtiendrez alors des fichiers plus volumineux.

En conclusion, vous ne pouvez pas apparier avec précision des GIF de premier plan avec des JPEG d'arrière-plan, ou des JPEG de premier plan avec des GIF d'arrière-plan. Même si vous créez des images avec des couleurs indépendantes des navigateurs, elles ne resteront pas indépendantes des navigateurs une fois converties en JPEG, quoi que vous fassiez. Nous avons déjà établi (au Chapitre 3) que les JPEG ne sont pas adaptés aux couleurs unies. Voici donc une raison de plus de ne pas utiliser le format JPEG lorsque vous avez affaire à des images plates du type logo, cartoon ou toute autre graphisme se prêtant mal à une simulation des couleurs non souhaitée.

Les images hybrides

Comme souvent dans la vie, toute règle présente des exceptions. Lorsque vous avez affaire à une image qui combine dessin au trait et tons continus, vous devez combiner couleurs indépendantes des navigateurs et couleurs non indépendantes des navigateurs. Si vous convertissez les images en tons continus en couleurs indépendantes des navigateurs, le résultat est désastreux. Si, à l'inverse, vous laissez les aplats de couleur en couleurs non indépendantes des navigateurs, vous provoquez des effets de simulation. Il est néanmoins possible de combiner ces techniques pour réaliser une image hybride, mais uniquement dans les formats GIF et PNG. Il n'existe aucun moyen de verrouiller une couleur indépendante des navigateurs au format JPEG. Vous trouverez ci-dessous les instructions à suivre pour créer des images hybrides au format GIF avec des couleurs indépendantes des navigateurs et des couleurs non indépendantes des navigateurs.

Images hybrides au format GIF dans Photoshop

Chaque fois que vous avez affaire à des images hybrides contenant des aplats de couleur et des tons continus, mieux vaut toujours les enregistrer dans une palette adaptative GIF et non une palette Web.

Cette rangée d'images illustre la différence entre un enregistrement en palette adaptative (gauche et droite) et une palette indépendante des navigateurs (centre). Vous pouvez constater que les images en palettes adaptatives sont de meilleure qualité que l'image en palette Web.

Affichées sur un ordinateur 8 bits, toutes ces images ont l'air identiques. Le navigateur convertit comme prévu les palettes adaptatives vers la palette indépendante des navigateurs.

Conclusion : il faut utiliser une palette adaptative avec les images hybrides. En règle générale (mais pas toujours), elle va conserver les couleurs indépendantes des navigateurs et produire une image en tons continus de bien meilleure qualité. Sur des systèmes 8 bits, elle sera identique à l'image que vous auriez obtenue en appliquant vous-même la palette des couleurs indépendantes des navigateurs.

Cette technique présente néanmoins un inconvénient potentiel. Si vous utilisez des palettes adaptatives, vous appliquerez souvent un plus grand nombre de couleurs que si vous vous limitez aux couleurs indépendantes des navigateurs. D'où parfois des fichiers plus volumineux. Nous sommes donc de nouveau confrontés au problème de « la qualité ou de la taille »...

Images hybrides au format GIF dans Fireworks

Fireworks permet d'enregistrer des images au format GIF avec une palette adaptative. Il est doté de préréglages en 256 et 128 couleurs.

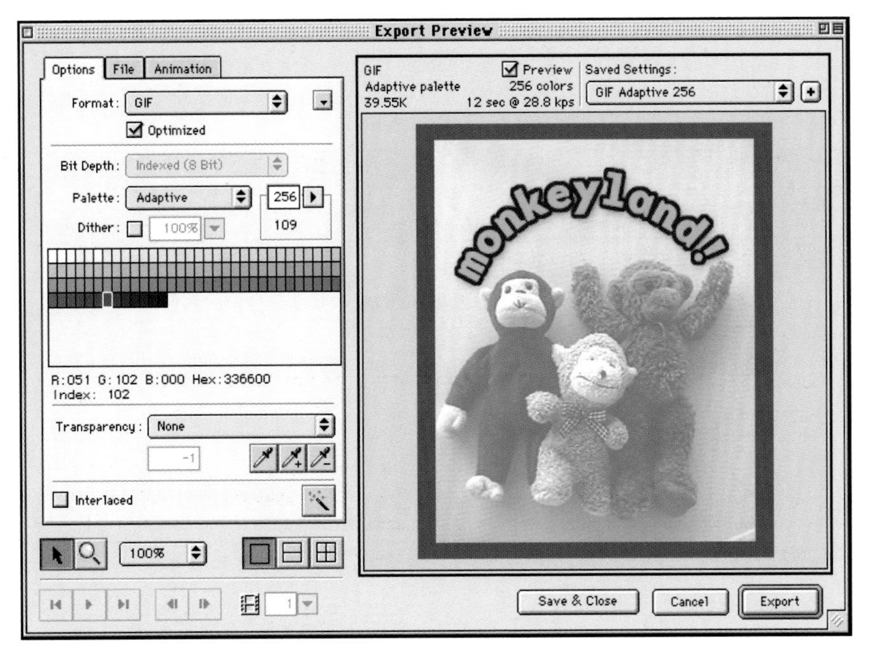

Pour accéder à cette boîte de dialogue, choisissez Fichier:Exporter (File: Export). La palette adaptative est la mieux adaptée aux images hybrides et ne modifie pas les couleurs indépendantes des navigateurs.

Images hybrides au format GIF dans ImageReady

ImageReady est doté de trois types de palettes adaptatives : Perceptual, Adaptive et Selective.

Chacun de ces algorithmes fonctionne d'une manière légèrement différente, mais tous préservent en priorité les couleurs indépendantes des navigateurs unies. La seule raison de tester ces différentes palettes adaptatives est de voir si vous préférez la qualité d'image de l'une ou l'autre.

Perceptual

Adaptive

Select

Images non indépendantes des navigateurs avec couleurs unies

Qu'en est-il des images qui n'ont pas été créées avec des couleurs indépendantes des navigateurs alors qu'elles auraient dû l'être ? Fireworks dispose d'une fonction astucieuse appelée *palette WebSnap*, qui décale toutes les couleurs vers les couleurs indépendantes des navigateurs chaque fois qu'elle rencontre des aplats d'une couleur non indépendante des navigateurs.

Pour accéder à la palette adaptative WebSnap, choisissez Fichier:Exporter (File:Export). Cette palette convertit les couleurs non indépendantes des navigateurs en couleurs indépendantes des navigateurs.

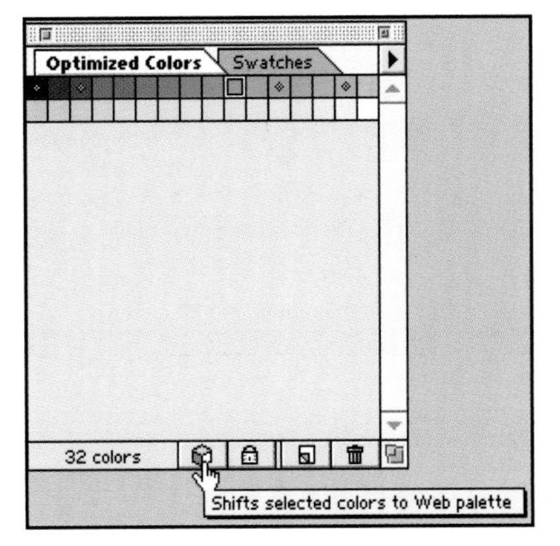

ImageReady permet de sélectionner des couleurs individuelles dans votre document à l'aide de la pipette, puis de convertir une couleur non indépendante des navigateurs vers une couleur indépendante en cliquant sur l'icône du cube.

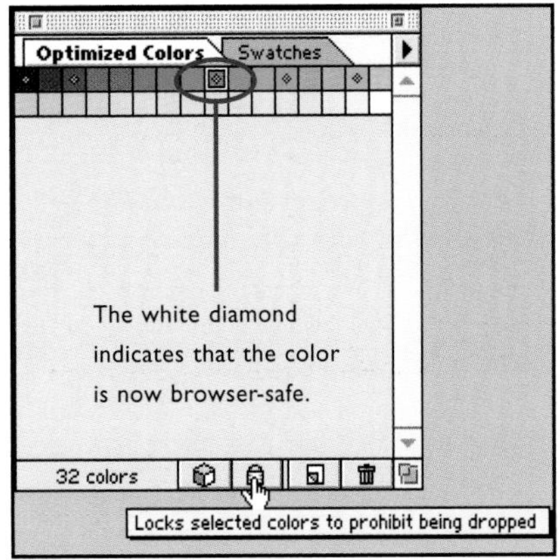

Lorsque vous avez converti une couleur, vous pouvez la verrouiller de façon qu'elle ne disparaisse pas si vous réduisez le nombre de couleurs de votre GIF.

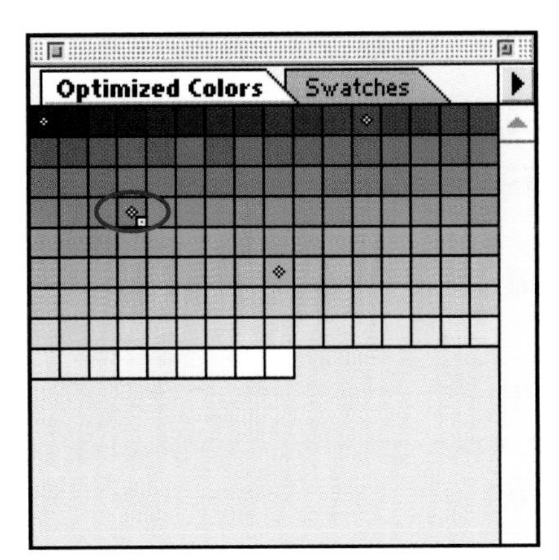

Lorsqu'une couleur est verrouillée dans ImageReady, un petit carré blanc est affiché dans la palette.

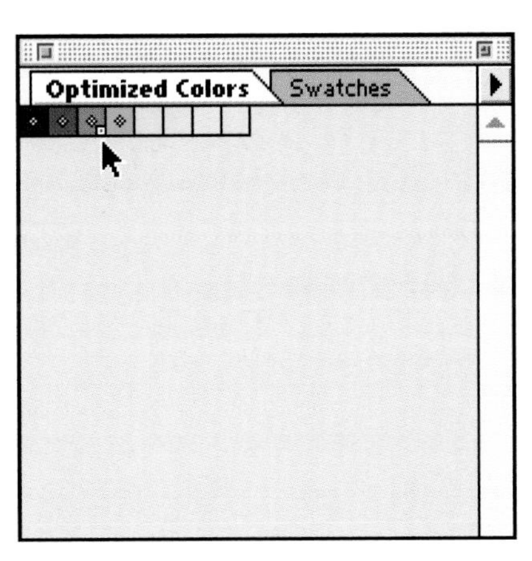

Lorsque vous réduisez le nombre de couleurs de la palette, les couleurs verrouillées sont conservées.

Résumé

Couleurs indépendantes des navigateurs

Les couleurs indépendantes des navigateurs constituent un vaste sujet avec de nombreuses variables et mises en œuvre. Ce chapitre a abordé les principaux aspects de la question et a présenté quelques outils de production de graphismes et de code HTML indépendants des navigateurs. Voici un résumé des principaux points évoqués dans ce chapitre :

- Utilisez toujours des couleurs indépendantes des navigateurs pour vos éléments HTML, par exemple les couleurs de vos arrière-plans, textes et liens.
- Utilisez toujours des couleurs indépendantes des navigateurs pour les graphismes qui contiennent des aplats de couleur.
- N'utilisez pas les couleurs indépendantes des navigateurs pour les photos.
- Enregistrez vos photos au format JPEG dans la mesure du possible.
- Si vous avez une image hybride qui présente à la fois des zones de couleur unie et des éléments en tons continus, utilisez le format GIF avec une palette adaptative.
- Vous pouvez convertir des images en aplats de couleur en couleurs indépendantes des navigateurs avec Fireworks ou ImageReady.
- N'enregistrez jamais des couleurs indépendantes des navigateurs au format JPEG.

Introduction

Esthétique des couleurs

Au sommaire de ce chapitre

- Terminologie de la couleur
- Combinaisons de couleurs
- Contrastes
- Relations entre couleurs
- Lisibilité
- Hiérarchie de couleurs
- Equilibre et harmonie

L'un des aspects les plus négligés de la plupart des sites Web est la couleur. Un agencement de couleurs efficace et agréable à l'œil peut se révéler plus important qu'une animation, qu'un effet d'interactivité ou d'astucieux graphismes.

Les spécialistes en théorie des couleurs sont peu nombreux, et bon nombre des développeurs Web, y compris les artistes chevronnés, ne sont plus sûrs de leurs compétences lorsqu'il s'agit de choisir des combinaisons de couleurs attrayantes. Il faut avouer que la théorie des couleurs est un sujet traité d'une manière très aride et technique dans la plupart des ouvrages théoriques. Ce chapitre aborde cette question du strict point de vue du Web. Mon objectif est de proposer des principes et techniques faciles à retenir.

Toutefois, je ne peux pas m'attribuer le mérite de la plupart des idées présentées dans ce chapitre, seulement le mérite de la manière dont ces idées sont présentées. J'ai un mari talentueux, qui est mon mentor en matière de couleurs. Il m'a enseigné des méthodes de choix de couleurs, ce qui a sensiblement augmenté mes compétences en la matière. J'espère pouvoir transmettre ses leçons de sagesse au plus grand nombre...

Ce chapitre traite des couleurs hybrides, des combinaisons de couleurs Web et des caractéristiques de couleurs telles que teinte, saturation, valeur et contraste.

Petite terminologie de la couleur

Pour décrire les couleurs, nous devons d'abord définir quelques termes courants. Voici les termes les plus importants traités dans ce chapitre :

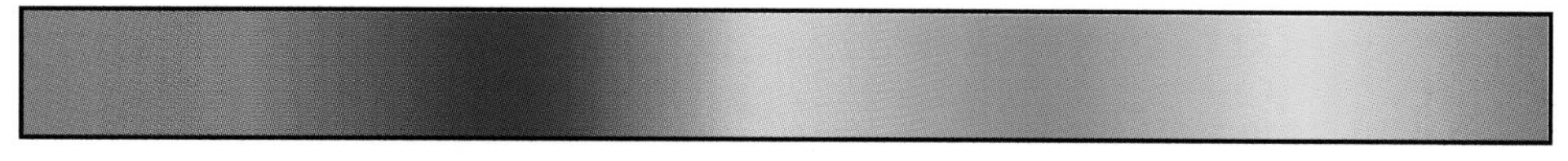

Spectre. Toutes les couleurs possibles d'un espace chromatique tel que RVB ou CMJN.

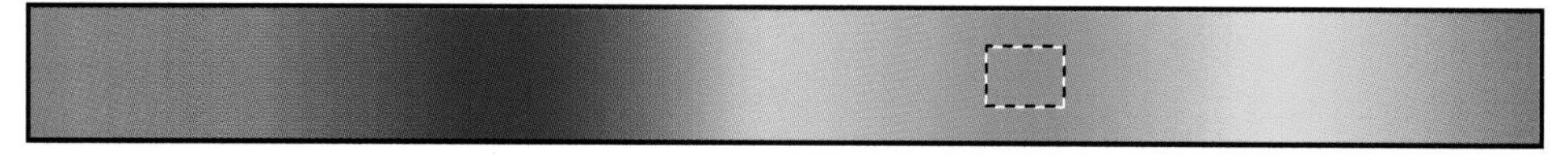

Teinte. Définit un point spécifique du cercle chromatique ou du spectre des couleurs. Dans cet exemple, une teinte verte a été sélectionnée.

Valeur. Décrit la plage de couleurs, du pâle au vif. Dans cet exemple, une teinte rouge est illustrée à différentes valeurs, du vif au pâle.

Saturation. Définit l'intensité d'une couleur.

Assourdie. Lorsque l'on parle de couleurs assourdies, on pense généralement à des couleurs dont la saturation est très faible.

Faible contraste **Fort contraste**

Contraste. Écart entre valeurs.

Lisibilité. Liée au contraste.

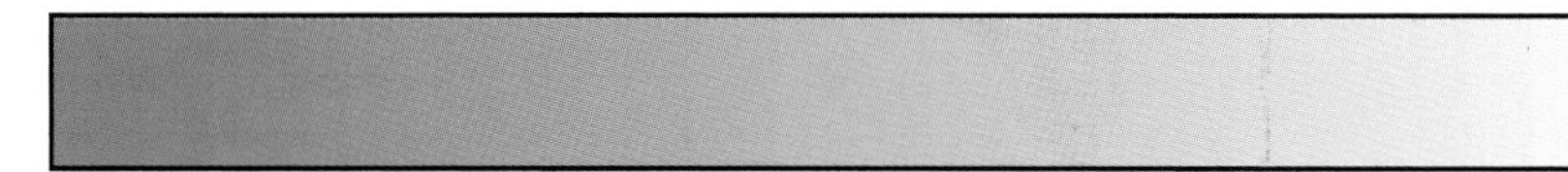

Teinte. Couleur obtenue par ajout de blanc.

Ton. Couleur obtenue par ajout de noir.

Choix de thèmes de couleurs

Pour choisir des thèmes de couleurs pour vos pages et sites Web, il faut posséder quelques notions des relations entre les couleurs. La section suivante va vous familiariser avec des termes qui seront utilisés dans le contexte de pages Web.

De nombreux ouvrages décrivent les émotions des couleurs. Certains prétendent que le violet dénote la passion, le rouge la colère ou l'attention, le bleu la tranquillité. Je ne crois pas que quiconque puisse ou doive faire des projections sur le sens qu'une personne peut donner à une couleur. Ce point est totalement subjectif.

Il peut arriver que certains clients utilisent des combinaisons de couleurs préexistantes pour leurs logos, leurs brochures imprimées ou leur marque d'entreprise. Dans ce cas, vous devez travailler avec leurs couleurs d'une manière à la fois esthétique et adaptée au Web. Cela peut impliquer que vous allez convertir leurs couleurs en équivalents hybrides protégés ou en couleurs indépendantes des navigateurs, ou que vous allez travailler avec des variantes de ces mêmes couleurs en utilisant des codes hexadécimaux.

Dans d'autres situations, vous aurez la liberté totale du choix des combinaisons de couleurs. La liberté peut devenir une arme dangereuse entre les mains d'une personne ignorante. Plutôt que de m'appesantir sur les aspects subjectifs et intangibles des émotions exprimées par les couleurs, j'ai préféré me concentrer sur les relations harmoniques entre les couleurs.

Terminologie des relations entre couleurs

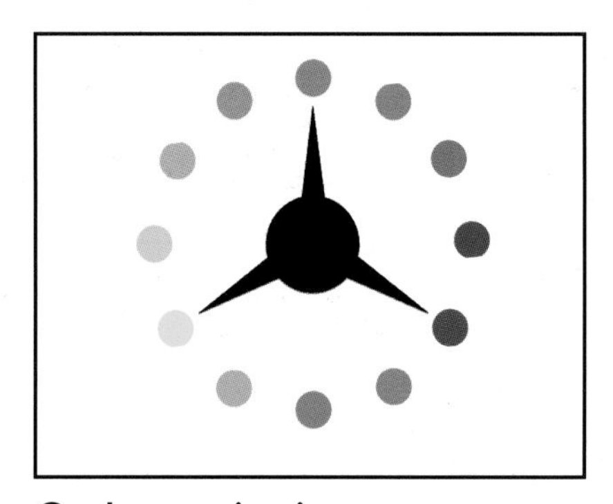

Couleurs primaires

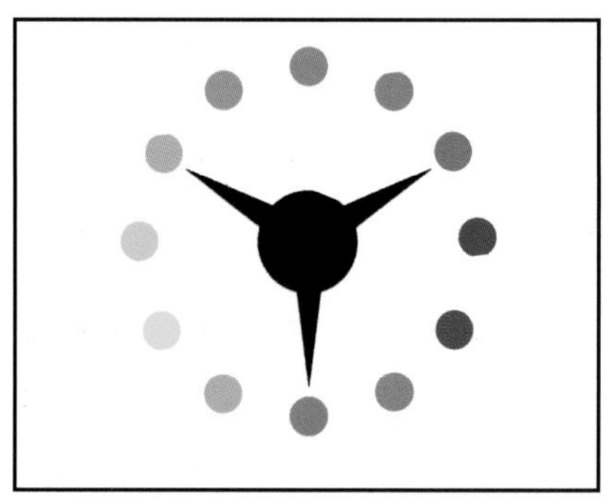

Couleurs secondaires

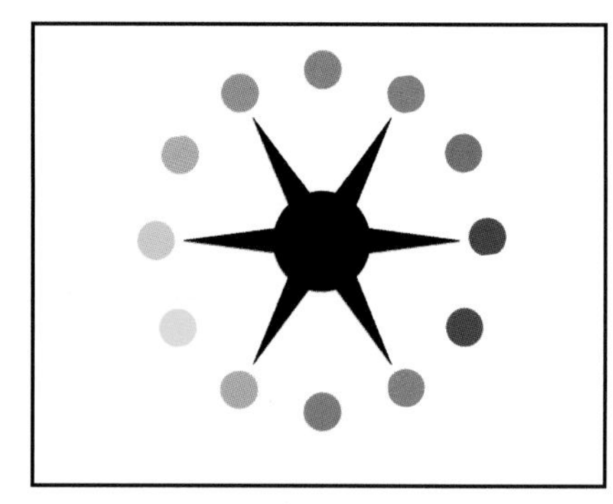

Couleurs tertiaires

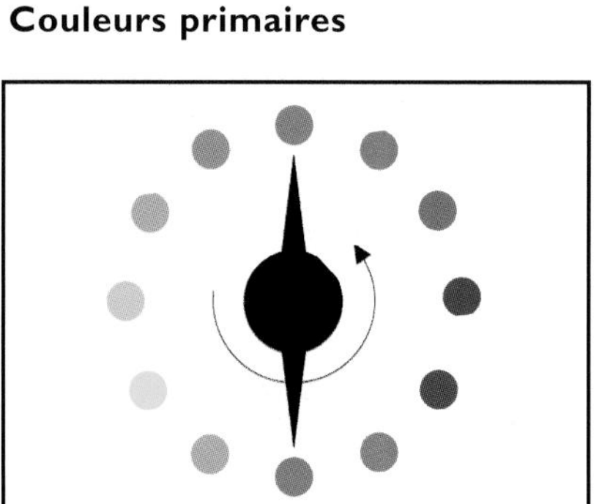

Couleurs complémentaires. On peut faire tourner le cercle chromatique dans toutes les directions.

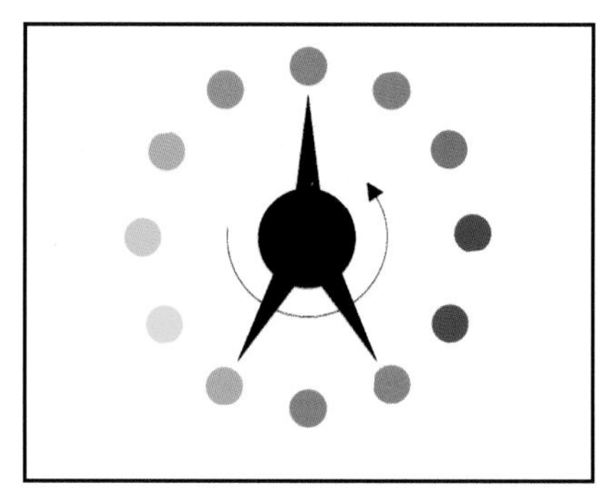

Couleurs complémentaires intermédiaires. On peut faire tourner le cercle chromatique dans toutes les directions.

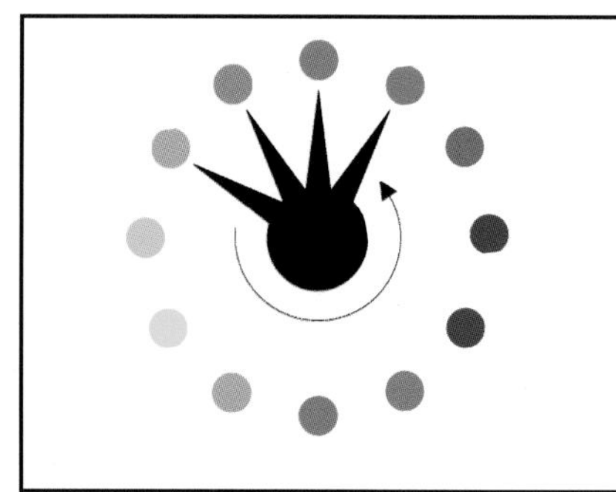

Couleurs voisines. On peut faire tourner le cercle chromatique dans toutes les directions.

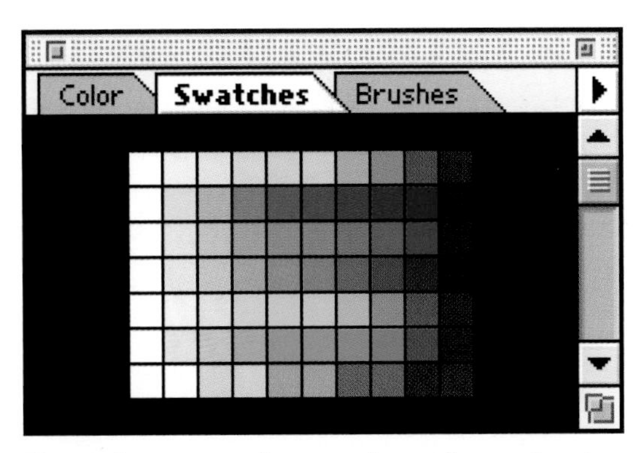

Nuancier monochromatique de couleurs indépendantes des navigateurs. Les combinaisons de couleurs monochromatiques prennent une seule teinte et appliquent différentes valeurs à cette teinte.

Une combinaison de **couleurs monochromatiques** en action avec la couleur cyan.

Couleurs chaudes

Couleurs froides

Application des relations entre couleurs à la conception Web

Vous pourrez peut-être impressionner vos clients ou collègues en faisant la distinction entre une couleur complémentaire et une couleur tertiaire, mais si vous n'êtes pas capable de donner une utilisation dynamique à ces connaissances sur votre site, elles resteront purement théoriques. Les termes de relations entre couleurs que nous venons de définir ont tous un rapport avec le choix de teintes. Qu'en est-il des caractéristiques de saturation et de valeur, aussi importantes que la teinte, voire plus dans de nombreux cas.

Horrible

Plus satisfaisant

Dans l'exemple **Horrible**, la combinaison de couleurs est de type couleurs voisines avec une utilisation de teintes bleues, rouges et magenta. La lisibilité est effectivement horrible, sinon impossible. A droite, l'exemple **Plus satisfaisant** utilise la même combinaison de couleurs voisines de bleu, rouge et magenta, mais aussi des valeurs et des saturations différentes. Quelle différence ! Il ne suffit pas de choisir une palette de couleurs (du type voisines, complémentaires ou monochromatiques), vous devez aussi apprendre à équilibrer en même temps les valeurs et le niveau de saturation d'une couleur pour obtenir des relations de couleurs lisibles.

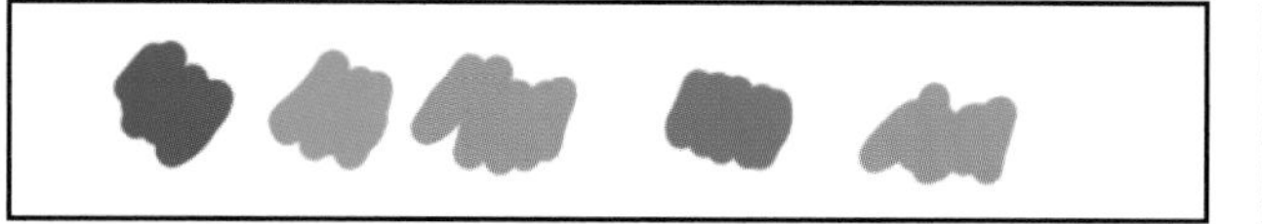

Si vous observez la combinaison de couleurs **Horrible**, vous noterez que toutes les couleurs sont totalement saturées et proches en terme de valeur.

Si vous observez la combinaison de couleurs **Plus satisfaisant**, vous noterez qu'il y a une variété en termes de saturation et de valeur.

En créant d'abord votre image en niveaux de gris, vous pouvez vous entraîner à considérer vos couleurs en termes de valeurs et de teintes.

Les teintes ont remplacé les gris et j'obtiens la lisibilité souhaitée en termes de couleurs.

Si vous parvenez à trouver le bon équilibre entre teinte, valeur et saturation, vous pouvez faire en sorte de rendre plus lisible ce qui est important et d'estomper ce qui l'est moins. C'est stimulant d'être capable de maîtriser ce concept. Si vous savez l'appliquer à vos créations, vous devenez maître de vos couleurs.

Un très bon exercice pour vous faire progresser dans ce sens consiste à réfléchir selon ces critères et à prévisualiser votre site Web comme je l'ai fait, dans Photoshop, en utilisant des calques. Essayez de remplir les calques avec des nuances de gris au lieu de couleurs pour faire ressortir les informations que vous voulez mettre en avant. Une fois que vous avez créé votre page à l'aide de gris, remplacez ces gris par des couleurs. Vous serez étonné de l'efficacité de cet exercice d'apprentissage.

Outils de relations entre couleurs

Si vous souhaitez communiquer efficacement avec des couleurs, mieux vaut recourir à quelques bons outils. Observez de nouveau la palette des couleurs indépendantes des navigateurs. Vous pouvez noter qu'elle n'est pas du tout organisée en fonction de critères esthétiques. Les mêmes couleurs peuvent être affichées dans un ordre différent et donner une bien meilleure idée des relations entre ces couleurs.

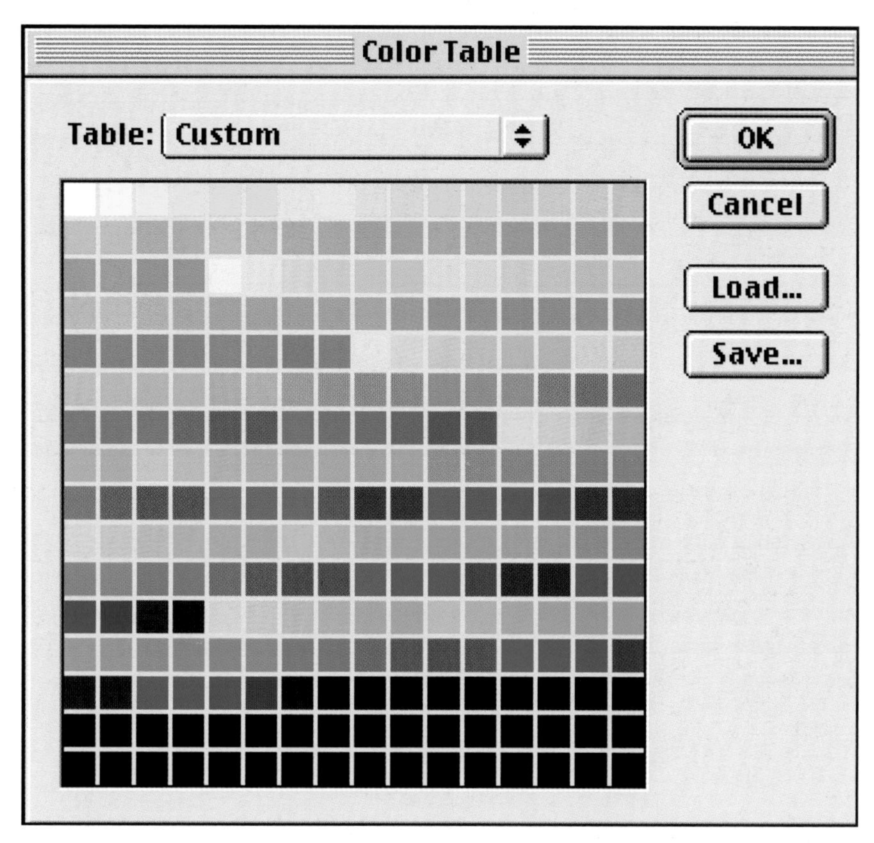

La grille des couleurs indépendantes des navigateurs est organisée en fonction de critères mathématiques et non esthétiques.

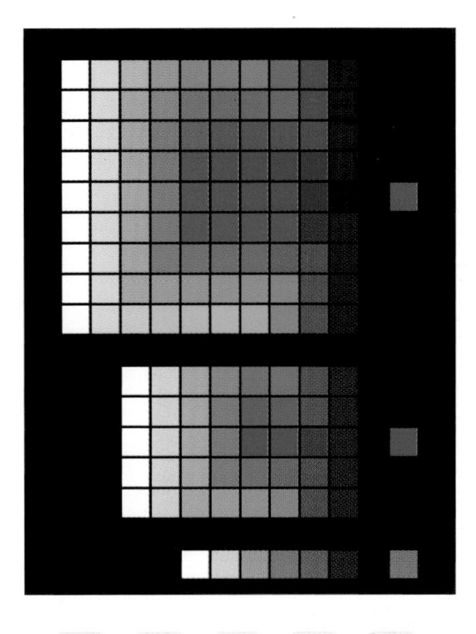
99CCFF
6666FF
006699
9999CC
000066

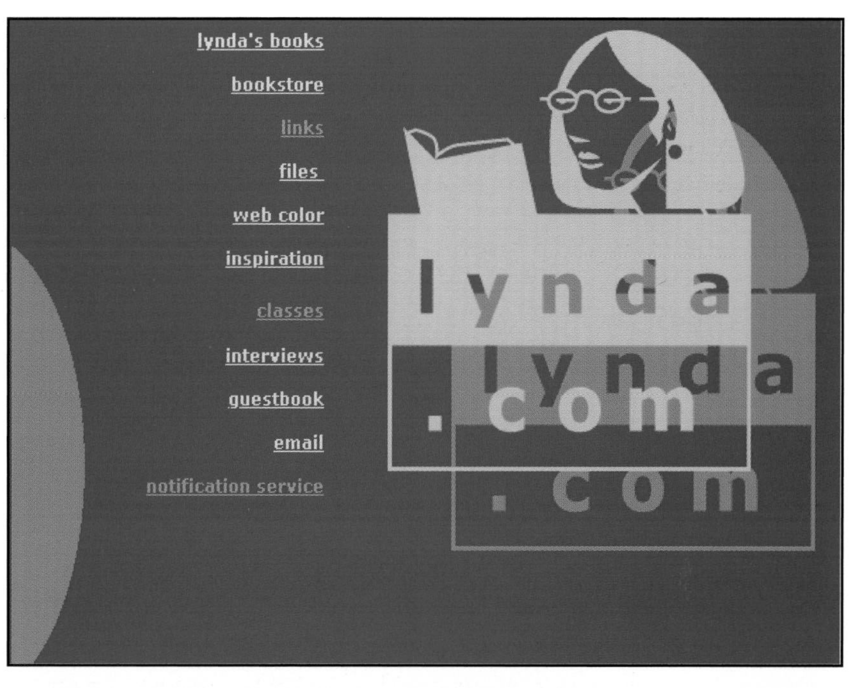
lynda's books
bookstore
links
files
web color
inspiration
classes
interviews
guestbook
email
notification service
lynda
.com

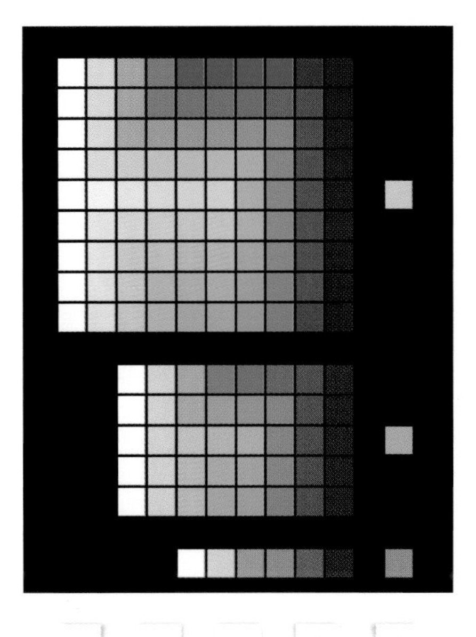
CCCCFF
99FF99
009999
33FF99
006666

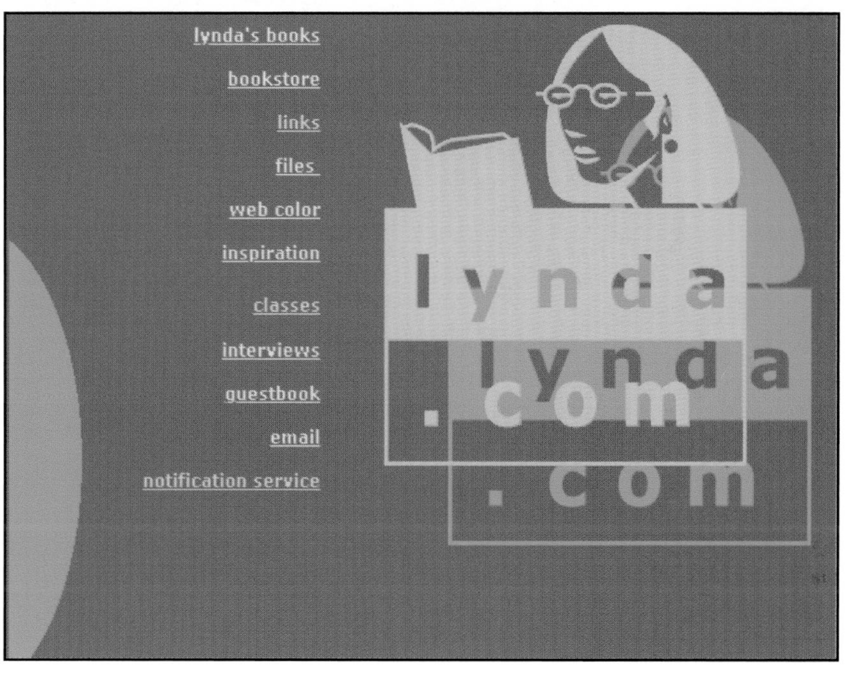
lynda's books
bookstore
links
files
web color
inspiration
classes
interviews
guestbook
email
notification service
lynda
.com

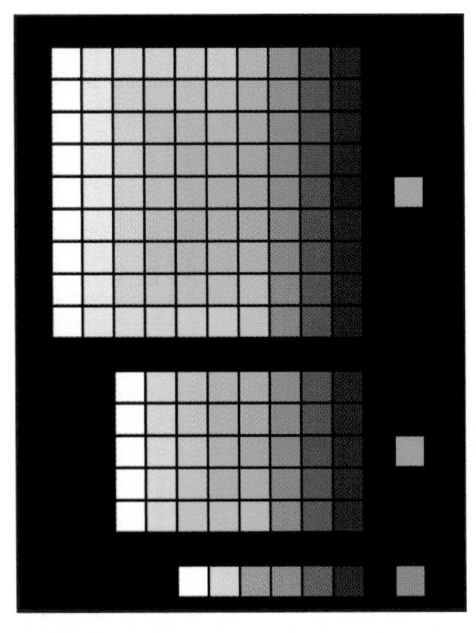

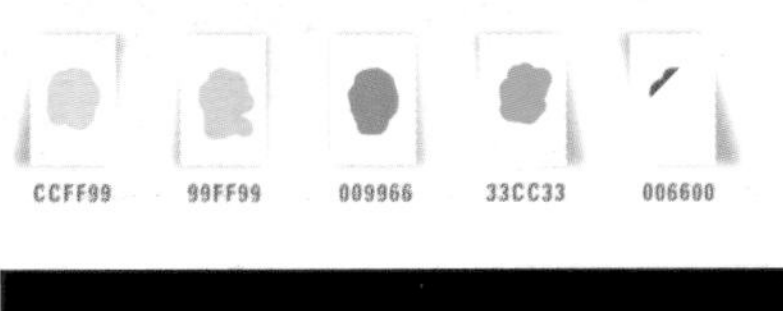
CCFF99
99FF99
009966
33CC33
006600

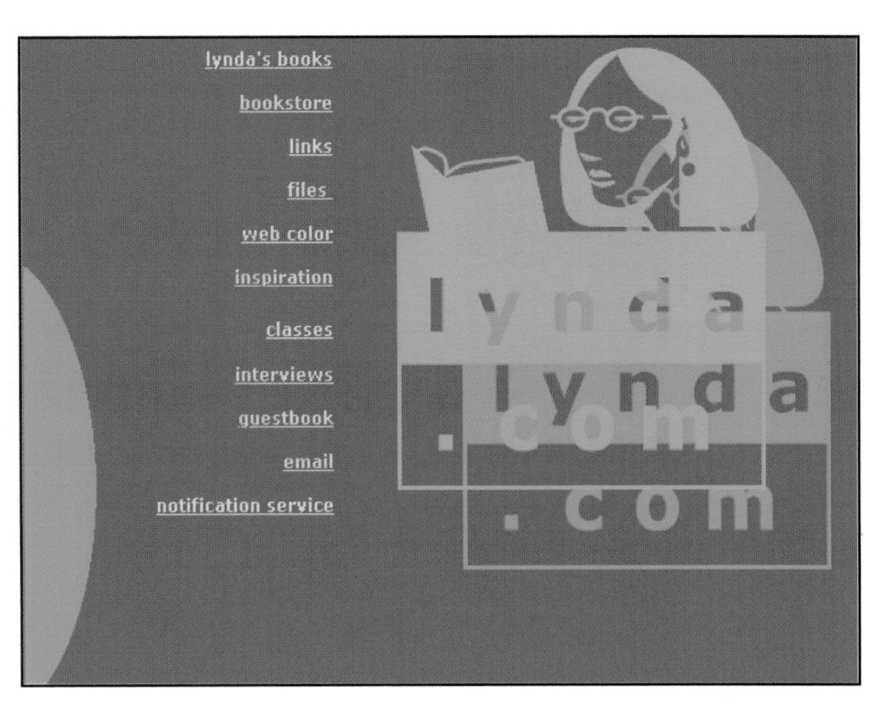
lynda's books
bookstore
links
files
web color
inspiration
classes
interviews
guestbook
email
notification service
lynda
.com

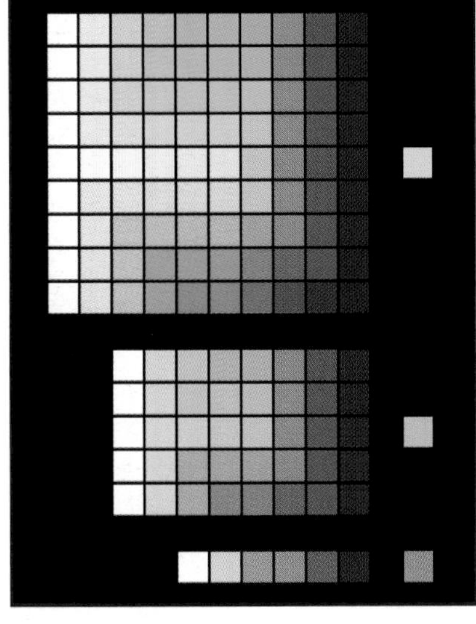

996600
339900
FFFF00
FF9900
CCCC00

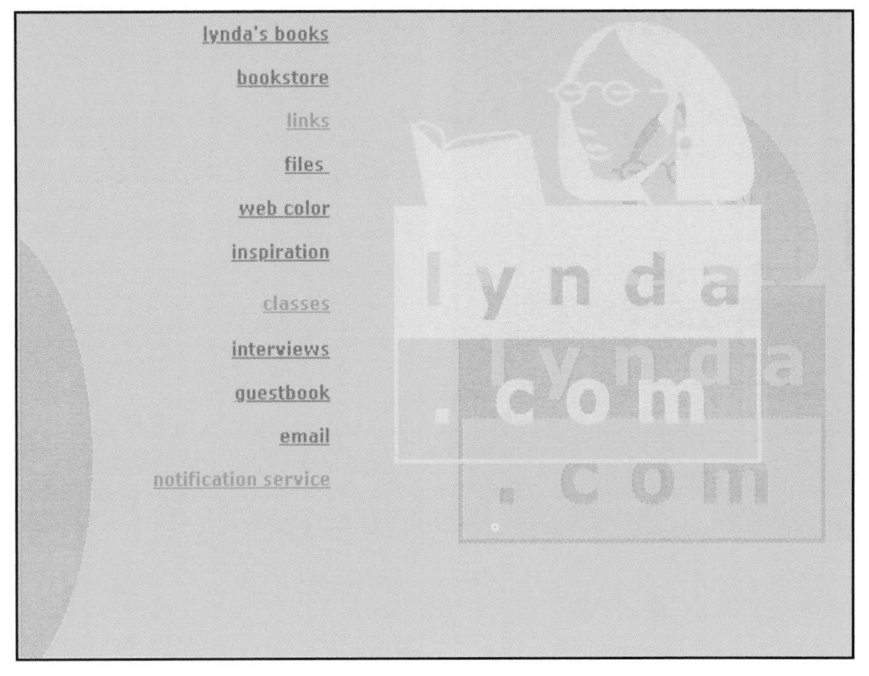
lynda's books
bookstore
links
files
web color
inspiration
classes
interviews
guestbook
email
notification service
lynda
.com

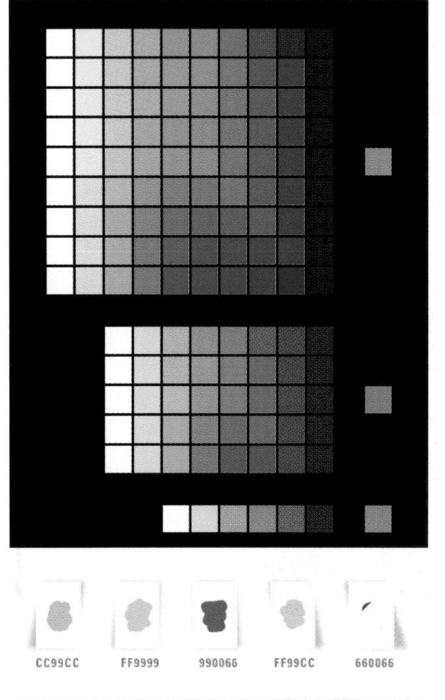
CC99CC
FF9999
990066
FF99CC
660066

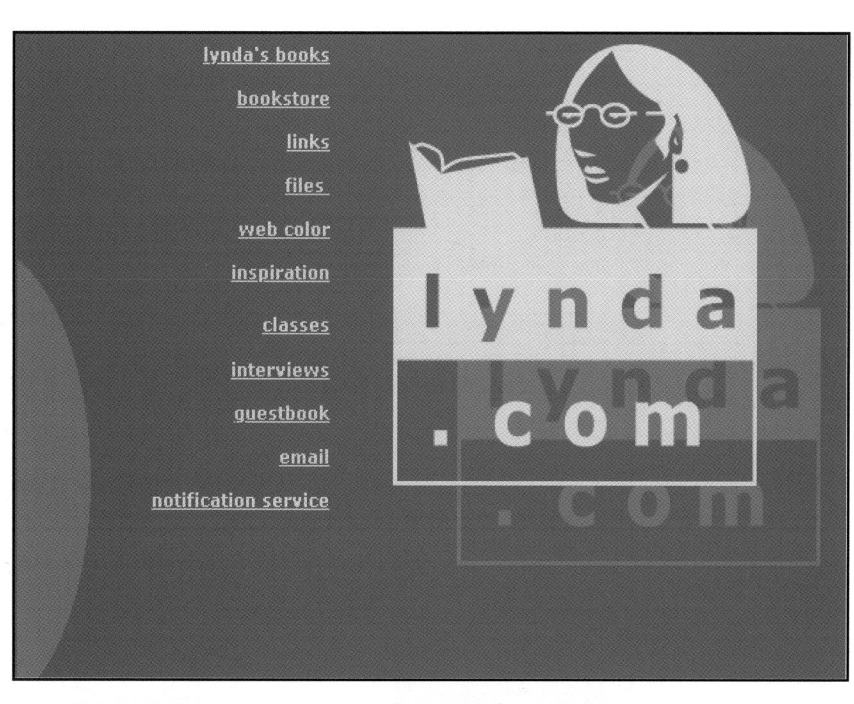
lynda's books
bookstore
links
files
web color
inspiration
classes
interviews
guestbook
email
notification service
lynda
.com

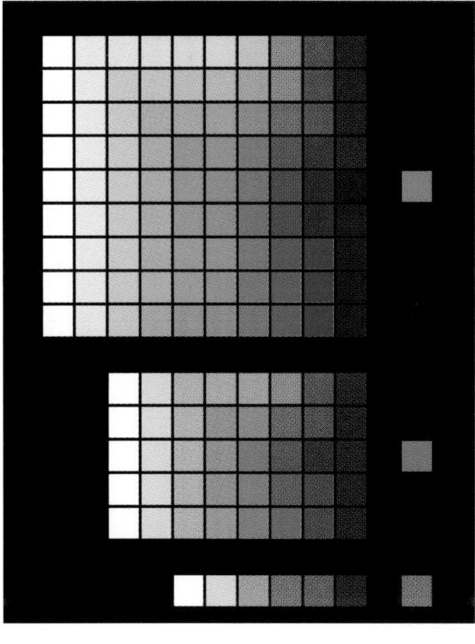

FFCC99
FF9933
663333
996633
990000

lynda's books
bookstore
links
files
web color
inspiration
classes
interviews
guestbook
email
notification service
lynda
.com

Extension Photoshop d'harmonie des couleurs

J'ai trouvé par hasard une extension Photoshop remarquable qui traite du sujet qui nous intéresse et qui s'appelle **Hot Door Harmony**. Vous pouvez en télécharger une version d'essai à partir de l'adresse http://www.hotdoor.com. Au moment de la rédaction de ces lignes, le produit existait uniquement en version Macintosh, mais la sortie d'une version PC était prévue.

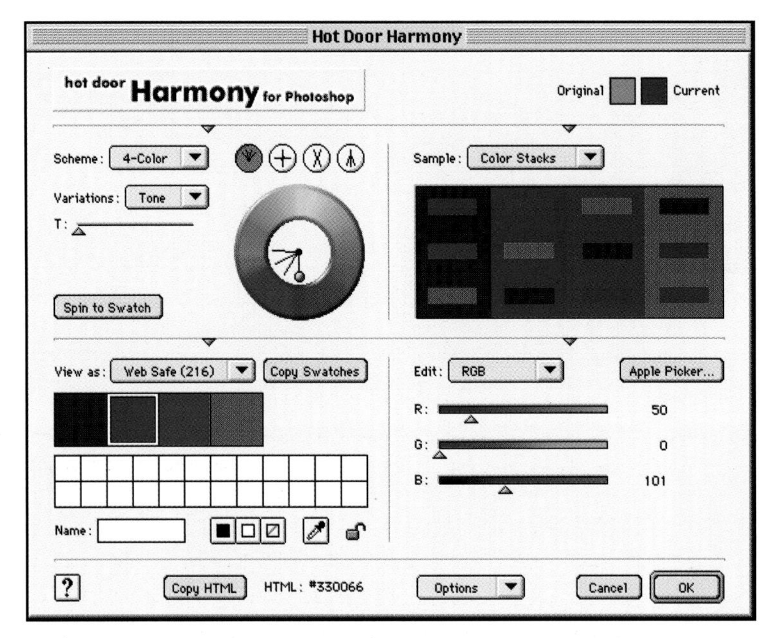

Hot Door Harmony permet de sélectionner des couleurs en fonction de relations harmoniques. Vous cliquez sur la combinaison de couleurs que vous souhaitez (j'ai sélectionné couleurs voisines), puis vous faites tourner le cercle. Le programme vous montre des sélections de couleurs appartenant au spectre des couleurs indépendantes des navigateurs. Vous pouvez augmenter les réglages de teinte (Tint) ou de ton (Tone) pour accéder à différentes valeurs et vous pouvez recopier le code hexadécimal de chaque couleur. Je vous conseille vivement de télécharger cet outil pour l'essayer.

Lisibilité

Faire en sorte qu'une page Web soit lue comme vous le souhaitez est la clé d'une communication efficace. Pour attirer votre visiteur vers les zones de votre site les plus importantes, vous avez plusieurs possibilités. Comme ce chapitre traite des couleurs, examinons quelques exemples d'utilisation des couleurs comme outil de création de niveaux d'importance ou de hiérarchie visuelle.

Je veux que mon logo soit l'élément le plus important de cette page. Je peux le rehausser à l'aide de couleurs.

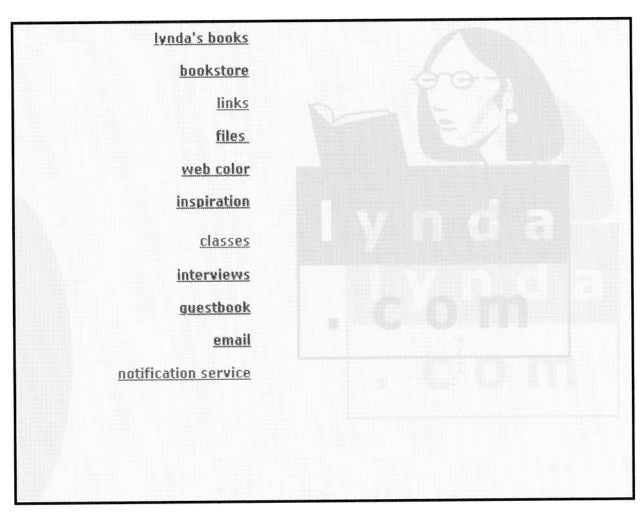

Si mes éléments de navigation sont plus importants, je peux choisir de les faire ressortir.

Voici un exercice très important que vous devriez effectuer avant de créer votre page d'accueil : identifier les éléments qui doivent être lus en premier, en deuxième, en troisième, puis en quatrième. Armé de ce classement par ordre d'importance, vous devriez être capable d'appliquer certains principes présentés pour atteindre vos objectifs de communication à l'aide de couleurs.

Galerie de couleurs

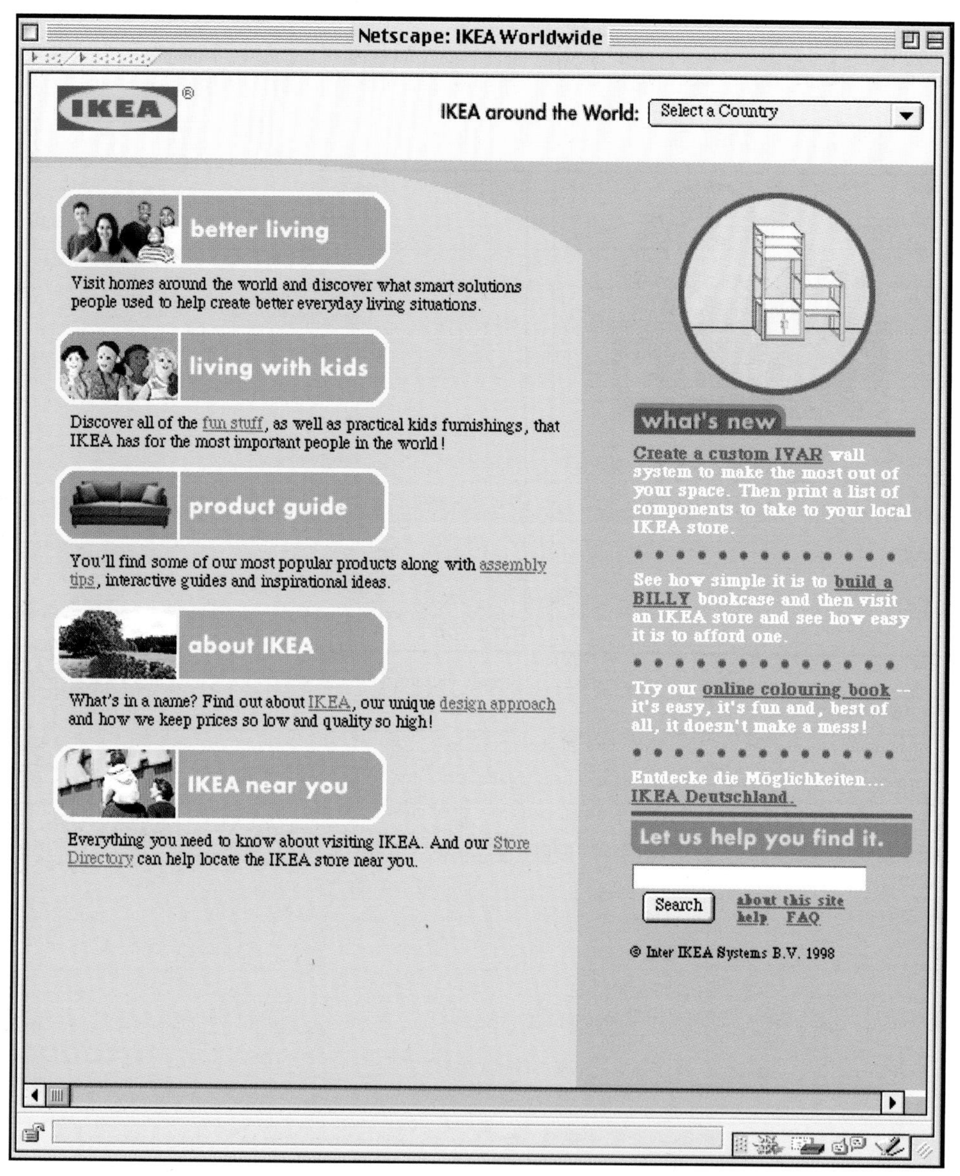

Ikea (http://www.ikea.com) exploite une palette de couleurs voisines chaudes. Le blanc utilisé est la valeur la plus claire, le rouge la valeur la plus sombre. Le concepteur aurait pu créer ce site en utilisant les couleurs officielles de l'entreprise, bleu et orange (complémentaires), mais il ne l'a pas fait. Je préfère cette palette chaude de couleurs voisines aux couleurs officielles, car elle est plus harmonieuse et offre une gamme plus large de couleurs unifiées.

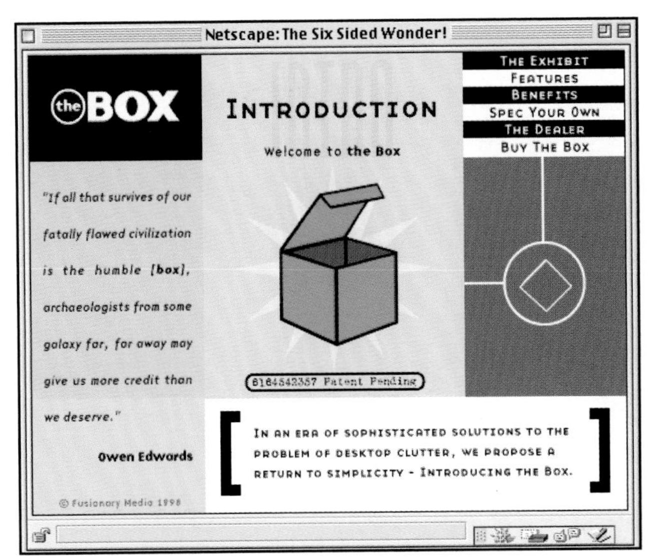

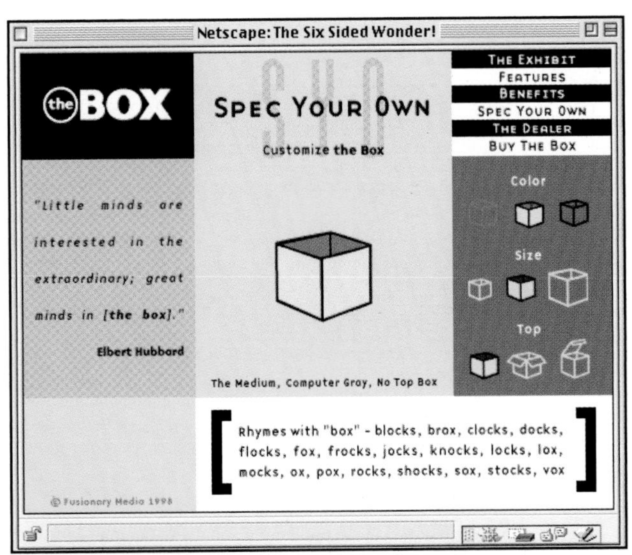

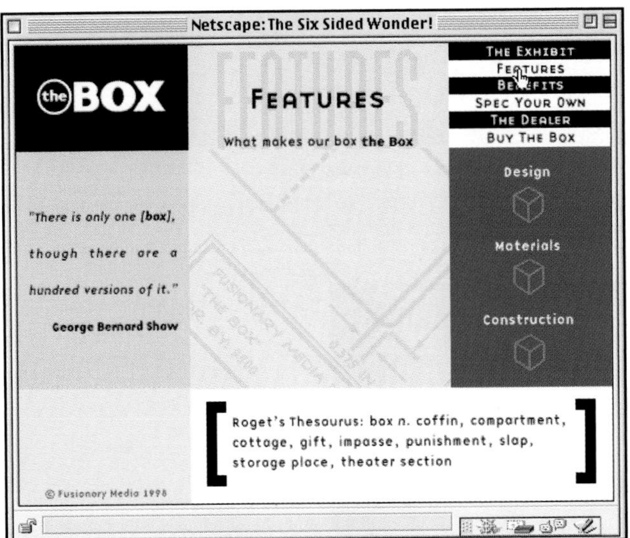

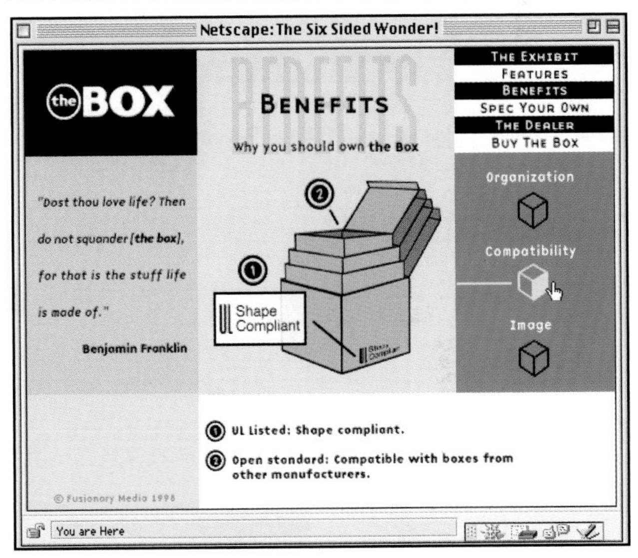

The Box (http://www.sixsides.com) exploite une combinaison de couleurs voisines et de couleurs complémentaires intermédiaires. Chaque zone du site est identifiée par une couleur. Le but atteint est ainsi double puisque ces couleurs sont à la fois attrayantes et renforcent la navigation.

Communication Arts (http://www.commarts.com) est un superbe exemple de l'utilisation efficace d'une combinaison de couleurs monochromatiques. Une combinaison de couleurs monochromatiques qui exploite des noirs, des blancs et des gris peut être très efficace avec une ou deux couleurs.

IMAX Everest: Roof of the World Film (http://www.mos.org/Everest/home.htm) est un bel exemple d'utilisation efficace de couleurs complémentaires.

Le site de **r35 Direct** (http://www.r35.com) exploite un arrière-plan noir pour mettre en évidence de manière efficace des formes graphiques et des blocs de couleur.

Le site **The LA County Arts Commission** (http://www.lacountyarts.org) utilise un grand nombre de couleurs, mais elles ont un aspect unifié parce que le créateur de ce site a fait très attention à la valeur de chaque couleur. Comme les valeurs sont similaires, les nuances, bien que nombreuses, ont l'air harmonieuses.

Résumé

Esthétique des couleurs

J'espère que ce chapitre vous aura aidé à mieux comprendre ce qui permet de créer une combinaison de couleurs efficace. En voici les points essentiels :

- Connaître la terminologie des couleurs est utile pour détailler le choix d'une combinaison de couleurs efficace. La teinte, la valeur et la saturation sont les éléments clés d'une sélection de couleurs.
- La valeur (luminosité ou absence de luminosité) de vos couleurs affecte la lisibilité du résultat final. Il est important de rechercher de forts contrastes dans les zones que vous souhaitez mettre en évidence sur votre page.
- Une technique qui permet de vous entraîner à réfléchir en terme de valeur consiste à créer d'abord les images en niveaux de gris, puis à attribuer des couleurs aux différentes valeurs de gris.
- Les combinaisons de couleurs efficaces relèvent bien plus des relations entre couleurs que du choix d'une nuance spécifique (une couleur à l'intérieur d'un spectre). Les exemples présentés dans ce chapitre illustrent des exploitations de combinaisons de couleurs voisines, complémentaires intermédiaires et monochromatiques.
- La couleur peut servir à hiérarchiser les informations de votre site. Pensez en termes de « niveaux de lecture' » de votre message (c'est-à-dire premier niveau, second niveau, etc.). Vous pouvez attribuer des couleurs ou des valeurs différentes à vos informations les plus importantes pour les faire ressortir. La couleur est un excellent moyen de communication visuelle et il est indispensable que vous en saisissiez bien la puissance.

Introduction

Balises de couleurs HTML

Au sommaire de ce chapitre

- Attributs de couleurs HTML
- Couleurs BODY
- Couleurs LINK
- Noms de couleurs
- Couleurs FONT
- Mise en couleurs de cellules TABLE

10

Lorsque vous travaillez sur des couleurs pour le Web, vous avez deux possibilités : créer des images en couleurs ou spécifier les couleurs dans votre code HTML. D'autres chapitres de cet ouvrage traitent des graphismes ; celui-ci concerne plus particulièrement les balises qui produisent des arrière-plans, du texte ou des cellules de table en couleurs.

Ajouter des couleurs *via* le HTML est vraiment l'aspect le plus facile. En revanche, les principes esthétiques de la conception en couleurs et les différences entre plates-formes sont des aspects plus complexes de la couleur sur le Web.

Nombreux sont ceux parmi vous qui vont se servir d'éditeurs HTML qui acceptent la conception en couleurs sans vous demander de rédiger le code à la main. C'est une stratégie parfaitement acceptable, mais je souhaite vous donner ici une vision « sous le capot » de ce que font les éditeurs HTML. Vous découvrirez peut-être un jour que votre éditeur HTML n'accepte pas tous les attributs de couleurs que vous souhaitez. Il est toujours possible de commencer une page dans un éditeur WYSIWYG, puis, ultérieurement, de modifier le code source dans un éditeur de texte afin d'y insérer des attributs de couleurs complémentaires.

Pour ceux d'entre vous qui rédigent leur propre code dans des éditeurs de texte, ce chapitre constitue un guide pratique qui vous permettra de retrouver la balise ou l'attribut précis dont vous ne parvenez pas à retrouver le nom.

Couleurs par défaut

Si vous n'indiquez pas d'attributs de couleur dans votre code HTML, la page va s'afficher avec les couleurs par défaut.

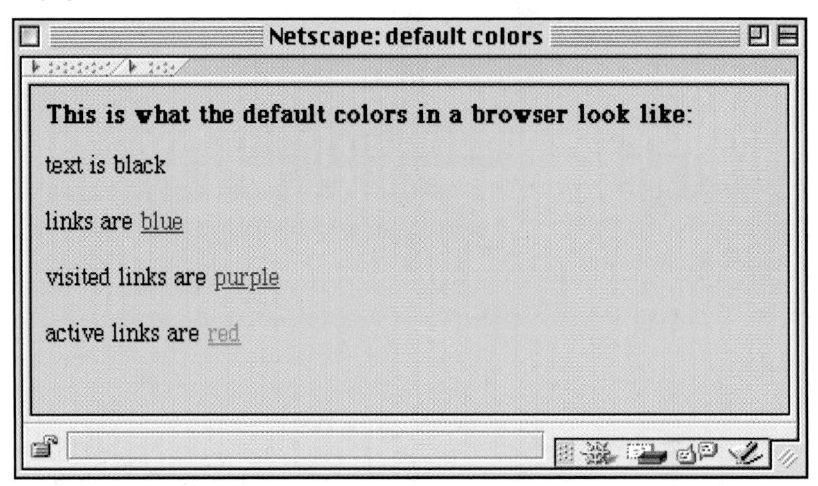

Pour modifier ces couleurs par défaut, vous devez apprendre à connaître les attributs de couleurs autorisés dans les balises HTML. Les sections suivantes présentent des exemples de codage de modifications de couleurs par l'intermédiaire des balises.

Attributs de couleurs

Si vous souhaitez modifier les couleurs dans votre HTML, vous devez connaître les balises concernées par ces attributs de couleurs. Les sections suivantes passent en revue les balises BODY, FONT et TABLE, et expliquent comment modifier les couleurs en utilisant le HTML.

Balise	Attribut	Description
BODY	BGCOLOR, TEXT, LINK, VLINK, ALINK,	Définit respectivement les couleurs de l'arrière-plan, du texte, des liens, des liens visités et des liens actifs du document.
FONT	COLOR	Définit la couleur de la police.
TABLE	BGCOLOR	Définit la couleur d'arrière-plan de la totalité de la table.
TR	BGCOLOR	Définit la couleur d'arrière-plan d'une ligne de la table.
TD	BGCOLOR	Définit la couleur d'arrière-plan d'une cellule de la table.
TH	BGCOLOR	Définit la couleur d'arrière-plan de l'en-tête de la table.

La balise BODY

La balise BODY de votre document affecte l'arrière-plan, le texte, les liens, les liens visités et les liens actifs. En ajoutant un attribut de couleur à cette balise, vous modifiez la combinaison de couleurs de votre page HTML.

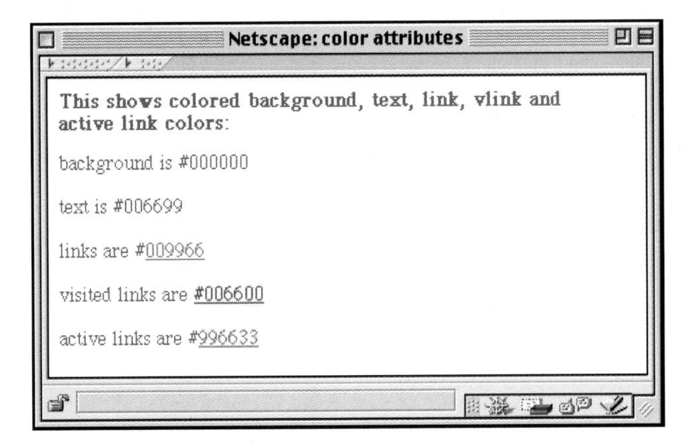

code

```
<BODY BACKGROUND="#FFFFFF" TEXT="#006699"
LINK="#009966" VLINK="#006600" ALINK="#996633">
```

Voici une liste des attributs qui peuvent être modifiés pour insérer des couleurs dans la balise BODY.

BGCOLOR	Couleur d'arrière-plan de votre page Web
TEXT	Couleur du texte
LINK	Couleur du lien
VLINK	Couleur du lien une fois qu'il a été visité
ALINK	Couleur du lien actif pendant que le bouton de la souris est enfoncé

Couleurs des liens

La couleur des liens peut affecter la couleur des bordures encadrant les images qui constituent des liens ou la couleur du texte des liens. Voici un exemple de modification de la couleur des liens dans un document HTML :

code

```
<HTML>
<HEAD>
<TITLE>Adding Color to My Page</TITLE>
</HEAD>
1 <BODY BGCOLOR="000000" TEXT="CCCCFF"
LINK="CCFF00">
<H1>Here's an example of a
<AHREF="http://www.monkeyland.com">
text-based hyperlink</A>.
<P>
Here's an example of a linked graphic
with a fat, colored border: </H1>
<P>
2 <A HREF="http://www.monkeyland.com">
<IMG SRC="monkeyland.jpg" BORDER=10></A>
</BODY>
</HTML>
```

analyse du code

1. L'attribut LINK dans la balise BODY définit la couleur du texte ou des graphismes qui constituent des liens. La balise <A HREF></A> produit du texte de lien.

2. La balise IMG SRC insère une image tandis que l'attribut BORDER permet de définir une largeur pour sa bordure mesurée en pixels. Si vous ne voulez pas de bordure, vous pouvez définir BORDER=0.

Voici un exemple de création de liens en couleurs. La bordure encadrant l'image a été élargie à l'aide de l'attribut BORDER.

Utilisation de noms de couleurs au lieu de codes hexadécimaux

Vous n'êtes pas obligé d'utiliser les valeurs hexadécimales dans les balises d'attributs de couleurs. Vous pouvez aussi employer des noms de couleurs. Voici une liste de noms de couleurs qui fonctionnent avec Netscape.

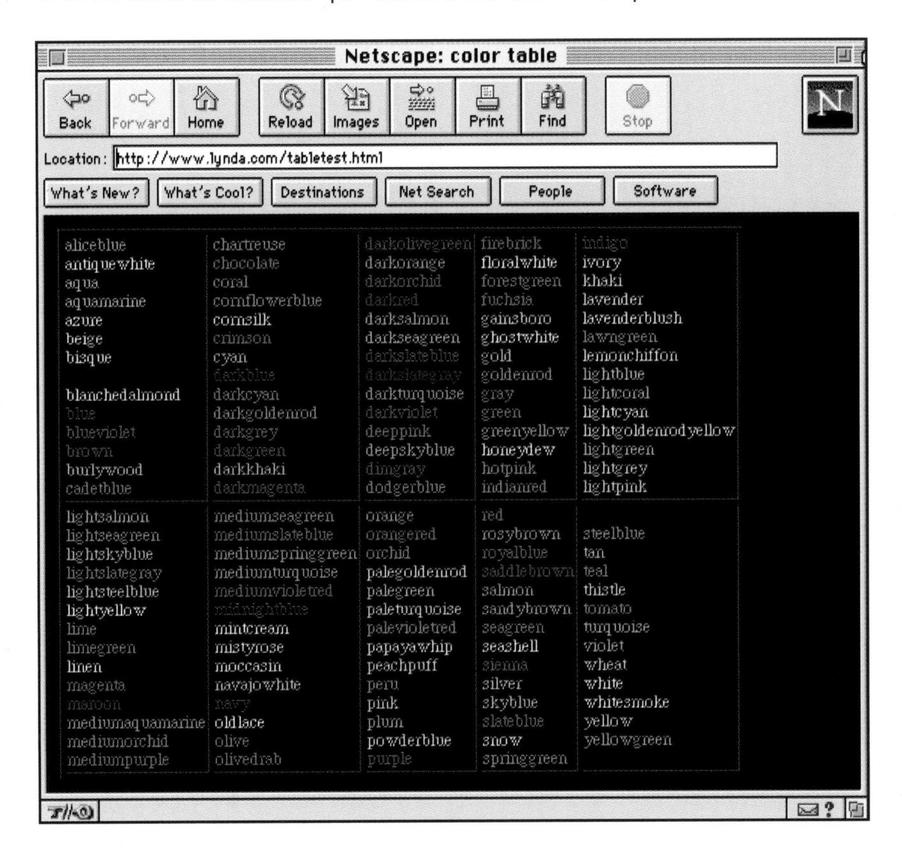

Attention

Les noms de couleurs sont rarement indépendants des navigateurs

De l'ensemble des noms de couleurs possibles, dix seulement correspondent à des couleurs indépendantes des navigateurs !

Aqua (bleu des mers du sud)	Black (noir)	Blue (bleu)	Cyan (Cyan)	Fuschia (Fuschia)
0000FF	000000	0000FF	00FFFF	FF00FF
Lime (vert)	Magenta (Magenta)	Red (rouge)	White (blanc)	Yellow (jaune)
00FF00	FF00FF	FF0000	FFFFFF	FFFF00

Attributs de couleur dans Netscape

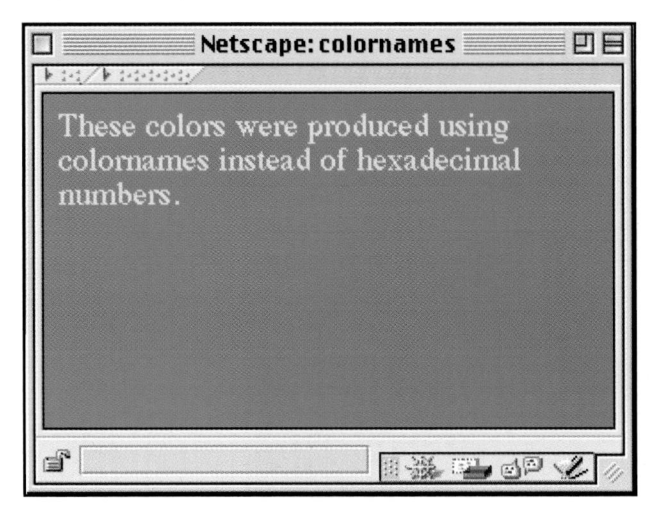

L'utilisation de noms de couleurs dans les balises des attributs COLOR génère du texte en couleurs dans Netscape.

code

```
<HTML>
<HEAD>
<TITLE>colornames</TITLE>
</HEAD>
1 <BODY BGCOLOR="darkgreen" TEXT="lightblue">
<H1>These colors were produced using colornames
instead of hexadecimal numbers.
</H1>
</BODY>
</HTML>
```

analyse du code

1. Vous n'êtes pas obligé d'utiliser des valeurs hexadécimales pour définir des couleurs. Certains noms de couleurs fonctionnent aussi. Voici un exemple d'utilisation des noms de couleurs *darkgreen* (vert foncé) et *lightblue* (bleu clair) dans la balise BODY.

La balise FONT

Vous pouvez également attribuer des couleurs spécifiques à certaines lignes de texte en utilisant la balise FONT.

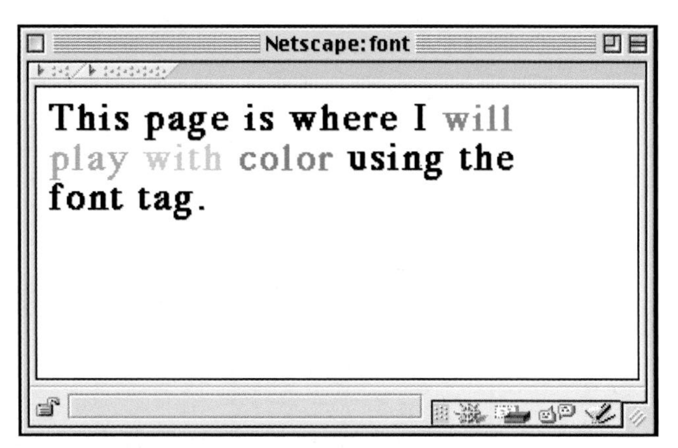

Voici un exemple d'utilisation de la balise FONT pour insérer des attributs de couleurs afin que certains mots ou certaines lettres s'affichent en couleurs.

code

```
<HTML>
<HEAD>
<TITLE>Adding Color to My Page</TITLE>
</HEAD>
<BODY BGCOLOR="#FFFFFF">
<H1>This page is where I
1 <FONT COLOR="#99FFFF">will </FONT>
<FONT COLOR="#CCFF99">play </FONT>
<FONT COLOR="#CC99CC">with </FONT>
<FONT COLOR="#CC0000">color </FONT>
using all the nifty color tags I
can learnthe font tag.
</H1>
</BODY>
</HTML>
```

analyse du code

1. La balise FONT peut contenir un attribut de couleur pouvant être spécifié à l'aide de noms de couleurs ou de valeurs hexadécimales. Il doit être refermé à l'aide de la balise /FONT chaque fois que vous voulez mettre fin à l'application de l'attribut de texte en couleurs.

La balise TABLE

L'attribut BGCOLOR fonctionne aussi bien dans les cellules de table que dans le corps d'un document HTML.

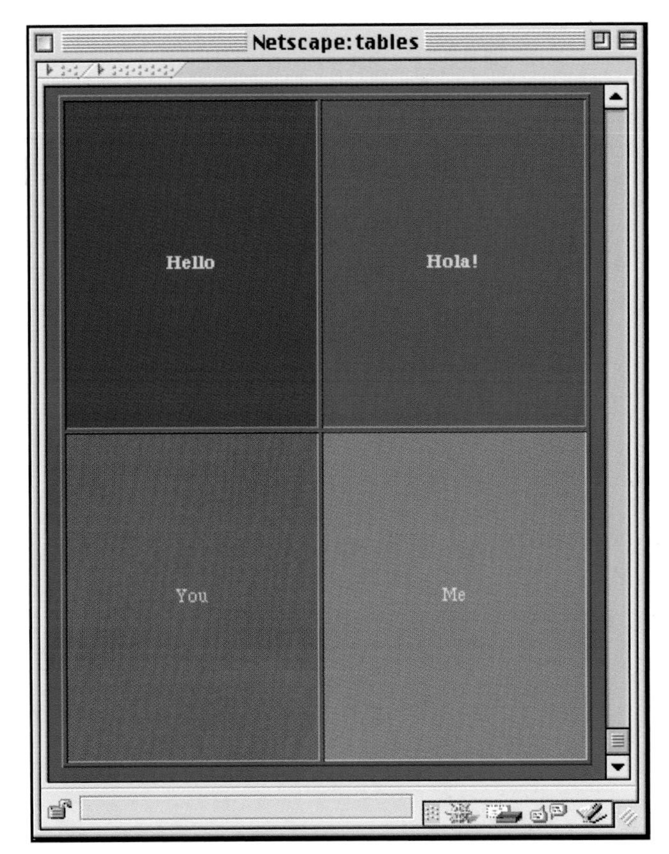

Voici un exemple de cellules mises en couleurs dans une table à l'aide de l'attribut BGCOLOR placé dans la balise TABLE.

code

```
<HTML>
<HEAD>
<TITLE>tables</TITLE>
</HEAD>
<BODY BGCOLOR="#660099" TEXT="#CCCCFF">
1 <CENTER>
2 <TABLE BORDER=1>
3 <TR><TH BGCOLOR="#003366" HEIGHT="200"
WIDTH="200">Hello</TH>
<TH BGCOLOR="#990033" HEIGHT="200"
WIDTH="200">Hola!</TH>
<TR><TD BGCOLOR="#666600" HEIGHT="200"
width="200" ALIGN=MIDDLE>You</TD>
<TD BGCOLOR="#996666" HEIGHT="200"
width="200" ALIGN=MIDDLE>Me</TD>
</TABLE>
</CENTER>
</BODY>
</HTML>
```

analyse du code

1. La balise CENTER demande que la table soit centrée sur la page.

2. La balise TABLE définit le début de la commande Table. L'attribut BORDER affecte une bordure en relief à la table. Dans cet exemple, la bordure est réglée sur 1 pixel, mais vous pourriez la supprimer en réglant cette valeur sur 0, ou l'augmenter en spécifiant une valeur plus élevée.

3. TR débute une ligne de table. TH désigne l'en-tête de la table. Tout ce qui se trouve dans la balise TH est automatiquement affiché en gras et centré. L'attribut BGCOLOR permet de définir une couleur pour les cellules de table et peut être spécifié à l'aide de valeurs hexadécimales ou de noms de couleurs. Les attributs HEIGHT et WIDTH attribuent des dimensions aux cellules de la table en utilisant des mesures définies en pixels. L'attribut ALIGN=middle centre le texte dans les cellules de la table.

Résumé

Balises de couleurs HTML

Le HTML, fort heureusement, vous autorise à modifier les couleurs, ce qui vous permet de ne pas utiliser les ennuyeuses couleurs par défaut.

- Vous pouvez modifier les couleurs par défaut de votre page en utilisant les attributs de la balise BODY : bgcolor, text, link, alink, vlink.
- Vous pouvez modifier la couleur de texte au sein du corps de votre texte HTML grâce à la balise FONT.
- Vous pouvez modifier vos tables de façon qu'elles contiennent des couleurs en utilisant l'élément TABLE BGCOLOR.

Les liens

Introduction

Au sommaire de ce chapitre

- Création de liens
- Désactivation des bordures
- Attributs WIDTH et HEIGHT
- Attribut ALT
- Vignettes
- Liens avec d'autres supports

11

La partie « hyper » du terme *HyperText Markup Language* (HTML) se rapporte aux images, textes et autres supports entre lesquelles existent des liens. Le fait qu'un clic sur un texte, une image ou un autre support puisse vous transporter vers un autre texte, une autre image ou un autre support est ce qui distingue le Web des autres moyens de communication. Ce média offre un moyen de présentation des informations non linéaire, plus proche de notre système de pensées.

Le défi de la conception Web consiste à effectuer des choix avertis en matière de présentation des informations et des graphismes. Certains de ces choix sont tributaires du HTML, d'autres de critères de conception visuelle. Ce chapitre traite de ces choix et propose des conseils pour inciter vos visiteurs à cliquer sur vos éléments hypertexte.

Il existe plusieurs méthodes pour créer des liens entre textes, images et autres supports multimédias. Je traite de la manière de programmer l'établissement de liens en HTML, ainsi que des différentes options disponibles pour indiquer qu'un lien existe. Dans ce chapitre, je vous explique également comment contrôler les bordures qui encadrent vos images et l'importance des attributs ALT, WIDTH et HEIGHT dans la balise IMG.

Identification de liens

Lorsqu'une image est statique (c'est-à-dire lorsqu'elle ne possède pas de balise HTML de lien), on l'appelle souvent *image incorporée*. L'adjectif « incorporée » signifie que cette image est imbriquée dans votre page et n'a d'autre objet que d'être vue sur cette page. Lorsqu'un graphisme comporte un lien, on parle généralement d'*image mappée*, de *lien*, d'*hyperlien* ou de *bouton interactif*. Tous ces mots désignent le même objet. Un clic sur une telle image vous transporte ailleurs.

Les images qui constituent des liens possèdent des marquages visuels qui les distinguent des graphismes incorporés. En règle générale, une bordure est affichée autour des images qui possèdent un lien vers une autre page ; cette bordure s'affiche par défaut en bleu dans la plupart des navigateurs. Si votre visiteur a un peu l'habitude du Web, il sait que chaque fois qu'il rencontre une bordure encadrant une image, elle signale que cette dernière peut être cliquée parce qu'il s'agit d'un lien actif.

Les graphismes Web incorporés n'affectent pas le pointeur de la souris. Si vous cliquez sur un tel graphisme, rien ne se passe.

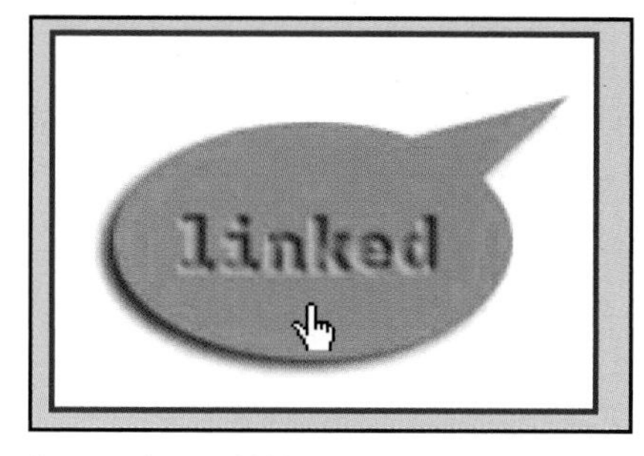

Les graphismes Web avec lien sont généralement encadrés d'une bordure bleue et le pointeur se transforme en symbole main. Si vous cliquez sur une image à lien, vous êtes envoyé vers une nouvelle image, une nouvelle page ou un élément téléchargeable.

Il arrive parfois qu'une image à lien ne possède aucune bordure révélatrice. Si vous préférez que votre graphisme n'en possède pas, vous pouvez programmer une bordure « invisible » (voir plus loin dans ce chapitre). Votre visiteur ne saura qu'il peut cliquer sur une image sans bordure que si votre graphisme l'invite à approcher le pointeur de sa souris. Dans la plupart des navigateurs, il va changer d'aspect et se transformer de flèche en main. Ce changement signale, de même que le symbole bordure, qu'une image est « cliquable » et n'est donc pas un graphisme incorporé statique.

Images à liens

Le moyen le plus simple de créer un lien qui relie un graphisme à une autre ressource Web est d'utiliser le conteneur de balise d'ancrage <A HREF></A> avec une balise IMG SRC incorporée.

Cette combinaison de balises crée automatiquement une bordure par défaut autour du graphisme. Voici un exemple de ce code HTML standard :

```
<A HREF="http://www.lynda.com">
<IMG SRC="flowermonk.gif"></A>
```

Désactivation des bordures d'image

Il peut arriver que cette irritante bordure bleue encadrant une image soit totalement inappropriée à la page pour laquelle elle a été conçue. Vous vous êtes donné beaucoup de mal pour faire flotter librement une image aux contours irréguliers dans un arrière-plan en exploitant les techniques présentées au Chapitre 13 et vous n'avez aucune envie de réduire à néant votre travail en laissant autour de votre graphisme ce cadre rectangulaire qui crève les yeux.

Pour supprimer cette bordure :

```
<A HREF= "http://www.lynda.com">
<IMG SRC= "flowermonk.jpg"
BORDER=0></A>
```

Tout comme vous pouvez faire disparaître la bordure, vous pouvez la renforcer. Le code suivant, propre à Netscape, épaissit la bordure qui entoure votre image :

```
<A HREF="http://www.lynda.com">
<IMG SRC="flowermonk.jpg"
BORDER=10></A>
```

Il arrive parfois qu'une page possède un thème de couleur précis et que le rectangle bleu standard n'entre pas dans ce thème. Vous pouvez modifier la couleur de vos bordures si vous programmez les liens de votre page de façon qu'ils contiennent des valeurs hexadécimales dans l'attribut LINK de la balise BODY. Le code suivant modifie la couleur de bordure de l'image courante :

```
<BODY LINK="33CC33">
<A HREF="http://www.lynda.com"><IMG SRC="flowermonk.jpg"
BORDER=10></A>
</BODY>
```

Importance de la largeur et de la hauteur

En ajoutant les attributs WIDTH et HEIGHT aux images dans le code HTML, vous donnez au navigateur des informations concernant les dimensions de votre graphisme. C'est une excellente opération. D'abord, le navigateur n'a pas besoin de calculer les dimensions de l'image puisque vous lui avez fourni ces informations, ce qui permet donc de gagner du temps. Ensuite, cette procédure permet à votre texte de se charger avant les images, ce qui est très intéressant si vos images sont volumineuses. Votre public aura quelque chose à se mettre sous les yeux en attendant !

Voici comment mettre en œuvre les attributs WIDTH et HEIGHT :

```
<A HREF="http://www.lynda.com">
<IMG SRC="flowermonk.jpg" BORDER=0
HEIGHT="150" WIDTH="113"></A>
```

Les valeurs que vous placez à l'intérieur des attributs WIDTH et HEIGHT indiquent les dimensions de l'image en pixels. Vous pouvez également redimensionner une image si vous indiquez des valeurs supérieures ou inférieures. Le navigateur utilise ces informations pour dimensionner l'image au lieu de rechercher des informations de dimension dans l'image elle-même.

Pour cet exemple, j'ai ajouté des attributs WIDTH et HEIGHT supérieurs à la largeur et à la hauteur de l'image. Cette opération a étiré les pixels et a créé un effet de déformation. Mon code se présente comme suit :

```
<A HREF="http://www.lynda.com">
<IMG SRC="flowermonk.jpg" BORDER=0
HEIGHT="300" WIDTH="300"></A>
```

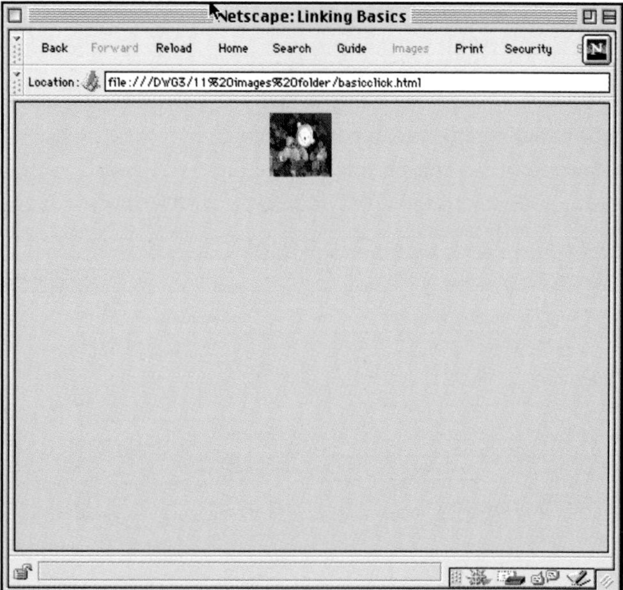

Pour cet exemple, j'ai rétréci l'image en utilisant des attributs WIDTH et HEIGHT inférieurs aux dimensions de l'image. Cette opération a ramené l'image à une taille inférieure à l'image d'origine. Mon code se présente comme suit :

```
<A HREF="http://www.lynda.com">
<IMG SRC="flowermonk.jpg" BORDER=0
HEIGHT="100" WIDTH="100"></A>
```

Attention

Réduction et agrandissement d'images bitmap

Les formats d'images les plus courants pour le Web — GIF, JPEG et PNG — sont des formats bitmap, comme je vous l'ai expliqué au Chapitre 5 « Formats de fichiers Web ». Chaque fois que vous redimensionnez une image bitmap, elle perd invariablement en qualité. C'est un peu comme si vous agrandissiez une petite image sur un photocopieur. Dans ce cas de figure, l'image perd énormément en détail et en qualité. Lorsque vous agrandissez ou réduisez des pixels sur le Web, l'image résultante a l'air pixélisée ou perd énormément en qualité. Il est toujours préférable de dimensionner votre image en fonction de vos souhaits dans votre éditeur d'image. Parfois, certains concepteurs modifient les balises WIDTH et HEIGHT de manière intentionnelle pour déformer une image, mais si ce n'est pas votre intention, évitez cette technique.

Effets visuels avec les attributs WIDTH et HEIGHT

Si vous agrandissez votre image, elle sera automatiquement déformée. Un tel effet peut être parfois voulu. Mon mari Bruce a créé une très petite animation avec des icônes Photoshop pour ma page d'ouverture, puis il en a augmenté les dimensions à l'aide des balises WIDTH et HEIGHT. C'est uniquement parce que le navigateur s'est chargé de la réduction que l'image plus petite n'a pas accaparé beaucoup d'espace disque. Cette animation est restée pendant près d'un an sur la page d'accueil de mon site. Vous trouverez plus d'informations sur les animations GIF au Chapitre 21.

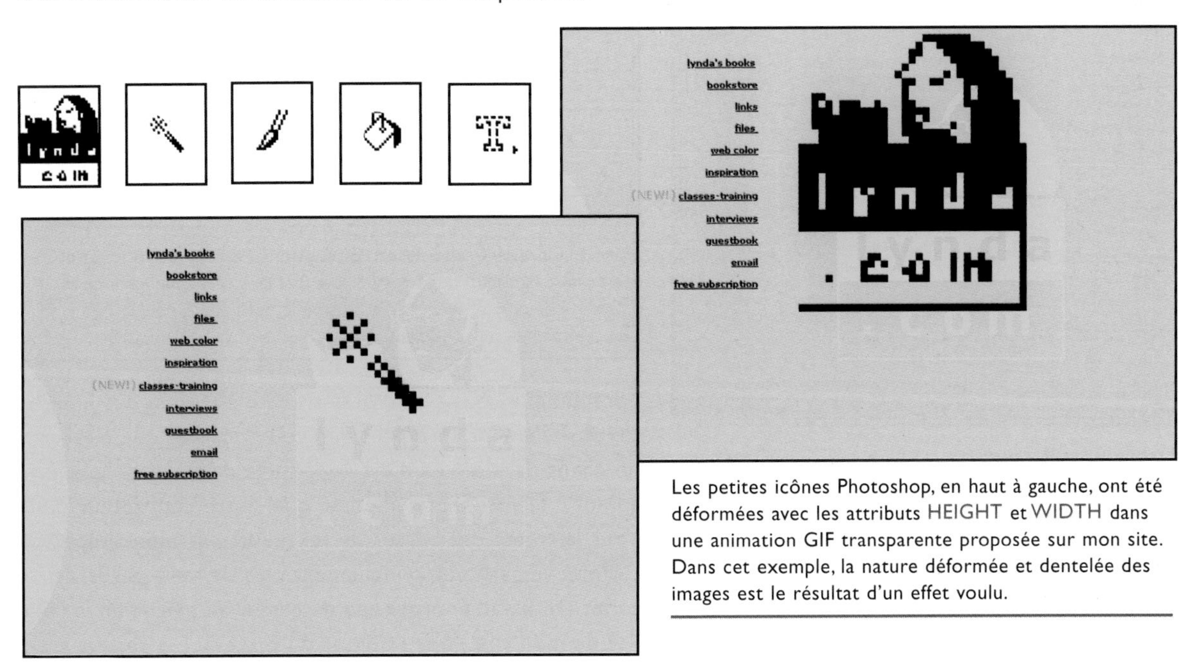

Les petites icônes Photoshop, en haut à gauche, ont été déformées avec les attributs HEIGHT et WIDTH dans une animation GIF transparente proposée sur mon site. Dans cet exemple, la nature déformée et dentelée des images est le résultat d'un effet voulu.

Importance de l'attribut ALT

Supposons que des internautes souhaitant visiter votre site soient équipés d'un navigateur comme Lynx qui ne reconnaît pas les images. Ou qu'ils aient désactivé les images parce qu'ils sont pressés. Ou qu'ils soient handicapés (oui, les handicapés visuels utilisent un Web textuel, car il existe des dispositifs capables de leur « lire » des pages). Toutes ces situations peuvent être prises en compte par le simple ajout d'un attribut ALT à votre HTML. L'élément ALT vous autorise à insérer du texte à la place d'une image afin que vos visiteurs aient une idée du contenu de l'image sans la voir.

En reprenant notre exemple, voici où il faut insérer cette balise :

```
<A HREF="http://www.lynda.com">
<IMG SRC="flowermonk.jpg" BORDER=0
ALT="monkey image"></A>
```

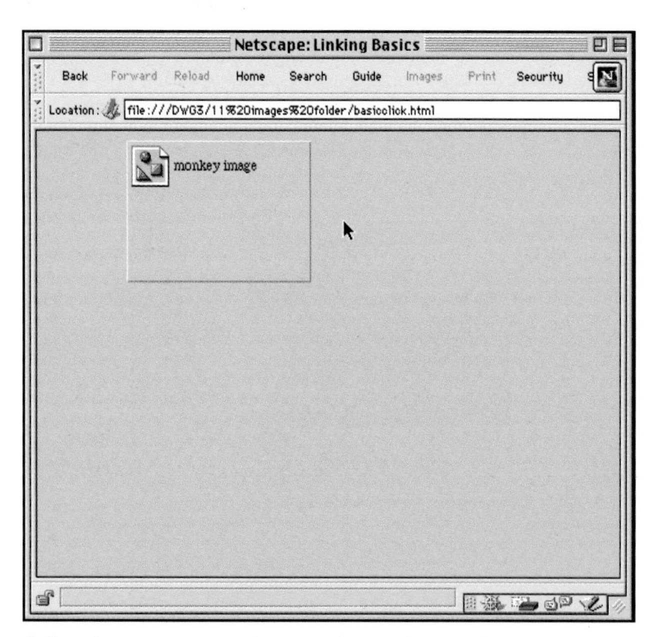

Si l'un de vos visiteurs a désactivé des graphismes, il pourra voir (ou lire) une description de l'image grâce à l'attribut ALT.

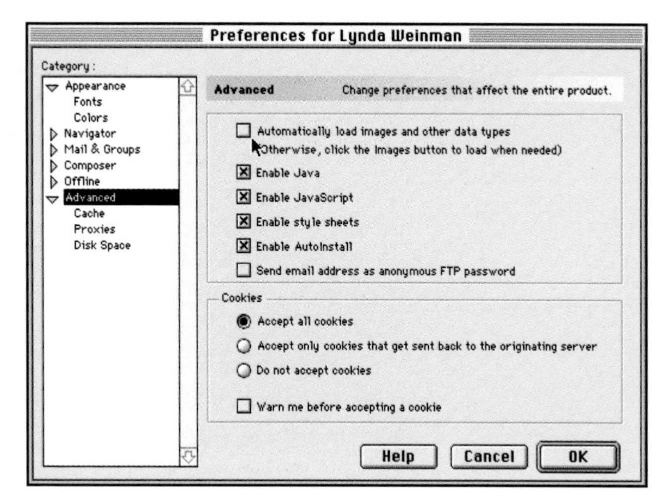

Je vous recommande de soumettre votre site à un test en l'affichant avec les images désactivées. Dans Netscape 4.0, choisissez Edit, Preferences, Advanced, puis supprimez la coche de la case Automatically load images.

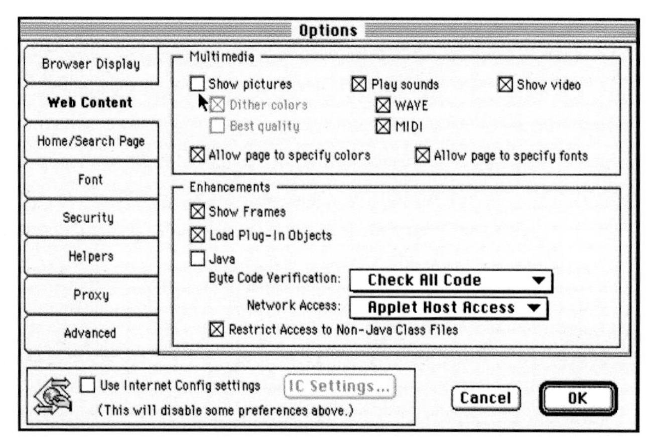

Dans Explorer 3.0, choisissez Edit:Options (Affichage:Options) et supprimez la coche de la case Show pictures (Afficher les images). Dans les deux cas, vous devez quitter le navigateur, puis le relancer pour activer cette modification.

Lorsque que vous aurez vu votre site à travers des lunettes texte seulement, il se peut que vous réalisiez que c'est un chaos dans lequel il est impossible de naviguer. Je suis autant à blâmer que n'importe quel autre concepteur Web pour la rareté des balises de texte ALT sur mon site. Comme je gère personnellement plus de mille pages, ce serait un travail énorme que de passer au peigne fin la totalité de mon site pour rajouter du texte ALT à chaque graphisme. Il ne s'agit pas en fait de baliser tous vos graphismes, mais de baliser au moins ceux qui sont essentiels à la navigation ou à la compréhension du contenu de votre site.

Pour un passage au crible sévère, je vous conseille de soumettre votre site au programme **Bobby** de **Josh Krieger** (http://www.cast.org/bobby), qui vérifie s'il y a des erreurs dans votre code. Ce contrôle va de l'absence de texte ALT pour certaines images, images mappées et applets Java à l'utilisation d'un trop grand nombre de mots dans un texte de lien. Il vous donne la possibilité de vérifier la compatibilité de votre site par rapport à treize navigateurs différents et vous envoie un rapport qui vous indique en détail les points de ralentissement en termes de téléchargement et les erreurs du HTML.

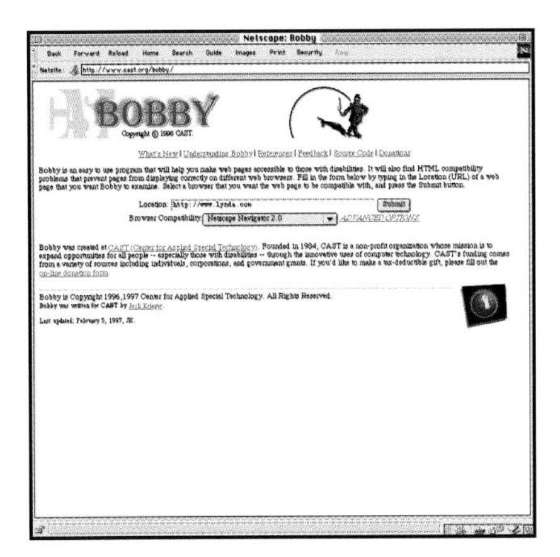

Etape 1. Lorsque vous arrivez sur le site Bobby, indiquez votre URL.

Etape 2. Votre site va revenir avec des balises signalant tous les problèmes.

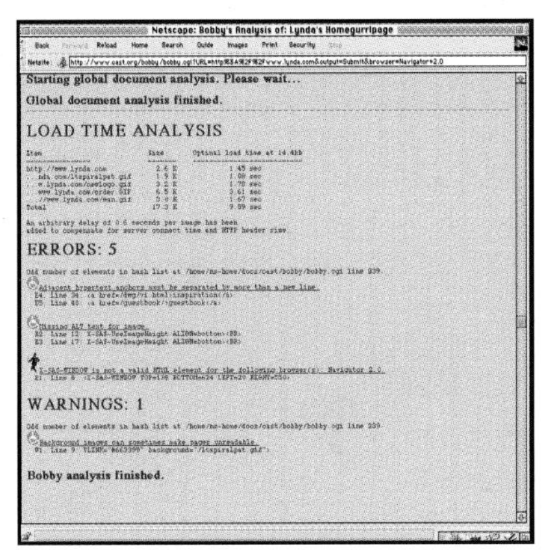

Etape 3. Cliquez sur le symbole bleu de personne handicapée pour consulter les éventuels problèmes d'accessibilité.

Vous pouvez être un merveilleux artiste sous Photoshop et un parfait codeur en HTML, mais le fait est que la conception Web ne se limite pas aux outils et aux technologies que vous choisissez d'exploiter. Les critères selon lesquels votre site est évalué comprennent la vitesse de chargement et la lisibilité. Il est temps de relever les défis qui feront de vous un authentique communicateur, capable d'entrer en relation avec le large public auquel le support Web donne accès.

Note

Législation américaine concernant les personnes handicapés

On estime qu'environ 49 millions de personnes vivant aux Etats-Unis souffrent d'un handicap reconnu. A l'heure actuelle, la législation en cours ne vous oblige pas à rendre vos sites accessibles aux personnes handicapées, mais ce risque existe. La loi américaine sur les handicaps (ADA) protègent les droits de tous les citoyens américains d'accéder aux documents publics. Ce n'est certainement qu'une question de temps avant que le Web ne tombe sous le coup de cette loi et ait l'obligation d'être accessible aux handicapés. Les sites gouvernementaux et d'informations devront être particulièrement attentifs aux besoins de leur public handicapé. L'accessibilité est un paramètre auquel le non-handicapé ne pense pas toujours. C'est pourquoi, historiquement, ce rôle a été dévolu au gouvernement et à la société civile qui doivent faire en sorte que ce groupe social ne soit pas défavorisé.

L'excellent ouvrage de Crystal Water, *Universal Web Design : A Comprehensive Guide to Creating Accessible Web Sites* comprend plusieurs chapitres traitant des aspects juridiques de l'accessibilité. Il propose en outre une liste complète d'URL et de ressources sur ces sujets. C'est un ouvrage incontournable pour quiconque souhaite créer des sites accessibles pour tout le monde.

Universal Web Design
Crystal Waters — ISBN : 1-56205-738-3
New Riders Publishing — 39,99 $

National Center for Accessible Media
http://www.boston.com/wgbh/ncam/

Vignettes et images de grand format

Vous pouvez avoir besoin d'afficher sous forme de vignette une image qui permette à vos visiteurs d'accéder à une image grand format. Cette technique implique la création de la même image en deux formats : un petit et un grand. Voici un exemple de ce que fait la société **Apple Computer** pour ses communiqués de presse.

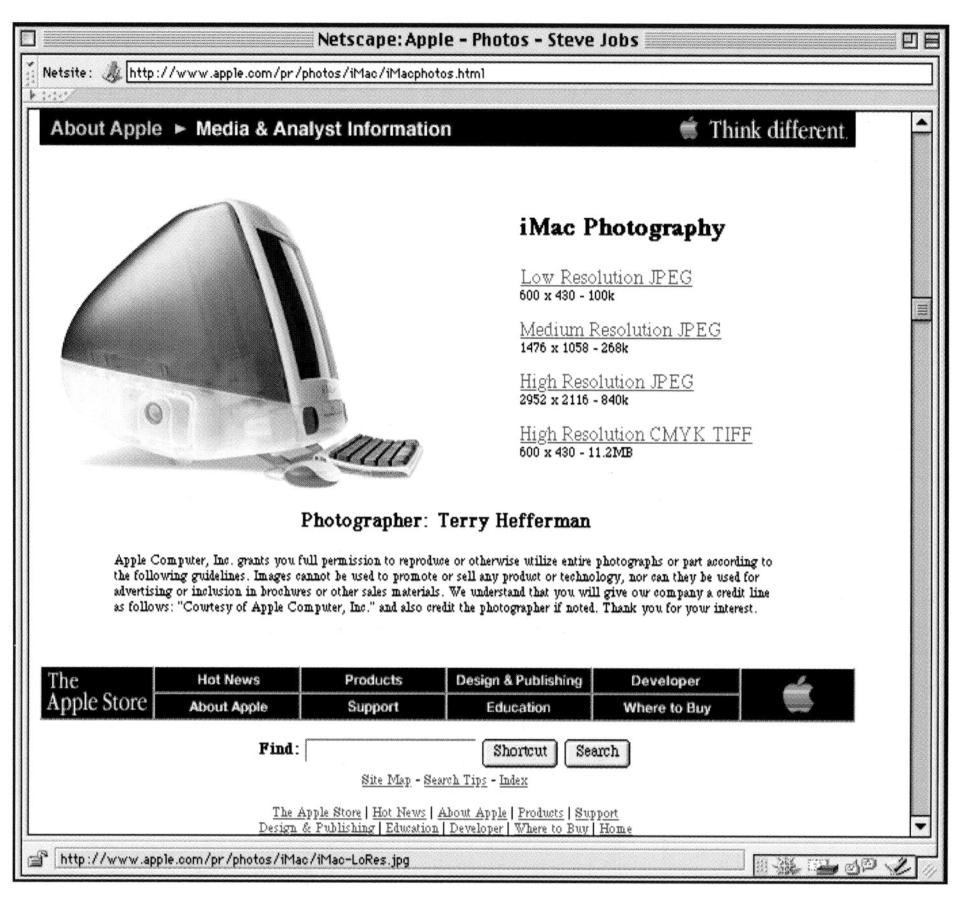

Le site des relations publiques d'Apple constitue un excellent exemple d'images sous formes de vignettes. La liste de liens comprend des informations concernant les dimensions et le format de téléchargement de chaque choix. C'est un service de premier ordre pour les journalistes qui ont besoin d'une image haute résolution pour un article. Notez que le nom du photographe, Terry Hefferman, est mentionné sous l'image ainsi que les conditions d'utilisation de cette dernière.

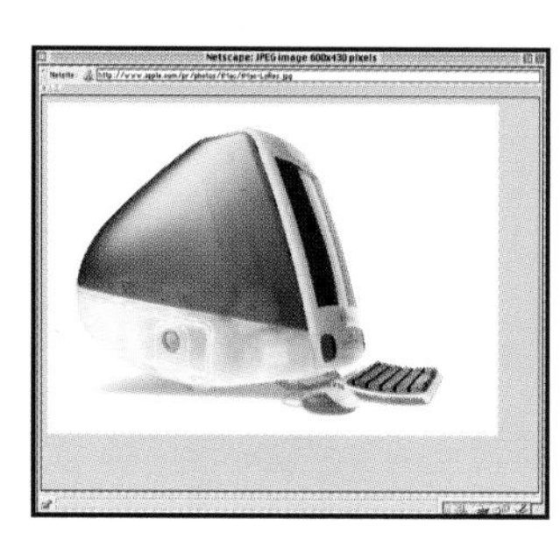

Image basse résolution

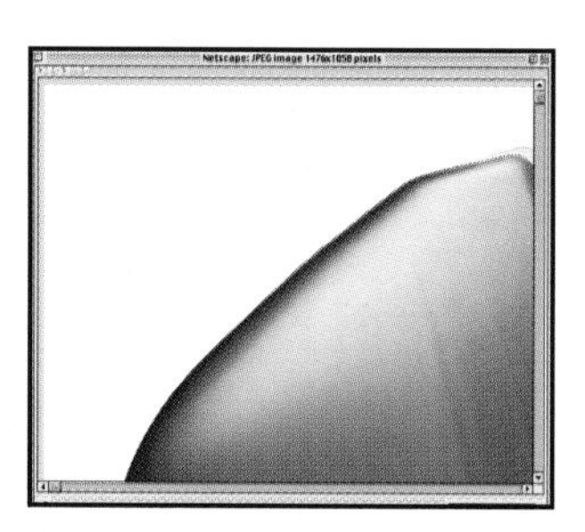

Image moyenne résolution

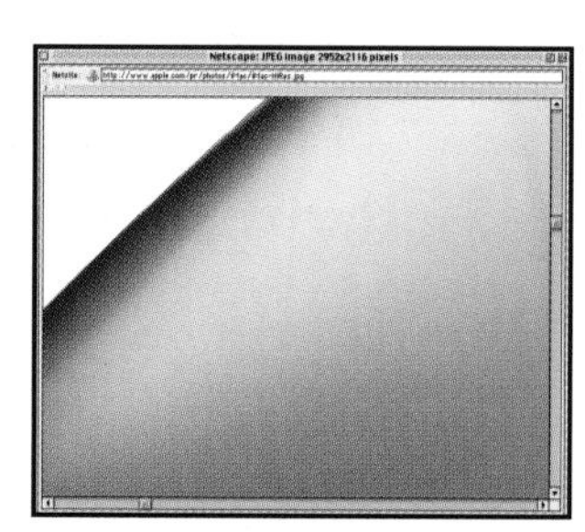

Image haute résolution

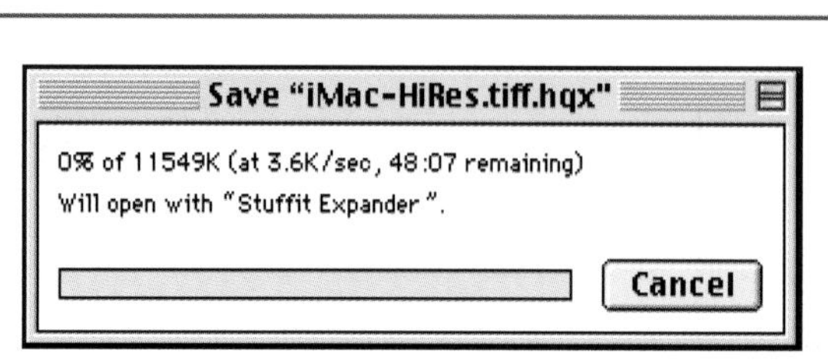

Lorsque vous cliquez sur la dernière option — image TIFF CMJN haute résolution (non acceptée au format de fichier incorporé par les navigateurs) —, l'image est téléchargée au lieu d'être affichée. Sur mon Macintosh, la boîte de dialogue ci-dessus s'affiche pour me signaler que l'image est téléchargée sur mon disque dur au lieu de s'afficher dans la fenêtre de mon navigateur. Vous trouverez plus d'informations sur les liens avec d'autres « supports multimédias » dans la prochaine section.

Hallmark Cards utilise des vignettes pour vendre ses cartes de vœux électroniques. C'est un autre excellent exemple de l'utilisation efficace des images sous forme de vignettes.

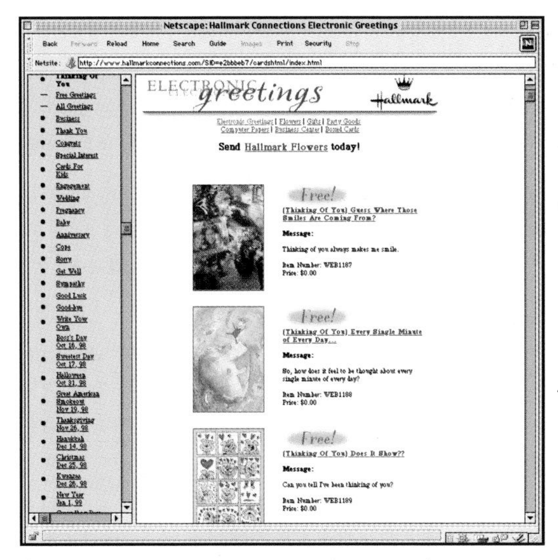

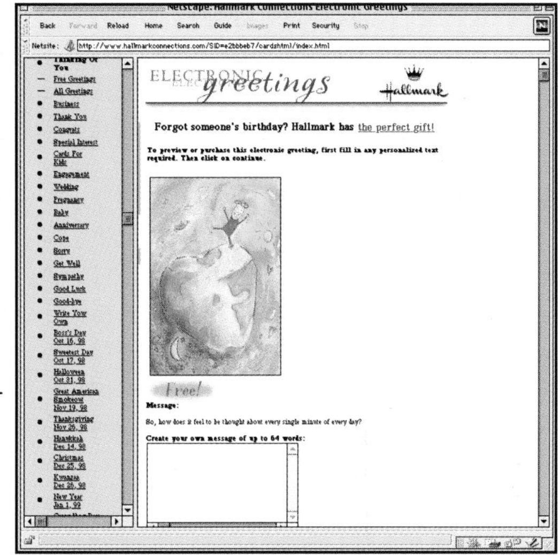

Sur http://www.hallmark.com, vous pouvez choisir parmi une sélection de 1 700 cartes. On comprend aisément pourquoi la plupart des images de cette société sont proposées sous la forme de vignettes reliées à des vues de grand format.

Mon mari Bruce Heavin utilise son site pour proposer à des directeurs artistiques et à des amateurs une grande quantité d'images. Il a réalisé une liste déroulante de vignettes et charge le cas échéant l'image grand format dans un cadre placé sur la même page.

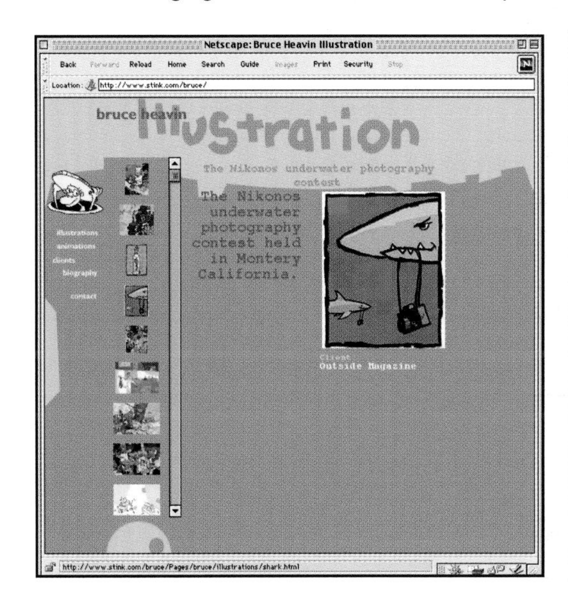

Ces exemples illustrent l'utilisation de vignettes sur un site à l'aide de cadres. L'attribut TARGET est utilisé pour charger l'image dans un cadre placé sur la même page.

Liens vers d'autres supports

Lorsque vous établissez un lien vers un élément qui n'est pas un type MIME reconnu, le document se charge sur votre disque dur au lieu de s'ouvrir dans la fenêtre de votre navigateur. MIME est l'acronyme de *Multipurpose Internet Mail Extension*. Au départ, ce protocole a été développé pour envoyer des fichiers attachés à un courrier électronique. Aujourd'hui, les navigateurs sont en outre en mesure de gérer des types MIME prédéfinis, ce qui veut dire que le navigateur reconnaît certains formats de fichiers à partir de leur extension. Ainsi, le format de fichier GIF avec l'extension de nom de fichier « .gif » est un format de fichier reconnu par tous les navigateurs. Chaque fois qu'un fichier GIF est inclus dans un document HTML, il s'affiche dans la fenêtre de navigation, sans recours à une application de « diffusion » extérieure.

Mais que se passe-t-il lorsque vous souhaitez créer un lien avec un document qui n'est pas un type MIME reconnu ? Imaginons que vous souhaitiez envoyer un document QuarkXPress ou une feuille de calcul Excel sur le Net. Comme ce ne sont pas des types MIME reconnus, ces documents s'afficheront de manière illisible si on les télécharge dans leur format natif. Il est donc préférable de compresser d'abord ces documents, sous la forme .zip pour PC, .hqx, .sit ou .sea pour Macintosh. L'outil de compression le plus couramment utilisé est **StuffIt** (http://www.aladdinsys.com) pour Mac, **PKWare** (http://www.pkware.com) pour PC. Si vous créez des contenus à la fois pour des utilisateurs Mac et PC, vous devrez créer deux versions différentes du fichier téléchargeable.

Vous pouvez également appliquer cette procédure très utile si vous souhaitez donner la possibilité de charger plusieurs documents en un seul clic. Imaginons que vous ayez un stock de photos de famille que vous voulez transférer ou des images pour lesquelles vous devez obtenir l'accord de votre client. StuffIt et PKWare sont tous deux capables de créer un seul fichier à partir de plusieurs. Il suffit alors à votre utilisateur final de pointer et de cliquer pour télécharger l'ensemble sans même avoir à afficher les fichiers à l'écran. Vous pouvez aussi protéger les fichiers à l'aide d'un mot de passe, moyen utile si vous souhaitez aboutir à une transaction financière. Imaginons que vous souhaitiez faire payer à votre visiteur le fichier que vous lui envoyez : protégé, ce fichier ne pourra être décompressé sans le mot de passe, fourni contre paiement, bien entendu !

MAC. Pour inclure des liens vers ces types de fichiers, il vous suffit de les inclure dans votre HTML comme suit :

```
<A HREF="http://www.domain.com/filename.sit">
<IMG SRC="icon.gif"></A>
```

PC. Pour inclure des liens vers ces types de fichiers, il vous suffit de les inclure dans votre HTML comme suit :

```
<A HREF="http://www.domain.com/filename.zip">
<IMG SRC="icon.gif"></A>
```

Si vous souhaitez inclure un fichier vidéo ou audio imbriqué, voici un certain nombre de types de fichiers reconnus par les principaux navigateurs :

Imbrication d'un fichier vidéo ou audio			
Graphismes	GIF	JPEG	*PNG
Vidéo	QuickTime	AVI	
Audio	AU		

*PNG n'est accepté que par les navigateurs Web les plus récents.

Types de fichiers et HTML	
GIF, JPEG, *PNG	.gif, .jpg, .png
QuickTime, AVI	.mov, .avi
AU/μLAW, WAVE, AIFF/AIFC	.au, .wav, .aif

Si vous souhaitez inclure des liens vers des fichiers de ces types, il vous suffit de les inclure dans votre HTML comme suit :

```
<A HREF=http://www.domain.com/filename.xxx>
<IMG SRC="icon.gif"></A>
```

Conseils esthétiques pour les graphismes de liens

Rien de plus simple que les bordures de lien bleues ou sur le symbole main pour indiquer un lien, mais la plupart des concepteurs recherchent quelque chose qui soit mieux intégré à l'aspect du site. Cette approche présente des risques si le visiteur de votre site ne « saisit » pas ce que vous voulez lui dire, mais il y a aussi des risques à être monotone et peu inventif.

De nombreux concepteurs, dont je fais partie, en ont assez des boutons 3D en biseau parfaitement prévisibles qui encombrent les pages Web. Si l'aspect 3D vous lasse, il existe d'autres signaux qui indiquent la présence d'une image à lien. Les ombres portées sont souvent utilisées, de même que les formes en couleurs. Je me suis amusée dans Photoshop pendant quelque temps avec cette photo de moi et mon singe en peluche pour vous proposer quelques autres idées. Les techniques Photoshop de ces exemples sont détaillées au Chapitre 14.

L'image de gauche est l'original. Comment savoir où cliquer pour visiter ma collection de singes ? Les études de droite vous montrent que si vous appliquez un filtre ou une forme inattendue à un graphisme, il ressemblera plus à un objet cliquable que si vous conservez votre photo intacte, sans aucune marque visuelle qui indique un lien.

Résumé

Les liens

Images et supports multimédias à liens font partie intégrante de tout site Web. Le présent chapitre a traité des méthodes HTML de création de liens et d'application des attributs WIDTH, HEIGHT et ALT. En voici un résumé :

- Avec les attributs BORDER du HTML, vous décidez que vos graphismes à lien présentent ou non des bordures, vous choisissez leurs couleurs et leurs dimensions.
- Veillez bien à inclure les informations HEIGHT et WIDTH pour chaque graphisme : le navigateur aura ainsi moins de données à calculer, et le texte et les images s'afficheront plus vite.
- Les attributs ALT sont utiles pour les internautes qui visitent des sites à l'aide de navigateurs textuels ou avec les images désactivées. Consultez votre site sans images pour vérifier que les graphismes clés comportent bien des attributs ALT, en particulier les graphismes de navigation.
- Appliquez la compression .zip ou .sit sur les documents non standards pour qu'ils soient chargés sur le disque dur de votre visiteur.
- Si vous décidez de supprimer les bordures de liens encadrant vos graphismes, faites en sorte qu'ils aient l'air cliquables à l'aide d'enrichissements graphiques fournis pas des logiciels de traitement d'images, et ce pour signaler à votre visiteur qu'ils contiennent des liens.

Introduction

Mosaïques d'arrière-plan

Au sommaire de ce chapitre

12

Des enrichissements très simples peuvent conférer à un site Web un attrait exceptionnel. Malheureusement, la puissance des mosaïques d'arrière-plan est souvent sous-estimée dans la conception Web. Je vais vous présenter ici des exemples superbes de mosaïques permettant de créer des pages riches en calques, pas nécessairement gourmandes en bande passante.

Vous vous dites peut-être qu'il faut énormément de temps pour charger une image qui remplisse l'écran du navigateur de votre visiteur et qu'il est presque irresponsable de créer des images de cette taille comme graphismes Web. Créer des graphismes plein écran, bord à bord, sur le Web, semble être une tâche irréaliste compte tenu de la lenteur des modems et des lignes téléphoniques de la plupart d'entre nous. Sans parler du fait qu'un graphisme plein écran ne donne pas le même résultat sur un ordinateur portable compact que sur un moniteur 21 pouces.

Les motifs d'arrière-plan répétés de type mosaïque résolvent bien des problèmes. La balise HTML appelée BODY BACKGROUND permet à une image unique d'être répétée indéfiniment de façon à remplir la totalité d'une page Web, quelles que soient ses dimensions. Ces petites images individuelles sont appelées dans ce chapitre *carreaux de mosaïque d'arrière-plan*. Elles présentent l'avantage d'être petites, donc peuvent être rapidement chargées et recopiées sur la totalité de tout écran Web, quelle que soit sa taille. Cette technique est donc efficace lorsqu'il s'agit de couvrir beaucoup d'espace sur une page Web sans augmenter considérablement les temps de chargement.

Mosaïques d'arrière-plan

La balise BODY BACKGROUND permet au navigateur de répéter un petit graphisme et de le transformer en graphisme plein écran. Il obtient cet effet en prenant une image unique et en la disposant en mosaïque, créant ainsi une image répétée qui remplit tout écran, quelles que soient ses dimensions, la plate-forme informatique utilisée et la taille de la fenêtre du navigateur. Le navigateur n'a à charger pour le motif qu'un seul fichier source, qui, une fois chargé, vient remplir la totalité de la page Web. Vous gagnez ainsi du temps puisque la durée de chargement est celle d'une seule image même si, au bout du compte, la totalité de l'écran est remplie avec cette image. Les carreaux de mosaïque répétés constituent une solution parfaite pour créer des graphismes plein écran destinés à des systèmes d'affichage à bande passante étroite comme le Web.

L'image source de la mosaïque.

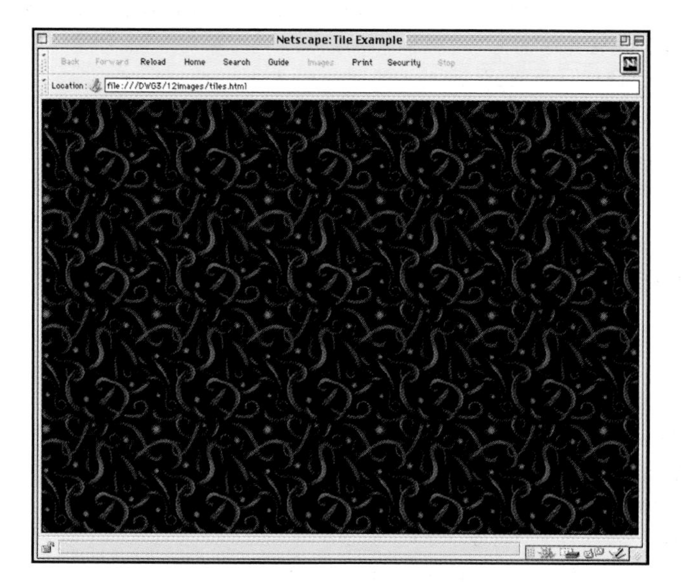

Une fois le carreau de mosaïque répété dans la fenêtre du navigateur, vous ne pouvez plus vraiment distinguer l'élément source.

Les contraintes de bande passante ne sont pas le seul problème résolu par les motifs d'arrière-plan en mosaïque. L'une des grandes frustrations de la plupart des concepteurs Web est l'incapacité du HTML d'autoriser la superposition de calques d'images. Si vous considérez que les calques sont l'une des principales fonctions de logiciels tels que Photoshop, QuarkXPress et PageMaker, vous comprendrez aisément que cette absence est amèrement regrettée dans le HTML. Les feuilles de style en cascade constituent une réponse aux besoins en matière de calques de certains concepteurs (voir le Chapitre 19 « Feuilles de style »), mais l'utilisation de motifs d'arrière-plan en mosaïque est encore plus simple et présente une meilleure compatibilité ascendante quant à la superposition d'images.

Le HTML autorise la superposition de textes, liens et images par-dessus des mosaïques d'arrière-plan, d'où un élément de conception à la fois extrêmement utile et économique. Le code HTML de cet effet de mosaïque est très simple. Le vrai défi consiste à faire en sorte que l'image soit belle et que les raccords entre chaque répétition soient visibles ou invisibles, selon vos goûts.

Déterminer les dimensions du carreau de mosaïque

Le HTML ne définit aucune limite concernant les dimensions d'une image source destinée à une mosaïque d'arrière-plan. L'image doit néanmoins être de forme carrée ou rectangulaire, parce que c'est le format natif de tout fichier informatique.

Vous êtes donc totalement libre de définir les dimensions de l'image. Sachez toutefois que de sa taille va dépendre le nombre de fois qu'elle est répétée. Si le moniteur d'un visiteur mesure 640 × 480 pixels et que votre carreau de mosaïque fait 320 × 240, il sera répété 4 fois. S'il mesure 20 × 20 pixels, il sera répété 32 fois.

Si votre carreau comprend des éléments répétés bord à bord, il ne présentera pas de raccords visibles et votre visiteur ne saura pas combien de fois il est répété. Si l'image présente une bordure évidente, celle-ci va accentuer l'effet de mosaïque. A vous de définir les dimensions de votre carreau et l'effet recherché.

N'oubliez pas néanmoins de tenir compte des contraintes imposées aux tailles des fichiers. Si vous créez un carreau de mosaïque qui occupe un espace mémoire important, il prendra autant de temps à charger que tout autre graphisme volumineux affiché sur le Web. Si nécessaire, reportez-vous au Chapitre 6 « Graphismes à bande passante étroite » pour en savoir plus sur les méthodes de réduction de la taille des fichiers.

Si vous utilisez une image source aux dimensions imposantes, elle sera répétée un nombre de fois moins important. Si elle est suffisamment grande, elle ne sera pas répétée du tout. Dans ce cas de figure, les avantages en terme de vitesse de chargement d'une petite image chargée une seule fois seulement et automatiquement répétée sans augmenter la durée de téléchargement sont perdus. A l'inverse, si vous avez réussi à créer un graphisme de grandes dimensions, mais petit en volume, le charger en tant qu'image d'arrière-plan à la place d'un graphisme classique peut présenter un intérêt certain. Il arrive parfois que le nombre de pixels d'un document et la quantité de mémoire que ces pixels occupent ne soient pas proportionnels, comme le démontre Bruce avec l'exemple ci-après.

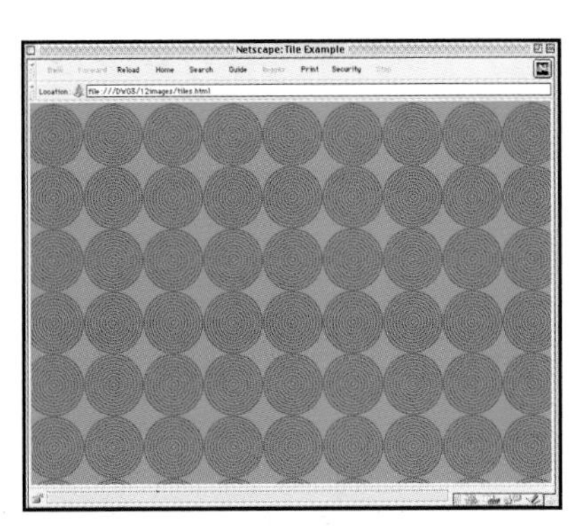

Fichier source de petite taille

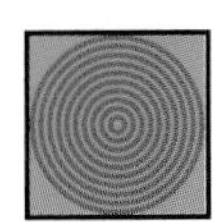

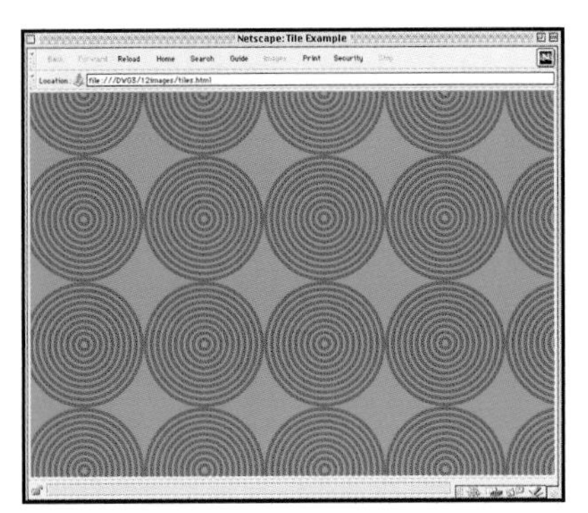

Fichier source de taille moyenne

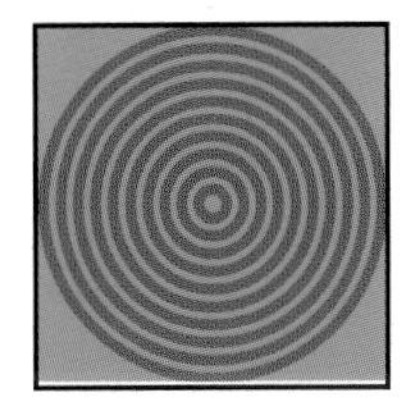

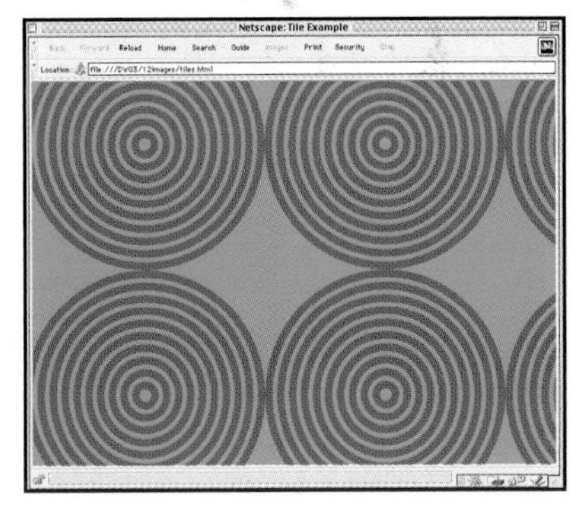

Fichier source de grande taille

Arrière-plan plein écran

Pourquoi utiliser une image contenant des pixels de grande taille comme mosaïque d'arrière-plan puisque cette dernière semble aller à l'encontre de l'objectif poursuivi ? Parce qu'elle peut venir se placer derrière d'autres images, éléments de texte, créant ainsi un arrière-plan plein écran pour les autres images de votre page. Le HTML étant réfractaire à la superposition de textes ou d'images sur des images normales, vous devez utiliser un graphisme en mosaïque pour l'arrière-plan.

Voici un exemple d'arrière-plan de 1 080 × 720 destiné à mon site qui ne dépasse pas les 5 Ko. Il est doté de deux couleurs seulement et présente de larges surfaces de couleur unie. La compression GIF est donc très efficace, bien qu'il s'agisse d'une image de très grand format.

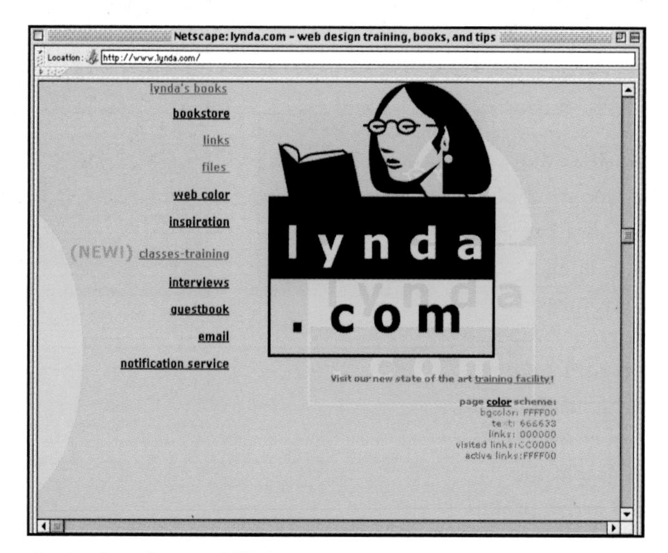

Combinée à du texte HTML, cette page donne une impression de richesse et de couches superposées sans être volumineuse au point d'entraver son chargement.

Le carreau de la mosaïque d'arrière-plan du site Fountains (http://www.si.edu.ndm/) semble être d'un format excessif. Il mesure 1 200 × 1 200 pixels et pèse 49 Ko.

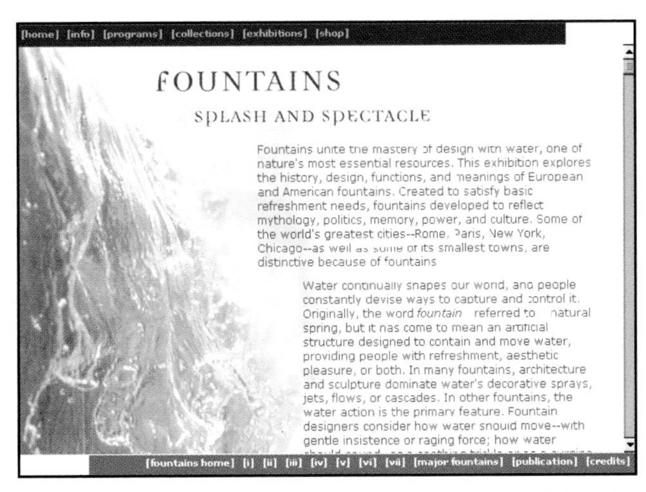

Une combinaison de typographie graphique (voir Chapitre 16) et de caractères HTML permet de créer une superbe mise en pages à l'aide d'une technique très simple.

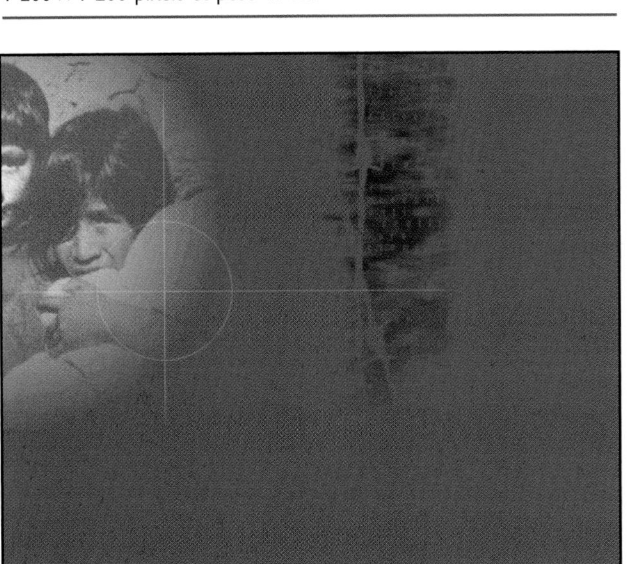

Voici le fichier source de http://www.refuge.amnesty.org, qui exploite des photos et des graphismes. Il mesure 800 × 700 pixels et pèse 23 Ko.

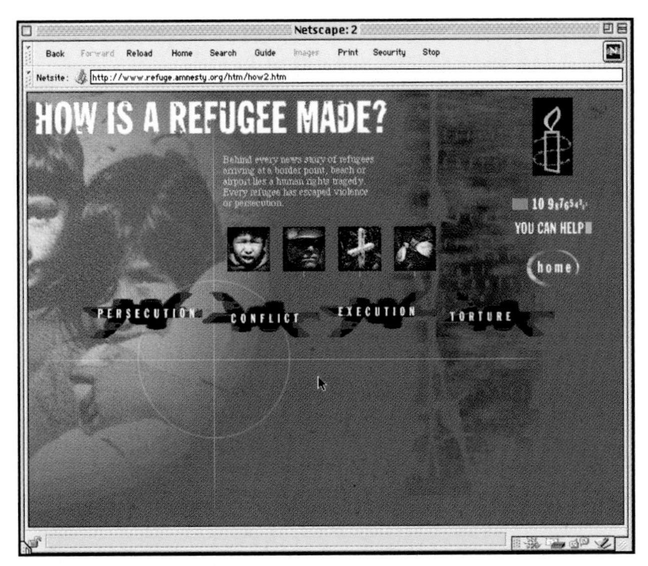

Les graphismes de premier plan de ce site sont si bien conçus en fonction de l'arrière-plan qu'il est difficile de discerner où le premier se termine et où le second commence. C'est un effet sans raccord.

Formats de fichiers pour motifs de mosaïque

Les formats GIF et JPEG sont des formats de fichier standards pour le Web, et les motifs de mosaïque ne font pas exception. N'oubliez pas toutefois de respecter la règle du kilo-octet. Chaque kilo-octet de fichier représente une seconde de téléchargement pour votre visiteur. La taille du motif d'arrière-plan vient s'ajouter au volume à télécharger. Si votre arrière-plan représente 60 Ko et que vous avez deux images de 10 Ko, la taille totale de votre page est de 80 Ko. Vous venez d'ajouter une pleine minute de temps de téléchargement à votre page. Les mosaïques d'arrière-plan qui occupent beaucoup d'espace mémoire constituent donc un fardeau supplémentaire pour vos visiteurs en termes de téléchargement.

Soyez vigilant lorsque vous essayez d'apparier des mosaïques d'arrière-plan et des images de premier plan. Elles doivent toutes être du même format de fichier — GIF et GIF ou JPEG et JPEG — si vous voulez que les couleurs soient correctement appariées.

Veillez comme d'habitude à utiliser des noms de fichiers en minuscules et des extensions **.jpg** ou **.gif**, afin que votre code HTML sache de quel type est l'image à charger. Pour ma part, je place généralement le mot « **pat** » (comme *pattern*) quelque part dans tout nom de fichier de motif. Vous connaîtrez ainsi l'usage de tous vos fichiers lorsque vous en recherchez un dans une liste.

Le code SVP !

Rien de plus simple que d'inclure une mosaïque d'arrière-plan dans un document HTML. Voici le code minimum requis :

```
<HTML>
1 <BODY BACKGROUND="pat.gif">
</BODY>
</HTML>
```

1. La balise BODY BACKGROUND permet d'ajouter une mosaïque d'arrière-plan à votre page. La partie "pat.gif" désigne le nom de l'image répétée en mosaïque dans cet exemple.

L'image pat.gif.

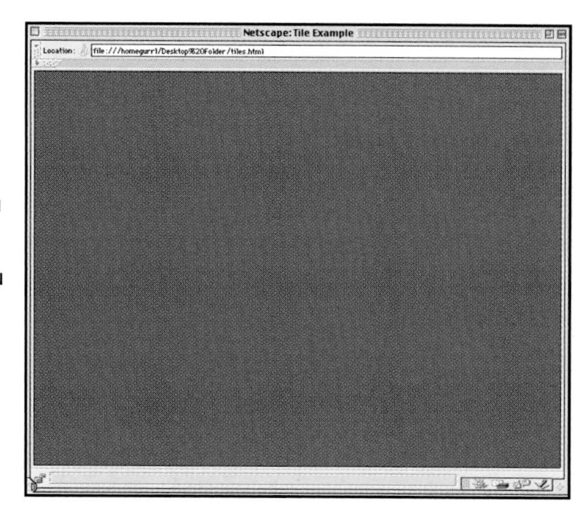

Voici le résultat après utilisation de la balise BODY BACKGROUND="pat.gif".

Si vous voulez qu'une image se superpose sur un arrière-plan, voici le code que vous devez utiliser :

```
<HTML>
<BODY BACKGROUND="pat.gif">
1 <IMG SRC="tile.gif">
</BODY>
</HTML>
```

1. La balise IMG SRC permet d'inclure une image qui viendra se superposer sur la mosaïque d'arrière-plan.

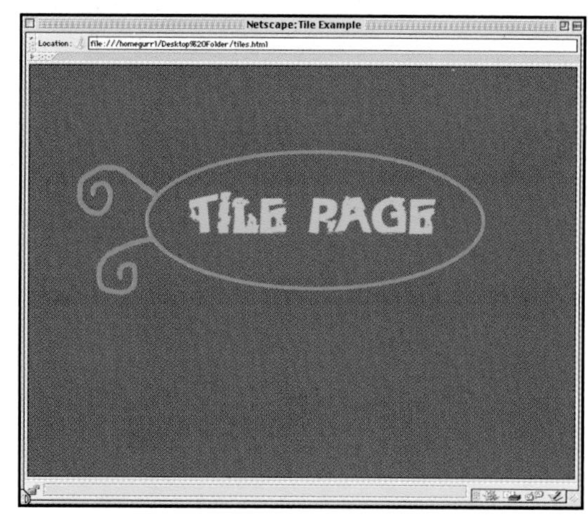

La page Web terminée avec la balise <IMG SRC="tile.gif">.

Raccords ou pas raccords, voilà la question

Nous allons examiner maintenant deux manières de présenter votre mosaïque d'arrière-plan sur votre page Web : avec ou sans raccords.

Raccords

Si une image présente des raccords très visibles, il est probable qu'on ait voulu à dessein lui donner une allure de mosaïque. D'ailleurs, certaines pages Web sont superbes avec leurs arrière-plans en papier peint à raccords très visibles. Andy Warhol et ses motifs de boîtes de soupe en conserve répétés sur un même tableau sont devenus célèbres. Les murs vidéo sont souvent construits selon le principe de la puissance des images rectangulaires répetées. Créer un motif de mosaïque avec une bordure répetée bien visible est une opération assez simple.

Assurez-vous que le carreau de mosaïque que vous créez présente une bordure.

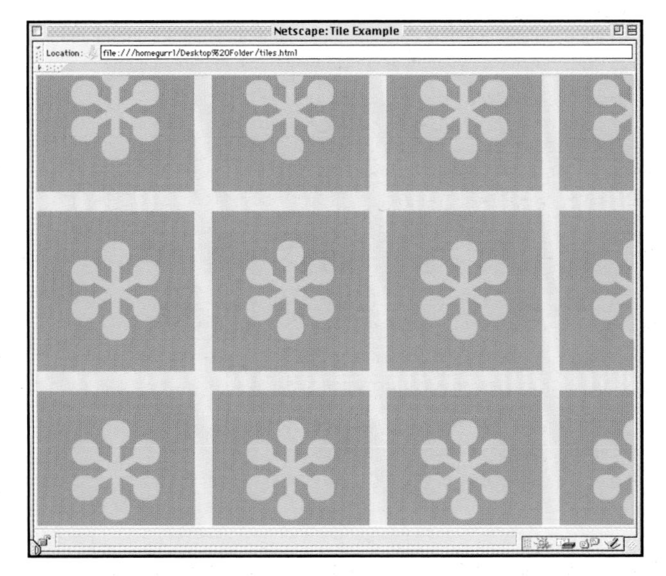

La bordure encadrant l'image renforce le principe de répétition de cette image d'arrière-plan.

Pas de raccords grâce à la méthode Photoshop/ImageReady

Lorsque l'on parle de motifs « sans raccords », il faut comprendre que la bordure du carreau de mosaïque est impossible à localiser. Il n'y a pas d'avantages ni d'inconvénients particuliers à utiliser des carreaux avec ou sans raccords. Les carreaux sans raccords sont seulement plus délicats à réaliser.

Dans la section ci-après, je vous présente un exemple de technique pas à pas, mise au point par mon mari Bruce avec Photoshop et ImageReady.

Mosaïque sans raccords dans ImageReady

La procédure dans ImageReady est très semblable à celle de Photoshop, mais ImageReady étant un éditeur graphique pour le Web, il possède quelques fonctions supplémentaires qui le rendent plus efficace sur ce plan.

Si vous travaillez avec un grande quantité d'images collées, comme c'est le cas pour moi dans cet exemple, ImageReady (et Photoshop) crée automatiquement plusieurs calques. Le problème du filtre Offset (Translation) est qu'il ne décale qu'un seul calque à la fois. C'est pourquoi j'ai désactivé l'arrière-plan rose et ai fusionné tous les calques visibles en un seul. Lorsque j'ai appliqué le filtre Offset (Translation), il n'a décalé qu'un seul calque, le calque fusionné.

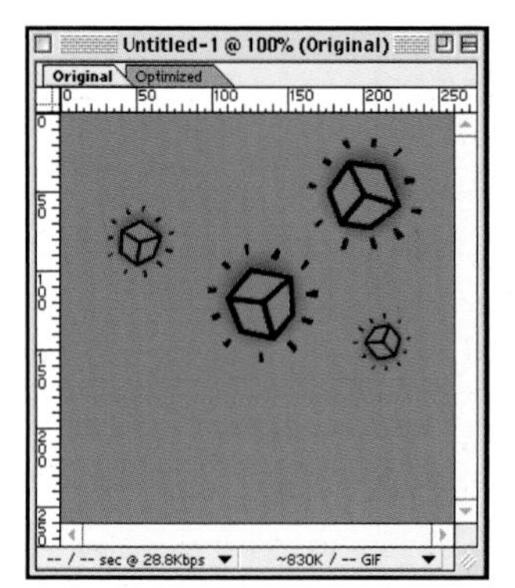

J'ai commencé par utiliser notre logo Digital Arts Center et l'ai collé dans un document Image-Ready (de 260 × 260 à 72 ppp).

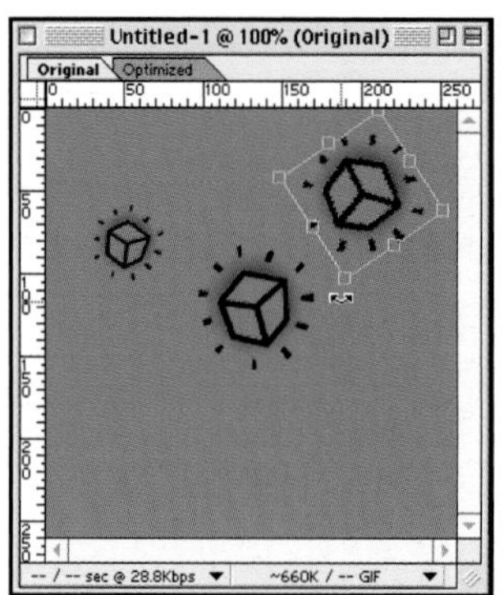

En utilisant les commandes de transformation proposées par ImageReady, j'ai fait pivoter et ai redimensionné chacune des images collées pour obtenir un effet de positionnement aléatoire.

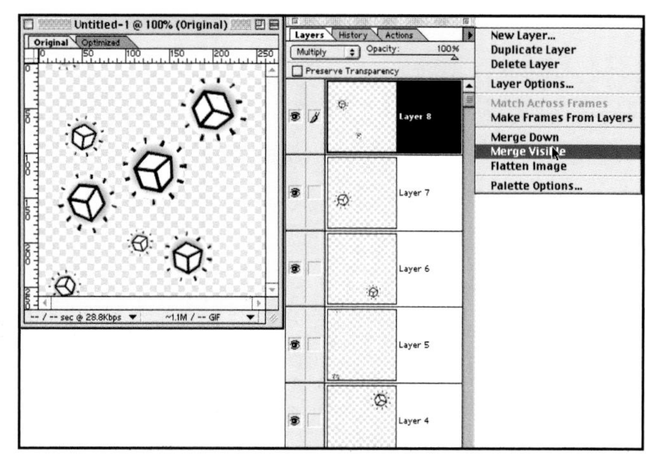

J'ai rempli la partie supérieure de l'image avant d'appliquer le filtre Offset.

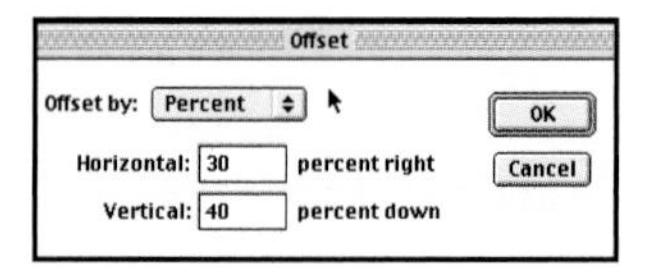

Le filtre Translation (Offset) dans ImageReady est plus simple que dans Photoshop. Il a été spécialement conçu dans ce but, alors que le filtre Translation de Photoshop a d'autres usages. Le nombre de pixels (ou, dans le cas présent, les pourcentages) est quelque peu arbitraire. Il est préférable de décaler l'image par incréments inégaux pour éviter une trop grande symétrie du motif.

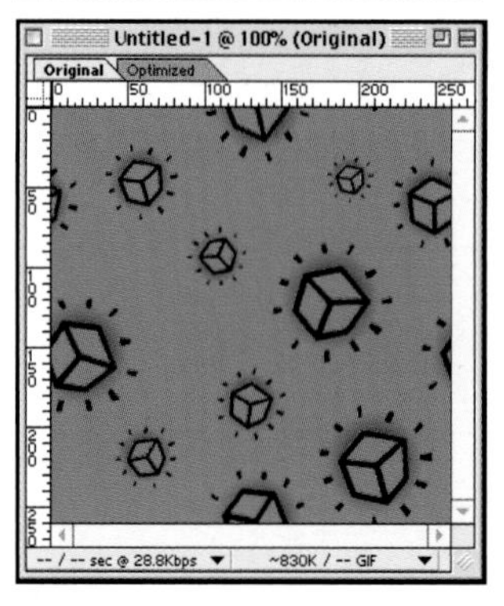

La mosaïque terminée.

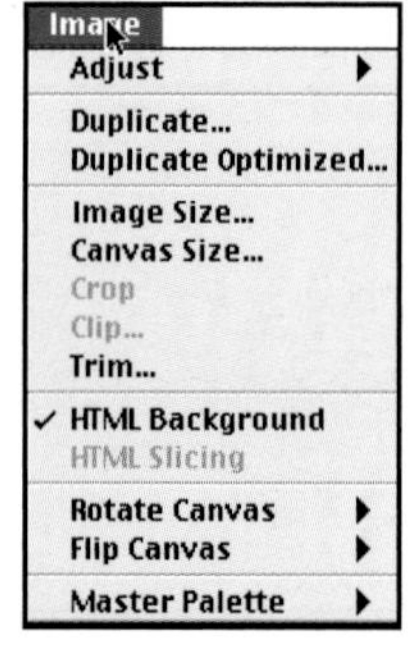

Faites Image:arrière-plan HTML (Image: HTML:Background). Vous pouvez ainsi prévisualiser la mosaïque dans un navigateur.

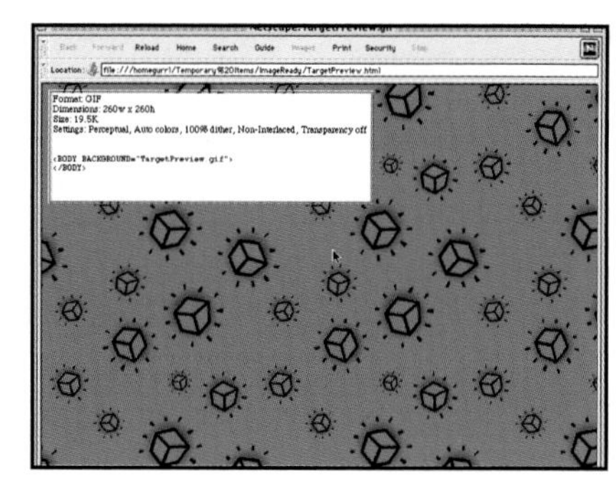

L'option Fichier:Aperçu dans navigateur (File: Preview in Browser) conduit Image-Ready à créer un fichier temporaire de prévisualisation. Vous pouvez ensuite copier et coller le code affiché dans le cadre blanc dans un éditeur HTML.

Mosaïque sans raccords dans Photoshop

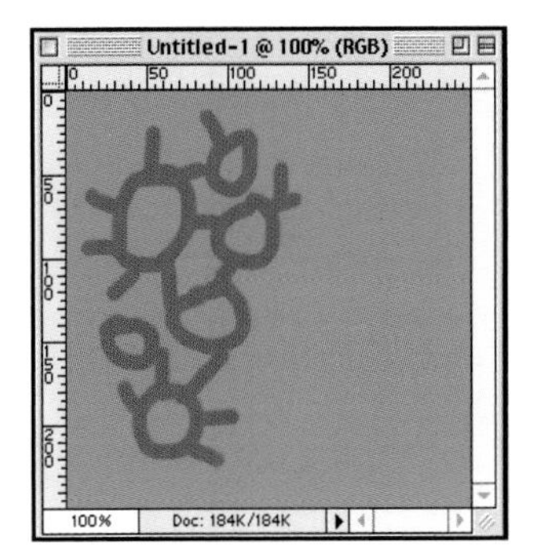

Ce carreau source mesure 260 × 260 pixels à 72 ppp. C'est à dessein que j'ai tracé des courbes dans un angle de l'image seulement.

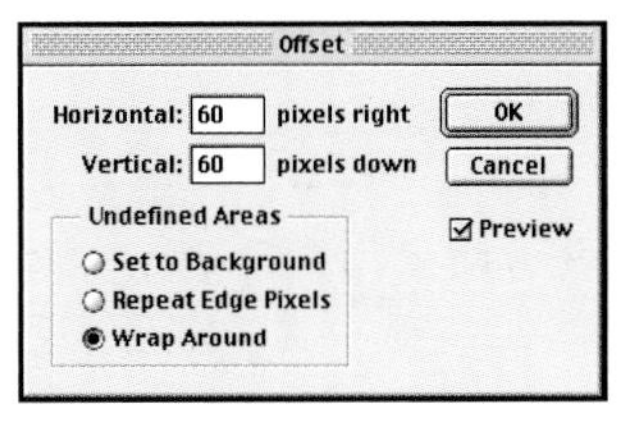

Dans le filtre de translation de Photoshop (qui se trouve dans Filtre:Divers:Translation ou Filter:Other:Offset), j'ai indiqué des paramètres de 60 pixels (Horizontal) et 60 pixels (Vertical) ainsi que l'option Reboucler (Wrap) dans Zones indéfinies (Undefined Areas).

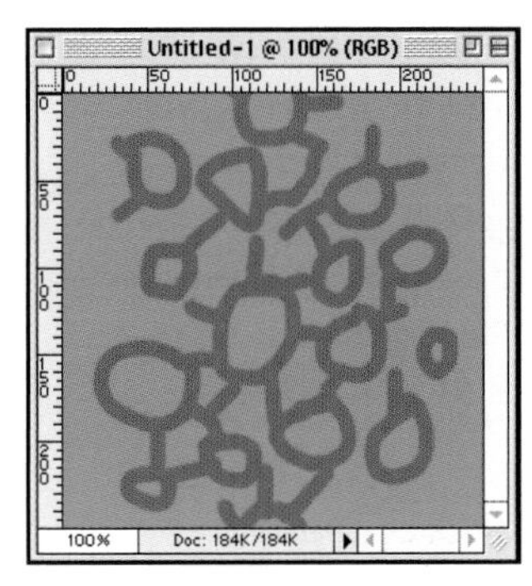

Cette opération a provoqué un décalage de mon graphisme de départ. J'ai ensuite ajouté un certain nombre de courbes.

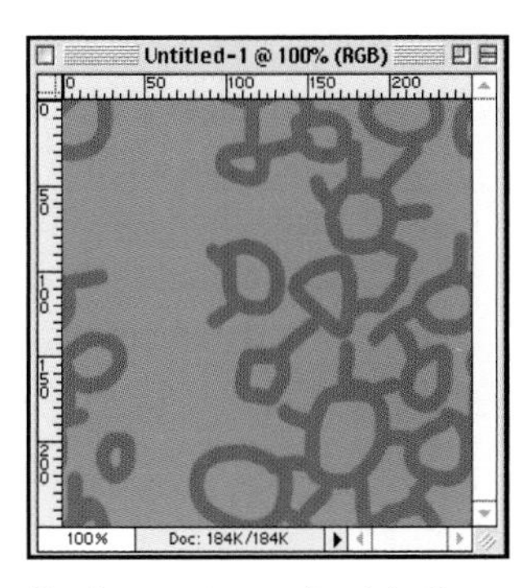

J'ai de nouveau appliqué le filtre Translation, ce qui a provoqué un nouveau déplacement de mon graphisme, mettant en évidence des espaces dans les zones non peintes.

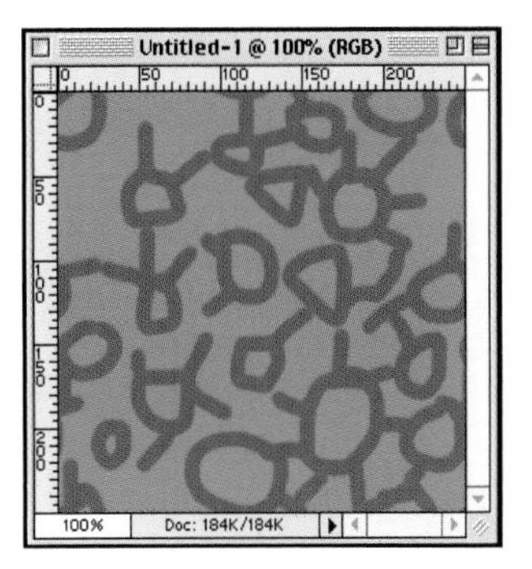

L'objectif de l'opération est de remplir tous les espaces en répétant l'application du filtre Translation jusqu'à ce que toutes les zones à peindre soient peintes. Le filtre Translation recherche les parties de l'image qui sont masquées au niveau des raccords.

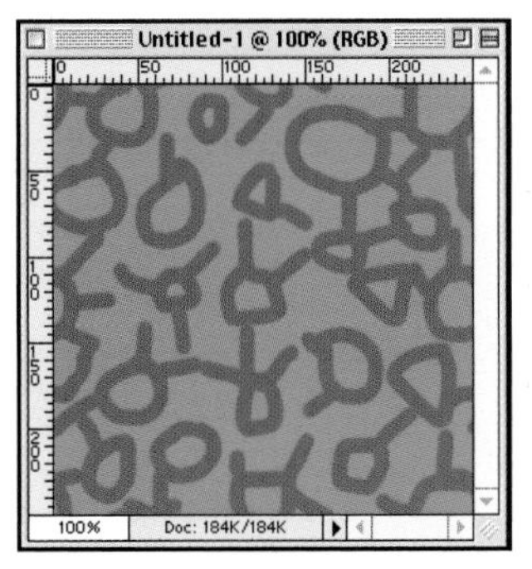

Etat de la mosaïque terminée.

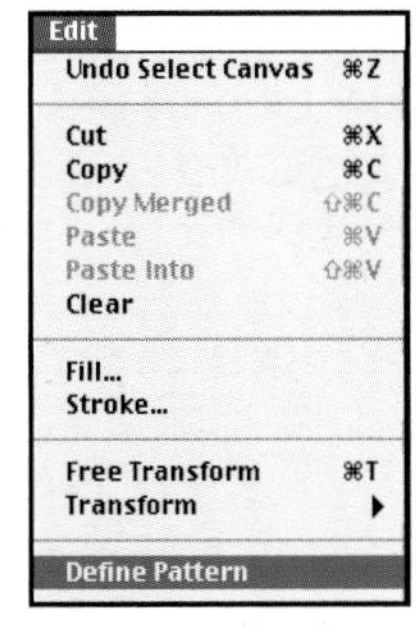

Pour prévisualiser mon carreau de mosaïque, j'ai choisi Edition:Utiliser comme motif (Edit: Define Pattern).

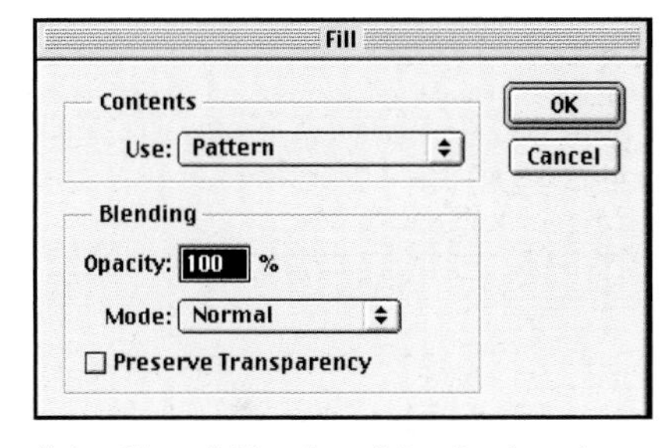

J'ai créé un fichier de prévisualisation plus important, puis j'ai choisi Edition:Remplir puis Avec Motif (Edit:Fill puis Pattern). Cette opération m'a permis de prévisualiser le résultat dans Photoshop avant de rédiger la mosaïque d'arrière-plan finale en HTML.

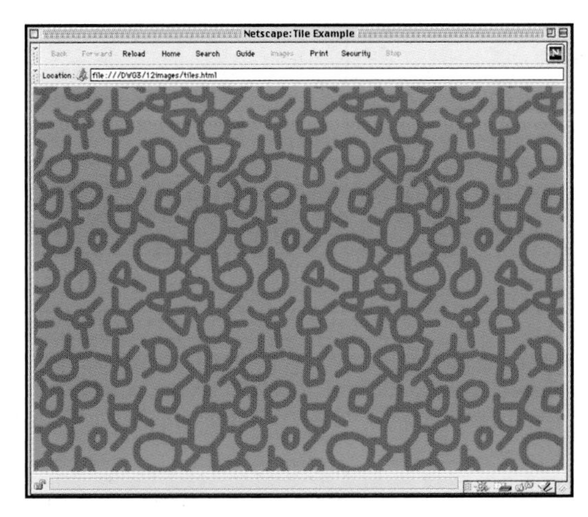

Le résultat final dans Netscape.

Carreaux de mosaïque orientés

Il est possible de fabriquer des carreaux étroits et allongés en hauteur ou en longueur pour créer des effets d'orientation. Un carreau de forme horizontale remplit la fenêtre du navigateur de haut en bas, un carreau de forme verticale la remplit de gauche à droite.

Je suis persuadée que vous avez déjà vu des mosaïques sur le Web avec des bordures à gauche. Ce carreau de mosaïque est une astuce à partir de cette technique qui permet de créer une bordure droite et gauche avec des contours flous. Celle-ci a été conçue par Ammon Haggerty.

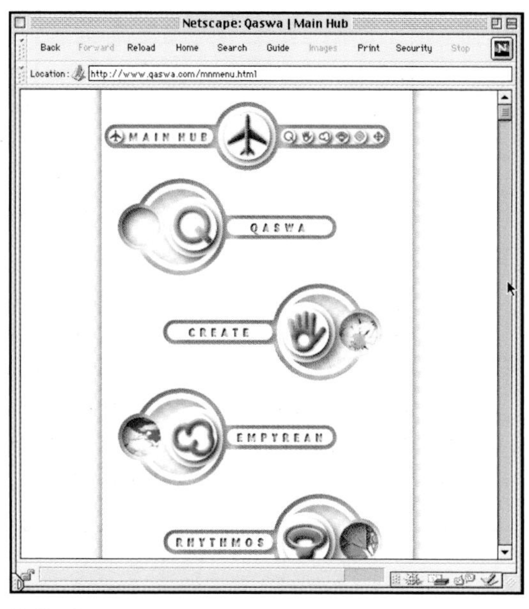

L'effet final est plus impressionnant que l'élément de mosaïque isolé.

Elisabeth Roxby, conceptrice au National Design Museum, a réalisé ce carreau allongé dans le sens vertical, qui remplit l'écran dans le sens horizontal une fois chargé.

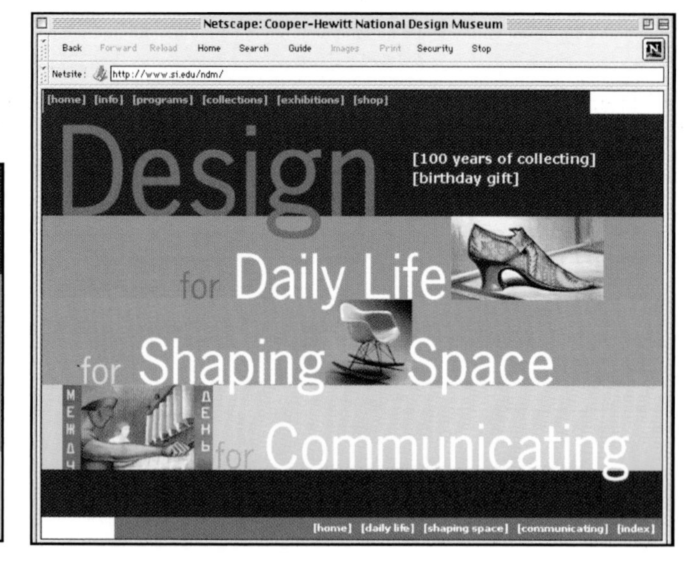

L'effet est spectaculaire lorsque d'autres images et des caractères typographiques sont superposés sur cette mosaïque simple.

Considérations esthétiques des arrière-plans

Veillez toujours aux critères de contraste et de valeur (lumières et ombres) lorsque vous créez des mosaïques d'arrière-plan. Si votre arrière-plan est clair, utilisez des caractères sombres. Si votre arrière-plan est sombre, utilisez des caractères clairs. Si vous ne modifiez pas les couleurs par défaut de votre navigateur pour le texte, les liens, les liens visités et les liens actifs, utilisez un fond clair, d'une valeur proche du gris clair par défaut qu'on trouve dans la plupart des navigateurs. Cet arrière-plan clair garantit que les couleurs par défaut de votre texte, noir, bleu et violet, seront bien visibles sur votre fond personnalisé.

Lorsque vous créez des motifs de carreau de mosaïque, essayez d'utiliser, soit uniquement des valeurs sombres, soit uniquement des valeurs claires. Si vous appliquez à la fois des valeurs claires et des valeurs sombres sur un même arrière-plan, les caractères clairs comme les caractères sombres ne pourront être utilisés de manière cohérente avec un tel fond. On peut penser que l'utilisation systématique de valeurs sombres ou de valeurs claires relève du bon sens, mais il suffit de naviguer un peu sur le Web pour se rendre compte que l'on trouve un peu partout des arrière-plans multicolores recouverts de caractères rendus illisibles.

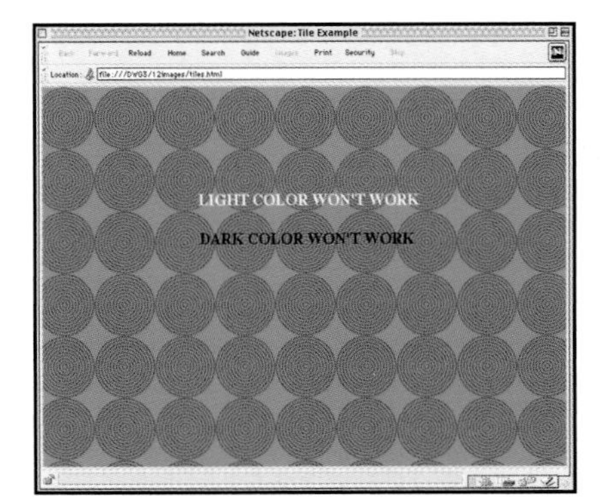

Si votre arrière-plan est très contrasté, votre texte en HTML ne sera pas très lisible.

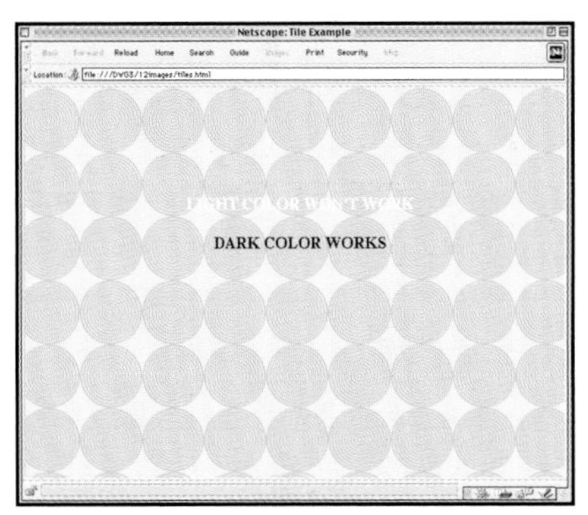

Des couleurs de valeurs sombres ou intermédiaires sont plus lisibles sur un arrière-plan clair.

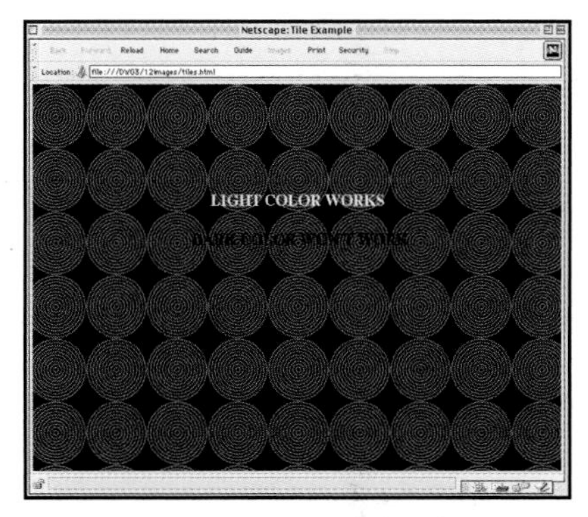

Sur un arrière-plan sombre, c'est l'inverse qui prévaut. Créer une mosaïque d'arrière-plan attrayante n'est pas suffisant. Vérifiez toujours que vos caractères y sont bien lisibles. Si ce n'est pas le cas, effectuez les réglages nécessaires au niveau des couleurs ou du contraste de l'image d'arrière-plan.

Résumé Mosaïques d'arrière-plan

J'espère que ce chapitre vous aura permis de réaliser que les mosaïques d'arrière-plan sont un élément important des graphismes Web. Les mosaïques peuvent avoir un effet très intéressant pour un coût minime en termes de chargement. Voici un résumé des principes présentés dans ce chapitre :

- Il n'existe pas de dimensions « idéales » pour un carreau de mosaïque d'arrière-plan. Sa taille affectera néanmoins l'effet visuel obtenu par le nombre de fois que ce carreau sera répété pour remplir toute la fenêtre du navigateur.
- Les arrière-plans plein écran peuvent augmenter sensiblement l'intérêt d'une page Web, par ailleurs peu attrayante.
- Veillez au contraste et à la lisibilité. On peut facilement se laisser emporter par des arrière-plans compliqués et très contrastés qui donnent des pages Web illisibles.
- Vous pouvez contrôler l'orientation de chargement d'une mosaïque d'arrière-plan si vous créez un carreau étroit et allongé, orienté dans le sens horizontal ou vertical.
- ImageReady, un nouvel outil graphique pour le Web proposé par Adobe, facilite la création de mosaïques d'arrière-plan plus que tout autre logiciel disponible sur le marché.

Introduction

Objets transparents

Au sommaire de ce chapitre

- Définition de la transparence Web
- Imitation de la transparence
- Transparence GIF
- Problèmes de lueurs
- Outils et techniques
- Transparence PNG

13

La plupart d'entre nous négligent le fait que les images informatiques sont toujours enregistrées dans des fichiers rectangulaires ou carrés. Que vous réalisiez un graphisme sur un calque transparent dans Photoshop, ImageReady, Fireworks ou tout autre logiciel de traitement d'images n'a aucune influence sur ce fait. Si vous l'enregistrez pour le rouvrir dans un autre logiciel, il se retrouvera dans un rectangle. Qu'y a-t-il à reprocher aux rectangles ? Rien. Sauf qu'ils deviennent peu à peu terriblement ennuyeux et prévisibles.

Le Web souffre tout particulièrement d'une surabondance de formes rectangulaires. La fenêtre du navigateur est un rectangle, les cadres sont des rectangles, les boutons et autres graphismes sont aussi très souvent des rectangles. J'appelle ce problème la « rectangulite ». Un excès de rectangles sur une page peut donner à vos visiteurs l'impression qu'ils sont enfermés, voire leur donner un sentiment de claustrophobie.

La solution au problème des rectangles est la transparence Web. Les graphismes transparents comprennent des masques avec lesquels vous pouvez recouvrir ou dévoiler des parties d'une image, créant ainsi l'illusion d'une forme irrégulière.

Il existe plusieurs méthodes pour mettre en œuvre la transparence sur un site. Vous pouvez l'imiter (ma méthode préférée), créer un fichier GIF transparent ou même utiliser le tout nouveau type de format Web, le PNG transparent. Le présent chapitre décrit toutes ces méthodes et présente quelques outils et techniques parmi les plus récents.

Définition de la transparence

La *transparence* est le terme utilisé sur le Web pour désigner des images masquées. La création d'images transparentes est une opération délicate parce que les procédures de masquage standard réservées aux applications d'impression ou d'infographie ne peuvent pas être appliquées aux images Web.

Une page Web sans transparence peut apparaître trop simple et trop carré.

La transparence GIF supprime certaines parties de l'image.

Des deux formats d'image les plus courants sur le Web, GIF et JPEG, seul GIF est capable de gérer les fonctions de transparence. C'est pourquoi, pour créer des images Web de formes irrégulières, vous devez, soit créer des images GIF, soit apprendre à imiter la transparence au format GIF ou JPEG. Le présent chapitre décrit également la transparence PNG, qui deviendra à la mode dès que le format PNG sera plus largement accepté.

Imitation de la transparence

Il existe deux types de transparence : la première implique une technique de masquage et le seconde de la ruse. La seconde est la plus simple à mettre en œuvre et la plus facile à expliquer.

Masquage

Imaginons que vous souhaitiez donner l'impression qu'une forme flotte librement sur votre écran, bien qu'elle doive être enregistrée dans un fichier informatique rectangulaire. Créez un arrière-plan derrière votre forme, de la même couleur que votre page Web. Si vous combinez les deux, en principe aucune bordure rectangulaire n'est visible. C'est aussi simple à réaliser qu'à expliquer.

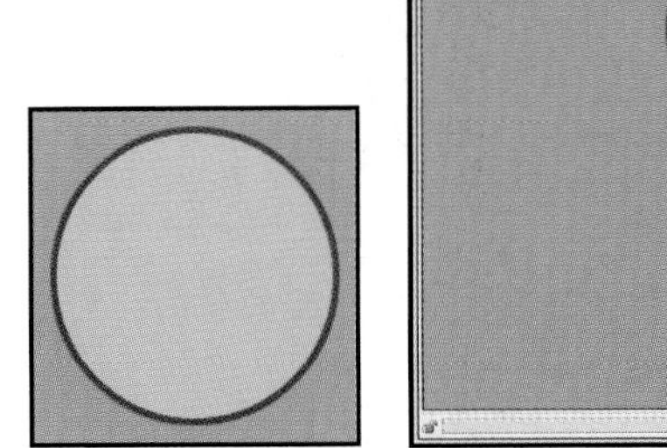

Image seule.

Image avec couleur d'arrière-plan appariée.

Vous pouvez aisément créer l'illusion d'une image de forme irrégulière en incluant dans l'image de premier plan la couleur cible de l'arrière-plan de votre page Web.

Ruse

Il existe deux moyens de mettre en œuvre la technique de transparence imitée. Vous pouvez utiliser les balises et attributs BODY BACKGROUND ou BODY BGCOLOR.

1. L'attribut BODY BACKGROUND implique la création d'un autre petit graphisme de la même couleur unie que la couleur d'arrière-plan de la forme.

code

```
<HTML>

<HEAD>

<TITLE>transparency</TITLE>

</HEAD>

<BODY BACKGROUND="bluebg.gif">

<CENTER>

<IMG SRC="circle.gif">

</CENTER></BODY></HEAD
```

Voici l'exemple d'un petit bloc de couleur enregistré sous la forme d'une image GIF. Cette image s'appelle **bluebg.gif**.

2. Pour utiliser l'attribut BODY BGCOLOR, il vous suffit de sélectionner la même couleur que celle de l'arrière-plan, de trouver son équivalent hexadécimal (reportez-vous au Chapitre 10) et d'insérer ces codes dans votre HTML.

code

```
<HTML>

<HEAD>

<TITLE>transparency</TITLE>

</HEAD>

<BODY BGCOLOR="#6699FF">

<CENTER>

<IMG SRC="circle.gif">

</CENTER></BODY></HEAD>
```

Attention

Préférences de navigateurs

Il est important de savoir que si votre visiteur a modifié les réglages de son navigateur de façon à supplanter les couleurs que vous avez choisies, l'illusion que vous avez créée sera automatiquement détruite.

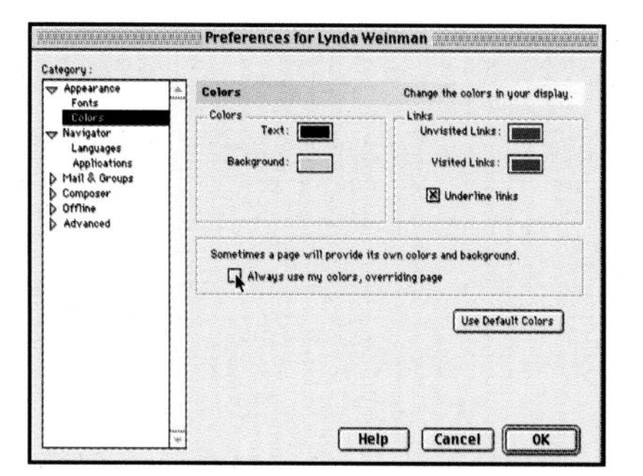

Impossible d'imiter les motifs de mosaïque

La méthode que je viens de vous présenter fonctionne à merveille si votre couleur d'arrière-plan est unie. En revanche, dès que vous insérez une mosaïque derrière votre image, l'illusion est détruite.

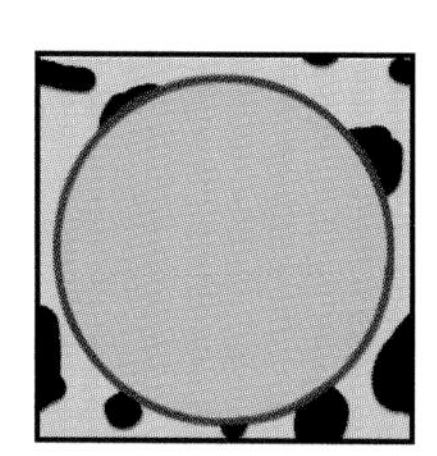

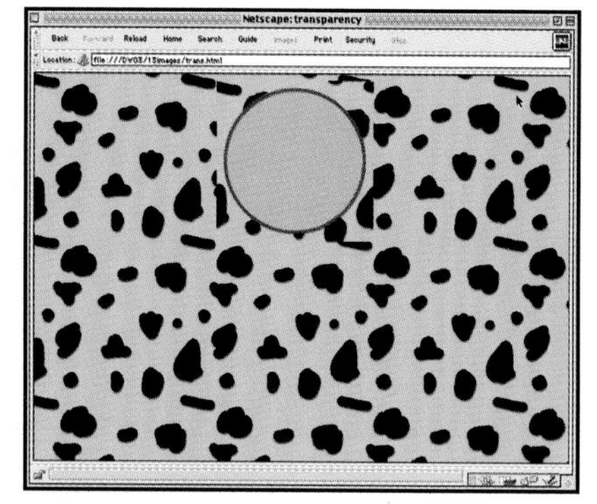

Notez le défaut de raccord entre le cercle et le graphisme d'arrière-plan. C'est l'un des risques de l'imitation de transparence avec une mosaïque d'arrière-plan.

Même si vous appliquez le même motif au document cercle, il ne sera pas aligné avec les carreaux d'arrière-plan en HTML. Pourquoi ? La translation des images de premier plan et des images d'arrière-plan en terme d'alignement n'est pas la même. Deux réponses possibles à ce problème sont présentées, l'une au Chapitre 19, l'autre au Chapitre 18. En attendant, la solution la plus simple consiste à utiliser une transparence authentique.

Transparence GIF

Le format de fichier GIF accepte la transparence (masquage). La transparence GIF est délicate à gérer parce que ce format de fichier est limité à un masquage 1 bit (alors que la transparence dans Photoshop accepte le masquage 8 bits). En clair, cela veut dire que vous êtes contraint de créer un masque à une seule valeur : activé ou désactivé. Photoshop, en revanche, vous autorise à utiliser jusqu'à 256 valeurs activées ou désactivées. C'est pourquoi vous pouvez aisément superposer des images avec des bordures floues, des lueurs ou des ombres portées. Dans le monde de la transparence GIF à un seul bit, ce genre de subtilité est inconcevable.

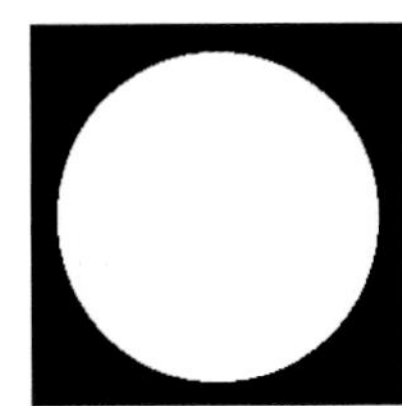

Il est important de comprendre les contraintes du masquage 1 bit : si vous n'êtes pas vigilant, les résultats de vos travaux de transparence peuvent partir à vau-l'eau. Vous risquez d'obtenir des images avec des halos et des bordures indésirables.

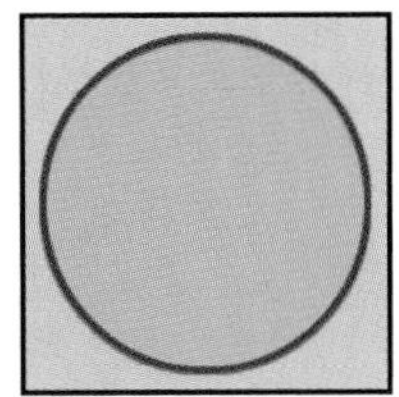

Le format GIF est en mesure d'enregistrer un masque 1 bit. Ce masque est invisible tant qu'il n'est pas chargé dans un navigateur Web.

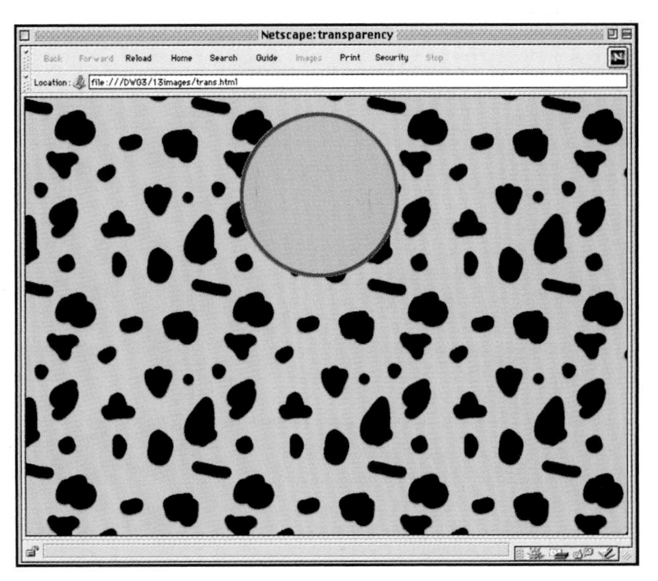

Voici ce GIF transparent dans une fenêtre de navigateur. Si vous examinez attentivement les bordures, vous apercevrez un halo clair non voulu, résultat d'une opération de lissage (voir la section suivante).

Avantages et inconvénients du lissage

La plupart des infographistes expérimentés n'imaginent même pas travailler sans lissage. Nous avons été conditionnés à faire en sorte que tout ait l'air aussi lisse et parfait que possible. La technique du lissage a été mise au point pour masquer les pixels carrés et anguleux des graphismes informatiques. L'écran de l'ordinateur est un support à base de pixels et notre propension à vouloir masquer cet état sur des supports imprimés ou d'autres médias n'est pas toujours appropriée dans le cas d'une conception infographique, comme le Web ou d'autres supports multimédias du type CD-ROM. Les graphismes Web basse résolution sont bien moins exigeants en matière de lissage que leurs homologues imprimés.

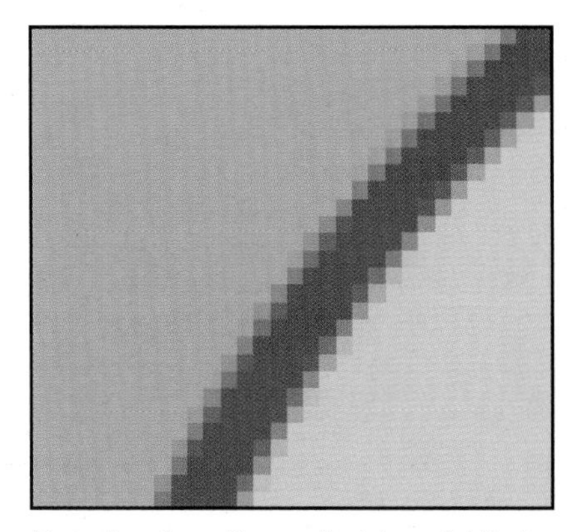

Etant donné que l'image d'origine a été lissée sur le bleu et que le masque GIF n'est que d'un seul bit, la bordure de l'image masquée contient des restes de la bordure bleue.

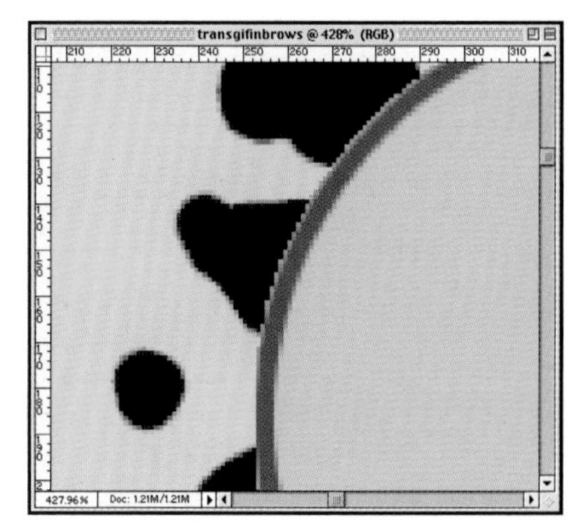

Voici un agrandissement du problème de halo de l'image reproduite à droite.

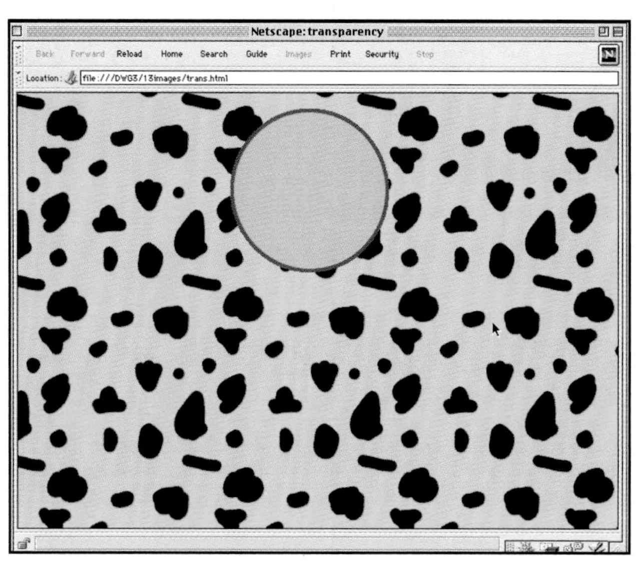

Si vous ne lissez pas les bordures du GIF transparent, il ne présentera pas l'effet de halo indésirable.

Sur le Web, le lissage n'est pas toujours l'approche la plus efficace. La création de GIF transparents propres est l'une des situations d'exception pour lesquelles les graphismes non lissés posent moins de problèmes.

La bordure fondue et lissée est précisément à l'origine des problèmes de raccords lorsque le graphisme est converti en GIF transparent. Comme les GIF transparents ne suppriment qu'une seule couleur de votre image, vous retrouvez toutes les autres couleurs le long des bordures fondues de votre image lissée, même si votre objectif est précisément de les faire toutes disparaître. Il n'existe aucun moyen d'éviter cet écueil dans la mesure où le format GIF est incapable de masquer plusieurs couleurs. Je vous présente plusieurs méthodes de création de transparence non lissée dans les sections ci-dessous.

Lueurs, bordures floues et ombres portées avec transparence GIF

Du fait des problèmes introduits par le lissage dans les GIF, les images comportant des lueurs, des bordures floues et des ombres portées peuvent avoir un aspect désastreux sous la forme de GIF transparents. Une solution courante consiste à créer vos images sur un arrière-plan de la même couleur que celle sur laquelle elles seront affichées dans un navigateur Web. Elles seront affreuses au moment de leur création, mais s'afficheront convenablement sur l'arrière-plan définitif du navigateur Web.

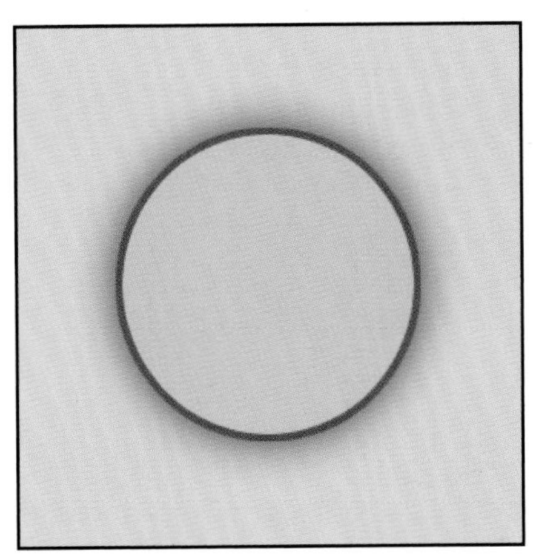
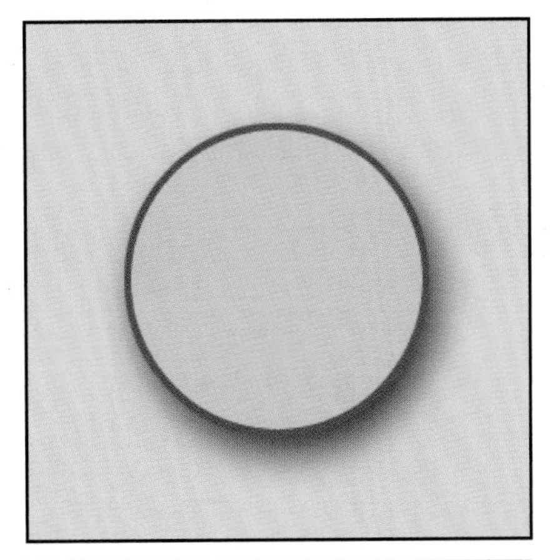
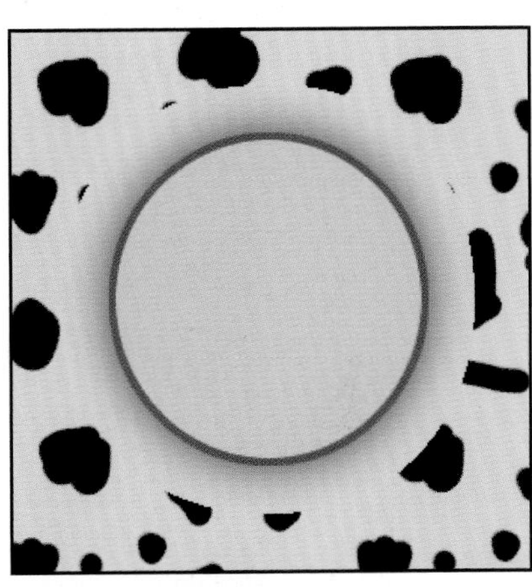
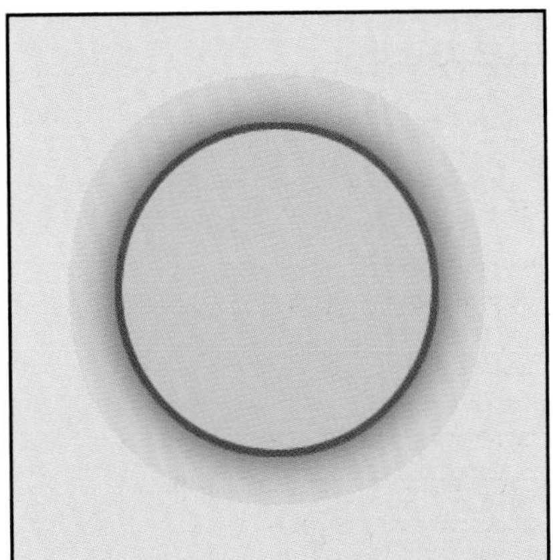

Une solution classique consiste à créer des images sur un arrière-plan de la couleur dominante du motif.

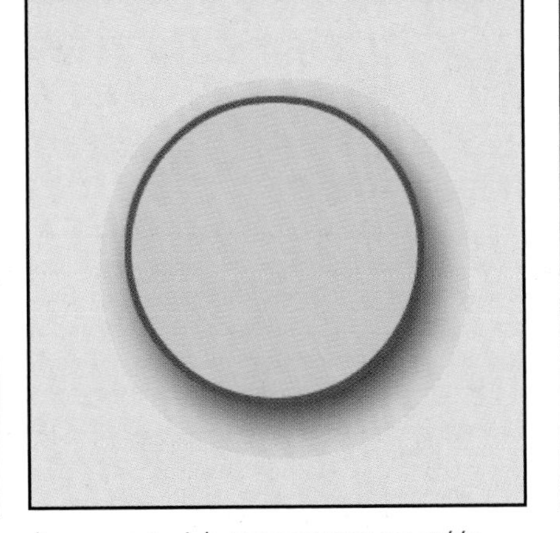

Au moment où la transparence est créée, l'image a l'air désastreuse. Elle n'aura un aspect satisfaisant qu'à partir du moment où elle sera superposée au motif. Si vous préparez votre image ainsi, vous corrigez ses prédispositions à favoriser toute autre couleur, ce qui va éliminer les franges, halos et lignes d'encadrement indésirables.

Cette image sera affreuse au moment de sa création, mais prendra un aspect acceptable (bien qu'imparfait) une fois placée sur l'arrière-plan définitif d'un navigateur Web.

Outils et techniques de création de transparence GIF

Jusqu'ici nous avons traité des principes de la transparence. La section suivante aborde les méthodes de production de graphismes GIF transparents. Comme d'habitude, de nombreux outils existent pour réaliser cette tâche. Mon outil favori est ImageReady d'Adobe parce que je ne connais aucun autre outil qui apporte autant d'aide pour cette tâche.

Transparence GIF dans ImageReady

ImageReady représente la transparence de la même manière que Photoshop, c'est-à-dire avec un arrière-plan en damier. Chaque fois que vous voyez une image avec un arrière-plan en damier, il vous suffit de cliquer sur l'option Transparency pour créer un GIF transparent. Vous disposez ensuite de plusieurs options utiles d'encadrement.

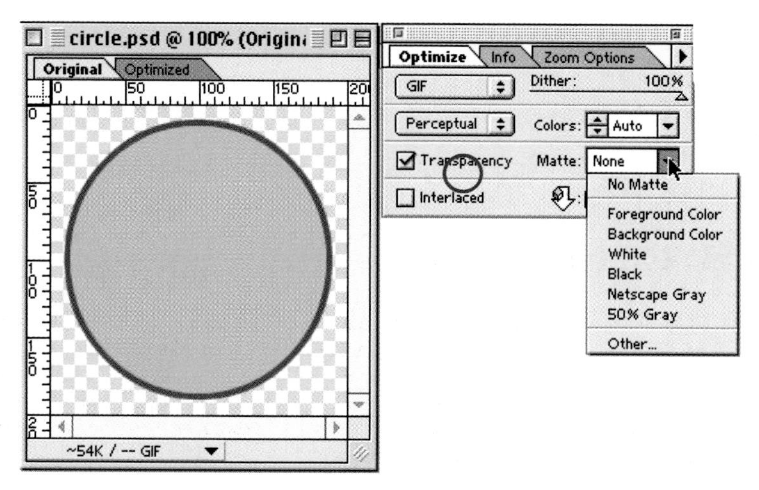

Les fonctions d'encadrement proposées par ImageReady sont très utiles pour éviter les halos indésirables. J'utilise généralement l'option Cache:Pas de cache (Matte:None) qui crée une bordure non lissée tout en laissant les zones intérieures de l'image lissée. Si je veux lisser une couleur donnée, je m'assure que cette couleur est la couleur de premier plan, puis je choisis Cache:Couleur de premier plan (Matte:Foreground Color).

L'option Pas de cache (Matte None) conserve tous les lissages situés à l'intérieur de l'image et crée des bordures extérieures non lissées.

Dans cet exemple, j'ai choisi une couleur pêche comme couleur de premier plan. Observez comment ImageReady a lissé cette couleur pour moi.

Dans ImageReady, vous pouvez rendre une photo transparente, même si elle présente un arrière-plan complexe, en effaçant cet arrière-plan. Cette technique implique le recours à un masque de fusion. Pour créer un tel masque, il vous suffit de cliquer sur l'icône Masque de fusion (Layer Mask), au bas de la palette Calques (Layers). Un masque de fusion vous permet de peindre en noir ou en blanc pour effacer ou restaurer une image. Si vous vous trompez et effacez trop d'éléments, vous pouvez repeindre sur le masque de fusion avec la couleur opposée et restaurer ainsi les éléments effacés. Lorsque vous avez effacé toutes les parties de l'image souhaitées, vous pouvez créer une transparence, comme sur l'exemple ci-dessus, en accédant à la palette Optimiser (Optimize) et en cochant la case Transparence (Transparency).

Transparence GIF dans Fireworks

Dans Fireworks, vous créez l'effet de transparence avec le module Export de ce programme. Si vous souhaitez prédisposer le lissage en faveur d'une couleur donnée, vous devez remplir l'arrière-plan de votre image de cette couleur.

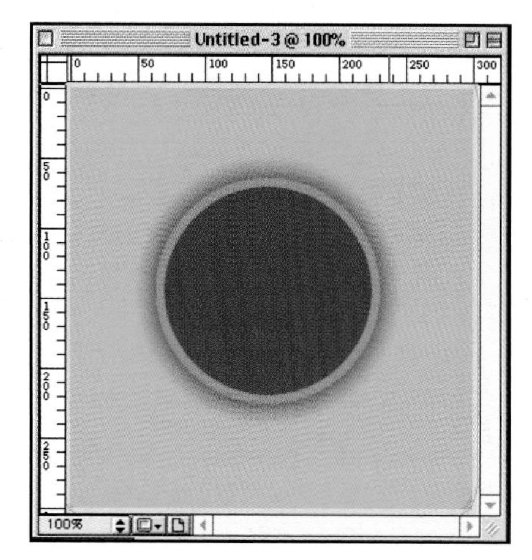

Vous pouvez créer une forme de couleur unie qui remplit l'arrière-plan. Fireworks étant un programme vectoriel, il exige l'utilisation d'une forme remplie et non d'une couleur de remplissage d'arrière-plan.

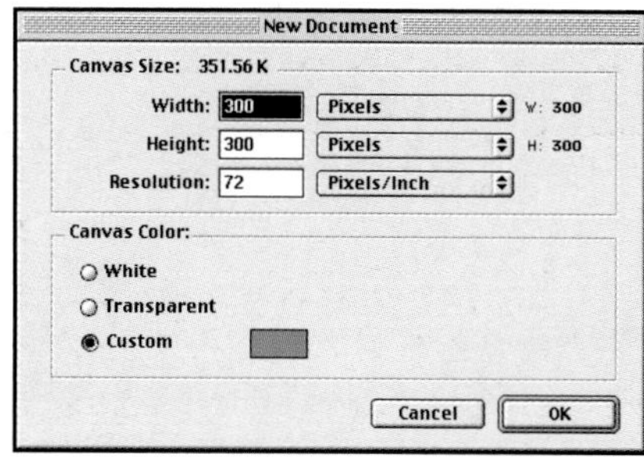

Vous pouvez également, au moment où vous créez un nouveau document, régler la couleur d'arrière-plan sur une couleur personnalisée donnée. Cette option se trouve dans Modification:Document:Couleur du fond (Modify:Document:Canvas Color).

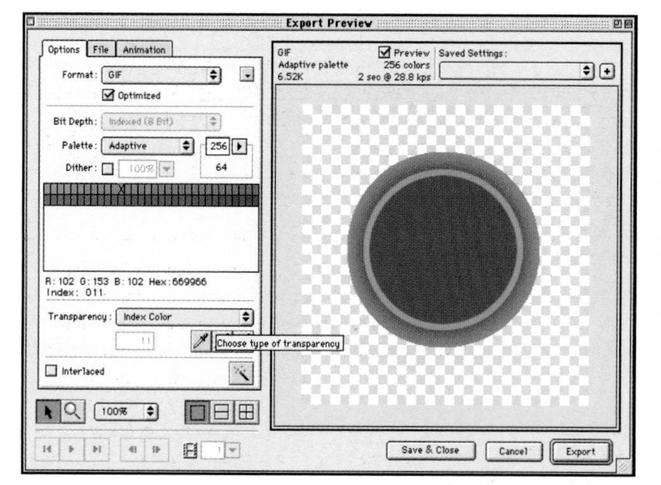

Dans la fenêtre Aperçu avant exportation (Export Preview), vous pouvez choisir Transparence d'index (Transparency Index Color). Vous sélectionnez la couleur située dans l'angle supérieur gauche de l'image, puis vous la supprimez.

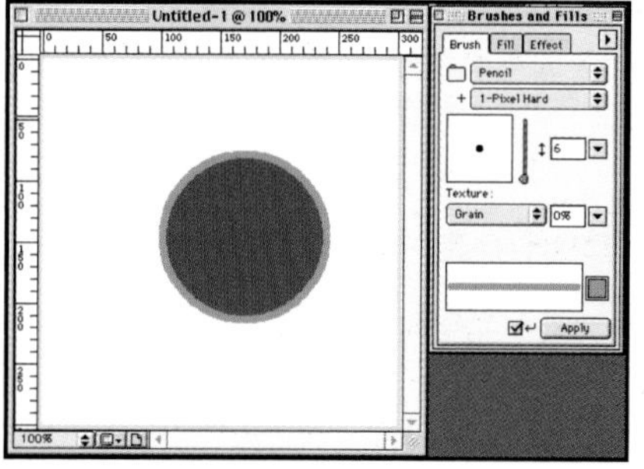

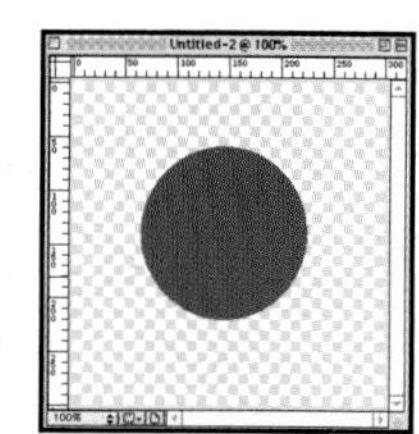

Il existe deux moyens de créer des images lissées dans Fireworks. Si votre graphisme présente des traits, vous pouvez choisir dans la palette Trait (Stroke) les options Crayon (Pencil) et 1-pixel net (1-Pixel Hard). Si vous voulez modifier le réglage de pixel (comme je l'ai fait dans l'exemple ci-dessus), indiquez une valeur plus élevée ou faites glisser le curseur. Si votre forme ne présente pas de tracés (poids du pinceau), vous pouvez sélectionner la forme et choisir Modification:Bord:Bord net (Modify:Edge:Hard Edge). Vous convertissez ainsi le remplissage de son état par défaut lissé en bordure non lissée.

Transparence GIF dans Photoshop 5.0

Il existe plusieurs méthodes pour créer des graphismes transparents dans Photoshop 5.0. Il est néanmoins important de savoir avant tout que dans Photoshop, un fichier GIF doit être de type 8 bits. Par conséquent, avant de pouvoir créer un GIF transparent, vous devez convertir votre fichier en 8 bits. L'extension de transparence de Photoshop permet de convertir une image 24 bits en 8 bits, mais je me suis rendu compte que les commandes de la palette sont moins robustes que si vous convertissez d'abord l'image en sélectionnant **Image:Mode:Couleurs indexées** (Image:Mode:Indexed Color).

Photoshop 5.0 gère la transparence par le biais de l'extension Exportation. La plupart des extensions Photoshop se trouvent dans le menu Filtre, sauf l'extension Exportation, qui se trouve dans le menu Fichier. Pour accéder à l'extension GIF89a, choisissez **Fichier:Exportation:Export GIF89a** (File:Export:Gif 89a Export).

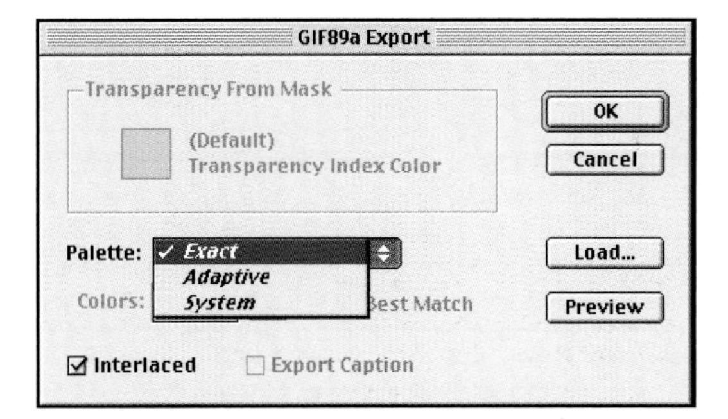

La première opération pour créer un GIF transparent dans Photoshop consiste à convertir votre image RVB 24 bits en image 8 bits couleurs indexées. Si vous effectuez cette opération à partir de la boîte de dialogue Options d'exportation GIF89a, vous ne disposez pas d'autant d'options que si vous convertissez d'abord l'image.

Note

Définition de GIF89a

Photoshop appelle son outil de transparence GIF *filtre d'exportation GIF89a*. Ce terme désigne la spécification officielle de GIF qui permet la transparence. Un filtre baptisé GIF87a a précédé GIF89a. Vous le rencontrerez peut-être, probablement dans des historiques du format de fichier GIF. En résumé, les ingénieurs Photoshop ont préféré utiliser la terminologie de la spécification officielle à la terminologie plus courante de « GIF transparent ». Les ingénieurs ont leurs petites manies.

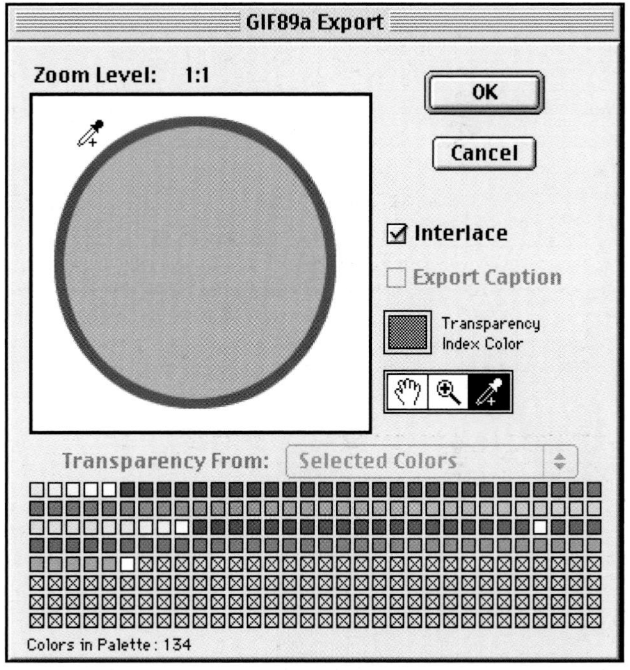

En utilisant la commande Image:Mode:Couleurs indexées (Image: Mode:Indexed Color)de Photoshop 5.0, j'ai converti ce graphisme en 8 bits. J'ai ensuite sélectionné Fichier:Exportation:Export GIF89a (File:Export:Gif89a Export). Il suffit alors d'attribuer la transparence en utilisant l'outil Pipette et en cliquant sur les couleurs que vous souhaitez supprimer. (Conseil : si vous maintenez la touche Maj enfoncée, vous pouvez supprimer plusieurs couleurs à la fois.) Cette boîte de dialogue présente davantage d'options que la méthode de conversion à partir de l'extension.

Photoshop permet d'utiliser un masque de couche alpha pour la transparence. Le masque de couche alpha permet le stockage permanent d'une zone de masque dans Photoshop. Voici quelques instructions simples pour créer un tel masque.

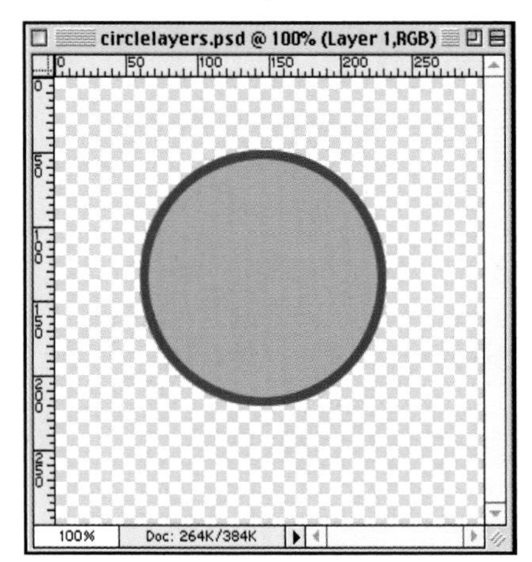

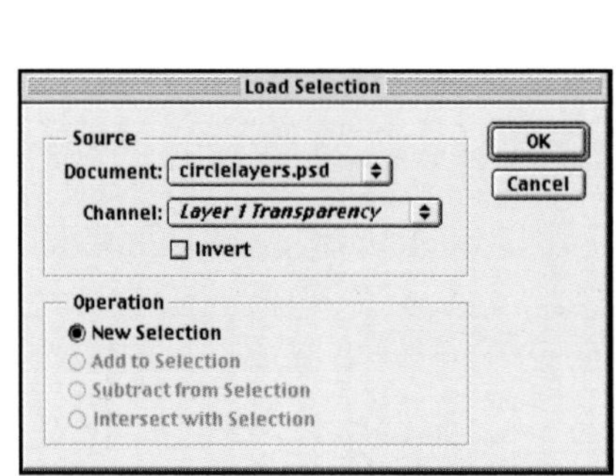

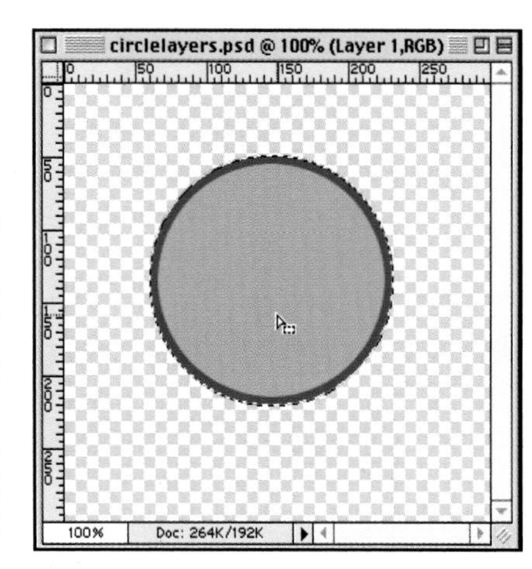

Si vous sélectionnez un calque dans Photoshop qui exploite la transparence (avec un arrière-plan en damier), vous pouvez atteindre son calque de transparence en sélectionnant Sélection:Récupérer la sélection (Select:Load), puis en sélectionnant Couche:Calque x Transparent (Channel: Layer x Transparency) dans la boîte de dialogue Récupérer la sélection (Load Selection). Cliquez sur OK et vous verrez apparaître une animation de sélection (pointillés animés) autour de la sélection chargée. Ces pointillés animés indiquent que la sélection est active dans Photoshop.

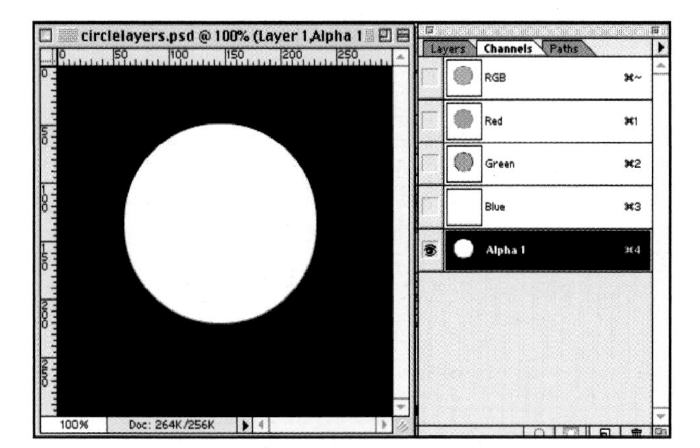

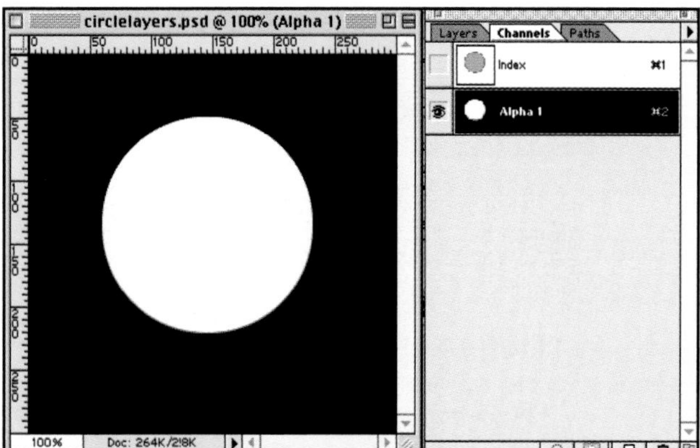

Lorsque vous voyez apparaître des pointillés animés autour d'une image, choisissez Sélection, Récupérer la sélection pour enregistrer cette sélection dans une couche alpha. La couche alpha est enregistrée en quatrième position dans la liste des couches (plus bas même si vous avez de nombreuses couches). Comme les couches Rouge, Vert et Bleu occupent les trois premières cases, le masque de couche alpha est enregistré dans la case 4 ou une case ultérieure. Si vous convertissez l'image en mode Couleurs indexées (choisissez pour cela Image, Mode, Couleurs indexées), vous pouvez enregistrer le même masque alpha sur la seconde couche, la première étant réservée à l'image couleurs 8 bits.

Si vous avez une image Photoshop qui contient une couche alpha et qui a été convertie en mode Couleurs indexées, vous pouvez choisir de baser votre sélection sur la couche alpha au lieu de recourir à l'outil Pipette. Cela revient à dire que même si vous avez des couleurs complexes dans un arrière-plan, votre masque alpha peut les supprimer (au lieu d'avoir à les supprimer au pinceau comme nous l'avons vu dans les exemples ImageReady et Fireworks ci-dessus).

Transparence PNG

J'ai décrit les possibilités impressionnantes du format de fichier PNG au Chapitre 5. L'une des fonctions les plus intéressantes de PNG est le fait qu'il accepte la transparence de couche alpha 8 bits. Cela veut dire qu'il est en mesure d'utiliser n'importe laquelle des 256 cases de couleur pour appliquer différents degrés d'opacité, ce qui le distingue de GIF, lequel ne peut utiliser qu'un seul noir ou blanc pour le masquage, ainsi que les 256 cases de couleur.

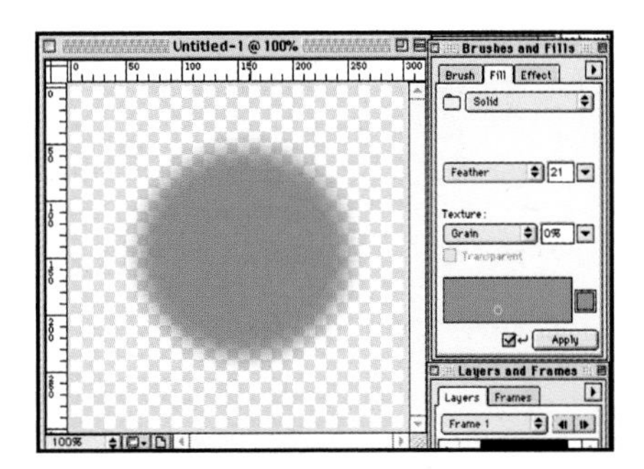

J'ai créé dans Fireworks un cercle à bordure floue en utilisant une trame (Fill) avec une diffusion (Feather) de 21 pixels.

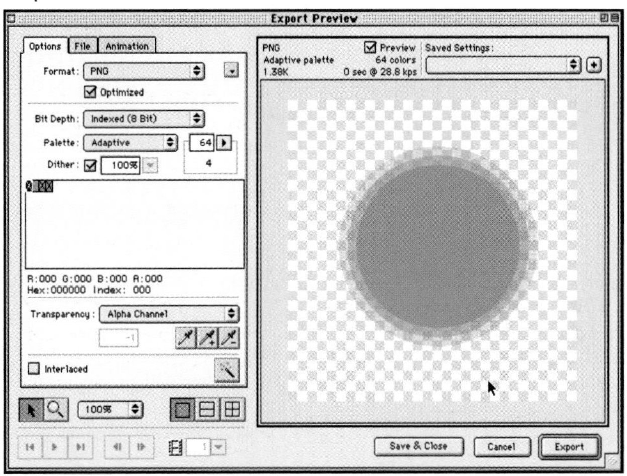

En choisissant Fichier:Exporter (File:Export), j'ai pu sélectionner le format de fichier PNG et choisir la transparence Alpha.

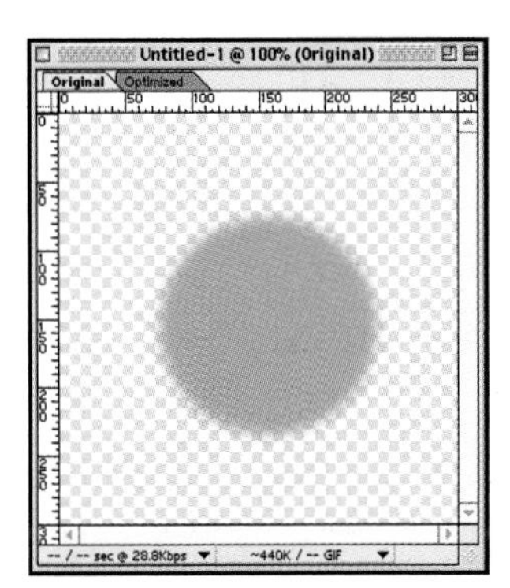

Image originale dans Image-Ready.

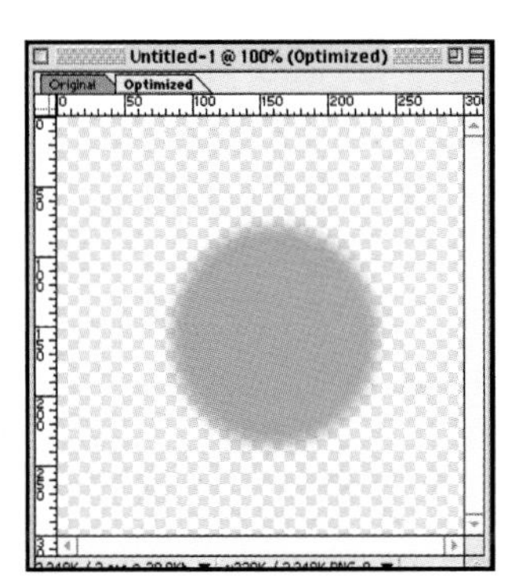

Transparence PNG dans Image-Ready.

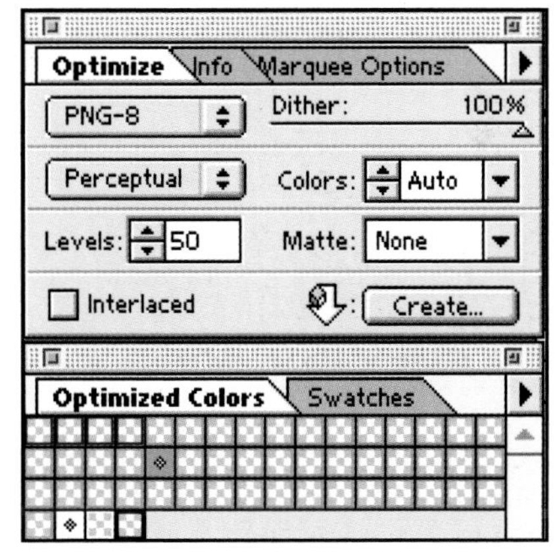

J'ai réglé Cache sur Pas de cache (Matte: None) et Niveaux (Levels) sur 50 pour obtenir cinquante cases de transparence pour une seule couleur.

ImageReady et Fireworks permettent tous deux de créer une transparence PNG. Grâce à ces outils magnifiques, les techniques de création de transparence PNG sont faciles à exécuter. Le véritable problème est de trouver un navigateur capable d'afficher une transparence PNG. Si vous avez de bons contacts chez Netscape ou Microsoft, dites-leur que nous autres, concepteurs graphiques, aimerions beaucoup pouvoir disposer d'une meilleure solution de transparence que GIF.

Résumé Objets transparents

L'ajout de graphismes transparents à votre site va sans aucun doute donner à votre page un plus grand attrait visuel. L'astuce consiste à savoir comment éviter les halos et les bordures indésirables résultant du lissage. Voici un résumé des points clés développés dans ce chapitre :

- Si vous créez un graphisme aux formes irrégulières sur un arrière-plan de couleur unie en HTML, n'essayez même pas de recourir à la transparence GIF. Utilisez la méthode d'imitation décrite en début de chapitre. Assurez-vous néanmoins que vos formats de fichiers sont appariés (GIF sur GIF, JPEG sur JPEG).
- L'application de bordures non lissées à vos images va supprimer tout risque de halos et bordures indésirables.
- Pour les lueurs, les ombres portées et les images floues, veillez à lisser en fonction de la couleur d'arrière-plan cible.
- Si vous comptez utiliser une mosaïque d'arrière-plan, lissez en fonction de la couleur dominante dans cette mosaïque.
- La transparence PNG est intéressante, mais elle n'est pas encore acceptée par la majorité des navigateurs.

Introduction

Lignes, boutons et listes

Au sommaire de ce chapitre

- Lignes HTML
- Lignes personnalisées
- Cliparts servant de lignes
- Listes HTML
- Puces personnalisées
- Utilisation des effets de calque
- Cliparts servant de puces

Dans ce chapitre, nous verrons comment créer des lignes horizontales, des listes numérotées ou à puces et des boutons avec des balises HTML standards ou en faisant appel à des images personnalisées. Ces différents éléments ont une fonction essentiellement pratique, même si une ligne, un bouton ou une puce bien conçus peuvent également se révéler très décoratifs. L'intérêt principal de ces éléments est qu'ils permettent de structurer et de hiérarchiser visuellement une page Web et de fournir des indications de navigation.

Les lignes horizontales et les puces sont utilisées dans les documents imprimés, mais elles ne sont pas de la même nature que celles employées dans les pages Web. Par ailleurs, pour mettre en relief un texte dans un document imprimé, on fera appel à des encres colorées pour les caractères ou l'arrière-plan. On peut obtenir un effet similaire dans une page Web, mais en utilisant des codes HTML à la place des encres.

La création de lignes, de boutons et de puces est un domaine où l'auteur de sites Web peut exercer sa créativité et employer toutes sortes de styles. Dans ce chapitre, en plus des exemples de code HTML, je détaillerai différentes techniques de création d'images servant d'éléments de navigation.

Lignes horizontales

Les lignes horizontales servant de séparateurs ne sont pas très courantes dans les documents imprimés. Elles sont en revanche très répandues dans les pages Web parce qu'elles sont incluses dans les spécifications du langage HTML. Certaines sont en relief, d'autres minces ou épaisses, d'autres encore ont une forme personnalisée. Les lignes horizontales (on dit parfois séparateurs horizontaux) sont utilisées dans différents contextes :

- division d'une page en plusieurs parties ;
- début de liste ;
- séparation entre deux images.

Les lignes horizontales sont beaucoup utilisées — trop, selon certains. Pourquoi ? Parce que la hauteur des pages Web n'est pas définie, contrairement à celle des documents imprimés. D'autres techniques et métaphores visuelles — fond coloré derrière un texte ou une image, insertion d'un paragraphe de couleur différente ou encadré permettant de mettre en valeur une idée — peuvent également être utilisées sur le Web, mais leur mise en œuvre est beaucoup plus complexe que l'insertion d'une ligne HTML simple.

Il existe différentes manières d'insérer des lignes horizontales dans vos pages Web. Vous pouvez utiliser du code HTML ou des images que vous avez créées vous-même ; vous pouvez également insérer des lignes verticales. Vous avez enfin la possibilité de recourir à l'une des nombreuses bibliothèques de cliparts existantes.

Insérer une ligne avec du code HTML

La balise HTML standard pour insérer une ligne est <HR>. Voici ce code en contexte.

```
<HTML>
<BODY>
Premier paragraphe
<HR>
Second paragraphe
</BODY>
</HTML>
```

Vous créez ainsi une ligne horizontale en relief d'une épaisseur de deux pixels. Si vous élargissez la fenêtre de votre navigateur, la ligne s'élargira (et réciproquement). Les lignes horizontales de base n'ont pas de largeur prédéfinie ; elles occupent toute la largeur de la fenêtre du navigateur.

Parfois, vous souhaiterez ajouter un peu d'espace au-dessus et au-dessous d'une ligne horizontale pour éviter que le texte ou l'image n'en soit trop rapproché. Le code ci-dessous vous montre comment faire :

```
<HTML>
<BODY>
Premier paragraphe
<P>
<HR>
<P>
Second paragraphe
</BODY>
</HTML>
```

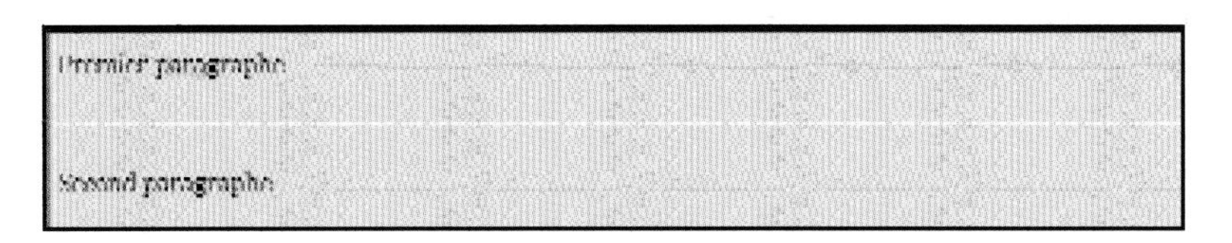

Pour ajouter de l'espace avant et après une ligne horizontale, utilisez la balise de fin de paragraphe (<P>).

Autres possibilités de lignes HTML

Le langage HTML permet de créer différents types de lignes :

- lignes de différentes largeurs ;
- lignes de différentes épaisseurs ;
- lignes alignées à gauche ;
- lignes de couleur unie au lieu d'être en relief.

Lorsque vous définissez une largeur pour la ligne, celle-ci sera automatiquement centrée. La valeur que vous indiquez après le signe = (égale) détermine la largeur de la ligne en pixels.

<HR WIDTH=10 SIZE=400> Pour transformer une ligne horizontale en ligne verticale, il suffit de modifier les attributs WIDTH et SIZE.

Voici comment créer une ligne de 25 pixels de largeur :

```
<HR WIDTH="25">
```

L'utilisation de l'attribut WIDTH vous permet de déterminer la largeur ; la ligne résultante est automatiquement centrée. C'est la valeur placée après le signe = (égale) qui définit la largeur de la ligne.

La ligne de code qui suit permet de définir l'épaisseur de la ligne. Notez que la hauteur de la page en est modifiée :

```
<HR SIZE="10">
```

En changeant l'attribut SIZE, vous modifiez l'épaisseur de la ligne.

La ligne de code ci-dessous modifie à la fois l'épaisseur et la largeur de la ligne. Dans ce cas, la forme de ligne résultante est un carré.

```
<HR SIZE="25" WIDTH="25">
```

En modifiant à la fois largeur et épaisseur de la ligne, on peut créer diverses formes rectangulaires, comme ici un carré.

La ligne de code qui suit crée un carré de 10 pixels de côté aligné à gauche :

```
<HR ALIGN=LEFT SIZE="10" WIDTH="10">
```

Vous pouvez utiliser des attributs d'alignement avec les lignes.

Dans l'exemple suivant, on a supprimé l'effet 3D :

```
<HR NOSHADE>
```

L'attribut NOSHADE permet de créer une ligne unie de couleur noire.

Lignes horizontales et textures d'arrière-plan

Si vous utilisez une texture ou une image d'arrière-plan pour votre page Web et que vous y insériez des lignes horizontales, la texture ou l'image sera mise en relief par les lignes.

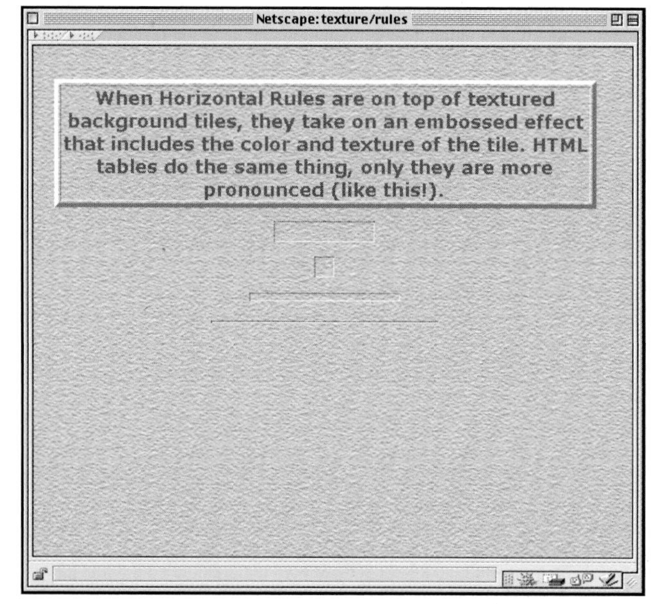

Cet exemple montre l'image de base utilisée pour l'arrière-plan (à gauche) et la page Web résultante ; celle-ci comporte des lignes horizontales et un tableau.

Lignes horizontales personnalisées

Tout effet devient lassant lorsqu'on le voit trop souvent, et les lignes horizontales n'y font pas exception. Les indications ci-dessous vous montreront comment créer des lignes horizontales « maison ». Lorsque vous dessinez vos propres lignes, l'image que vous créez détermine épaisseur et largeur de la ligne. Et comme n'importe quelle image, elle peut être lissée ou non, entrelacée, transparente, floue, au format GIF ou JPEG, en 2D ou en 3D, etc.

Pour insérer dans une page une image servant de ligne horizontale, le code HTML à utiliser sera du type :

```
<IMG SRC="nom_de_l'image_servant_de_ligne.gif">
```

Utilisation de Photoshop 5 pour créer des lignes personnalisées

La dernière version de Photoshop comprend de nombreux outils intéressants permettant de créer des lignes horizontales. Les exercices qui suivent vous montreront différentes techniques faisant appel à ces outils.

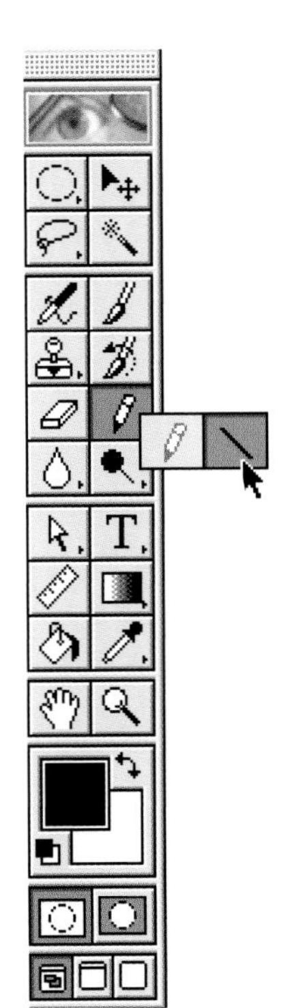

L'outil Trait (Line) est caché sous l'outil Crayon (Pencil). Une fois l'outil Trait sélectionné, double-cliquez dessus dans la palette d'outils pour faire apparaître sa palette d'options.

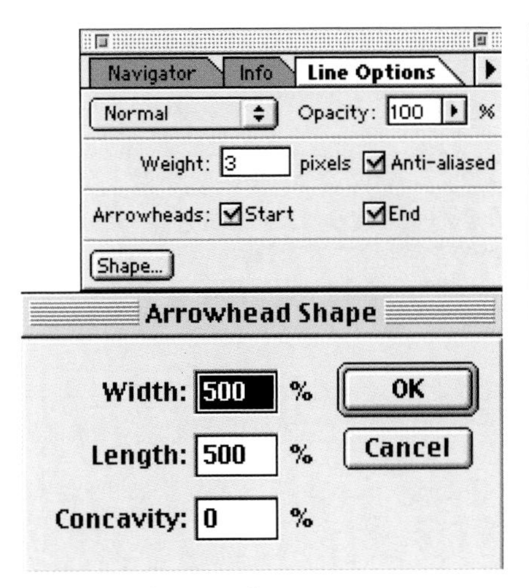

La palette d'options de trait vous permet de déterminer l'épaisseur du trait créé et la présence de pointes de flèches aux extrémités du trait. En cliquant sur le bouton Forme (Shape), vous ouvrez la boîte de dialogue Flèche qui vous permet de personnaliser les pointes de flèches.

Créez vos lignes horizontales sur des calques transparents pour pouvoir les déplacer et les modifier plus facilement.

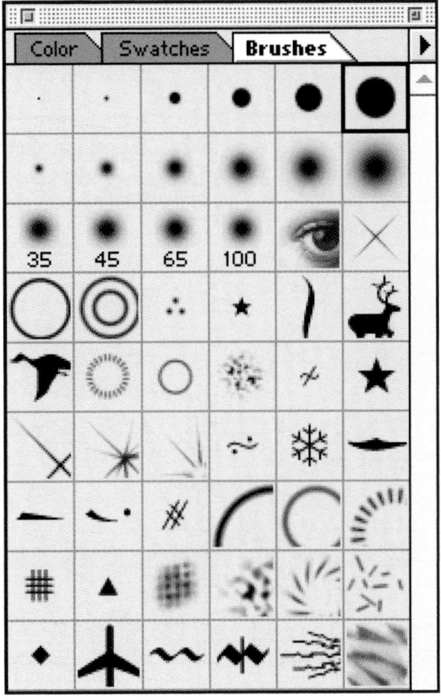

Photoshop vous permet de choisir différents ensembles de formes. Celles que vous voyez ci-contre sont livrées avec le logiciel. Pour y accéder, ouvrez le menu de la palette Formes (Brushes) et choisissez Charger une palette (Load Brushes). Trouvez ensuite le fichier Formes assorties ou Assorted Brushes dans le sous-dossier Goodies\Brushes, qui se trouve lui-même dans le dossier de Photoshop.

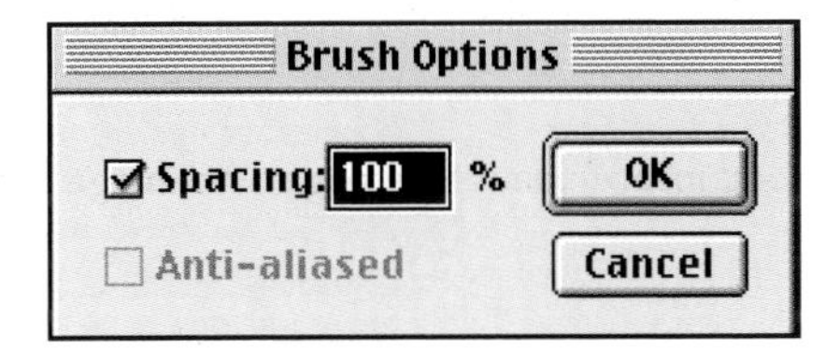

En double-cliquant sur l'une des formes de la palette, vous ouvrez la boîte de dialogue Options de forme (Brush Options). Choisissez un pas de 100 %, puis dessinez une ligne droite avec le Pinceau. La touche Maj vous permettra de contraindre les déplacements à l'horizontale. Vous créerez ainsi une ligne en pointillés basée sur la forme sélectionnée.

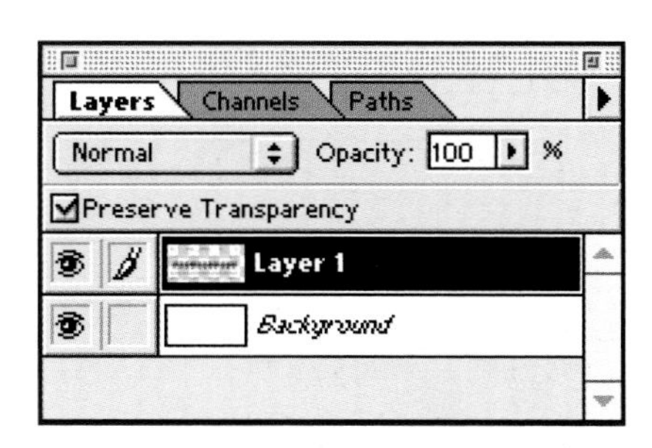

L'option Préserver les zones transparentes (Preserve Transparency) est cochée ; ainsi, il est facile de changer la couleur du motif en noir et blanc créé avec le Pinceau.

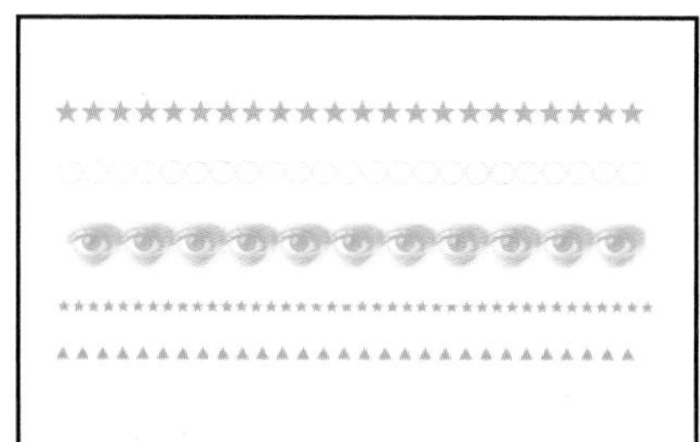

Ces lignes ont été colorées avec le Pinceau après avoir été créées en niveaux de gris.

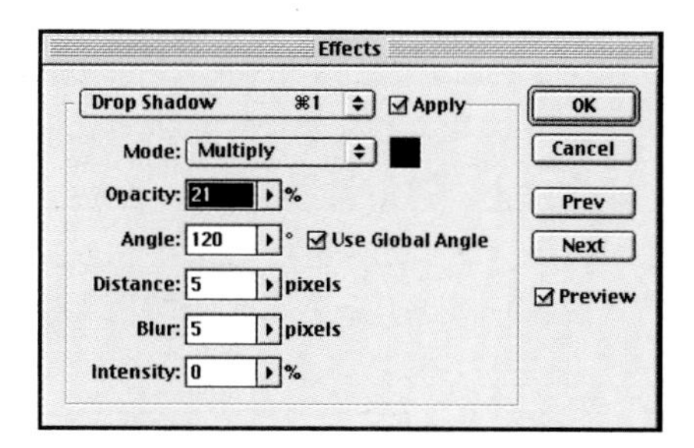

En choisissant Calque:Effets:Ombre portée (Layer:Effects:Drop Shadow), j'ai appliqué une ombre portée au dessin. Cet effet ne peut être obtenu que pour des dessins situés sur des calques transparents.

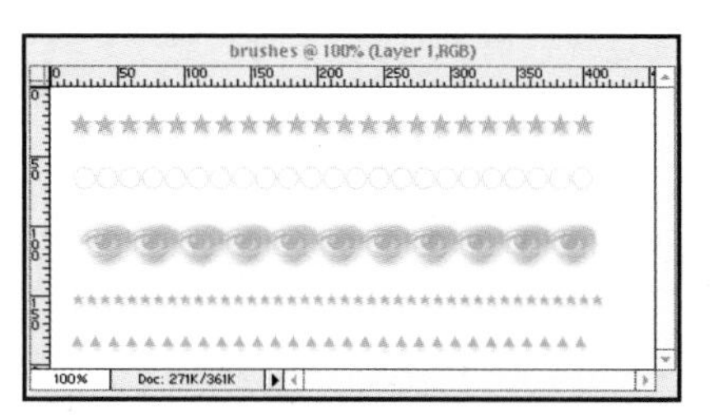

Le résultat obtenu a plus de relief que la version sans ombre portée.

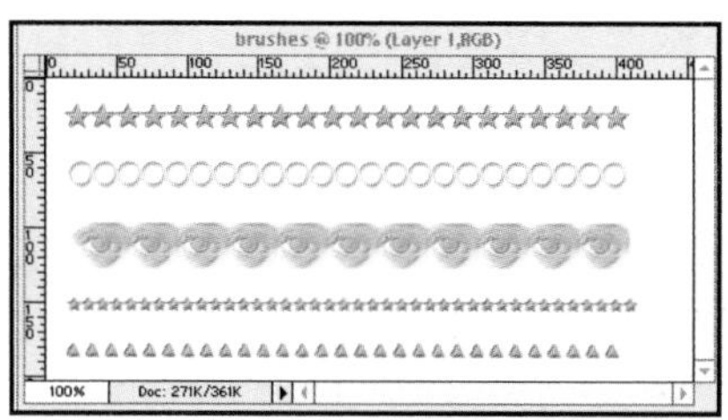

Ici, c'est l'option Estampage oreiller (Pillow Emboss) qui a été choisie dans le sous-menu Calque:Effets (Layer:Effects).

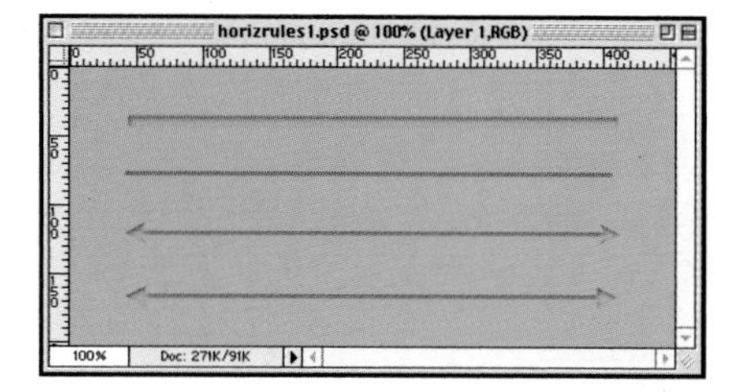

Pour obtenir cet effet, choisissez l'option Calque:Effets:Ombre interne (Layer:Effects: Inner Shadow).

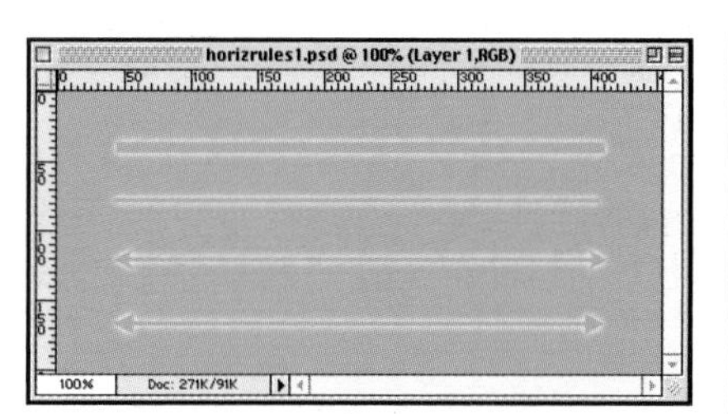

Pour obtenir cet effet, choisissez l'option Calque:Effets:Lueur externe (Layer:Effects: Glow).

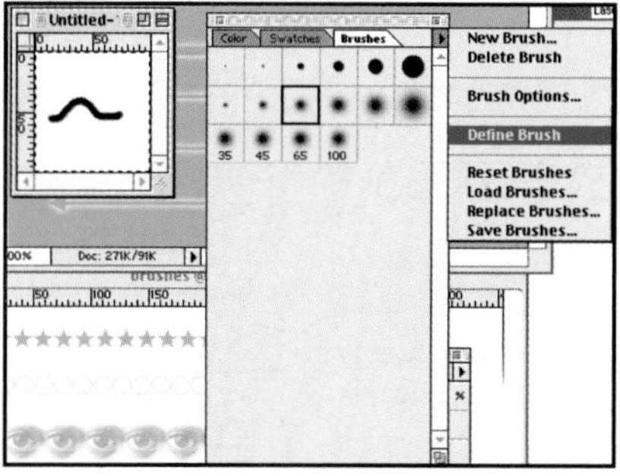

Pour créer des formes personnalisées, procédez comme suit : dessinez la forme que vous voulez créer, puis sélectionnez-la. Choisissez ensuite Créer une forme (Define Brush) dans le menu de la palette Formes. La forme nouvellement créée sera stockée dans une case vide de la palette Formes.

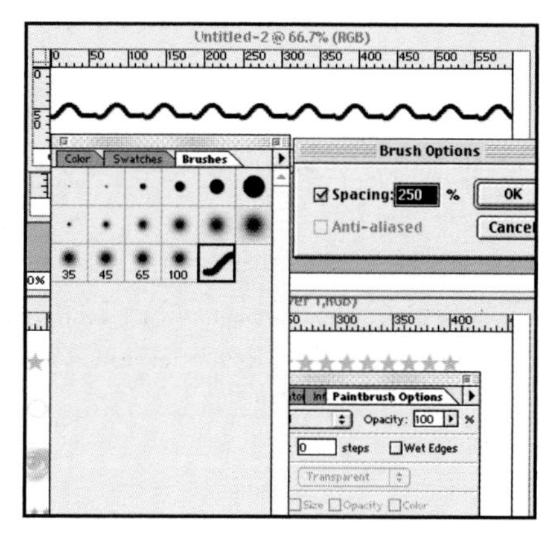

En modifiant le Pas (Spacing) de la forme dans la boîte de dialogue d'options de la forme, on obtient un motif qui se répète.

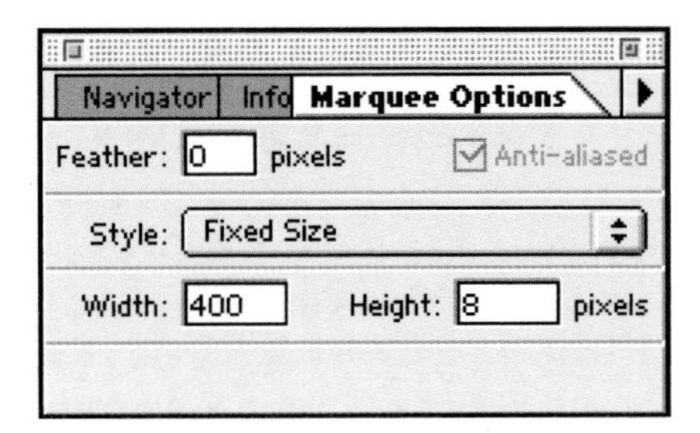

En double-cliquant sur l'outil Rectangle de sélection (Selection Marquee), vous affichez sa palette d'options. Entrez dans les champs Hauteur et Largeur (Height et Width) la taille voulue pour votre ligne, puis créez une sélection. Utilisez ensuite l'outil Dégradé réfléchi (Gradient) pour créer un effet de relief en niveaux de gris tel que celui de la figure suivante.

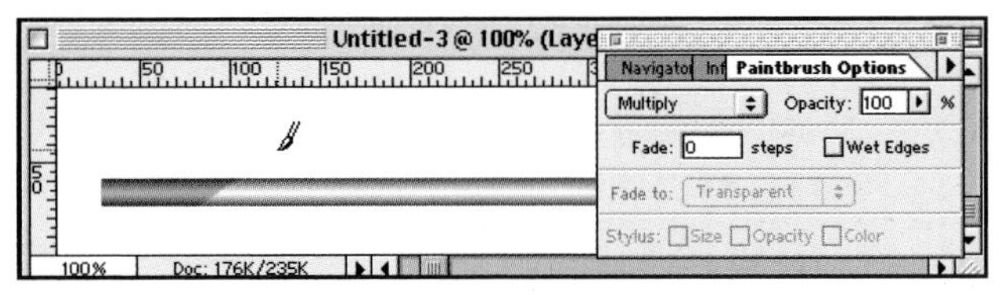

Une fois la forme en relief créée, vous pouvez la colorer à votre guise. Si vous utilisez le mode Produit (Mutliply), le relief sera visible à travers la couleur que vous appliquez au Pinceau. En revanche, ce mode ne permet pas de modifier le blanc ou le noir pur, c'est pourquoi j'ai utilisé des nuances de gris pour créer le relief.

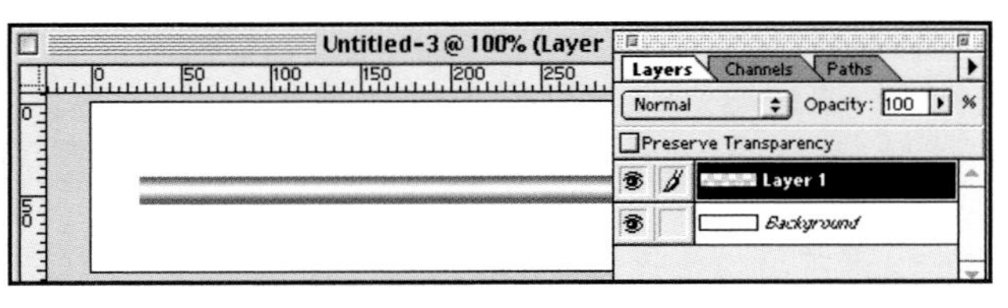

Les groupes de détourage (Clipping layers) permettent d'obtenir des lignes comportant des motifs. Commencez par créer une ligne en relief en niveaux de gris comme ci-dessus.

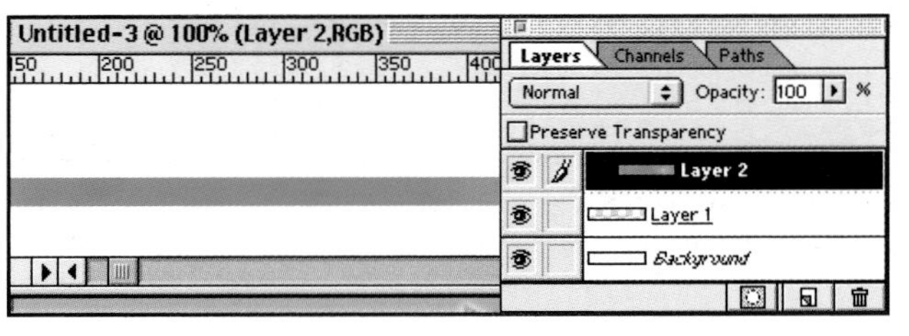

Placez le pointeur entre le calque de la texture et celui de la ligne en relief, enfoncez la touche Opt/Alt et cliquez. La ligne qui sépare les deux calques apparaît maintenant en pointillés.

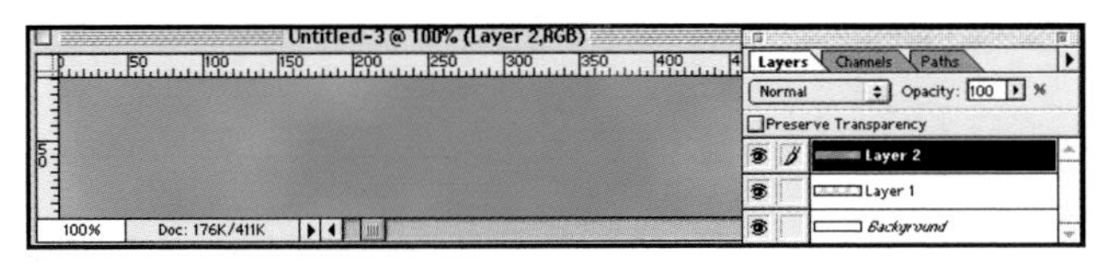

Créez ou importez une texture et placez-la en tant que calque au-dessus du motif en relief.

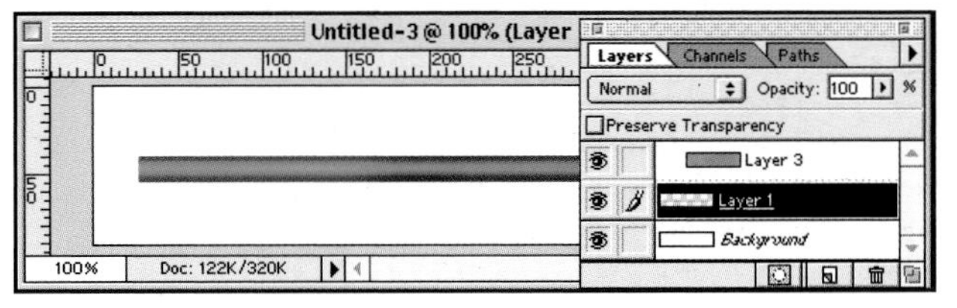

Si vous choisissez maintenant le mode Produit pour le calque du haut, l'effet de relief sera visible à travers la texture. Ici encore, il est préférable d'éviter les noirs et les blancs purs dans la mesure où ceux-ci ne sont pas affectés par le mode Produit.

Lignes verticales

Dans le domaine du graphisme Web, l'insertion de lignes verticales n'est pas une tâche facile. La création des lignes elle-même ne diffère en rien de celle des autres types d'éléments décrits dans ce chapitre ; le problème est celui de leur alignement.

Les lignes verticales peuvent être alignées à l'aide de tableaux HTML ; vous pouvez également utiliser un motif d'arrière-plan comportant une ligne verticale sur le côté gauche.

Comment placer une ligne verticale dans une page Web ? Le HTML ne fournit pour cela aucun moyen simple ; utilisez des tableaux, comme l'explique le Chapitre 17.

Cliparts servant de lignes

Il existe de nombreux sites Web proposant gracieusement des cliparts, et d'autres qui demandent une petite contribution pour leur travail. Les cliparts sont un répertoire d'idées inépuisable, et des outils tels que Photoshop (ou d'autres logiciels de dessin) vous permettront d'en créer des variantes infinies. Si vous modifiez des cliparts, lisez au préalable le contrat de licence qui leur correspond et assurez-vous que vous avez le droit de les modifier. En cas de doute, lisez les fichiers « Readme » ou « Lisezmoi » qui accompagnent généralement les images.

Gifs 4 Us

Jay Boersma propose une riche collection d'images :
http://www.ecn.bgu.edu/users/gas52r0/Jay/home.html

Recherche de cliparts avec Yahoo!
(en français)
http://www.yahoo.fr/Informatique_et_multimedia/Internet/World_Wide_Web/Conception_de_pages/Graphisme/
(en anglais)
http://dir.yahoo.com/Computers_and_Internet/Graphics/Clip_Art/

Listes à puces

On trouve des listes de divers types dans toutes sortes de publications, y compris les pages Web. Les puces sont fréquemment utilisées pour mettre en relief les différents éléments d'une liste. Sur le Web, les puces peuvent ressembler à de simples points noirs et ronds, comme les puces standards des traitements de texte, ou elles peuvent avoir une apparence plus personnalisée, comme c'est le cas pour les puces des CD-ROM ou des magazines. La création de puces personnalisées est semblable à la création de lignes personnalisées ; en fait, il est possible de créer une puce à partir de n'importe quelle image ou presque.

Lorsque vous créez des listes à puces pour une page Web, vous pouvez choisir de créer des puces HTML ou d'utiliser des puces basées sur des images. Les puces HTML sont créées à l'aide de balises HTML définissant en tant que liste à puces la liste que vous créez ; les puces ainsi créées sont rondes ou carrées. Les puces basées sur des images sont basées sur des cliparts ou créées par vous-même ; elles peuvent servir à enjoliver une liste ou être utilisées comme liens.

Listes à puces HTML

La création de listes à puces HTML représente beaucoup moins de travail que la création de puces personnalisées. Si vous créez une page d'aspect sobre, des listes à puces HTML feront très bien l'affaire ; dans de nombreuses circonstances, elles seront plus adaptées à votre page Web que des puces sophistiquées basées sur des images.

Pour créer une liste dont les puces sont des points ronds de couleur unie, utilisez la balise UL (UL=Unordered List, ou liste non numérotée). Combinez cette balise avec la balise LI (List Item, ou élément de liste), comme le montre le code ci-dessous :

```
<P>
<UL>
<LI> Premier élément de la liste
<LI> Deuxième élément de la liste
<LI> Troisième élément de la liste
</UL>
```

- Premier élément de la liste
- Deuxième élément de la liste
- Troisième élément de la liste

La liste à puces obtenue à l'aide de la balise <UL>.

Il est possible de créer des listes dans des listes à l'aide d'une seconde balise UL, comme le montre le code ci-dessous :

```
<P>
<UL>
<LI> Premier élément de la liste
<LI> Deuxième élément de la liste
<LI> Troisième élément de la liste
<UL>
<LI> Un autre type d'élément
<LI> Encore un autre type d'élément
<LI> Et encore un autre type d'élément
</UL>
```

- Premier élément de la liste
- Deuxième élément de la liste
- Troisième élément de la liste
  - Un autre type d'élément
  - Encore un autre type d'élément
  - Et encore un autre type d'élément

Vous pouvez créer des listes dans les listes en insérant une balise UL avant la balise de fin /UL.

Les éléments de votre liste peuvent être des liens vers d'autres pages ou d'autres sites ; utilisez pour cela les balises <A HREF></A>. Le code ci-dessous montre comment créer une liste dont les éléments sont des liens :

```
<P>
<UL>
<LI> <A HREF="http://www.domaine.fr">Premier
élément de la liste</A>
<LI> <A HREF="http://www.domaine.fr">Deuxième
élément de la liste</A>
<LI> <A HREF="http://www.domaine.fr">Troisième
élément de la liste</A>
</UL>
```

- Premier élément de la liste
- Deuxième élément de la liste
- Troisième élément de la liste

Les éléments de votre liste peuvent être du texte simple ou des liens hypertexte.

Listes numérotées et de définitions

Dans certaines situations, les listes que vous créerez ne seront pas précédées de puces. Ainsi, lorsque vous décrivez une série d'étapes devant être suivies dans un certain ordre, vous utiliserez des listes numérotées plutôt que des listes à puces. De la même façon, des listes de type glossaire se présenteront sous la forme de paragraphes en retrait dépourvus de puces ou de numéros.

Pour créer une liste numérotée, utilisez la balise OL (*Ordered List*, liste numérotée). Le code ci-dessous vous montre comment utiliser la balise OL pour créer une liste numérotée :

```
<P>
<OL>
<LI> Premier élément de la liste
<LI> Deuxième élément de la liste
<LI> Troisième élément de la liste*
</OL>
<P>
```

1. Premier élément de la liste
2. Deuxième élément de la liste
3. Troisième élément de la liste

La balise OL permet de créer des listes numérotées.

Si vous souhaitez créer une série de paragraphes en retrait non précédés d'une puce ou d'un numéro, utilisez la balise DL (*Liste de définitions*). Faites précéder les éléments sans retrait de la balise DT et les éléments comportant un retrait de la balise DD, comme le montre le code ci-dessous :

```
<DL>
<DT>
Une liste d'éléments<P>
<DD> Premier élément de la liste
<DD> Deuxième élément de la liste
<DD> Troisième élément de la liste*
</DL>
```

Une liste d'éléments

Premier élément de la liste
Deuxième élément de la liste
Troisième élément de la liste

La balise DL permet de créer des listes composées d'éléments en retrait.

Vous pouvez également modifier la forme des puces générées par les navigateurs à l'aide des attributs TYPE=circle ou TYPE=square, comme le montre le code ci-dessous :

```
<UL>
<LI TYPE=circle>Puce ronde
<LI TYPE=square>Puce carrée
</UL>
```

- Puce ronde
- Puce carrée

L'attribut TYPE vous permet de définir la forme des puces générées par le HTML.

Vous avez également la possibilité de créer des listes dont la numérotation soit basée sur des lettres ou des chiffres romains ; le tableau suivant vous indique les différentes possibilités existantes.

Variations sur le thème de la liste numérotée

Balise	Type	Exemple
TYPE=1	Chiffres	1, 2, 3
TYPE=A	Capitales	A, B, C
TYPE=a	Bas de casse	a, b, c
TYPE=I	Chiffres romains en capitales	I, II, III
TYPE=i	Chiffres romains bas de casse	i, ii, iii

L'exemple qui suit montre les différentes variantes obtenues :

code

```
<OL>
<LI TYPE=1> Premier élément de la liste
<LI TYPE=1> Deuxième élément de la liste
<LI TYPE=1> Troisième élément de la liste*
<P>
<LI TYPE=A> Premier élément de la liste
<LI TYPE=A> Deuxième élément de la liste
<LI TYPE=A> Troisième élément de la liste*
<P>
<LI TYPE=a> Premier élément de la liste
<LI TYPE=a> Deuxième élément de la liste
<LI TYPE=a> Troisième élément de la liste*
<P>
<LI TYPE=I> Premier élément de la liste
<LI TYPE=I> Deuxième élément de la liste
<LI TYPE=I> Troisième élément de la liste*
<P>
<LI TYPE=i> Premier élément de la liste
<LI TYPE=i> Deuxième élément de la liste
<LI TYPE=i> Troisième élément de la liste
</OL>
```

1. Premier élément de la liste
2. Deuxième élément de la liste
3. Troisième élément de la liste

D. Premier élément de la liste
E. Deuxième élément de la liste
F. Troisième élément de la liste

g. Premier élément de la liste
h. Deuxième élément de la liste
i. Troisième élément de la liste

X. Premier élément de la liste
XI. Deuxième élément de la liste
XII. Troisième élément de la liste

xiii. Premier élément de la liste
xiv. Deuxième élément de la liste
xv. Troisième élément de la liste

Un exemple des différents types de numérotation de liste.

Puces personnalisées

Si vous souhaitez utiliser des puces plus originales que de banals cercles ou carrés, ou si vous souhaitez qu'elles puissent être utilisées comme liens, vous pouvez créer vos propres puces personnalisées. Ces puces pourront avoir une fonction esthétique ou une fonction pratique, dans le cas où elles servent de liens vers une autre page.

Si vous prévoyez d'utiliser des images créées par vos soins ou des cliparts, vous devrez faire appel à d'autres balises HTML que celles dont il a été question plus haut. Si vos puces ont simplement une fonction décorative, utilisez la balise IMG SRC pour placer des images devant chacun des éléments de la liste, comme le montre le code ci-dessous. N'utilisez pas les balises OL ou UL : c'est l'image qui servira de puce et qui provoquera le retrait. En revanche, vous devrez insérer une balise BR à la fin de chaque élément de la liste pour indiquer au navigateur de passer à la ligne ; cette balise était superflue dans le cas des listes HTML. Par ailleurs, j'ai utilisé un attribut d'alignement (voir le Chapitre 17) pour que le texte soit correctement placé par rapport aux images.

```
<IMG SRC="flrouge.gif" ALIGN=MIDDLE>
Elément important n°1<BR>
<IMG SRC="flrouge.gif" ALIGN=MIDDLE>
Elément important n°2<BR>
<IMG SRC="flrouge.gif" ALIGN=MIDDLE>
Elément important n°3<BR>
<IMG SRC="flrouge.gif" ALIGN=MIDDLE>
Elément important n°4<BR>
```

Here's a list that uses custom images for bullets.

Important Item One

Important Item Two

Important Item Three

Important Item Four

Cet exemple montre une liste à puces obtenue à l'aide d'images et non à l'aide de HTML. La flèche rouge (flrouge.gif) est une image distincte qui a été utilisée à quatre reprises.

Si vous souhaitez faire de vos puces des liens menant vers d'autres pages, utilisez la balise <A HREF></A>, comme le montre le code ci-dessous. Dans la mesure où les images servant de lien comportent généralement un bord bleu, utilisez l'attribut BORDER="0" avec la balise IMG SRC (le Chapitre 11 vous en apprendra plus sur ce sujet). Notez que, dans l'exemple ci-dessous, le pointeur qui se trouve au-dessus du serpent a la forme d'une main, ce qui indique que l'image sous-jacente est un lien.

```
<P>
<A HREF><IMG SRC="lynda.gif" ALIGN=MIDDLE
BORDER="0"></A> Lynda<BR>
<A HREF><IMG SRC="jamie.gif" ALIGN=MIDDLE
BORDER="0"></A> Jamie<BR>
<A HREF><IMG SRC="stinky.gif" ALIGN=MIDDLE
BORDER="0"></A>Stinky<BR>
<A HREF><IMG SRC="elmers.gif" ALIGN=MIDDLE
BORDER="0"></A> Elmers<BR>
<A HREF><IMG SRC="jasonjr.gif" ALIGN=MIDDLE
BORDER="0"></A> Jason Jr.<BR>
<A HREF><IMG SRC="climber.gif"
ALIGN=MIDDLE BORDER="0"></A>Climber<BR>
<A HREF><IMG SRC="sam.gif"
ALIGN=MIDDLE
BORDER="0"></A>Sam (whose tail is growing back)<BR>
```

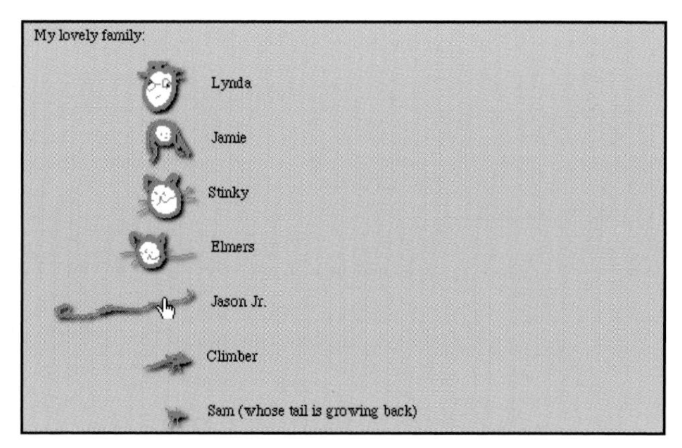

Un autre exemple de l'utilisation de la balise IMG SRC, avec une image différente pour chacun des éléments de la liste.

Création de puces personnalisées

Tous les programmes de dessin permettent de se livrer à des expérimentations de toutes sortes lors de la création de puces personnalisées. Il n'y a pas de règles particulières à suivre, sauf en ce qui concerne la taille des puces, qui doit correspondre à celle du texte. Lorsqu'on crée une puce correspondant au texte en corps 12 généré par le code HTML, il est difficile d'y ajouter beaucoup de détails.
Si vous souhaitez créer des puces plus grandes, faites en sorte que le texte de la liste soit lui aussi plus grand. Vous trouverez plus d'informations sur la manière de contrôler la taille du texte dans le Chapitre 16 de ce livre.

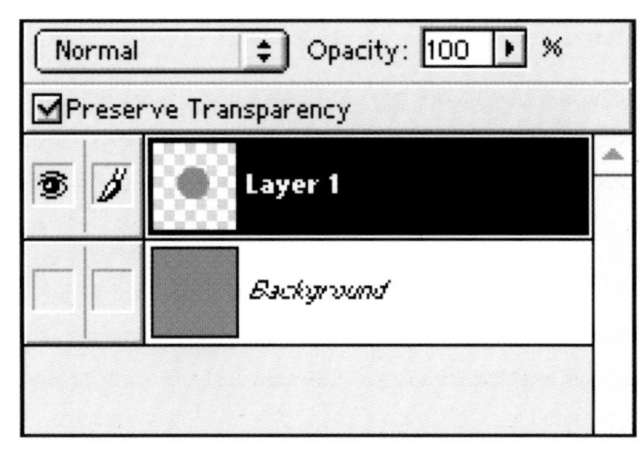

Le document servant de base aux exemples ci-dessous : un fond uni et un disque de la même couleur placé sur un calque transparent.

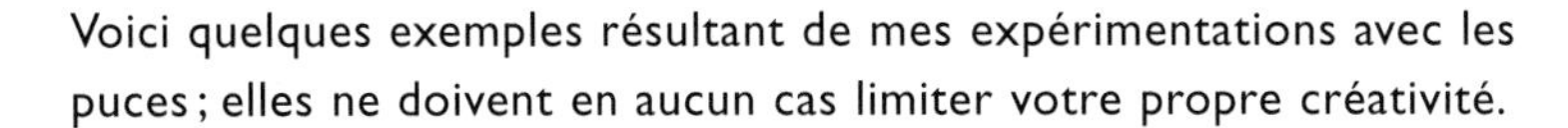

Voici quelques exemples résultant de mes expérimentations avec les puces ; elles ne doivent en aucun cas limiter votre propre créativité.

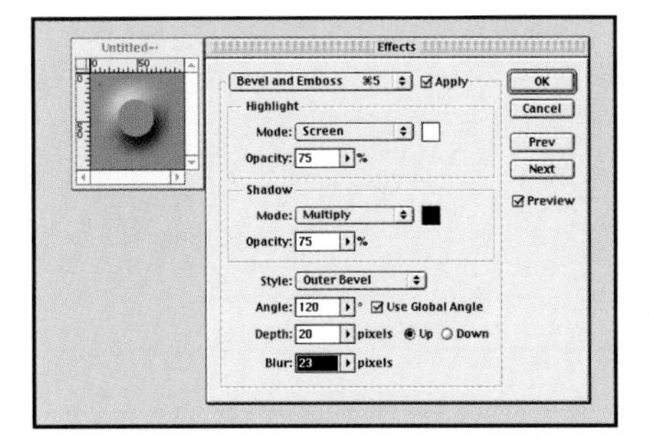

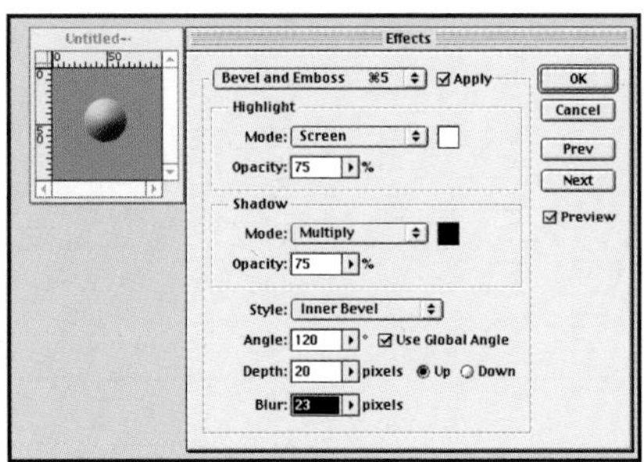

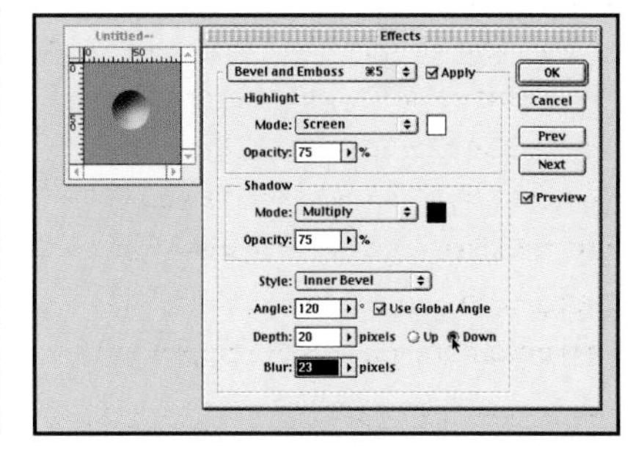

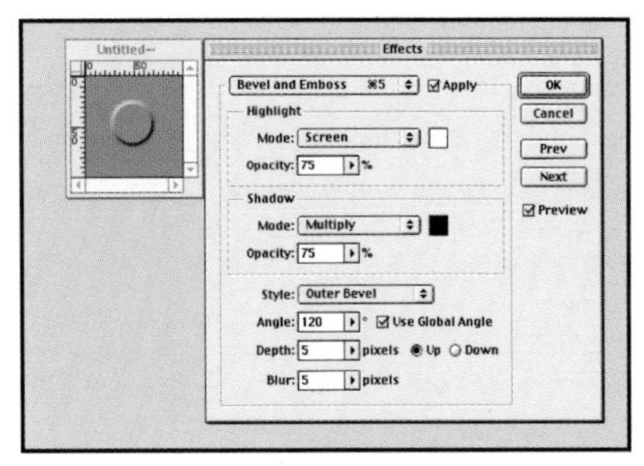

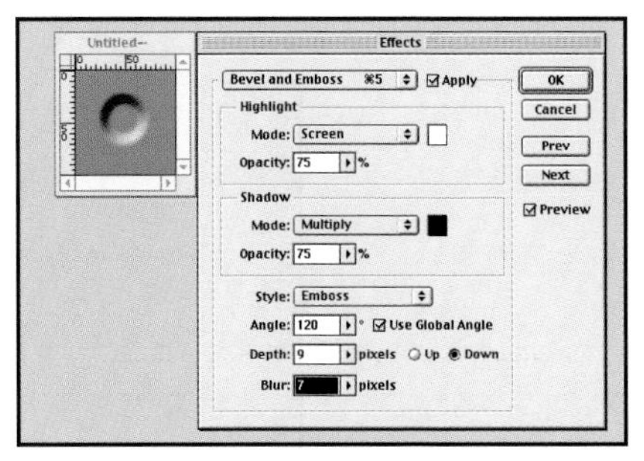

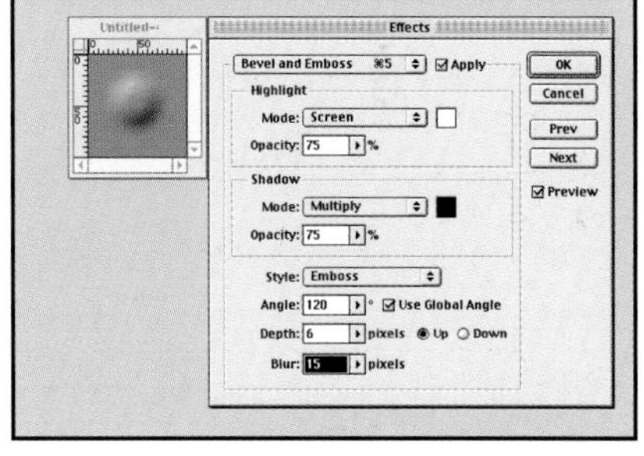

Les exemples de boutons ci-dessus ont été créés à l'aide de la commande Calque:Effets (Layer:Effects). En changeant les paramètres de Profondeur et d'Atténuation (Depth et Blur), on obtient différentes variations sur un même thème.

Création de boutons avec les effets de calque de Photoshop

Les boutons sont généralement plus grands que les puces et sont toujours utilisés comme liens (et pas seulement pour mettre en valeur un élément dans une liste). Vous pouvez donner à vos boutons toutes sortes de formes et toutes sortes de styles ; il n'y a pas de bonne ou de mauvaise manière de les créer.

Les effets de calque de Photoshop permettent d'obtenir instantanément différents rendus fréquemment utilisés avec les boutons. Les exemples ci-dessous montrent l'image d'origine et les paramètres de la boîte de dialogue Effets permettant d'obtenir différentes variantes de boutons. N'hésitez pas à effectuer vos propres expérimentations et à utiliser des valeurs autres que les valeurs par défaut de la boîte de dialogue.

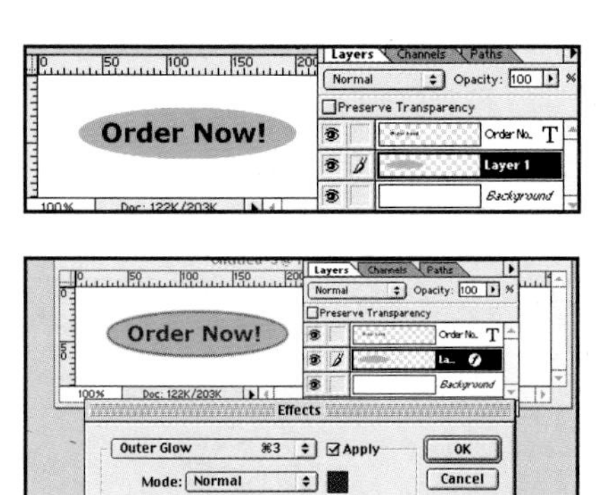

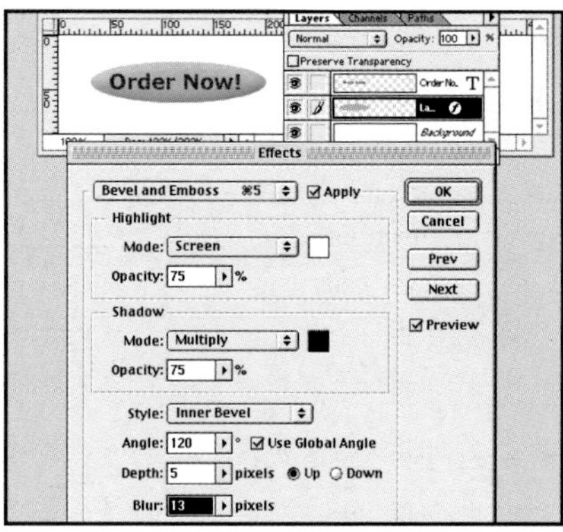

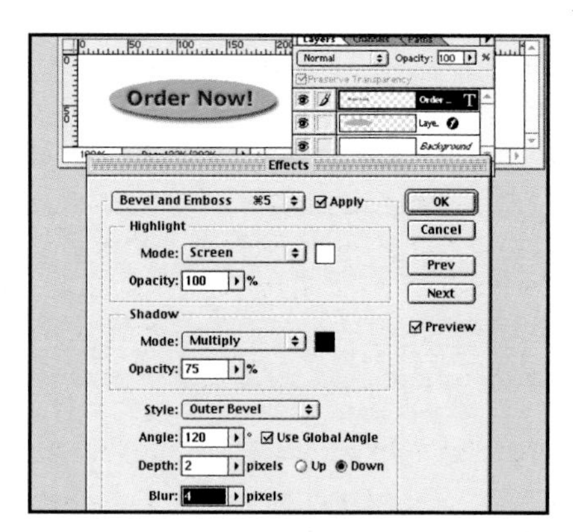

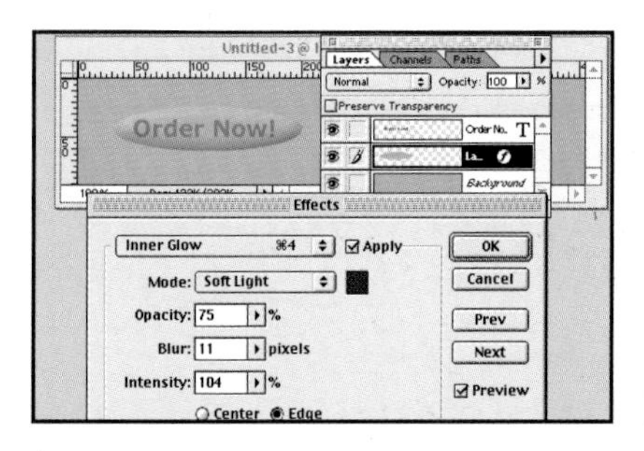

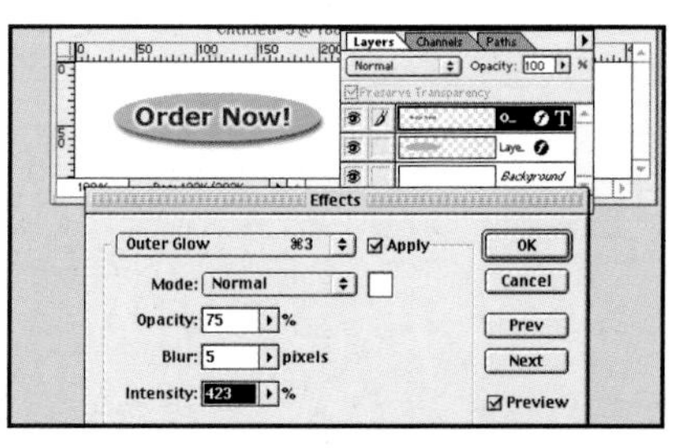

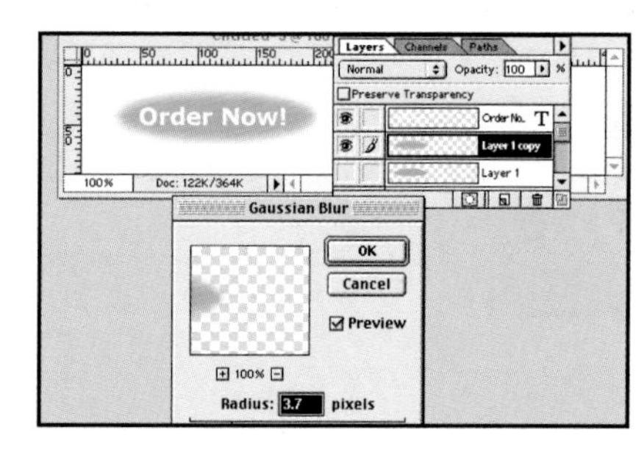

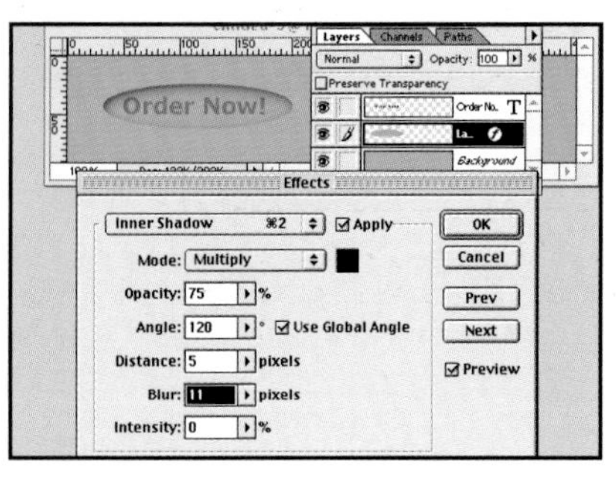

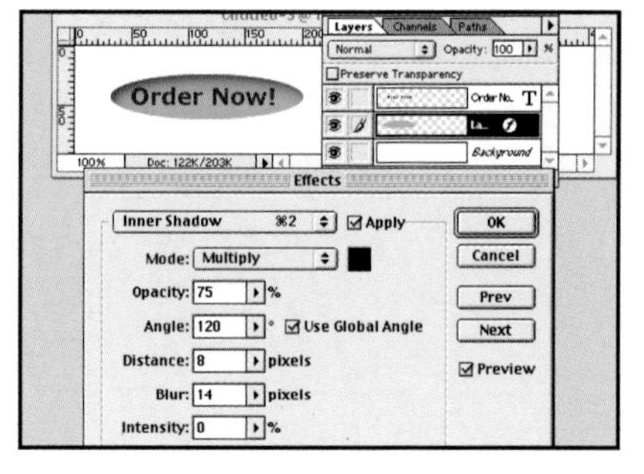

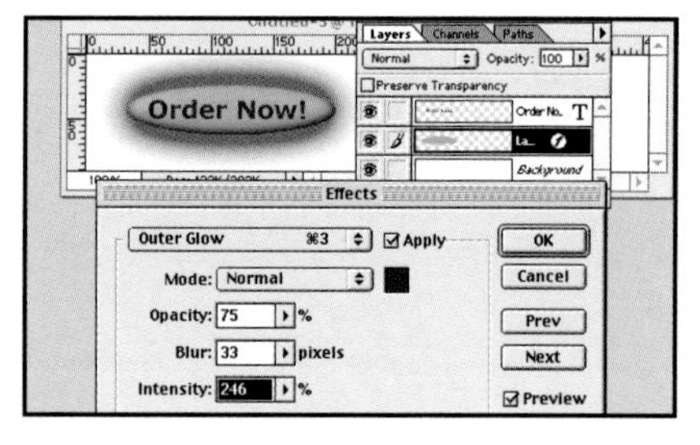

Une série de variations sur le thème du bouton, obtenues en modifiant les paramètres de la boîte de dialogue Effets (Effects).

Cliparts utilisés comme boutons

Vous trouverez des cliparts utilisables comme boutons un peu partout sur le Web. L'utilisation de cliparts en tant que boutons est semblable à celle des puces personnalisées ; utilisez la balise IMG SRC si vous souhaitez n'utiliser le bouton qu'à des fins décoratives et les balises <A HREF=""> <IMG SRC="" BORDER="0"></A> pour en faire des liens. En général, les cliparts qu'on trouve sur le Web sont au format GIF ou JPEG ; si ce n'est pas le cas, utilisez Photoshop pour effectuer la conversion.

Les puces peuvent être purement abstraites, par exemple des points ronds ou des carrés, mais elles peuvent aussi avoir une signification. **Michael Herrick** (http://www.matterform.com) propose des puces qui sont de petites images (nommées en anglais *QBullets*). Ces petites images permettent à l'utilisateur de savoir instantanément ce qui se trouve au bout du lien : fichier à télécharger, image, courrier électronique, site FTP, etc.

Précision intéressante, les QBullets peuvent être utilisés à volonté et gratuitement. Vous trouverez plus d'informations sur les principes d'utilisation des QBullets sur le site de leur créateur.

Quelques QBullets agrandis.

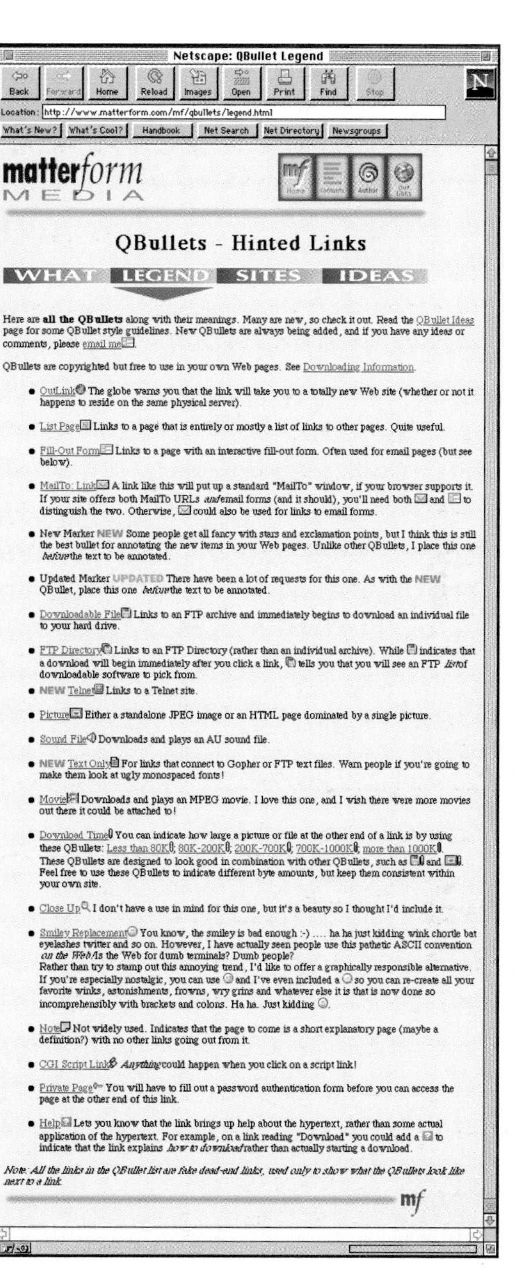

La collection complète de QBullets comprend 22 icônes pouvant être gratuitement téléchargées ; seule obligation : mentionner l'origine des QBullets sur son site Web.

Résumé Lignes, boutons et listes

Comme vous l'a montré ce chapitre, il existe de nombreuses manières de créer des lignes, des puces et des boutons pour le Web. Nous avons vu en particulier :

- qu'il est possible de personnaliser les lignes HTML à l'aide des attributs SIZE et WIDTH ;
- que les lignes HTML sont « transparentes » et laissent voir le motif d'arrière-plan ;
- que n'importe quelle image peut être utilisée en tant que ligne horizontale à l'aide de la balise IMG ;
- que le HTML permet de créer des listes à puces, numérotées ou avec un simple retrait ;
- que les effets de calque de Photoshop 5 permettent de créer boutons et puces d'un simple clic.

Introduction

Imagemaps

Au sommaire de ce chapitre

15

Les types d'images dont il a été question jusqu'ici sont de deux natures : liens ou images statiques. Une imagemap (on dit aussi « image mappée », « image réactive » ou « image cliquable ») est une image comprenant plusieurs liens au lieu d'un seul. Une imagemap comprend toujours une série de coordonnées qui définissent différentes zones (ou régions), chaque zone correspondant à un lien différent.

Vous trouverez de nombreuses pages qui contiennent des listes de liens soulignés menant vers différentes parties d'un site. Plutôt que d'utiliser une telle liste textuelle, vous pouvez faire appel à une imagemap pour regrouper dans une seule image tous les liens voulus.

En fait, une imagemap n'est rien d'autre qu'une manière sophistiquée de présenter une série de liens. Le temps de téléchargement requis est un peu plus long que pour une liste de liens textuels : cette durée de téléchargement supplémentaire est compensée par le fait que le résultat est plus esthétique et permet au visiteur de s'orienter plus facilement.

Nous verrons dans ce chapitre différentes méthodes de création d'imagemaps et nous verrons également comment insérer ces imagemaps dans votre code HTML.

Imagemaps client et serveur

Il existe deux types d'imagemaps : les imagemaps client et les imagemaps serveur. Avant de créer une imagemap, vous devez choisir l'un ou l'autre de ces types, ou les deux à la fois.

Les imagemaps client sont plus faciles à créer que les imagemaps serveur, et elles sont également plus faciles à exécuter par votre navigateur. Le terme «client» signifie ici que les informations nécessaires sont contenues dans le code HTML et que le navigateur n'a pas besoin d'accéder au serveur pour y trouver les informations requises. De ce fait, le serveur est moins sollicité et votre imagemap client réagira plus vite.

Lorsqu'on fait appel à une imagemap client, toutes ses coordonnées sont stockées dans le code HTML. Dans le cas d'une imagemap serveur, les coordonnées sont stockées dans un fichier séparé qui se trouve lui-même sur un serveur; pour y accéder, on utilise un script CGI. En général, la mise en place d'une imagemap serveur est bien plus complexe que celle d'une imagemap client; les imagemaps serveur tendent à fonctionner différemment sur différents types de systèmes, et même sur différentes configurations d'un même système.

Autre différence : dans Netscape, une imagemap serveur affiche simplement les coordonnées du pointeur dans la barre d'état, alors qu'une imagemap client affiche directement l'URL de destination.

La plupart des créateurs de pages Web préfèrent les imagemaps client aux imagemaps serveur, mais certains navigateurs anciens ne prennent pas en charge les balises correspondantes. C'est la raison pour laquelle la plupart des webmestres utilisent les deux types d'imagemaps.

D'une manière générale, la création d'une imagemap est plus compliquée que celle d'un ensemble d'images faisant appel aux balises <A HREF><IMG SRC></A>, et ce pour différentes raisons. Il faut déterminer les coordonnées en pixels de chacune des zones, puis coder de manière spécifique ces zones. Si vous vous trompez d'une virgule, d'un espace ou d'un chiffre, votre imagemap ne fonctionnera pas. Dans le cas d'une imagemap client, vous placerez les coordonnées dans le document HTML; dans le cas d'une imagemap serveur, elles seront stockées dans un document séparé. Et, bien entendu, les coordonnées des imagemaps serveur et client n'obéissent pas à la même syntaxe. Le reste de ce chapitre explique ces différences et montre comment créer des imagemaps serveur et client.

```
<html
    <head><title>clientside imagemap</title></head>

  <body>
     img src=" images/sign gif" width="200" height="200" usemap="#sig
    <area coords="126,117,126, 17,130,105,152,127 127,139,126,131 104
    href="http //www lynda com/books/">
    <area coords="62,111,62,11 ,44,109,47,101,20, 16.35,131,44 124,62
     href="http //www lynda com/classes/">
     <area coords="56,33,100,61" shape="rect"
     href="http //www lynda com"></map>
  </body>

</html
```

Les imagemaps client sont toujours intégrées au code HTML. Ici, on voit qu'on a affaire à une imagemap client dans la mesure où c'est l'attribut USEMAP qui est utilisé. Les nombres séparés par les virgules sont les coordonnées définissant les zones de l'imagemap.

```
<html
<head><title>server-side</title></head>
   <body>
   <a href="/images/sign2.map">
      <img src="/images/sign2.gif" width="200" height="200"  border="0" ismap>
         </a>
   </body>
</html>
```

Ce code HTML ne contient pas de coordonnées : celles des zones des imagemaps serveur sont stockées dans un fichier séparé. Notez la présence de l'attribut ISMAP : il signifie que l'imagemap est de type serveur. Ici, le fichier sign2.map est le fichier comprenant les coordonnées, et le fichier sign2.gif l'image elle-même.

```
rect http //www lynda com/classes/ 16,100 59,138
rect http //www lynda com/books/ 105,103 154,142
poly http //www lynda com 64,59 63,47 54,47 79,33 85,39 89,27 92,32 92,41 98,46
94,49 92,47 86,61 86,49 80.52 82.61
default http //www lynda.com
```

Les coordonnées des zones de l'imagemap sont stockées sur le serveur dans un fichier séparé. Notez que la syntaxe employée est différente de celle de l'imagemap client.

```
<a href="image/sign2.map">
<img src="sign2.gif" width="200" height="200"
 usemap="#sign2" ismap alt="imagemap" border="0"
</a>

<map name="sign2">
<area shape="poly" coords="60, 128" href="http://www.lynda.com"
<area shape="poly" coords="60,128,60,113,42,111,42,99,24,115,39,133,40,124"
href="http://www.lynda.com/classes/" ><area shape="poly"
coords="105,116,104,129,127,129,126,137,153,126,131,109,131,118"
href="http://www.lynda.com/books/"
<area shape="poly"
coords="58,56,60,49,52,47,74,30,82,36,84,29,89,30,89,39,97,41,96,44,93,45,91,55,86,56,84,47,77,47,77,55"
href="http://www.lynda.com"
<area shape="rect" coords="0,0,200,200"
href="http://www.lynda.com" ><AREA SHAPE="DEFAULT" NOHREF>
</map>
```

Voici un exemple de code HTML avec les deux types d'imagemaps.

http://www.razorfish.com/bluedot/typo/menu.map?105,70

La barre d'état de Netscape lorsque le pointeur de la souris se trouve au-dessus d'une imagemap serveur : elle affiche les coordonnées.

http://www.cgibook.com/links.html 

Ici, le pointeur de la souris se trouve au-dessus d'une imagemap client, et c'est l'URL de destination qui est visible.

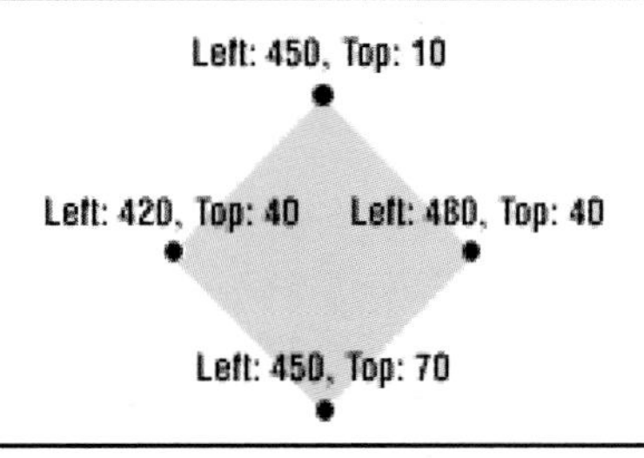

Cette image provient de l'excellent article (en anglais) de Bob Schmitt concernant les imagemaps, que vous pouvez consulter à l'adresse http://webreview.com/wr/pub/98/08/28/studio/index.html. L'illustration montre les coordonnées d'un polygone en forme de losange.

Que vous utilisiez une imagemap client ou serveur, celle-ci doit contenir des coordonnées et des informations de liens. Voici à quoi ressemblent les zones telles qu'elles sont définies dans un éditeur d'imagemaps.

Codage des imagemaps client

Les imagemaps client (et serveur) nécessitent de définir les différentes zones de l'image devant réagir au clic et de créer une liste de coordonnées. Ce type de code est généralement créé à l'aide d'un logiciel dont c'est la spécialité ou à l'aide d'un éditeur HTML. Vous verrez un peu plus loin dans ce chapitre comment créer des imagemaps avec Fireworks ou ImageReady. Pour le moment, nous allons nous intéresser au code servant à générer l'imagemap. Dans cet exemple d'une imagemap client, les coordonnées sont stockées dans le code HTML, ce qui n'est pas le cas pour les imagemaps serveur.

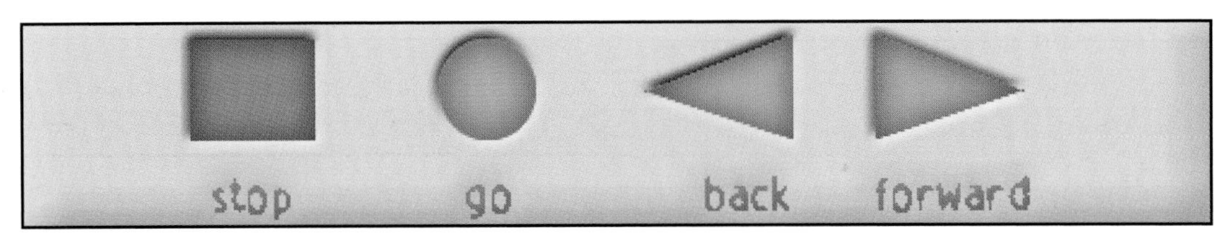

L'image controls.jpg sert de base pour cet exemple d'imagemap.

code

```
1 <IMG SRC="controls.jpg" WIDTH="500" HEIGHT="100"
2 USEMAP="#controls"
3 ISMAP ALT="imagemap" BORDER="0">

4 <MAP NAME="controls">
5 <AREA SHAPE="poly" COORDS="419,41,360,16,360,61"
  HREF="http://www.controller.com/forward.html">
  <AREA SHAPE="poly" COORDS="263,40,322,17,325,60"
  HREF="http://www.controller.com/back.html">
6 <AREA SHAPE="circle" COORDS="197,39,22"
  HREF="http://www.controller.com/go.html">
  <AREA SHAPE="rect" COORDS="70,17,126,60"
  HREF="http://www.controller.com/stop.html">
7 <AREA SHAPE="rect" COORDS="0,0,500,100"
  HREF="http://www.controller.com">
8 <AREA SHAPE="DEFAULT" NOHREF>
9 </MAP>
```

Analyse du code

1. IMG SRC permet de définir le nom du fichier utilisé pour l'imagemap.

2. USEMAP="#controls" indique qu'on utilise le nom MAP NAME "controls".

3. ALT est la balise ALT pour l'imagemap (controls.jpg). Si le navigateur de l'utilisateur n'affiche pas les images, il n'affichera pas non plus celle-ci, mais du moins l'utilisateur saura-t-il que l'image existe.

4. Le nom de l'imagemap doit être précisé dans la balise USEMAP : il renvoie vers l'élément MAP NAME correspondant. Il est conseillé d'utiliser un nom identique à celui du fichier image. Ici, l'image « controls.jpg » utilise le nom (MAP NAME) "#controls".

5. L'attribut AREA SHAPE décrit la forme utilisée par l'imagemap. Dans ce cas, il s'agit d'un polygone. COORDS permet de définir les coordonnées du polygone en commençant dans le coin supérieur gauche.

6. Ici, AREA SHAPE définit un cercle.

7. Pour un rectangle, la valeur d'AREA SHAPE est "rect".

8. La valeur d'AREA SHAPE est ici de "DEFAULT" NOHREF, ce qui signifie que, si l'utilisateur clique en dehors des zones définies plus haut, il sera renvoyé vers l'URL http://www.controller.com.

9. Comme pour beaucoup d'autres balises, MAP requiert une balise de fin.

Imagemaps serveur

Dans le cas d'une imagemap serveur, les coordonnées des zones sont stockées dans un fichier séparé. La syntaxe utilisée sera différente selon le type de serveur utilisé par votre site Web.

Le serveur est la machine où sont stockés votre code HTML et vos images. Il existe deux types de serveur : NCSA et CERN. Lorsque vous créez le fichier de définition, vous devez au préalable vous renseigner pour connaître le type de serveur sur lequel est stocké votre site Web. Pour insérer une imagemap serveur dans votre code HTML, utilisez le code suivant :

code

```
1 <A HREF="controls.map">
2 <IMG SRC="controls.jpg" WIDTH="500" HEIGHT="100"
3 ALT="imagemap"
4 BORDER="0"
5 ISMAP>
  </A>
```

Analyse du code

1. La balise <A HREF> indique le nom et le lieu de stockage du fichier de définition des coordonnées ; ici, il s'agit du fichier "controls.map" et il se trouve dans le répertoire racine.

2. La balise IMG SRC indique le nom et le lieu de stockage de l'image "controls.jpg". La même balise permet de définir ses attributs WIDTH et HEIGHT.

3. L'attribut ALT indique aux navigateurs n'affichant pas les images d'utiliser à la place le texte "imagemap".

4. L'attribut BORDER="0" permet d'obtenir une image dont la largeur du contour est nulle (et donc invisible).

5. L'attribut ISMAP indique que l'imagemap est de type serveur.

Cet exemple de code ne comprend pas de coordonnées dans la mesure où celles-ci sont stockées dans un fichier séparé. Celui-ci pourra ressembler à cela :

```
poly http://www.controller.com/forward.html
419,41 360,16 360,61
poly http://www.controller.com/back.html
263,40 322,17 325,60
circle http://www.controller.com/go.html 197,39 22
rect http://www.controller.com/stop.html 70,17 126,60
default http://www.controller.com
```

Les coordonnées employées dans ce fichier sont les mêmes que celles de l'imagemap client, mais leur syntaxe est différente. Ce fichier sera stocké sur votre serveur : son chemin est indiqué dans la première ligne du code ci-dessus.

Combinaison d'imagemaps serveur et client

code

```
<HTML>
<HEAD>
<TITLE>controls</TITLE>
</HEAD>
<BODY BGCOLOR="#FFFFFF">
<A HREF="controls.map">
<IMG SRC="controls.jpg" WIDTH="500" HEIGHT="100"
1 USEMAP="#controls"
2 ISMAP ALT="imagemap"
BORDER="0" >
</A>
<MAP NAME="controls">
<AREA SHAPE="poly" COORDS="419,41,360,16,360,61"
HREF="http://www.controller.com/forward.html" >
<AREA SHAPE="poly" COORDS="263,40,322,17,325,60"
HREF="http://www.controller.com/back.html" >
<AREA SHAPE="circle" COORDS="197,39,22"
HREF="http://www.controller.com/go.html" >
<AREA SHAPE="rect" COORDS="70,17,126,60"
HREF="http://www.controller.com/stop.html" >
<AREA SHAPE="rect" COORDS="0,0,500,100"
HREF="http://www.controller.com" >
<AREA SHAPE="DEFAULT" NOHREF>
</MAP>
</BODY>
</HTML>
```

Analyse du code

1. L'élément USEMAP indique le début d'une imagemap client. Par ailleurs, le code comprend les coordonnées de chacune des zones de l'imagemap.

2. La présence de l'élément ISMAP indique qu'on a affaire à une imagemap serveur. Le fichier correspondant ("controls.map") est également indiqué.

Il est toujours plus sûr d'inclure dans un document les deux types d'imagemaps. Si l'un des visiteurs de votre site ne dispose que d'un navigateur ancien ne reconnaissant pas les imagemaps client, il affichera l'imagemap serveur.

L'attribut *ALT*

L'attribut ALT fournit des informations supplémentaires pouvant être lues par les navigateurs n'affichant pas les images. Certains (rares) utilisateurs visiteront votre site avec des navigateurs ne reconnaissant pas les imagemaps, d'autres auront désactivé la fonction d'affichage des images de leur navigateur parce qu'ils sont pressés ou malvoyants (il existe pour les malvoyants des systèmes de lecture à haute voix leur permettant de parcourir le contenu textuel du Web). L'ajout de l'attribut ALT permet de prendre en compte toutes ces situations.

Pour reprendre l'exemple précédent, voici où l'attribut a été inséré :

```
<A HREF="http://www.domain.nam/cgi-bin/filename.map">
<IMG SRC="imagename.gif" ALT="Image représentant, etc."
BORDER="0"
ISMAP>
```

Les attributs *WIDTH* et *HEIGHT*

En ajoutant des attributs WIDTH et HEIGHT à vos balises d'images, vous informez le navigateur de la taille de vos images. L'avantage de ces attributs est multiple. D'abord, le navigateur n'a pas besoin de calculer lui-même la taille des images puisque vous lui fournissez ces informations ; c'est autant de temps de gagné. Par ailleurs, le texte peut être chargé avant les images, ce qui est un avantage dans le cas d'images de grande taille. En fait, pour Internet Explorer, les attributs WIDTH et HEIGHT sont obligatoires ; en leur absence, l'imagemap ne fonctionne pas.

Voici comment ajouter ces deux attributs à votre code :

```
<A HREF="http://www.domain.nam/cgi-bin/filename.map">
<IMG SRC="imagename.gif" WIDTH="350" HEIGHT="200" ALT="Image représentant, etc."
BORDER="0"
ISMAP>
```

Les valeurs que vous donnez aux attributs WIDTH et HEIGHT décrivent la taille de l'image en pixels. Si vous utilisez des valeurs ne correspondant pas à la taille réelle de l'image, celle-ci sera redimensionnée en conséquence par le navigateur.

Imagemap ou images séparées ?

Il est important de se demander si une imagemap est véritablement nécessaire ou s'il existe un autre moyen d'obtenir le même résultat. Ainsi, si votre image est composée de rectangles ou peut être « réassemblée » à partir d'éléments rectangulaires (voir Chapitres 13 et 17), il sera plus facile de créer une série d'images comprenant chacune un lien que de créer une seule image avec plusieurs liens.

Vous trouverez sur le Web de nombreux exemples d'imagemaps employées dans des pages d'accueil. Certains créateurs de pages Web utilisent même des imagemaps pour des menus rectangulaires parce qu'une image seule est plus rapide à télécharger qu'une série d'images. C'est une bonne raison pour faire appel à une imagemap, mais, vu le travail supplémentaire que représentent la création et la gestion d'imagemaps, réfléchissez à deux fois avant de vous lancer.

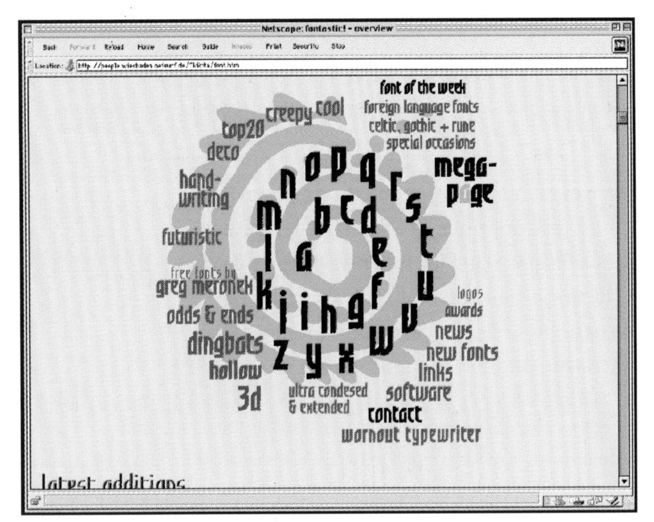

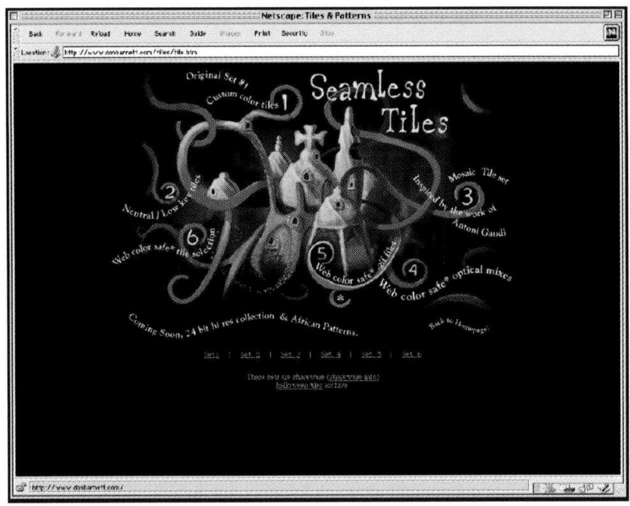

Si votre image est du type de celles ci-dessus et qu'elle ne peut être découpée en images rectangulaires séparées, l'imagemap est votre seul choix.

Note

Qu'est-ce qu'un commentaire ?

Les commentaires sont des lignes de code HTML ignorées par le navigateur. Ils permettent d'insérer dans le code des notes destinées à soi-même ou à d'autres. C'est la raison pour laquelle Fireworks insère des commentaires dans le code qu'il génère. Pour créer une ligne de commentaires, insérez-la simplement entre les caractères <!—-!>.

Création d'une imagemap avec Fireworks

L'un de mes outils préférés pour la création d'imagemaps est le logiciel Fireworks de Macromedia. La raison en est simple : Fireworks permet de définir visuellement les zones d'une imagemap, puis génère automatiquement le code HTML correspondant. La première étape reste la création de l'image. Vous pouvez utiliser Fireworks ou un autre logiciel pour la créer : dans ce dernier cas, ouvrez-la dans Fireworks.

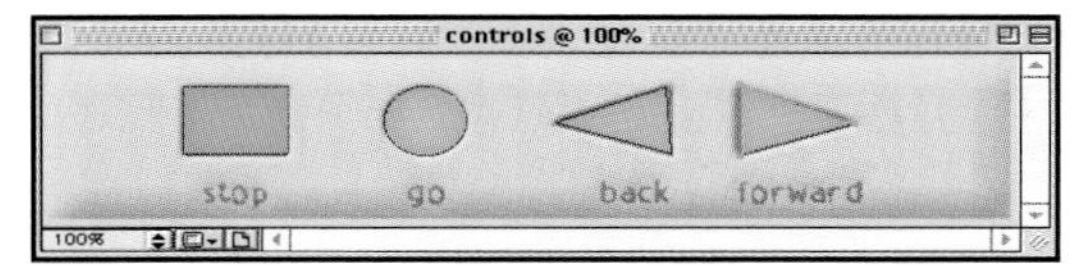

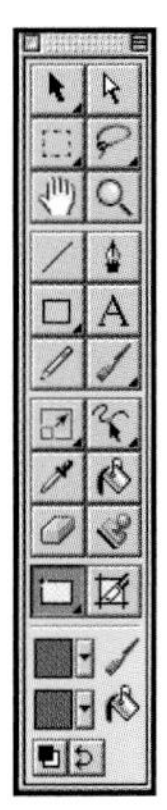

Etape 1. Une fois l'image ouverte, utilisez les outils Zone de référence pour définir les différentes zones de l'imagemap. La palette Objets vous permet de définir les URL de destination pour les différentes zones de l'image, ainsi que d'autres options.

Etape 2. Choisissez Fichier:Propriétés du document (File:Document properties). La boîte de dialogue vous permet de choisir de créer une imagemap (Carte) client ou serveur.

Etape 3. Lors de l'optimisation de l'image, vous pouvez choisir le format JPEG ou GIF. La boîte de dialogue d'enregistrement qui s'affiche ensuite vous permet de choisir de générer le code HTML : vous avez même le choix entre différents styles.

Etape 4. Le code généré par Fireworks contient des lignes de commentaires qui vous permettent de déterminer quelle partie du code copier dans votre document HTML.

Création d'une imagemap avec ImageReady

Si vous créez souvent des images avec Photoshop ou ImageReady, vous n'aurez même pas besoin de dessiner les différentes zones de vos imagemaps. Le seul désavantage d'ImageReady est qu'il n'enregistre que le code pour les imagemaps client et non pour les imagemaps serveur. A ce détail près, ImageReady devient rapidement irremplaçable.

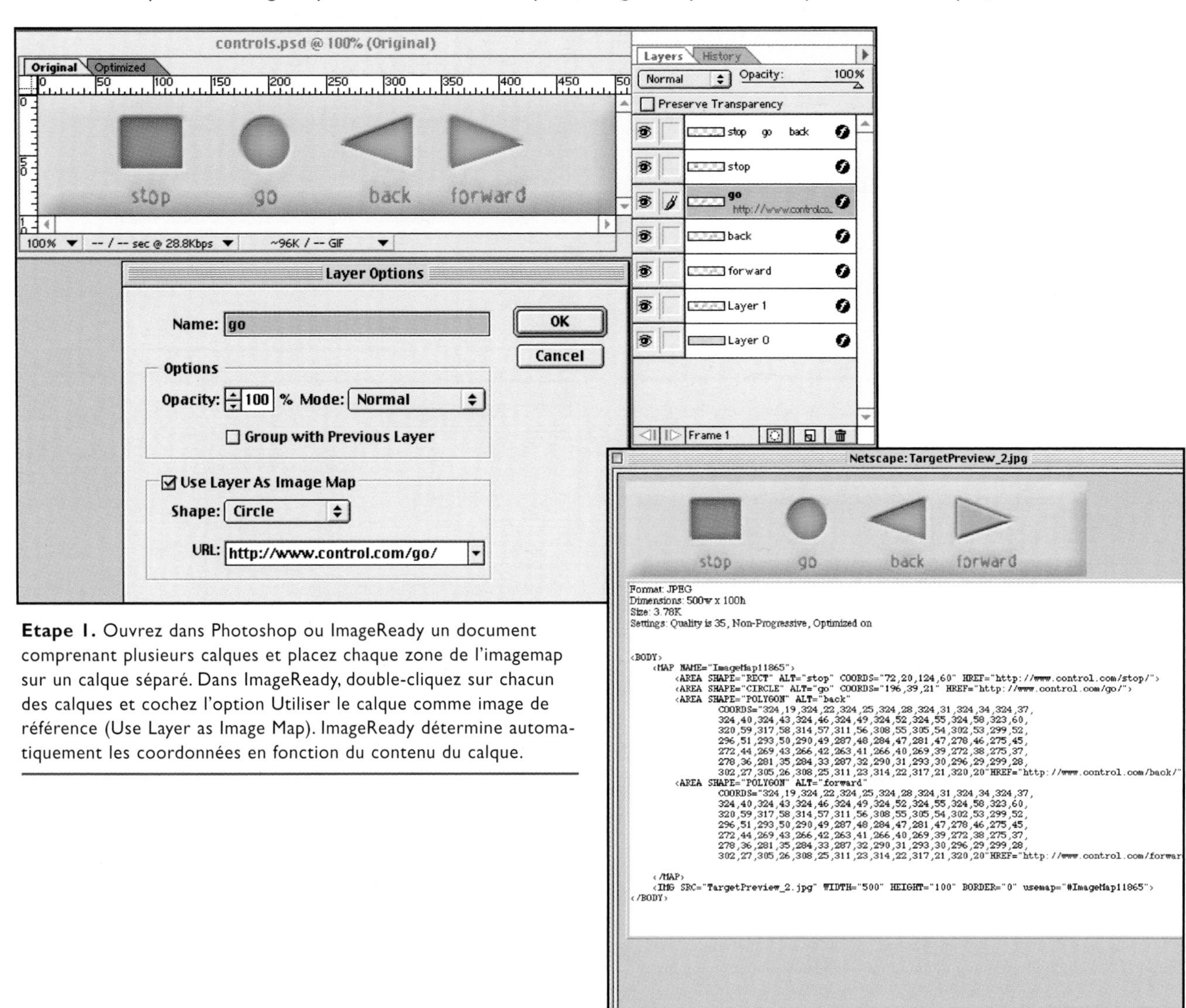

Etape 1. Ouvrez dans Photoshop ou ImageReady un document comprenant plusieurs calques et placez chaque zone de l'imagemap sur un calque séparé. Dans ImageReady, double-cliquez sur chacun des calques et cochez l'option Utiliser le calque comme image de référence (Use Layer as Image Map). ImageReady détermine automatiquement les coordonnées en fonction du contenu du calque.

Etape 2. Choisissez la commande Fichier:Aperçu dans:[Nom du navigateur] (File:Preview in) pour créer le code HTML correspondant à une imagemap client. Il ne vous reste plus qu'à copier-coller ce code dans votre éditeur HTML préféré.

Astuce

Autres ressources pour les imagemaps

J'ai choisi de parler dans ce chapitre d'ImageReady et de Fireworks, mais il existe de très nombreux autres utilitaires permettant de créer des imagemaps. La plupart des éditeurs HTML comprennent une fonction de création d'imagemaps (qui aura peut-être un autre nom). Voici diverses ressources sur les imagemaps :

« Tutorials » en anglais

http://www.ihip.com/
http://www.cris.com/~automata/tutorial.shtml
http://webreview.com/wr/pub/98/08/28/studio/index.html

« Tutorials » en français

http://www.ping.be/~ping9985/html/thehtml9.htm
http://isis-creation.com/plus/internet/debut/reactif.htm
http://www.philgate.com/phil_Web/html3.2/code_map.html

Logiciels de création d'imagemaps

MapEdit (Windows, Mac et UNIX) : http://www.boutell.com/mapedit/
LiveImage (Windows) : http://www.mediatec.com

Tucows (www.tucows.com) propose également une sélection de logiciels pour différentes plates-formes. Voyez « Image Mappers », sous « Animation Tools ».

Convertisseur imagemap serveur – imagemap client, de Glenn Fleischman : http://www.popco.com/popco/convertmaps.html

Résumé

Imagemaps

Les imagemaps permettent d'attribuer plusieurs URL à une seule image. La création d'une imagemap n'est pas d'une très grande complexité, mais il faut garder certains points à l'esprit :

- Avant de commencer, vous devez faire votre choix entre imagemap client ou serveur. Souvent, vous choisirez de créer les deux dans la mesure où tous les navigateurs ne prennent pas en charge les imagemaps client.
- Si vous créez une imagemap serveur, renseignez-vous auprès de votre fournisseur d'accès pour savoir si vous devez utiliser un fichier de définition de type CERN ou NCSA. Par ailleurs, vous devrez également savoir dans quel répertoire placer ce fichier (certains fournisseurs d'accès disposent de « CGI bins » spécifiques pour ce type de fichier).
- Certaines images peuvent être découpées en plusieurs parties alors que d'autres nécessitent de recourir à des imagemaps. Il est important de se demander si une imagemap est vraiment le meilleur moyen d'obtenir le résultat souhaité, ou si une série d'images ne ferait pas mieux l'affaire.
- Pour savoir quel type d'imagemap est utilisé par une page Web, cherchez les balises USEMAP et ISMAP. La balise USEMAP indique que vous avez affaire à une imagemap client et la balise ISMAP à une imagemap serveur. Le document HTML peut également contenir les deux.

Au sommaire de ce chapitre

- Typographie et HTML
- Verdana et Georgia
- Typo basée sur des images
- Polices incorporées au document HTML
- Les formats TrueType et OpenType
- Documents PDF
- Macromedia Flash et typographie

16

Introduction

Typographie sur le Web

Dans notre société, l'écrit est l'un des plus importants moyens de communication. En conséquence, aucune page Web ne peut entièrement se passer de texte, même si les problèmes liés à ce support ne sont pas apparents à première vue.

De nombreux concepteurs de sites ne voient pas le texte simplement comme du texte, mais comme un moyen de communication visuel. Pour la plupart des créateurs, le texte est principalement un support esthétique ; le fait qu'il permette également de transmettre des informations purement textuelles semble presque secondaire. Le texte HTML est utilisé pour l'analyse de données, la transmission des messages électroniques, les moteurs de recherche, la traduction automatique et les lecteurs de textes pour malvoyants. C'est oublier que le Web a de nombreux aspects, et qu'une page qui pour certains est une réussite visuelle peut être illisible pour d'autres.

Pour créer un document visuellement attractif, il faut pouvoir déterminer et positionner avec précision chacun des éléments qui le composent. La typographie est un support visuel très riche et très puissant, mais les caractéristiques du HTML ne permettent pas, à l'heure actuelle, d'en exploiter toutes les possibilités. En effet, l'intérêt du HTML est de pouvoir être lu sur toutes sortes de plates-formes. Il sera largement question dans ce chapitre des tiraillements entre ces deux objectifs contradictoires (présentation optimale et compatibilité maximale).

Ce chapitre parle des controverses, de l'esthétique, de la fonction et des techniques applicables à la typographie sur le Web. Il y sera question du texte basé sur le HTML, sur des images ou sur des polices incorporées à la page. En ce qui concerne les feuilles de style en cascade (CSS) et leur rapport avec la typographie, voyez le Chapitre 19.

Petit glossaire typographique

Avant d'aller plus loin, il me paraît utile de définir brièvement le vocabulaire que j'utiliserai dans le reste de ce chapitre.

Most web browsers default to a serif typeface

This is a serif typeface

Police à empattements. Une police à empattements (*serif*, en anglais) comporte de petites barres à l'extrémité des traits de ses caractères. Ce type de police est généralement considéré comme le plus facile à lire pour les textes longs. Sur la plupart des navigateurs, la police par défaut est une police à empattements : Times Roman sur le Mac et Times New Roman sous Windows.

You can specify san-serif fonts too

This is a san-serif typeface

Police sans empattements (ou police bâtons). Une police sans empattements (*sans serif*, en anglais) ne comporte pas de petites barres. Si vous voulez que votre texte s'affiche à l'aide d'une police de ce type, vous devrez insérer un attribut particulier (FONT FACE) dans votre code HTML. Cet attribut n'est pas reconnu par tous les navigateurs.

monospace

proportional

Police à chasse fixe. Dans une police à chasse fixe (*monospace*, en anglais), tous les caractères ont la même largeur, contrairement aux polices à espacement proportionnel, où différents caractères ont des largeurs différentes. L'exemple ci-dessus a été composé en Courier ; on a fait appel à l'attribut PRE. Pour afficher un texte avec une police à chasse fixe, vous pouvez utiliser les attributs PRE, CODE ou TT.

regular leading regular leading regular leading regu
regular leading regular leading regular leading regu
regular leading regular leading regular leading regu
regular leading regular leading regular leading regu

Interligne par défaut. L'interligne est l'espace séparant deux lignes de texte. La figure ci-dessus montre l'interligne standard du HTML.

ng looser leading looser leading looser leading looser leading looser leading looser le

ng looser leading looser leading looser leading looser leading looser leading looser le

looser leading looser leading looser leading looser leading looser leading looser leadi

Interligne plus important. Ici, on a augmenté l'interligne en ajoutant des balises de saut de paragraphe (P).

this text has default word spacing

this text has word spacing of 25%

Espacement entre lettres. Ce terme désigne simplement l'espace séparant les lettres d'un texte.

DROP CAPS CAN BE KEWEL

Petites et grandes capitales. En combinant petites et grandes capitales, on obtient l'effet ci-dessus.

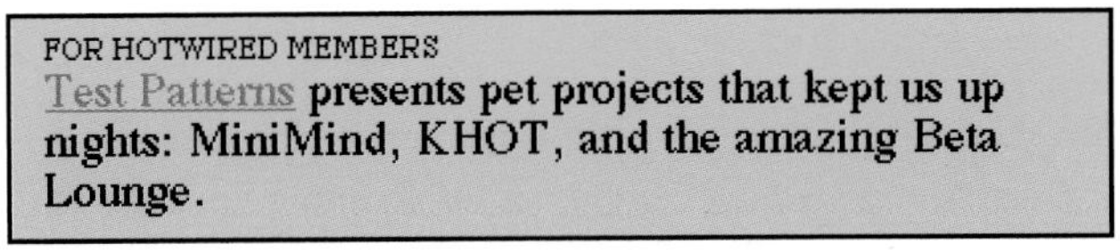

FOR HOTWIRED MEMBERS
Test Patterns presents pet projects that kept us up nights: MiniMind, KHOT, and the amazing Beta Lounge.

Petites capitales seules. Vous pouvez également utiliser des petites capitales sans les combiner avec de grandes capitales.

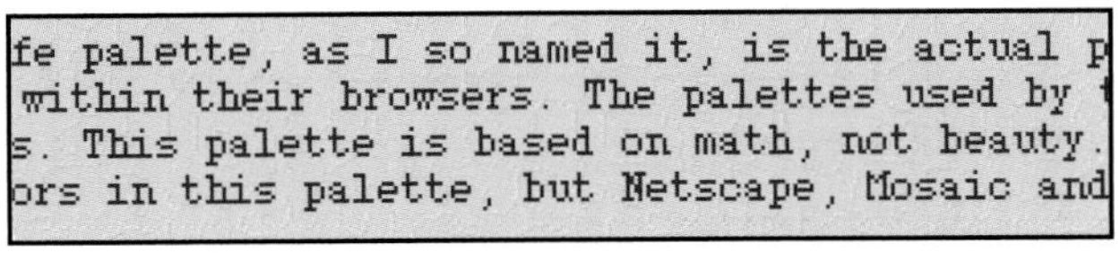

fe palette, as I so named it, is the actual p
within their browsers. The palettes used by t
s. This palette is based on math, not beauty.
ors in this palette, but Netscape, Mosaic and

Corps du texte. Le corps du texte est la partie principale d'un texte.

The Browser Safe Color Palette

By Lynda Weinman

Titres. Les titres permettent de structurer le texte. Ils peuvent être plus grands, d'une autre couleur ou faire appel à une autre police. Ils peuvent par ailleurs être en gras, soulignés, etc. pour ressortir par rapport au corps du texte.

Ce que ne permet pas le HTML

Décalage de la ligne de base. Permet de déplacer vers le haut ou le bas un caractère isolé (exposant, indice...).

Crénage. Modification de l'espacement entre deux ou plusieurs caractères.

Modification de l'interligne. Permet de définir un interligne précis.

Espacement entre mots. Permet de modifier l'espace séparant les mots d'un texte.

Note

Ce que permettent les feuilles de styles

Les paramètres typographiques énumérés ci-dessus ne peuvent être modifiés à l'aide du HTML, mais plusieurs d'entre eux peuvent être déterminés à l'aide des feuilles de style en cascade (CSS), dont il sera question au Chapitre 19.

Des liens sur la typographie

Si la typographie vous intéresse, mais que vous ayez l'impression d'être mal informé sur le sujet, j'ai sélectionné des ressources qui vous aideront à en savoir plus. Seule réserve : ces ressources sont presque toutes (comme vous devez vous en douter) en anglais.

counterSPACE : http://www.studiomotiv.com/counterspace/

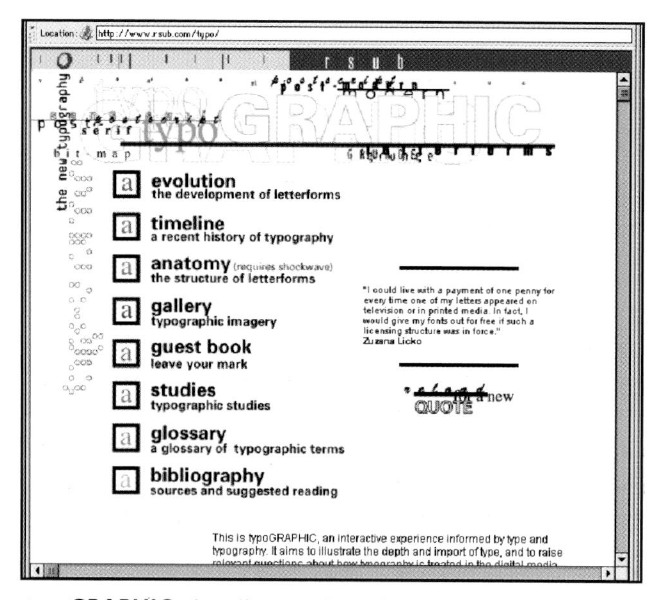

typoGRAPHIC : http://www.rsub.com/typo

A propos du **hinting** : http://www.microsoft.com/typography/hinting/hinting.htm. Le *hinting* consiste à ajouter à chaque caractère d'une police des informations lui permettant de rester lisible à de petites résolutions d'affichage (un écran d'ordinateur, par exemple).

Un **glossaire** typographique, de Microsoft : http://www.microsoft.com/typography/glossary/content.htm

Un site entièrement en français consacré à la typographie : http://www.invalid.net. Tout y est : histoire de la typo, glossaire, liens vers d'autres sites. Et pour ne rien gâcher, le site est superbe.

Comment choisir des polices de caractères, par **Daniel Will-Harris** : http://www.will-harris.com/use-type.htm et http://webreview.com/wr/pub/Fonts (attention à la majuscule).

Les deux sites illustrés ci-dessus, tous deux très beaux, qui font appel à des animations Macromedia Flash : http://www.studiomotiv.com/counterspace/ http://www.rsub.com/typo

Creative Alliance, un groupe de créateurs de polices réunis par Agfa, qui expliquent comment sont mises au point de nouvelles polices : http://www.agfahome.com/archive/features/agfatype/.

Considérations esthétiques

Le Web a beau être un moyen extraordinaire de recherche de documents, en général, lorsque nous trouvons une page cotenant beaucoup d'informations sous forme de texte, nous l'imprimons pour la lire sur papier. En effet, n'est-il pas plus agréable de consulter un document sous cette forme qu'à la lumière blafarde d'un moniteur ? La même chose est vraie pour tous les textes provenant de supports numériques, de CD-ROM, en particulier. Un concepteur de page Web doit accepter le fait qu'une page présentée sur un écran d'ordinateur puisse être lue sous forme de page imprimée.

Je conseille de diviser tout texte long en petits paragraphes. Essayez également d'utiliser des caractères gras ou italiques pour permettre au lecteur de consulter plus facilement et plus rapidement les informations contenues dans la page. L'ajout de liens hypertexte permet de diviser un texte en plusieurs écrans plus faciles à lires. Il vaut mieux partir du principe que vos lecteurs sont pressés et tendent à lire en diagonale, et donc leur faciliter ce type de lecture.

N'oubliez pas que la lecture d'une série de pages de texte à l'écran requiert de la part du visiteur un effort important. C'est à vous de faire en sorte que son attention ne faiblisse pas et que les idées essentielles apparaissent clairement. Pour cela, vous pouvez utiliser du texte HTML ou du texte basé sur des images.

Note

Impression de pages Web

Comme s'il n'y avait pas assez de facteurs à prendre en compte lors de la création d'une page Web, en voici un de plus !
Si vous voulez permettre à vos visiteurs d'imprimer vos pages Web, n'oubliez pas que si vous utilisez un texte clair sur un fond sombre, le fond ne sera pas imprimé. La conséquence ? Un texte clair imprimé sur du papier blanc ; autrement dit, un texte illisible.

Je n'irai pas jusqu'à vous conseiller de n'utiliser que du texte noir sur fond blanc pour vos pages, mais si vous souhaitez que vos visiteurs puissent imprimer une page spécifique, effectuez un test d'impression au préalable. Une autre option consiste à créer un document PDF, comme nous le verrons à la fin de ce chapitre.

HTML et typographie

L'avantage qu'il y a à utiliser le HTML pour le corps du texte est que les durées de téléchargement sont beaucoup plus courtes que pour le texte sous forme d'images. De nombreux sites comportent beaucoup de texte, et le HTML est le seul moyen de présenter une grande quantité de texte de manière rapide et efficace.

Les exemples et le code ci-dessous vous montrent comment utiliser les balises de texte HTML.

Titres

Pour créer des titres, utilisez les balises H et /H. Les balises de titre doivent toujours se trouver dans l'en-tête (HEAD) d'un fichier HTML. Voici un exemple de code :

```
<HTML><HEAD>
<H3>Bienvenue sur notre site</H3>
<H4>Bienvenue sur notre site</H4>
<H5>Bienvenue sur notre site</H5>
</HEAD>
</HTML>
```

Gras

Voici deux manières d'afficher un texte en gras :

```
<HTML>
<B>Texte en gras</B><P>
<STRONG>Texte en gras</STRONG>
</HTML>
```

Italiques

Voici deux manières d'afficher un texte en italique :

```
<HTML>
<I>Texte en italique</I><P>
<EM>Texte en italique</EM>
</HTML>
```

Texte préformaté

Le texte préformaté s'affiche généralement dans une police à chasse fixe (de type Courier) :

```
<HTML>
<PRE>Le texte préformaté s'affiche
e x a c t e m e n t  de la même façon
dans le code HTML et dans le navigateur.</PRE>
</HTML>
```

Texte clignotant

A utiliser à doses homéopathiques ; beaucoup d'utilisateurs n'aiment pas ce type d'affichage.

```
<BLINK>Dernières nouvelles !</BLINK>
```

Taille du texte

Vous pouvez changer la taille du texte en utilisant les balises FONT SIZE et /FONT :

```
<HTML>
Vous pouvez rendre un mot plus <FONT
SIZE="5">grand</FONT> que les autres.
</HTML>
```

Petites capitales

Voici comment créer des petites capitales :

```
<HTML>
<FONT SIZE="4">P</FONT>ETITES <FONT
SIZE="4">C</FONT>APITALES
</HTML>
```

Le code ci-dessous permet d'obtenir des petites capitales où tous les caractères sont de taille identique :

```
<HTML>
<FONT SIZE="1">PETITES CAPITALES </FONT>
CAPITALES NORMALES
</HTML>
```

Texte centré

Centrez votre texte à l'aide de la balise CENTER :

```
<HTML>
<CENTER>
Texte centré
</CENTER>
</HTML>
```

Choix d'une police HTML

La très grande majorité des visiteurs de votre site utilisera les paramètres par défaut de son navigateur, ce qui veut dire que le texte sera affiché en Times Roman ou Times New Roman. J'ai déjà vu des sites demandant aux visiteurs de changer la police par défaut de leur navigateur, mais cette façon de procéder me semble peu convaincante. En effet, seul un nombre infime de visiteurs se donnera la peine de modifier la configuration de son navigateur. Plutôt que de demander à vos visiteurs de faire des efforts supplémentaires, utilisez la balise FONT FACE, qui est décrite ci-dessous.

La balise FONT FACE

La balise FONT FACE permet d'afficher le texte de votre page Web dans une police autre que la police par défaut du visiteur. Cette balise a initialement été développée par Microsoft, mais elle fait maintenant partie du standard HTML. Seul problème concernant son emploi : l'utilisateur doit disposer sur son système de la police souhaitée.

Microsoft propose sur son site un ensemble de polices « Web » au format Mac et PC pouvant être téléchargées gratuitement à partir de l'adresse http://www.microsoft.com/typography/fontpack/default.htm.

Les polices offertes par Microsoft, toutes d'excellente qualité, sont les suivantes (les plus récentes sont indiquées en italique) : *Andale Mono*, Arial, Arial Bold, Arial Italic, Arial Bold Italic, Arial Black, Comic Sans MS, Comic Sans MS Bold, Courier New, Courier New Bold, Courier New Italic, Courier New Bold Italic, *Georgia, Georgia Bold, Georgia Italic, Georgia Bold Italic*, Impact, Times New Roman, Times New Roman Bold, Times New Roman Italic, Times New Roman Bold Italic, *Trebuchet, Trebuchet Bold, Trebuchet Italic, Trebuchet Bold Italic, Verdana, Verdana Bold, Verdana Italic, Verdana Bold Italic* et *Webdings*.

Il est cependant probable, bien que ces polices soient gratuites, que la plupart des utilisateurs n'en aient pas entendu parler ou ne voient pas la nécessité de les installer sur leur système. C'est la raison pour laquelle il est préférable de ne recourir qu'aux polices de base de Windows et du Macintosh, et qui sont données dans le tableau suivant.

Les polices standards	
Windows	**Mac**
Arial	Helvetica
Courier New	Courier
Times New Roman	Times

Cependant, les polices énumérées ci-dessus sont installées sur tous les systèmes équipés d'Internet Explorer, celles en italique n'étant incluses qu'à partir de la version 5 du logiciel. Vous pouvez donc envisager d'utiliser ces polices dans vos pages, avec une réserve pour celles indiquées en italique.

Voici un exemple de code faisant appel à la balise FONT FACE :

```
<HTML>
<FONT FACE ="helvetica, arial"> TEST :
</FONT> un, deux, trois.
</HTML>
```

Pour modifier la taille d'une police, utilisez l'attribut SIZE.

```
<HTML>
<FONT FACE="helvetica, arial" SIZE="5"> TEST :
</FONT> un, deux, trois.
</HTML>
```

Pour en changer la couleur, utilisez l'attribut COLOR.

```
<HTML>
<FONT FACE ="helvetica, arial" SIZE="5"
COLOR="#CC3366"> TEST :
</FONT> un, deux, trois.
</HTML>
```

Verdana et Georgia

Jusqu'à présent, la plupart des concepteurs de pages Web vivaient dans un monde où n'existaient que deux polices : l'une proportionnelle et l'autre à chasse fixe, du fait des paramètres par défaut des navigateurs.

Cette situation était problématique dans la mesure où les polices disponibles étaient conçues pour l'impression, mais pas pour un affichage sur un écran d'ordinateur. Conséquence : ces polices (Arial, Helvetica, Times, etc.) sont très difficiles à lire sur un moniteur, surtout à de petites tailles (9 points et moins). Dans le cas des italiques, la situation est encore pire ; elles sont souvent illisibles.

Pour étendre le choix des polices disponibles sur le Web, celles-ci doivent être créées spécifiquement pour être affichées sur un écran. Microsoft s'est engagé de manière déterminée dans cette voie en faisant appel aux services du célèbre typographe Matthew Carter (le créateur de l'ITC Galliard, du Snell Roundhand, du Charter et du Bell Centennial, cette dernière police étant utilisée dans les annuaires téléphoniques américains) pour la création de deux familles de polices spécifiques.

Ces deux familles de polices, le Verdana et le Georgia, font partie des polices qu'il est possible de télécharger gratuitement à partir du site Web de Microsoft (voir plus haut).

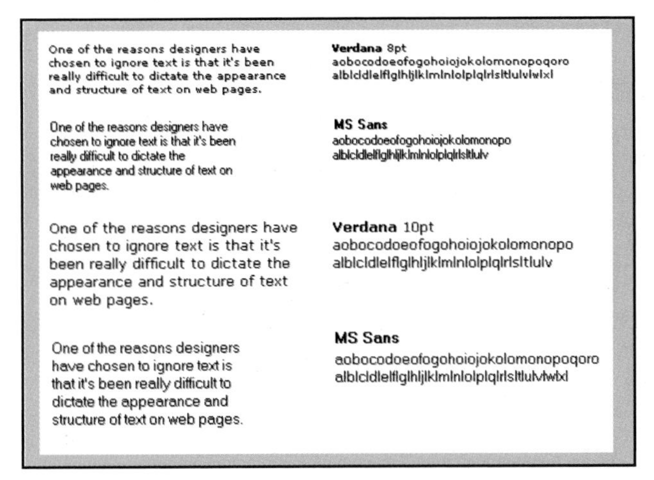

Cette figure montre une comparaison entre le Verdana de Matthew Carter et la police « par défaut » équivalente de Microsoft, MS Sans.

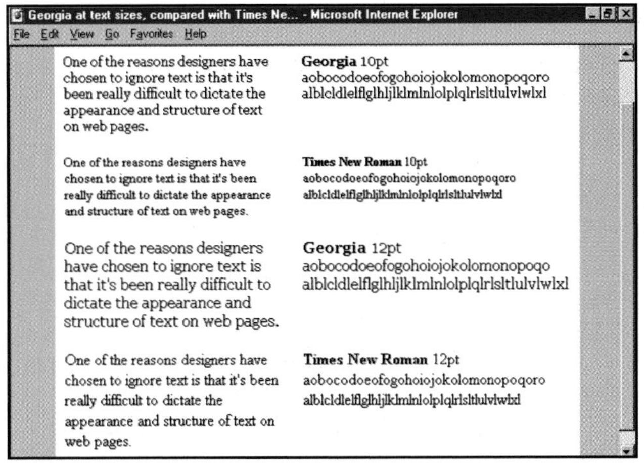

Ici, le Georgia est comparé au Times New Roman.

Les différences entre ces familles de polices montrent clairement quels éléments sont essentiels pour des polices destinées à une lecture à l'écran. La hauteur de x (autrement dit, la hauteur de la lettre x par rapport au reste des caractères) est plus importante. Les combinaisons de lettres telles que fi, fl et ff ont été soigneusement étudiées de manière à ne pas se toucher. L'espacement entre les caractères en général a été légèrement augmenté pour améliorer la lisibilité.

Matthew Carter a passé deux ans à la conception de ces polices, et Microsoft les distribue gratuitement. Microsoft a rendu un grand service aux utilisateurs de l'Internet (et de l'ordinateur en général) mais, à long terme, la distribution gratuite de police n'est une solution ni pour les créateurs de polices ni pour les auteurs de pages Web. Nous reviendrons sur ce sujet lorsqu'il sera question d'incorporation de polices dans les pages Web.

Pour lire un excellent article sur les polices Verdana et Georgia, voyez les adresses http://webreview.com/wr/pub/97/11/07/feature/screen/ georgia-verdana.html ; vous trouverez un entretien avec Matthew Carter à propos de ces deux polices à l'adresse http://webreview.com/wr/pub/97/11/07/feature/screen/fontdesigners.html.

Attention

Différences de taille des polices entre Mac et Windows

Si vous disposez à la fois d'un Mac et d'un PC, vous avez peut-être constaté que les polices 12 points n'ont pas la même taille sur ces deux plates-formes. Les caractères s'affichent en plus grand sur les PC que sur les Mac. Au risque de vous désespérer, il s'agit de l'un des problèmes de différences entre plates-formes pour lesquels il n'existe pas vraiment de solution. Il est bien sûr possible de créer des sites séparés pour utilisateurs de Mac et de Windows, mais la plupart des concepteurs de pages Web ne seront sans doute pas satisfaits de cette solution. Pensez simplement à vérifier l'apparence de vos pages sur les deux plates-formes. Vous pourrez ainsi résoudre en même temps les problèmes de luminosité.

Mac/Explorer

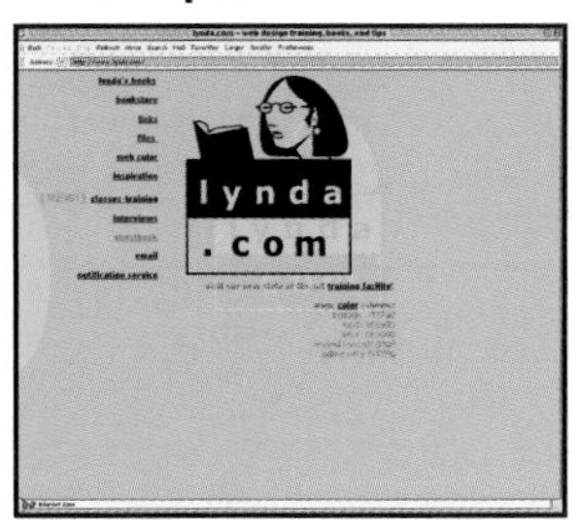

Mac/Netscape

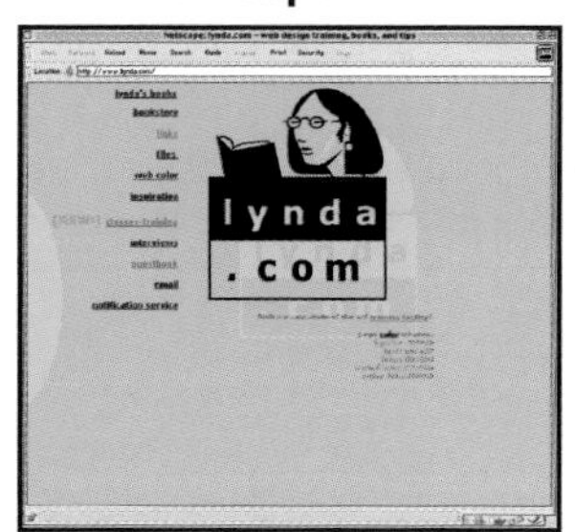

PC/Explorer

PC/Netscape

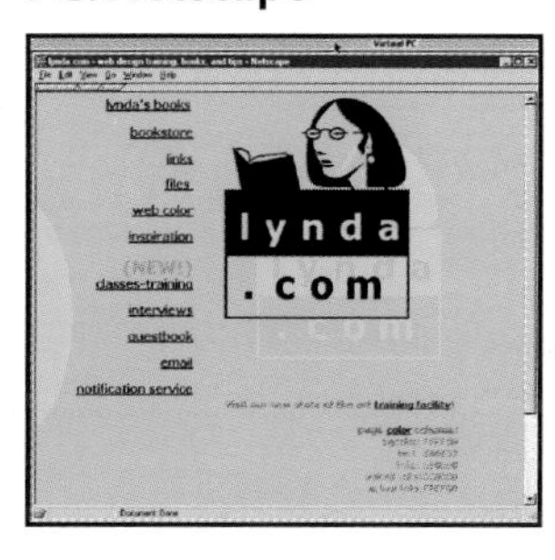

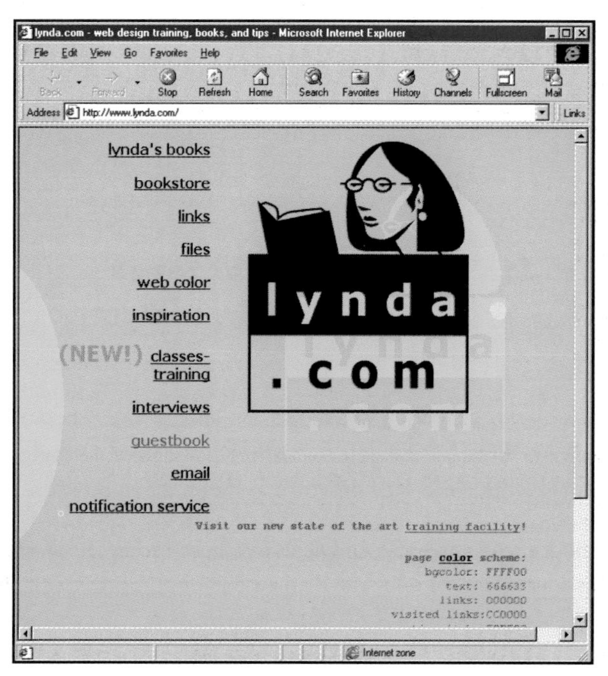

J'ai créé ici une image combinant les versions Mac et PC d'une même page (la version Mac est visible en transparence). Les images du côté gauche sont alignées, mais comme vous le voyez, la différence entre la taille des caractères est nette.

Typographie basée sur des images

Nous venons de passer en revue les différentes possibilités du HTML. Il est temps d'étudier la typographie basée sur des images. Le texte sous forme d'images est l'occasion de faire la démonstration de vos talents graphiques et typographiques. Il vous donne la possibilité d'utiliser les polices et les effets spéciaux de votre choix. L'avantage de cette technique est que l'utilisateur n'a pas besoin de disposer sur son système de la police que vous avez utilisée. Dans la mesure où c'est une image que vous insérez dans votre page, votre texte s'affichera comme n'importe quelle autre image, quel que soit le système utilisé par le visiteur du site.

Certains des chapitres précédents montrent des techniques que vous pouvez utiliser pour vos textes sous forme d'images, par exemple l'utilisation de GIF transparents et de couleurs unies correspondant à l'arrière-plan de votre page.

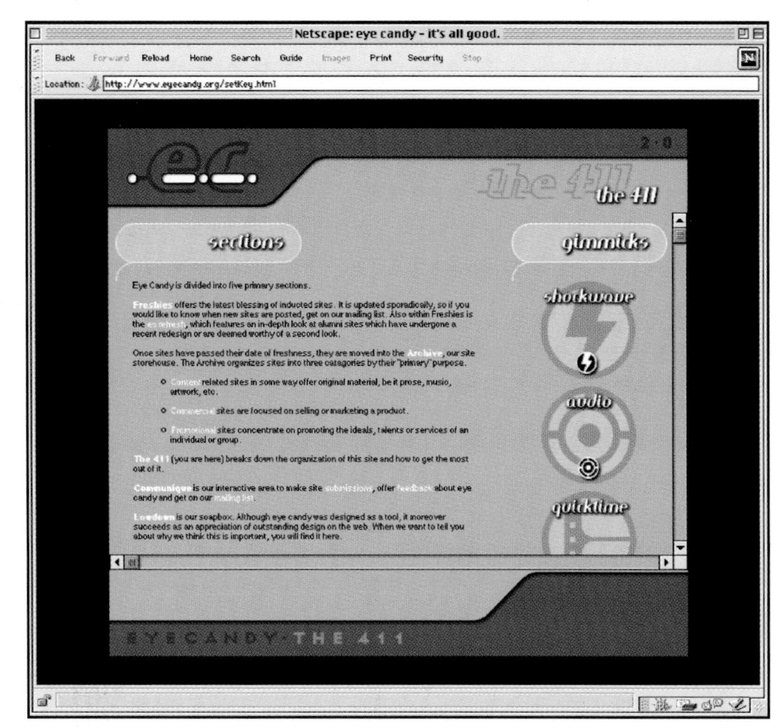

Voici un bon exemple de texte fondé sur des images combiné à du texte HTML (pour le corps du texte). Ce site (qui n'est plus mis à jour, mais qui reste visible) a été conçu par Josh Ulm (http://www.eyecandy.org).

Attention

Le lissage des caractères

La plupart des infographistes préfèrent l'aspect des caractères lissés, mais ce n'est pas toujours la meilleure solution.

Lorsqu'on a affaire à du texte très petit, le texte lissé tend à devenir brouillé. Rappelez-vous que par défaut, le texte HTML, le texte de l'interface de votre système d'exploitation et celui de votre traitement texte ne sont pas lissés. Au-dessous de 12 points, il est généralement préférable d'utiliser du texte non lissé.

which looks better to you?

which looks better to you?

La version du haut est lissée, celle du bas ne l'est pas. Laquelle vous paraît la plus lisible ? En ce qui me concerne, le texte lissé me paraît plus difficile à lire dans un petit corps.

Utilisation de Fireworks pour la création de texte

Fireworks est un environnement idéal pour la création de texte et d'élément graphiques destinés au Web. Les différents effets disponibles permettent de créer des titres personnalisés utilisables sur le Web. Vous pouvez par ailleurs enregistrer un type d'effet que vous avez créé et le réutiliser avec d'autres textes. Cette possibilité est particulièrement intéressante pour la création de boutons de navigation.

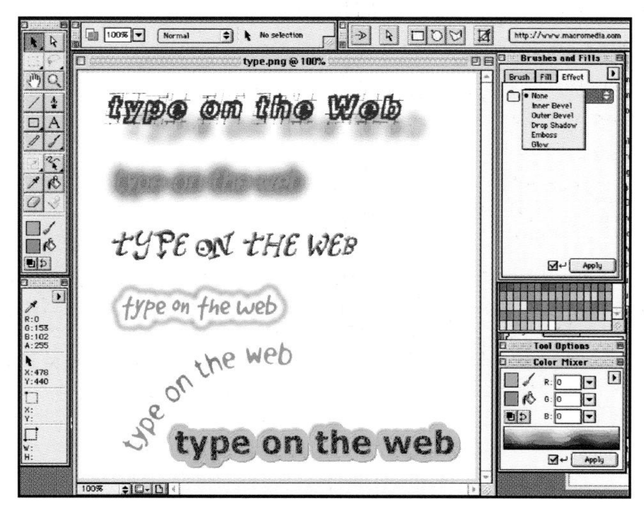

Fireworks propose une foule d'effets similaires à ceux de Photoshop 5. Les polices ci-dessus ont toutes été téléchargées sur le Web à partir des sites Fontastic, Fonthead Designs et Chank Diesel (voir les adresses en page suivante).

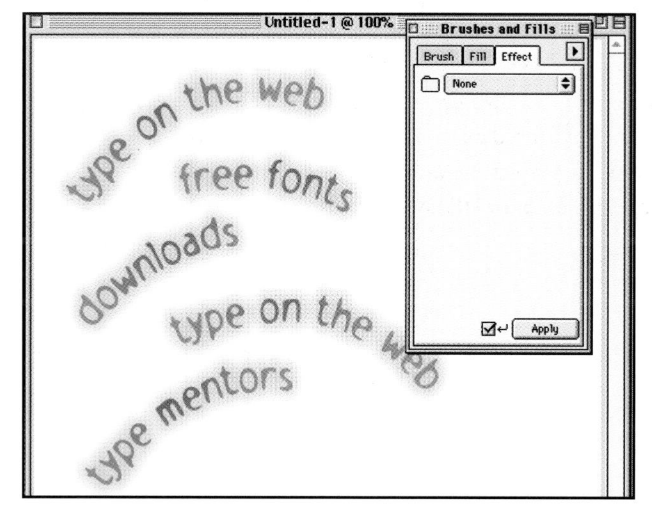

Une fois que vous avez appliqué un style à un texte, vous pouvez dupliquer ce dernier et en changer les caractères. Vous pouvez également copier-coller des styles, ce qui est très pratique si vous (ou votre client) changez d'avis.

Polices en ligne

Vous trouverez sur le Web des dizaines de milliers de polices TrueType et PostScript. C'est un grand avantage que de pouvoir visualiser et commander directement des polices en ligne — en particulier lorsqu'il est trois heures du matin et que vous avez besoin d'une police particulière pour un travail à finir pour le lendemain matin. Si vous cherchez de nouvelles polices, voyez les adresses ci-dessous. Sur certains de ces sites, les polices sont distribuées gratuitement, d'autres les vendent. Toutes méritent une visite.

Fontastic
http://rover.wiesbaden.netsurf.de/~kikita/

Nekkton
http://www.donbarnett.com/

Fonthead Designs
http://www.fonthead.com

Emigre Fonts
http://www.emigre.com

Letraset and ITC
http://www.letraset.com/itc/fonts/index.html

Chank Diesel
http://www.chank.com/

Just van Rossum and Erik van Blokland
http://www.letterror.com

House Industries
http://www.houseind.com/

Handwriting Fonts
http://www.execpc.com/~adw/

Daniel Will-Harris' Personal Favorites
http://www.will-harris.com/faces98/

Adobe's Type Browser (à ne pas manquer)
http://www.adobe.com/type/browser/

Positionnement des images avec le HTML

Nous avons déjà vu le positionnement des images dans le Chapitre 14, et nous y reviendrons dans le chapitre suivant. Le moyen le plus simple d'insérer une image dans un dessin consiste à utiliser la balise IMG SRC :

```
<HTML>
<BODY>
<IMG SRC="ombreportee.jpg">
</BODY>
</HTML>
```

Si vous souhaitez que l'image soit également un lien vers un autre site, combinez la balise IMG SRC avec une balise <A HREF> :

```
<HTML>
<BODY>
<A HREF="http://www.domain.com">
<IMG SRC="ombreportee.jpg"></A>
</BODY>
</HTML>
```

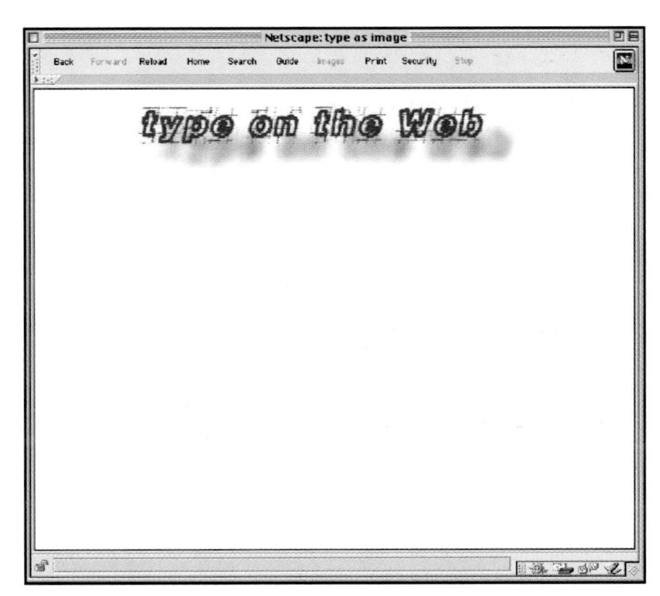

Le texte de cette page est en réalité une image insérée à l'aide de balises HTML.

Incorporation de polices dans les fichiers HTML

Ne serait-il pas plus simple de pouvoir choisir une certaine police dans votre code HTML et que celle-ci s'affiche dans le navigateur de l'utilisateur sans que celui-ci ait quoi que ce soit à installer ? En réalité, cette possibilité existe à l'heure actuelle. Vous ne serez pas surpris d'apprendre que Netscape et Microsoft proposent chacun leur propre technologie pour l'incorporation de polices dans les documents HTML, et les deux technologies sont évidemment incompatibles entre elles. Nous allons nous intéresser à chacune d'elles.

TrueDoc

Netscape a choisi d'utiliser le format de police TrueDoc, qui a été mis au point par Bitstream, l'une des principales fonderies en ce qui concerne les polices numériques (http://www.bitstream.com). Le principe du format TrueDoc est que des polices dynamiques sont téléchargées en même temps que la page, de la même façon qu'une image GIF ou JPEG. Un navigateur prenant en charge les fichiers TrueDoc affichera les polices correctes à l'écran (et pourra les imprimer). Les navigateurs non compatibles utiliseront simplement les polices disponibles sur le système.

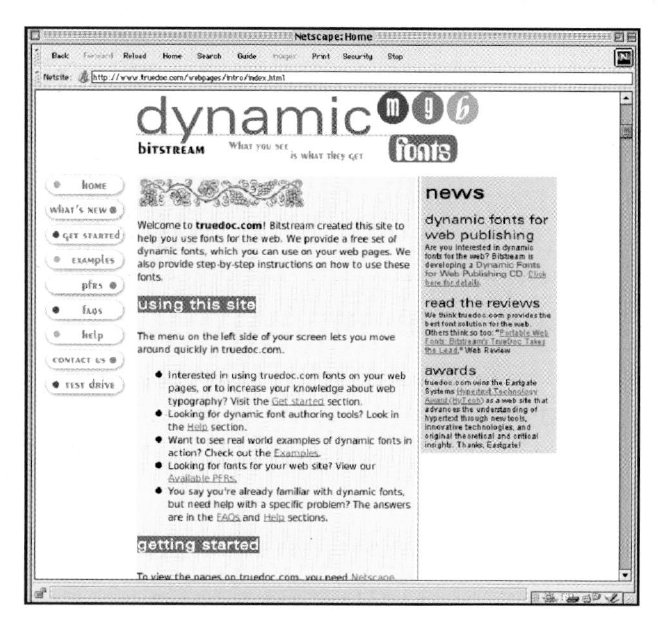

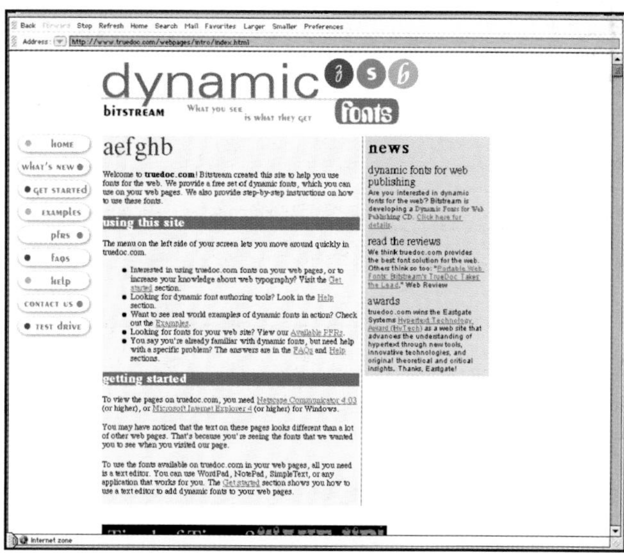

Le problème est toujours le même : la solution de Netscape ne fonctionne pas dans Internet Explorer et réciproquement.

Si vous créez des pages Web et que vous vouliez faire appel à des polices dynamiques, vous devrez utiliser un outil de création compatible TrueDoc capable de générer un document PFR (*Portable Font Resource*) vers lequel pointera votre document HTML. Les polices doivent être générées à l'aide d'un CSR (*Character Shape Recorder*, générateur de forme de caractères) et seront lues à l'aide d'un CSP (*Character Shape Player*, lecteur de forme de caractères). De nombreux outils de création sont compatibles TrueDoc, en particulier ceux de Macromedia, Corel, Sausage, SoftQuad et InfoAccess.

Il existe à l'heure actuelle trois logiciels permettant de créer les fichiers de police PFR : Typograph, de HexMac (pour Mac et Windows ; http://www.hexmac.com), BeyondPress, d'Extensis Software (Mac avec QuarkXPress uniquement ; http://www.extensis.com) et WebFond Maker de Bitstream même (voir le site http://www.truedoc.com). Vous trouverez à l'adresse http://webreview.com/wr/pub/97/11/07/feature/hexweb.html un petit cours (en anglais) concernant l'utilisation de HexMac Typograph. Enfin, un contrôle ActiveX devrait permettre très prochainement l'affichage correct des fichiers de polices TrueDoc, ce qui signifie que cette technologie serait compatible à la fois avec Netscape Navigator et avec Internet Explorer (à partir de la version 4).

Incorporation de polices TrueType dans Internet Explorer

Microsoft propose un système d'incorporation de polices différent de celui de Bitstream. Le logiciel permettant d'incorporer des polices à une page Web se nomme WEFT (*Web Embedding Font Tool*) ; il peut être gratuitement téléchargé à partir du site Web de Microsoft (la version bêta 2 est disponible à l'adresse http://www.microsoft.com/OpenType/web/embedding/weft2/default.htm).

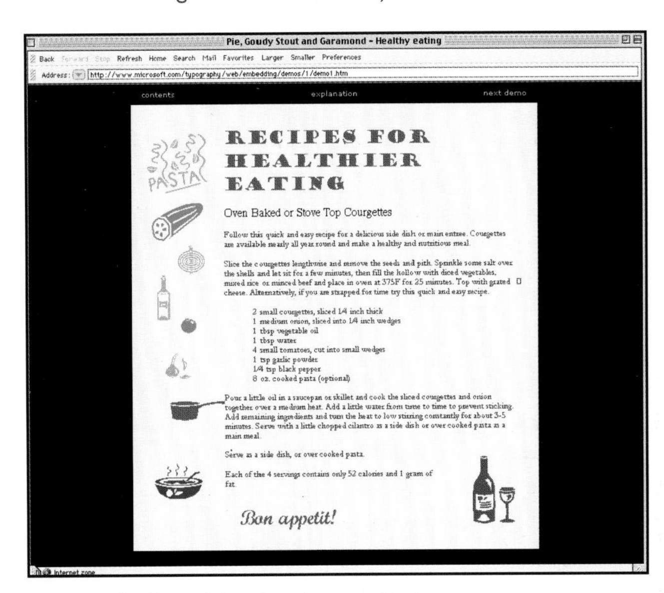

Un exemple d'OpenType dans Internet Explorer.

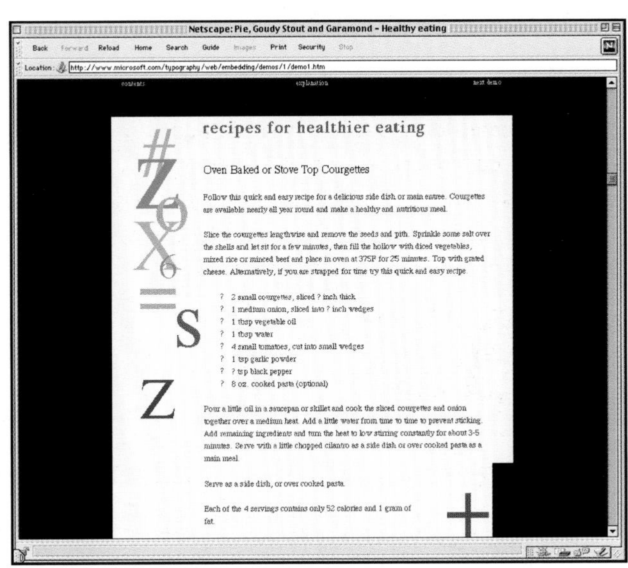

Dans Netscape, la page n'a plus l'aspect souhaité.

A l'heure actuelle, l'incorporation de polices à la manière Microsoft ne fonctionne qu'avec Internet Explorer pour Windows et uniquement avec les polices TrueType, mais avec le nouveau format de police OpenType (qui regroupe les formats TrueType et PostScript Type 1), il devrait également être possible d'incorporer dans vos pages Web des polices PostScript.

Protection des droits des créateurs de polices

La protection des polices incorporées dans une page Web à l'aide de la technologie TrueDoc de Bitstream est assurée par le système DocLock. Celui-ci marque et crypte les polices de manière que celles-ci ne puissent être utilisées que sur les pages Web de leur propriétaire.

En ce qui concerne la technologie de Microsoft, la protection est assurée par les spécifications de la police elle-même. Le contrat de licence de la plupart des polices stipule que celles-ci ne peuvent être installées que sur une machine à la fois. Dans le cas de l'incorporation d'une police à une page Web, la police est liée à un document et non à une machine spécifique. Les polices TrueType comportent toutes un « niveau d'incorporation » (qu'on appelle en anglais *embedding bit*) qui permet ou non son utilisation dans une page Web. Autrement dit, lors de l'achat d'une police TrueType, vous serez peut-être obligé de vous renseigner sur le niveau d'incorporation autorisé.

Microsoft propose un utilitaire en téléchargement gratuit (http://www.microsoft.com/truetype/property/property.htm) permettant d'afficher les propriétés des polices TrueType et de vérifier le niveau d'incorporation autorisé. Les niveaux possibles sont INSTALLABLE, EDITABLE (modifiable), PRINT/PREVIEW (impression/aperçu) ou RESTRICTED (interdit). Dans ce dernier cas, l'incorporation de la police dans un document en ligne n'est pas autorisée. Les polices OpenType, tout comme les polices TrueType, comporteront ces niveaux d'incorporation. Dans la mesure où il n'est pas possible de créer des polices OpenType (les logiciels correspondants n'existent pas encore), on ne sait pas quelles polices de ce format comporteront des restrictions. Lorsqu'une police TrueType ou OpenType est incorporée à une page Web, le dessin des caractères est envoyé à l'utilisateur, ce qui n'est pas du tout du goût des créateurs de polices. Lisez l'article http://news.i-us.com/wire/index-ie4font.htm (en anglais) pour en savoir plus à ce sujet ; en quelques mots, cet article indique à quel point il est facile de subtiliser des polices incorporées dans un document Web.

Les typographes contre l'incorporation de polices

Just van Rossum et Erik van Blokland, deux typographes reconnus de **LetteRRor** (http://www.letterror.com/old_index2.html) n'aiment aucune de ces solutions. D'après eux, les pirates peuvent facilement voler les dessin des caractères TrueType et OpenType incorporés à des pages Web, et les caractères des PFR utilisés par le système TrueDoc peuvent être recueillis de manière systématique à l'aide de logiciels chercheurs de polices. Ils préconisent une solution basée sur des GIF et proposent sur leur site un utilitaire en téléchargement (pour Mac avec Bbedit ; voir http://www.letterror.com/LTR_WrapSample.html). **Paul Haeberli**, de SGI, propose une autre solution intéressante basée sur les images des caractères (voir http://reality.sgi.com/grafica/webfonts/). Enfin, une organisation nommée **TypeRight** a été créée pour informer le public sur l'éthique et les droits d'auteur en matière de typographie.

La typographie sur le Web représente un enjeu important. En tant que créateur de pages Web, on ne peut que se réjouir qu'autant de sociétés fassent tout leur possible pour étendre les possibilités dans ce domaine. Cependant, il ne faut pas oublier que ces sociétés sont également motivées par le profit, et qu'elles semblent prêtes à diffuser leurs produits même si ceux-ci ne protègent pas suffisamment le dessin des polices. Les créateurs de polices cherchent quant à eux à protéger leurs droits, mais semblent perdre la bataille à l'heure actuelle. Ils prédisent d'ailleurs des violations massives du droit d'auteur avant que les mesures de sécurité soient au point.

Ne négligez pas l'importance des créateurs de polices. La création d'une police nécessite souvent plusieurs années de travail, et si celles-ci sont distribuées gratuitement sur le Web, il paraît clair que les créateurs ne pourront survivre économiquement et que la typographie risque de disparaître.

Quoi qu'il en soit, aucune des techniques dont il est question plus haut n'est encore très répandue sur le Web, et les outils et balises nécessaires ne sont pas encore tout à fait prêts. En conséquence, le mieux à faire est sans doute d'attendre que la guerre des standards se termine dans ce domaine. Espérons seulement que les infographistes puissent bientôt créer les pages Web qu'ils souhaitent sans pour autant que la survie économique des créateurs de polices soit menacée.

Le format PDF

Le format PDF a été développé bien avant que le Web ne se mette en place, comme un moyen de communiquer des documents à des destinataires ne disposant de l'application ayant servi à créer ces documents. Ainsi, il est possible d'envoyer à un client un document PageMaker alors que celui-ci ne dispose pas de cette application ; la mise en page, les polices et les images du document restent préservées.

Pour créer des documents PDF, il faut disposer d'un logiciel Adobe nommé Acrobat. Une fois Acrobat installé sur votre système, vous pouvez choisir de générer un document PDF à partir de votre logiciel de PAO ou de traitement de texte. Ce document PDF peut ensuite être placé sur votre site Web (à l'aide de la balise IMG et avec l'extension PDF). Si votre visiteur dispose du lecteur de documents PDF, qui se nomme Acrobat Reader, il verra s'afficher votre document directement dans la fenêtre de son navigateur. Seul inconvénient : Acrobat Reader peut être gratuitement téléchargé à partir du site Web d'Adobe, mais sa dernière version représente 5,4 Mo, ce qui n'est pas rien. Adobe diffuse très largement ce logiciel, et il est courant qu'il figure sur l'un ou l'autre des CD-ROM qui accompagnent les magazines informatiques (ainsi bien sûr que sur les CD-ROM des logiciels Adobe), mais encore faut-il le trouver et l'installer.

Le format PDF est particulièrement utile pour les formulaires ou les documents dont vous souhaitez préserver la mise en forme. Ainsi, le ministère des finances américain utilise ce format pour mettre en ligne les formulaires de déclaration d'impôt sur le revenu. Le format PDF est une bonne solution pour le transfert de documents, mais ne remplace pas le HTML. Pour plus d'informations sur ce sujet, voyez l'adresse http://www.adobe.fr/products/acrobat/adobepdf.html (en français !).

Macromedia Flash et la typographie

Flash, de Macromedia, est un logiciel permettant de créer des dessins et des animations vectorielles interactives pour le Web. Dans la mesure où dessins et animations sont vectorielles (et non bitmap comme c'est le cas pour les images JPEG et GIF), elles n'occupent qu'un faible volume et sont plus rapides à télécharger que n'importe quel autre format. Il est possible de créer des sites Web entiers avec Flash en utilisant les polices de votre choix ; son contenu sera fidèlement restitué dans la fenêtre du navigateur du visiteur — à condition cependant que celui-ci ait installé le plug-in Flash.

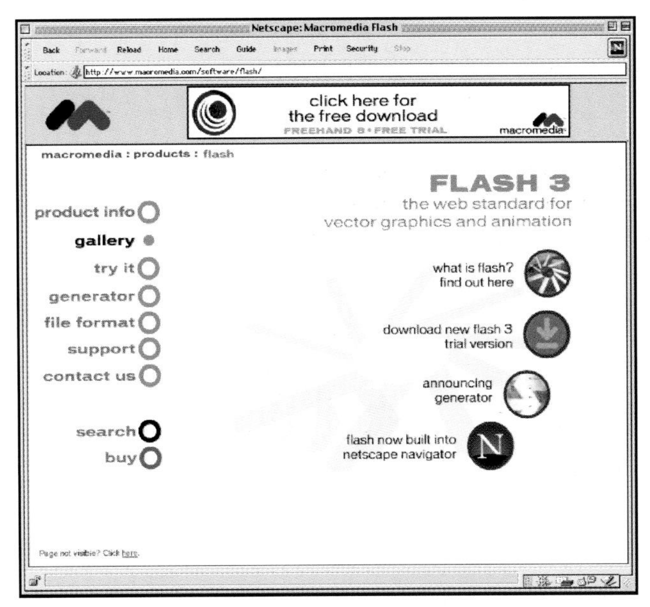

Le site de Macromedia est une bonne vitrine de l'utilisation de Flash. Si vous n'avez encore jamais vu d'animations Flash, attendez-vous à être surpris par les possibilités qu'offre ce logiciel.

Le logiciel Flash permet d'utiliser n'importe quelle police installée sur votre système. Les caractères peuvent être animés, disparaître progressivement, grandir ou diminuer, etc., générant ainsi des pages beaucoup plus dynamiques qu'il ne sera jamais possible d'en créer à l'aide d'images GIF ou JPEG. Vous pouvez également affecter des sons et des rollovers au texte et créer des liens menant vers d'autres animations Flash ; en d'autres termes, vous pouvez créer des sites entiers où votre visiteur ne verra pas une seule police ASCII HTML.

Le principal inconvénient de Flash est que le plug-in Flash doit être installé pour que les animations soient visibles. Le plug-in est petit (118 Ko), mais de nombreux utilisateurs hésitent cependant à le télécharger et l'installer. Heureusement, il est directement intégré à Netscape 4.5, et Windows 98 reconnaît Flash comme un format de fichier natif. Il est à supposer (et à espérer) que le format Flash se généralise bientôt et qu'il sera accessible à tous les utilisateurs.

Je pense que le format Flash est une alternative extrêmement intéressante au format HTML. Il permet aux créateurs de déterminer précisément l'apparence de leurs pages Web sans les obliger à apprendre à programmer. Macromedia propose un nouveau produit, Generator, qui permet de puiser le contenu d'une page Flash dans une base de données. Generator vous permet par exemple de créer un modèle de document dans Flash puis modifier son contenu de manière dynamique.

Nous avons vu que l'inconvénient de Flash était le fait qu'il nécessite l'utilisation d'un plug-in ; mentionnons aussi que le logiciel Flash lui-même, du fait de son originalité, est initialement assez déroutant d'emploi pour le novice, et que le contenu des sites Flash ne peut être indexé par les moteurs de recherche du Web ou les lecteurs de texte. Cependant, Flash est sans aucun doute promis à un bel avenir en tant que moyen d'expression multimédia sur le Web. Vous trouverez plus d'informations sur Flash en visitant le site de Macromedia (en français, www.macromedia.fr).

Résumé
Typographie sur le Web

La typographie est l'un des moyens d'expression les plus intéressants dont vous disposiez et, pourtant, il est difficile de créer des pages Web comportant des polices autres que les deux polices standards. Nous avons vu dans ce chapitre les moyens dont vous disposez pour déterminer malgré tout l'apparence des caractères de vos documents Web. En résumé :

- L'attribut FONT FACE permet de choisir les polices utilisées pour l'affichage d'une page Web ; il faut simplement s'assurer que le visiteur du site dispose des polices correspondantes sur sa machine.
- Les polices Verdana et Georgia ont été créées pour être affichées à l'écran. Utilisez-les sur vos pages Web si elles vous plaisent ; avec un peu de chance, votre visiteur disposera de ces polices parce qu'il aura installé Internet Explorer 5 sur son système.
- L'incorporation de polices aux pages Web semble une solution intéressante, mais du fait de l'affrontement de plusieurs standards, il est encore trop tôt pour pouvoir l'employer utilement. Rien ne vous empêche cependant d'essayer les outils décrits dans ce chapitre.
- Le format PDF est utile si vous souhaitez préserver la présentation exacte de vos documents ou de vos formulaires en ligne, mais ne remplace pas le HTML.
- Macromedia Flash est un autre moyen d'afficher les polices voulues dans le navigateur du visiteur. Il permet de maîtriser précisément l'apparence de vos documents avec en plus la possibilité de créer des animations interactives. Vous pouvez télécharger une version d'essai (en anglais) de Flash à partir du site de Macromedia pour voir si ce logiciel vous convient.

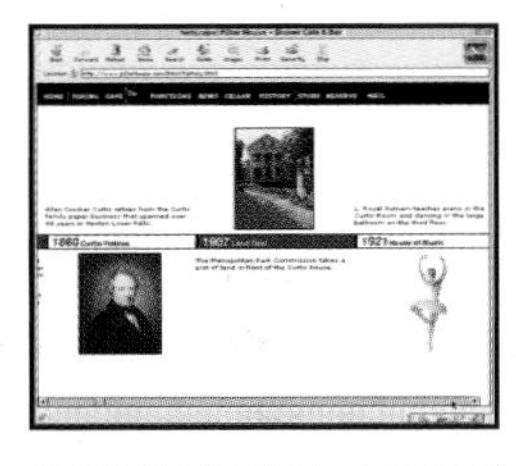

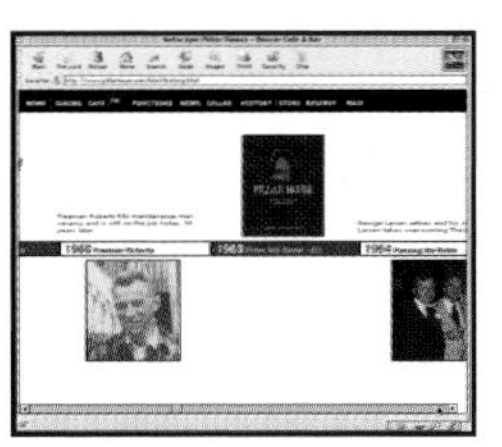

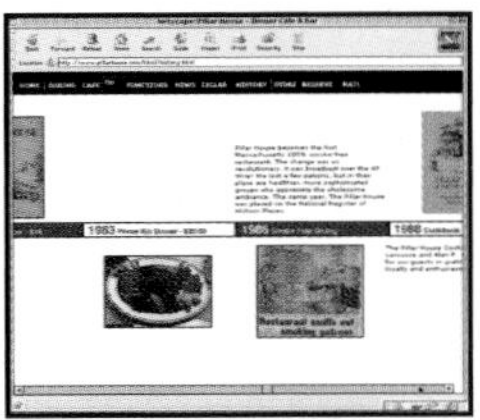
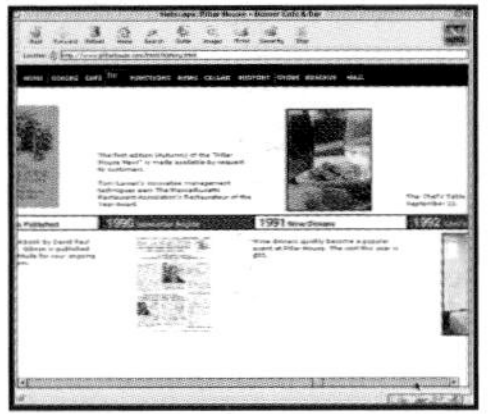
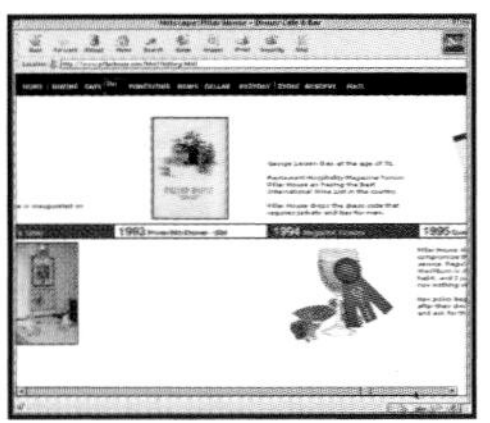
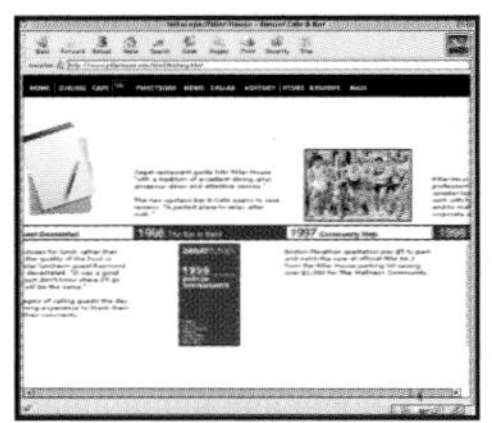
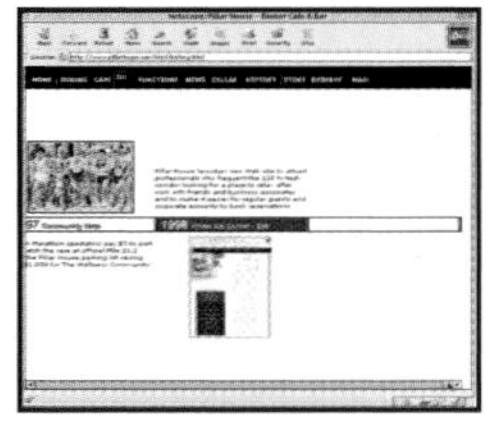

Sur le site du restaurant Pillarhouse (http://www.pillarhouse.com), la section History fait appel à un défilement horizontal d'une largeur de dix fenêtres de navigateur. L'auteur de la page a utilisé un tableau et une série d'images juxtaposées, c'est ce qui rend la page aussi large.

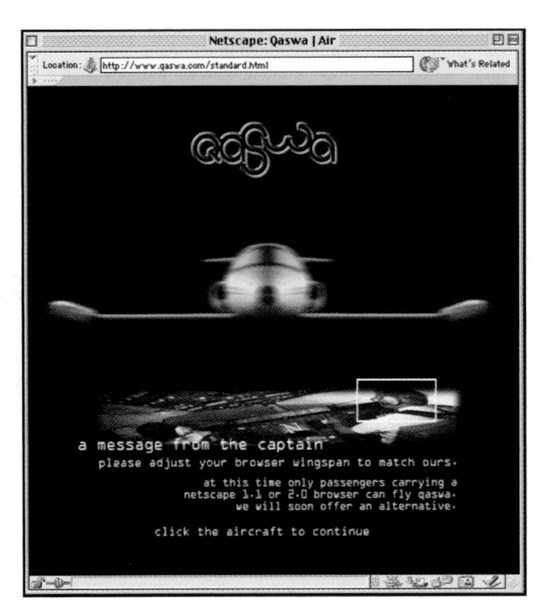

Ammon Haggerty (http://www.qaswa.com) utilise l'image des ailes d'un avion pour indiquer au visiteur quelle largeur donner à la fenêtre de son navigateur.

Utilisation du HTML pour les alignements

Les professionnels expérimentés dans le domaine de la création de pages Web auront peut-être constaté que les puristes du HTML n'apprécient pas beaucoup l'utilisation de ce langage pour la création de mises en page précises. En fait, selon eux, cet emploi du HTML irait même radicalement à l'encontre de ses principes fondamentaux. En effet, le HTML a été volontairement conçu de manière à permettre à l'utilisateur de modifier la taille de la fenêtre et la taille et la couleur des polices. Lorsqu'on crée une mise en page précise, l'utilisateur ne peut plus exploiter ces possibilités. C'est la raison pour laquelle ce sont Netscape et Internet Explorer qui ont initié l'emploi des balises d'alignement couramment utilisées aujourd'hui, et non le comité des standards du W3C. La tendance actuelle serait de séparer la structure d'un document HTML (titres, corps du texte, listes, etc.) des caractéristiques de mise en page (centrage ou couleur du texte, taille des polices, etc.).

Par conséquent, nombreux sont ceux qui prédisent que les feuilles de styles en cascade (voir Chapitre 19) seront utilisées pour spécifier le formatage d'un document HTML alors que le HTML sera employé tel qu'il l'était initialement, en tant que langage structurel. On ne pourrait que s'en féliciter, d'autant que les feuilles de style permettent de contrôler de manière beaucoup plus précise l'apparence d'une page que les solutions proposées dans ce chapitre. Cependant, pour le moment, les feuilles de styles sont prises en charge d'une manière non uniforme par les différents navigateurs, et on ne peut les utiliser que partiellement, sauf pour créer des sites spécifiques pour Netscape ou Internet Explorer.

En conséquence, si vous souhaitez définir une mise en page précise aujourd'hui, vous devrez exploiter toutes les balises HTML et toutes les astuces qui en découlent. Nous allons passer en revue ci-dessous différents attributs et balises d'alignement HTML.

Balises et attributs d'alignement du texte

Ces balises et attributs sont employés avec le texte. Ils sont accompagnés de figures montrant à quoi ils ressemblent dans une page Web.

Saut de paragraphe. Insérez cette balise lorsque vous souhaitez espacer deux paragraphes :

<P>

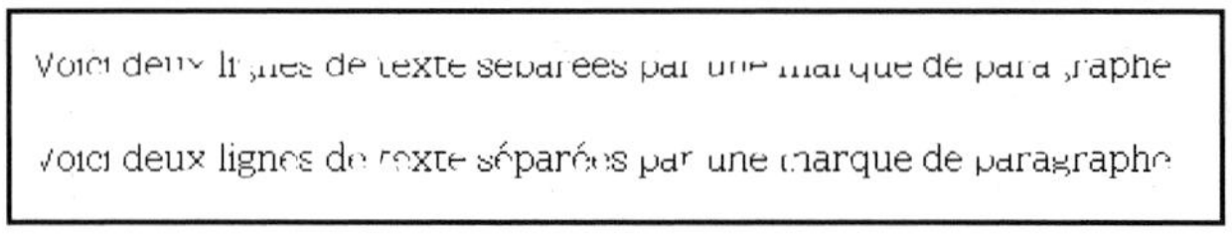

Voici deux lignes de texte séparées par une marque de paragraphe

Voici deux lignes de texte séparées par une marque de paragraphe

Saut de ligne. Utilisez cette balise lorsque vous souhaitez passer à la ligne sans insérer un espace supplémentaire entre les deux lignes :

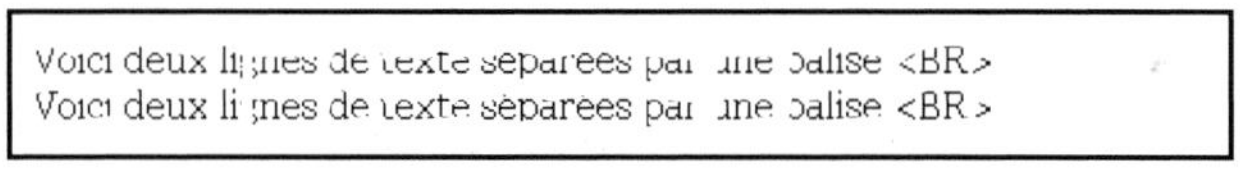

Voici deux lignes de texte séparées par une balise
Voici deux lignes de texte séparées par une balise

Texte centré. Utilisez cette balise pour centrer du texte ou des images. Utilisez la balise de fin pour revenir à un texte aligné à gauche.

<CENTER></CENTER>

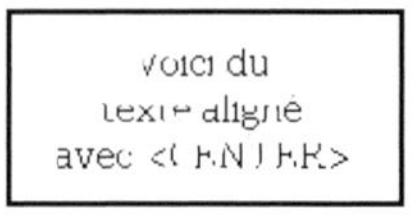

Voici du
texte aligné
avec <CENTER>

Texte préformaté. En général, lorsque vous insérez du texte préformaté, il s'affiche dans une autre police, Courier, par exemple, à la place du Times New Roman utilisé par défaut. Par ailleurs, lorsque vous employez la balise <PRE>, l'affichage respecte les espaces que vous insérez. Pour plus d'exemples, reportez-vous aux Chapitres 16 et 26.

<PRE></PRE>

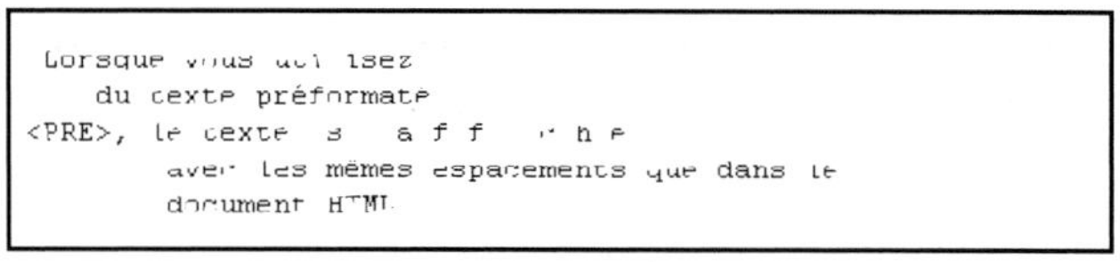

```
 Lorsque vous utilisez
    du texte préformaté
<PRE>, le texte  s   a f f   i c h e
         avec les mêmes espacements que dans le
         document HTML
```

Pas de saut de ligne (No Break). Utilisez cette balise si vous souhaitez afficher un texte pour lequel le navigateur n'insérera pas de saut de ligne. Si votre texte est trop long pour la fenêtre, une barre de défilement horizontale apparaîtra dans le navigateur.

<NOBR></NOBR>

Note

Interligne en HTML

La modification de l'interligne à l'aide du seul HTML n'est pas facile, à moins de connaître quelques astuces. Ainsi, vous ne pouvez simplement insérer une série de balises <P>, car seule la première balise <P> est reconnue. Il y a deux moyens de modifier l'interligne : utiliser la balise <PRE> ou combiner la balise <P> avec l'entité .   signifie *Non-breaking space* (espace insécable).

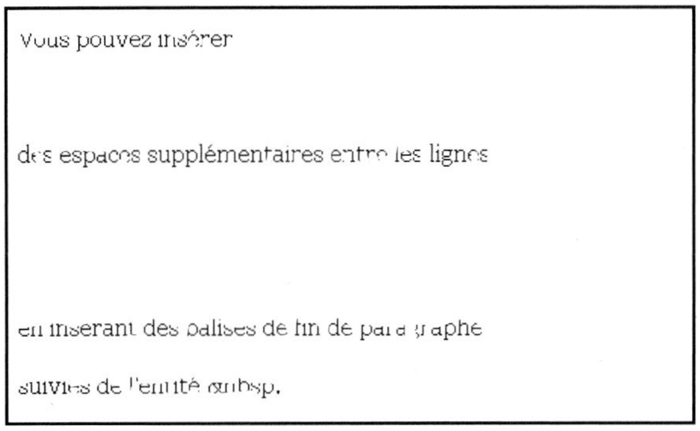

```
Vous pouvez insérer


des espaces supplémentaires entre les lignes




en insérant des balises de fin de paragraphe

suivies de l'entité  .
```

Le code correspondant à l'exemple ci-dessus est le suivant :

```
<P>Vous pouvez insérer
<P> 
<P>des espaces supplémentaires entre les lignes
<P> 
<P> 
<P>en insérant des balises de fin de paragraphe
<P>suivies de l'entité &amp;nbsp;
```

Cette technique permet d'insérer une succession de balises <P> parce que l'entité   est reconnue en tant que caractère. L'entité & permet quant à elle l'affichage d'un signe « & » dans le navigateur.

Une deuxième méthode consiste à utiliser la balise PRE. Dans ce cas, il suffit d'insérer une série de retours clavier dans le code HTML pour obtenir l'espacement souhaité entre les lignes.

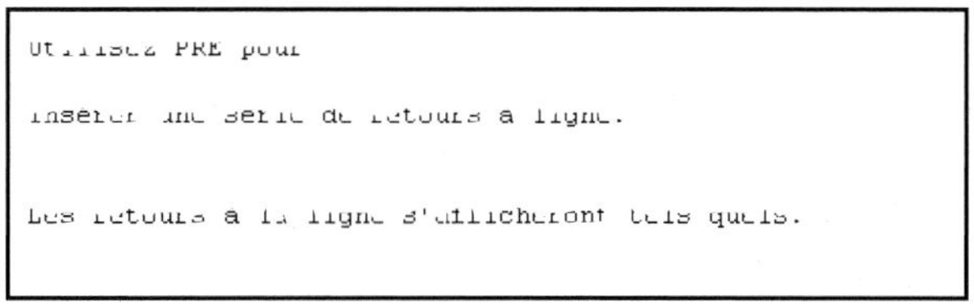

```
Utilisez PRE pour

insérer une série de retours à ligne.


Les retours à la ligne s'afficheront tels quels.
```

Voici le code de l'exemple ci-dessus :

```
<PRE>Utilisez PRE pour


insérer une série de retours à ligne.



Les retours à la ligne s'afficheront
tels quels.</PRE>
```

Si vous souhaitez contrôler plus précisément l'espace entre les lignes de votre texte, utilisez les feuilles de styles, qui sont décrites dans le Chapitre 19.

Attributs d'alignement des images

Les attributs d'alignement des images permettent de définir la position du texte par rapport aux images (et réciproquement). Ces attributs sont utilisés avec la balise IMG et non avec le texte.

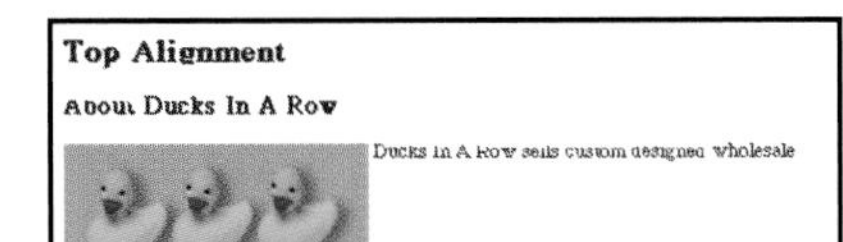

ALIGN=TOP Aligne le texte avec le haut de l'image.

```
<IMG SRC="duckies.jpg"
WIDTH="170" HEIGHT="76"
ALIGN=top>
Ducks In A Row sells custom
designed wholesale rubber stamps
to retail stores.  If you'd like
to find a retail location where
our stamps are sold, <A
HREF="sales.html">click here</A>.
If you are a retail store and
would like to carry our stamps
you can fax us for a catalog at
(805) 646.5299.  Joan Farber is
the illustrator who created the
artwork for Ducks In A Row.  Her
artists representative for
national/international advertising
campaigns and private commis-
sioned fine art is: 630 5th
Avenue 20th floor Rockefeller
Center, NY NY 100111 212.332.3460
fax - 212.332-3401.
```

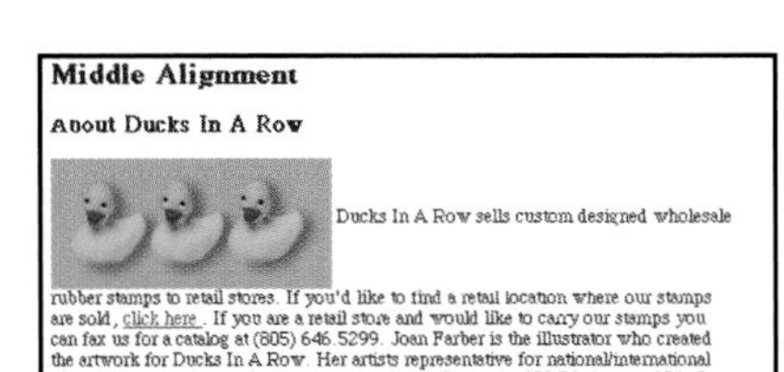

ALIGN=MIDDLE Aligne le texte par rapport au milieu de l'image.

```
<IMG SRC="duckies.jpg"
WIDTH="170" HEIGHT="76"
ALIGN=middle>
Ducks In A Row sells custom
designed wholesale rubber stamps
to retail stores.  If you'd like
to find a retail location where
our stamps are sold, <A
HREF="sales.html">click here</A>.
If you are a retail store and
would like to carry our stamps
you can fax us for a catalog at
(805) 646.5299.  Joan Farber is
the illustrator who created the
artwork for Ducks In A Row.  Her
artists representative for
national/international advertising
campaigns and private commis-
sioned fine art is: 630 5th
Avenue 20th floor Rockefeller
Center, NY NY 100111 212.332.3460
fax - 212.332-3401.
```

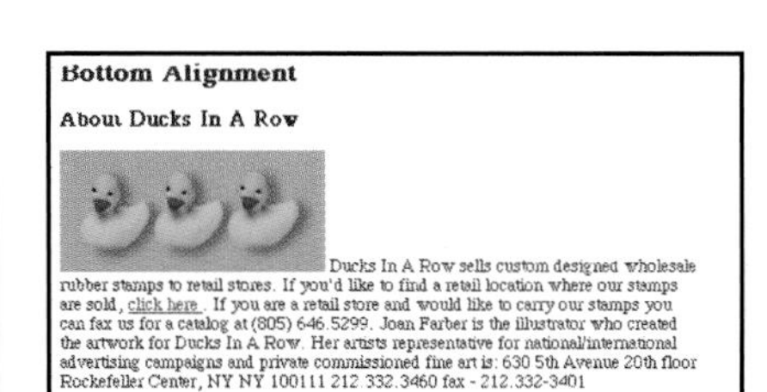

ALIGN=BOTTOM Aligne le texte avec le bas de l'image.

```
<IMG SRC="duckies.jpg"
WIDTH="170" HEIGHT="76"
ALIGN=bottom>
Ducks In A Row sells custom
designed wholesale rubber stamps
to retail stores.  If you'd like
to find a retail location where
our stamps are sold, <A
HREF="sales.html">click here</A>.
If you are a retail store and
would like to carry our stamps
you can fax us for a catalog at
(805) 646.5299.  Joan Farber is
the illustrator who created the
artwork for Ducks In A Row.  Her
artists representative for
national/international adverti-
sing campaigns and private
commissioned fine art is: 630 5th
Avenue 20th floor Rockefeller
Center, NY NY 100111 212.332.3460
fax - 212.332-3401.
```

Left Alignment

About Ducks In A Row

Ducks In A Row sells custom designed wholesale rubber stamps to retail stores. If you'd like to find a retail location where our stamps are sold, click here. If you are a retail store and would like to carry our stamps you can fax us for a catalog at (805) 646.5299. Joan Farber is the illustrator who created the artwork for Ducks In A Row. Her artists representative for national/international advertising campaigns and private commissioned fine art is: 630 5th Avenue 20th floor Rockefeller Center, NY NY 100111 212.332.3460 fax - 212.332-3401

ALIGN=LEFT Aligne l'image à gauche du texte ; le texte longe l'image.

```
<IMG SRC="duckies.jpg" WIDTH="170"
HEIGHT="76" ALIGN=right>
Ducks In A Row sells custom
designed wholesale rubber stamps
to retail stores.  If you'd like
to find a retail location where
our stamps are sold, <A
HREF="sales.html">click here</A>.
If you are a retail store and
would like to carry our stamps
you can fax us for a catalog at
(805) 646.5299.  Joan Farber is
the illustrator who created the
artwork for Ducks In A Row.  Her
artists representative for
national/international advertising
campaigns and private commissioned
fine art is: 630 5th Avenue 20th
floor Rockefeller Center, NY NY
100111 212.332.3460 fax -
212.332-3401.
```

Right Alignment

About Ducks In A Row

Ducks In A Row sells custom designed wholesale rubber stamps to retail stores. If you'd like to find a retail location where our stamps are sold, click here. If you are a retail store and would like to carry our stamps you can fax us for a catalog at (805) 646.5299. Joan Farber is the illustrator who created the artwork for Ducks In A Row. Her artists representative for national/international advertising campaigns and private commissioned fine art is: 630 5th Avenue 20th floor Rockefeller Center, NY NY 100111 212.332.3460 fax - 212.332-3401.

ALIGN=RIGHT Aligne l'image à droite du texte ; le texte longe l'image.

```
<IMG SRC="duckies.jpg"
WIDTH="170" HEIGHT="76"
ALIGN=right>
Ducks In A Row sells custom
designed wholesale rubber stamps
to retail stores.  If you'd like
to find a retail location where
our stamps are sold, <A
HREF="sales.html">click here</A>.
If you are a retail store and
would like to carry our stamps
you can fax us for a catalog at
(805) 646.5299.  Joan Farber is
the illustrator who created the
artwork for Ducks In A Row.  Her
artists representative for
national/international adverti-
sing campaigns and private
commissioned fine art is: 630 5th
Avenue 20th floor Rockefeller
Center, NY NY 100111 212.332.3460
fax - 212.332-3401.
```

Espacement horizontal et vertical

Les attributs d'espacement horizontal et vertical, HSPACE et VSPACE, permettent d'insérer un espace vide autour d'une image.

Dans la Figure 17.16, une valeur de 40 pixels a été utilisée pour chacun des attributs HSPACE et VSPACE, ce qui signifie qu'un espace vide de 20 pixels apparaît de chaque côté de l'image.

Left Alignment with Horizontal and Vertical Space

About Ducks In A Row

Ducks In A Row sells custom designed wholesale rubber stamps to retail stores. If you'd like to find a retail location where our stamps are sold, click here. If you are a retail store and would like to carry our stamps you can fax us for a catalog at (805) 646.5299. Joan Farber is the illustrator who created the artwork for Ducks In A Row. Her artists representative for national/international advertising campaigns and private commissioned fine art is: 630 5th Avenue 20th floor Rockefeller Center, NY NY 100111 212.332.3460 fax - 212.332-3401

```
<IMG SRC="duckies.jpg" WIDTH="170" HEIGHT="76"
ALIGN=left HSPACE="40" VSPACE="40">
Ducks In A Row sells custom designed wholesale rub-
ber stamps to retail stores.  If you'd like to find
a retail location where our stamps are sold, <A
HREF="sales.html">click here</A>.  If you are a
retail store and would like to carry our stamps you
can fax us for a catalog at (805) 646.5299.  Joan
Farber is the illustrator who created the artwork
for Ducks In A Row.  Her artists representative for
national/international advertising campaigns and
private commissioned fine art is: 630 5th Avenue
20th floor Rockefeller Center, NY NY
100111 212.332.3460 fax - 212.332-3401.
```

Attributs de hauteur et de largeur

Les attributs WIDTH et HEIGHT (largeur et hauteur) servent à définir la taille (en pixels) d'une image. L'emploi de ces attributs a deux conséquences : il permet d'une part au texte d'une page d'être affiché avant que les images soient téléchargées. En effet, en indiquant à l'aide de ces attributs la taille de l'image, le navigateur peut réserver dans la page l'espace nécessaire en attendant son téléchargement. De nombreux plug-in utilisant la balise EMBED nécessitent l'emploi de WIDTH et HEIGHT (voir les Chapitres 11 et 25 pour plus de détails sur ces sujets).

D'autre part, ces attributs permettent de modifier la taille d'une image si vous utilisez des valeurs différentes de leurs dimensions réelles. Dans l'exemple qui suit, les dimensions réelles de l'image sont de 170 × 76 pixels. En utilisant des valeurs respectives de 347 et 176 pixels pour les attributs WIDTH et HEIGHT, l'image a été agrandie ; avec des valeurs de 80 et 36, elle a été réduite. L'aspect des images en souffre généralement, mais il est cependant possible d'utiliser cette propriété des attributs pour créer un effet visuel intéressant.

<IMG SRC="duckies.jpg" WIDTH="347" HEIGHT="216">

<IMG SRC= "duckies.jpg" WIDTH="80" HEIGHT="36">

On peut également utiliser des valeurs en pourcentage (de la taille de la fenêtre) avec les attributs WIDTH et HEIGHT.

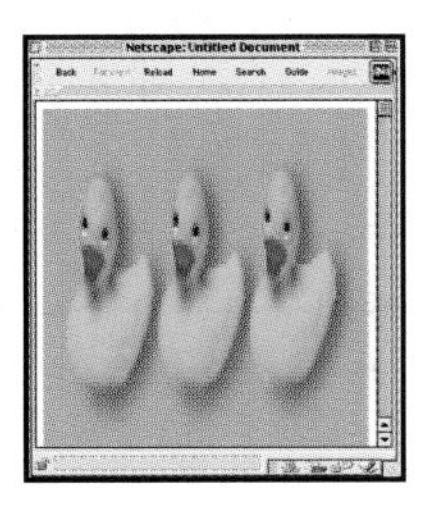

<IMG SRC="duckies.jpg" WIDTH="100 %" HEIGHT="100 %">. L'utilisation de pourcentages avec les attributs WIDTH et HEIGHT déformera l'image en fonction de la taille de la fenêtre du navigateur (et non de la taille réelle de l'image). Ici, on a agrandi l'image à 100 % de la taille de la fenêtre ; en fonction de la hauteur et de la largeur de celle-ci, l'image change elle aussi de forme.

Lorsque vous utilisez les dimensions réelles (en pixels) d'une image avec les attributs WIDTH et HEIGHT, votre page sera plus rapide à télécharger parce que le navigateur n'aura pas besoin d'évaluer la taille de l'image. Je vous conseille de toujours utiliser les attributs WIDTH et HEIGHT lorsque vous insérez une image dans une page.

Nous en avons fini avec les possibilités d'alignement offertes par les balises HTML courantes. Ci-dessous, nous verrons une technique permettant d'aligner du texte ou des images à l'aide d'images transparentes.

Images transparentes pour les alignements

Vous pouvez insérer dans une page Web des images invisibles permettant de positionner texte ou images de la manière souhaitée. Ces images ont pour seule fonction de permettre au créateur de pages Web de décaler le contenu de ses page en fonction de ses besoins, comme le montrent les figures ci-dessous. Pour que ces images ne soient pas visibles, vous pouvez soit leur donner la couleur de l'arrière-plan de la page, soit utiliser une image GIF entièrement transparente.

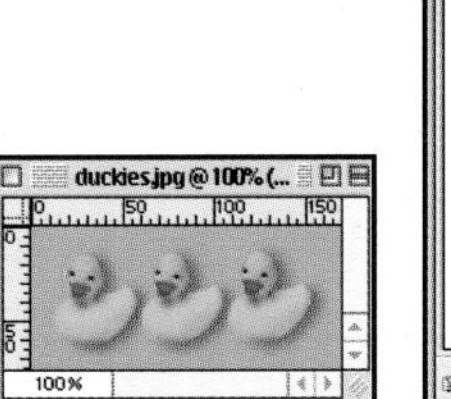

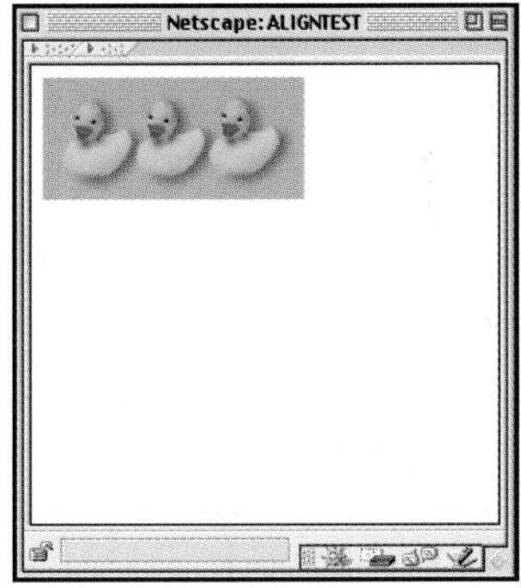

L'image initiale.

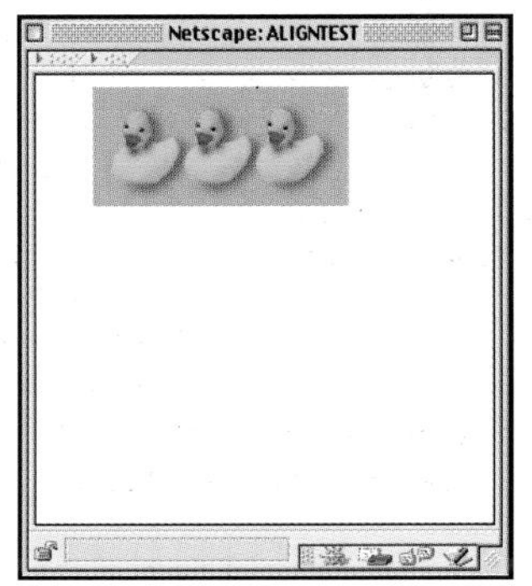

Ici, on a inséré à gauche de l'image une image transparente de 20 pixels de large.

Note

Emploi des attributs WIDTH et HEIGHT avec les images transparentes

L'utilisation des attributs WIDTH et HEIGHT permet de donner n'importe quelle taille à une image GIF transparente d'un pixel sur un pixel. Le maître de l'utilisation de cette technique est **David Siegel** ; il indique comment procéder à l'adresse http://www.dsiegel.com/tips/wonk5/single.html.

Alignement avec des tableaux

Initialement, les tableaux ont été inclus dans le HTML pour créer des colonnes de texte ou de chiffres. Cependant, il est tout à fait possible de placer des images dans les cellules d'un tableau. Les balises graphiques dont il a été question précédemment peuvent toutes être employées à l'intérieur des balises des tableaux. De ce fait, je distingue dans ce chapitre tableaux de données et tableaux comprenant des images.

Un créateur de pages Web sachant utiliser les tableaux dispose de beaucoup de possibilités de mise en page. L'apprentissage du fonctionnement des tableaux lui permet d'obtenir différents types de mise en page auxquels il n'est pas possible d'accéder directement à l'aide du HTML.

Tableaux de données

Lorsque le W3C (http://www.w3.org/) a défini le code HTML permettant de créer des tableaux, le comité songeait sans doute à la création de tableaux de données. Vous verrez de tels tableaux de données sur de nombreux sites. Ils contiennent du texte, des chiffres, des liens et parfois des images. Chaque cellule est clairement délimitée par des bords en relief.

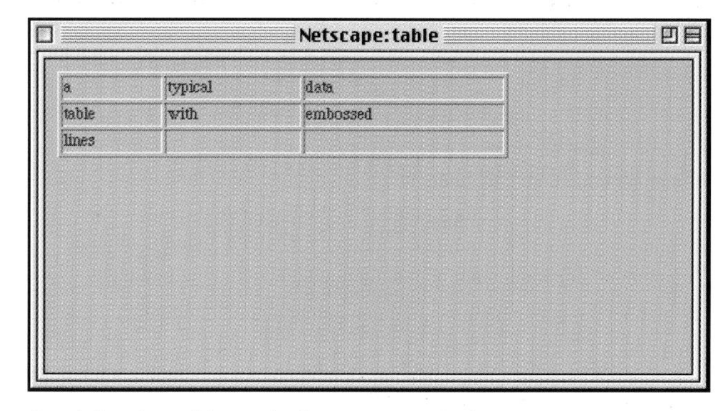

Par défaut, les tableaux de données sont divisés en lignes, colonnes et cellules par des bordures en relief.

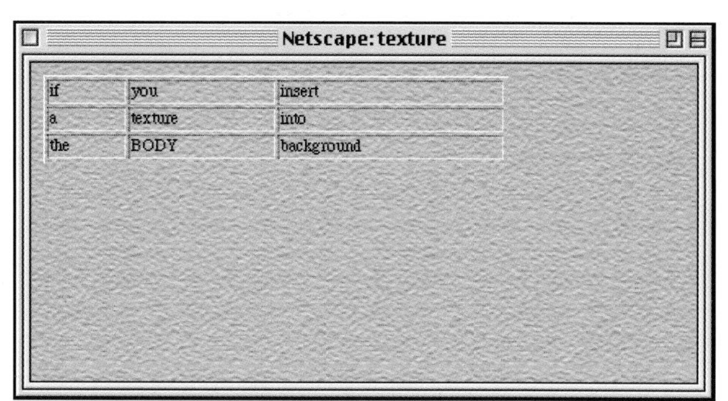

Si vous utilisez un motif ou une couleur unie d'arrière-plan, il sera mis en relief par les bordures du tableau.

Les bordures de tableaux sont semblables à des lignes horizontales (voir Chapitre 14) très perfectionnées. Quelques balises et quelques lignes de code HTML permettent de générer des lignes horizontales et verticales de différentes largeurs et épaisseurs. En apparence, le code peut paraître compliqué, mais vous serez sans doute surpris de constater combien la création de tableaux est simple en réalité.

Balises HTML pour la création de tableaux

Que le tableau soit destiné à contenir des données ou des images, les balises HTML employées sont les mêmes. Le fait de connaître la structure des balises pour les tableaux de données vous permettra de créer plus facilement des tableaux avec des images, dont il sera question un peu plus loin.

Les tableaux commencent toujours par une balise TABLE et se terminent par une balise /TABLE. Les balises TR et /TR indiquent le début et la fin d'une rangée. Les balises TD et /TD indiquent le début et la fin d'une cellule.

Supérieur gauche	Supérieur droit
Inférieur gauche	Inférieur droit

```
<TABLE><TR><TD>Supérieur gauche</TD>
<TD>Supérieur droit</TD></TR>
<TR><TD>Inférieur gauche</TD>
<TD>Inférieur droit</TD></TR></TABLE>
```

L'attribut TH permet de définir le titre d'un tableau, qui s'affiche en gras dans la plupart des navigateurs.

Supérieur gauche	**Supérieur droit**
Inférieur gauche	Inférieur droit

```
<TABLE>
<TR><TH>Supérieur gauche</TH>
<TH>Supérieur droit</TH></TR>
<TR><TD>Inférieur gauche</TD>
<TD>Inférieur droit</TD></TR></TABLE>
```

L'attribut BORDER de la balise TABLE donne aux bordures du tableau une apparence en relief.

Supérieur gauche	Supérieur droit
Inférieur gauche	Inférieur droit

```
<TABLE BORDER>
<TR><TD>Supérieur gauche</TD>
<TD>Supérieur droit</TD></TR>
<TR><TD>Inférieur gauche</TD><TD>
Inférieur droit</TD></TR></TABLE>
```

L'attribut COLSPAN de la balise TD permet à une cellule de s'étendre sur plusieurs colonnes. En voici un exemple d'utilisation :

Texte plus long dans une cellule	
Supérieur gauche	Supérieur droit
Inférieur gauche	Inférieur droit

```
<TABLE BORDER>
<TR><TD COLSPAN=2>
Texte plus long dans une cellule</TD></TR>
<TR><TD>Supérieur gauche</TH><TD>
Supérieur droit</TH></TR>
<TR>Inférieur gauche</TD>
<TR><TD>Inférieur droit</TD></TR></TABLE>
```

L'attribut ROWSPAN de la balise TD permet à une cellule de s'étendre sur plusieurs lignes, comme le montre l'exemple suivant :

<table>
<tr><td rowspan="2">Cellule plus haute</td><td>Supérieur gauche</td><td>Supérieur droit</td></tr>
<tr><td>Inférieur gauche</td><td>Inférieur droit</td></tr>
</table>

```
<TABLE BORDER>
<TR><TD ROWSPAN=2>
Cellule plus haute</TD>
<TD>Supérieur gauche</TD>
<TD>Supérieur droit</TD></TR>
<TR><TD>Inférieur gauche</TD>
<TD>Inférieur droit</TD></TR></TABLE>
```

Les attributs WIDTH et HEIGHT peuvent utiliser des valeurs en pixels ou en pourcentage. Les Figures 17.29 et 17.30 montrent le même code dans des fenêtres de navigateur différentes. Lorsque la valeur de l'attribut WIDTH est un pourcentage, la largeur du tableau augmente et diminue en fonction de celle de la fenêtre.

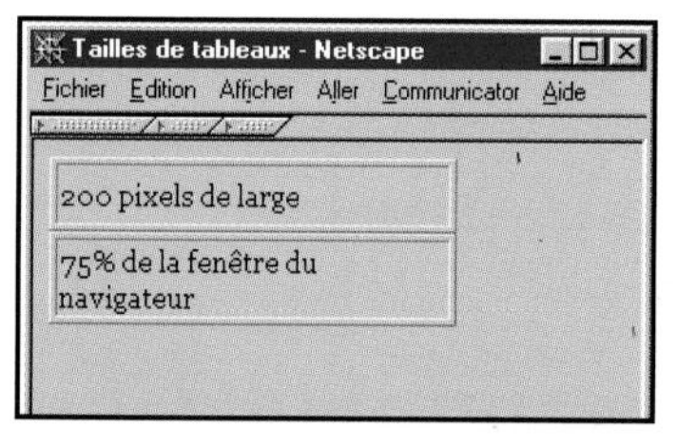

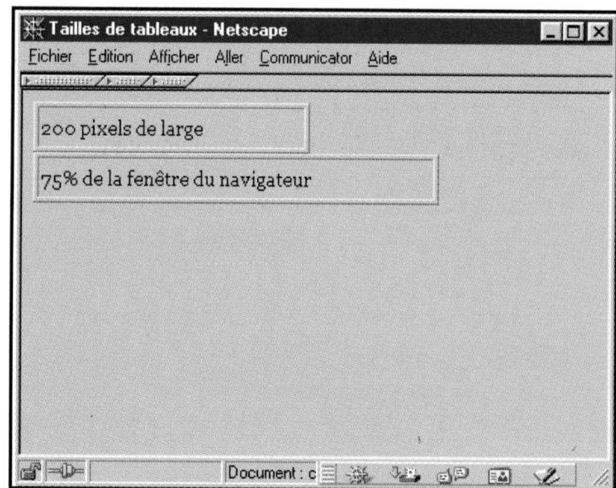


```
<TABLE BORDER WIDTH=200 HEIGHT=35>
<TR><TD>200 pixels de large</TD></TR></TABLE>
<TABLE BORDER WIDTH=75% HEIGHT=35>
<TR><TD>75% de la fenêtre du navigateur
</TD></TR></TABLE>
```

Dans l'exemple ci-dessous, les attributs WIDTH et HEIGHT permettent de déterminer la hauteur et la largeur du tableau en pixels.

Supérieur gauche	Supérieur droit
Inférieur gauche	Inférieur droit

```
<TABLE BORDER WIDTH=200 HEIGHT=100>
<TR><TD>Supérieur gauche</TD>
<TD>Supérieur droit</TD></TR>
<TR><TD>Inférieur gauche</TD>
<TD>Inférieur droit</TD></TR></TABLE>
```

L'attribut CELLPADDING, avec une valeur en pixels, crée un espace vide au-dessus, au-dessous, à droite et à gauche du contenu de chaque cellule, comme le montre l'exemple suivant.

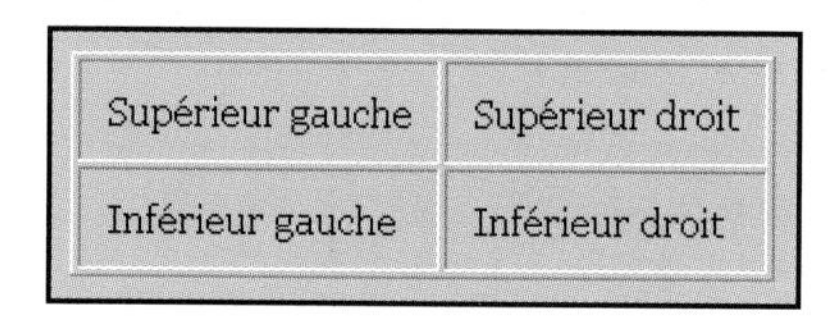

Supérieur gauche	Supérieur droit
Inférieur gauche	Inférieur droit

```
<TABLE BORDER CELLPADDING=10>
<TR><TD>Supérieur gauche</TD>
<TD>Supérieur droit</TD></TR>
<TR><TD>Inférieur gauche</TD>
<TD>Inférieur droit</TD></TR></TABLE>
```

L'attribut CELLSPACING, avec une valeur en pixels, permet de modifier l'épaisseur des bordures, comme le montre l'exemple ci-dessous.

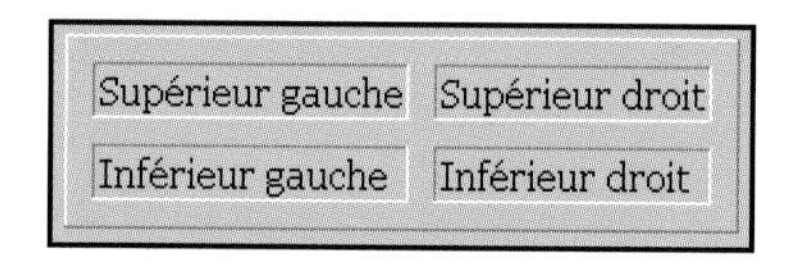

Supérieur gauche	Supérieur droit
Inférieur gauche	Inférieur droit

```
<TABLE BORDER CELLSPACING=10>
<TR><TD>Supérieur gauche</TD>
<TD>Supérieur droit</TD></TR>
<TR><TD>Inférieur gauche</TD>
<TD>Inférieur droit</TD></TR></TABLE>
```

Vous pouvez modifier l'alignement du contenu d'une cellule en utilisant l'attribut VALIGN ; les valeurs de cet attribut peuvent être TOP, MIDDLE et BOTTOM (haut, milieu et bas), comme le montre l'exemple ci-dessous.

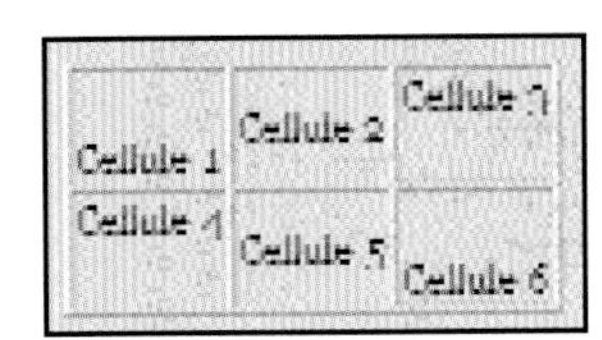


```
<TABLE BORDER HEIGHT=100>
<TR><TD VALIGN=bottom>Cellule 1</TD>
<TD VALIGN=middle>Cellule 2</TD>
<TD VALIGN=top>Cellule 3</TD></TR>
<TR><TD VALIGN=top>Cellule 4</TD>
<TD VALIGN=middle>Cellule 5</TD>
<TD VALIGN=bottom>Cellule 6</TD></TR></TABLE>
```

L'attribut VALIGN peut être utilisé avec la balise TD comme ci-dessus, mais aussi avec les balises TR et TH, comme le montre l'exemple suivant.

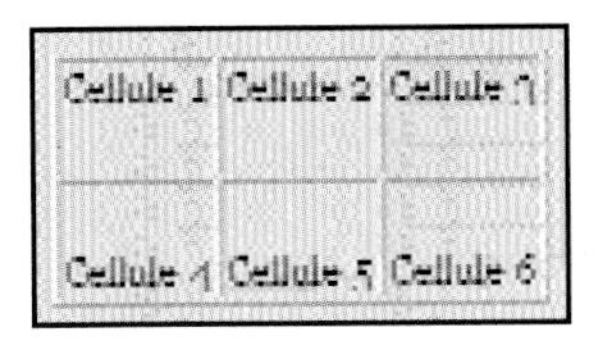


```
<TABLE BORDER HEIGHT=100>
<TR VALIGN=top>
<TD>Cellule 1</TD>
<TD>Cellule 2</TD>
<TD>Cellule 3</TD></TR>
<TR VALIGN=bottom>
<TD>Cellule 4</TD>
<TD>Cellule 5</TD>
<TD>Cellule 6</TD></TR></TABLE>
```

Vous pouvez insérer des images dans un tableau à l'aide de la balise IMG SRC. Voici un tableau ne comprenant qu'une cellule, dans laquelle on a placé une image :

```
<TABLE BORDER><TR><TD>
<IMG SRC="duckies.jpg"></TD></TR></TABLE>
```

Enfin, rien ne vous empêche de mélanger texte et images dans un tableau, comme le montre l'exemple ci-dessous :

```
<TABLE BORDER>
<TR><TD rowspan=2>
<IMG SRC="ducky.jpg"></TD>
<TH colspan=3>QUACK!!</TH></TR>
<TR><TD>QUACK!</TD>
<TD><IMG SRC="ducky.jpg"></TD>
<TD>QUACK!!!</TD></TR></TABLE>
```

La section qui suit vous montrera comment positionner précisément images et texte dans une page Web à l'aide de tableaux sans que les bordures soient visibles.

Des tableaux pour positionner des images

Les tableaux ont été le premier moyen dont disposaient les graphistes pour définir avec plus de précision la présentation de leurs pages Web. Si vous basez l'alignement des éléments de votre page Web sur des tableaux, tout ce qui n'était pas réalisable à l'aide du HTML standard devient soudain possible. Insérer une série de liens au milieu de la page, ou une ligne verticale ? Pas de problème. Aligner une image à gauche ou à droite en fonction d'une grille définie en pixels ? Pas de problème. Définir la taille de la page soi-même, au lieu de laisser le navigateur le faire à votre place ? Pas de problème. Si vous utilisez QuarkXPress ou PageMaker, vous êtes sans doute habitué à travailler avec des blocs de textes et d'images. L'emploi de tableaux nécessite un peu plus d'efforts mais, avec un peu de planification, ils permettent d'obtenir des résultats similaires.

Pourcentages et pixels

Lorsqu'on utilise des tableaux HTML pour réaliser la mise en forme de ses pages Web, il est important de comprendre la différence entre les mesures en pixels et les mesures en pourcentage. Lorsque vous définissez une mesure en pourcentage, celui-ci est calculé par rapport à la taille de la fenêtre du navigateur ; une mesure en pixels, en revanche, est une mesure absolue (et donc fixe).

Mesures en pourcentage

L'une de nos astuces favorites consiste à centrer une image ou un texte de façon qu'il reste au milieu de la fenêtre, quelle que soit la taille de celle-ci. Pour obtenir ce résultat, il suffit d'utiliser des mesures en pourcentage et des attributs d'alignement, comme le montrent le code et les figures ci-dessous :

```
<TABLE><TABLE BORDER="0" CELLPADDING="0" CELLSPACING="0" WIDTH="100%"
HEIGHT="100%"> <TR>
<TD ALIGN="center" VALIGN="middle"><IMG SRC="odac3.gif" WIDTH="162"
HEIGHT="225"></TD></TR></TABLE>
```

Ce code permet de créer un tableau dont la hauteur et la largeur représentent 100 % des dimensions de la fenêtre du navigateur, et dont le contenu est centré horizontalement et verticalement.

Quelle que soit la taille de la fenêtre du navigateur, l'image reste toujours centrée grâce au tableau dont les valeurs sont données en pourcentage.

Mesures en pixels

Les tableaux dont les mesures sont données en pixels permettent de créer de grandes images, de les diviser en plusieurs parties, puis de les réassembler dans la page Web. Différentes raisons peuvent vous inciter à découper une image en plusieurs morceaux. Il se peut par exemple que votre image comporte à la fois des zones à bords nets et à tons continus ; dans le premier cas, vous utiliseriez le format GIF et dans le second, le format JPEG. Il se peut également que vous souhaitiez intégrer des animations ou des rollovers dans l'une ou l'autre partie de votre image.

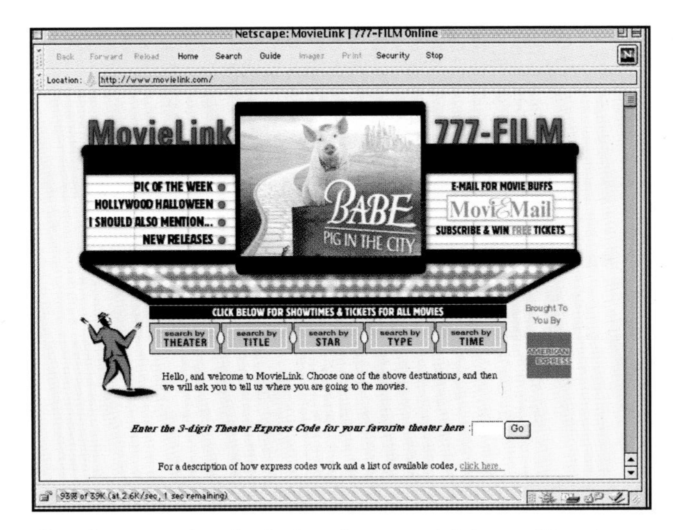

Cette image provient du site http://www.movielink.com. Elle est en réalité composée d'une série d'images plus petites qui ont été réassemblées dans un Tableau HTML.

JPEG

GIF

animated GIF

JPEG

GIF

L'infographiste Elizabeth Roxby (http://www.roxx.com) a combiné JPEG, GIF et GIF animé pour créer une image qui semble être d'un seul tenant. Ce découpage permet par ailleurs de modifier facilement le contenu du site.

Lorsque vous utilisez un tableau dont vous indiquez les dimensions en pixels, vous devez connaître au préalable les dimensions exactes des images employées, comme dans l'exemple ci-dessous.

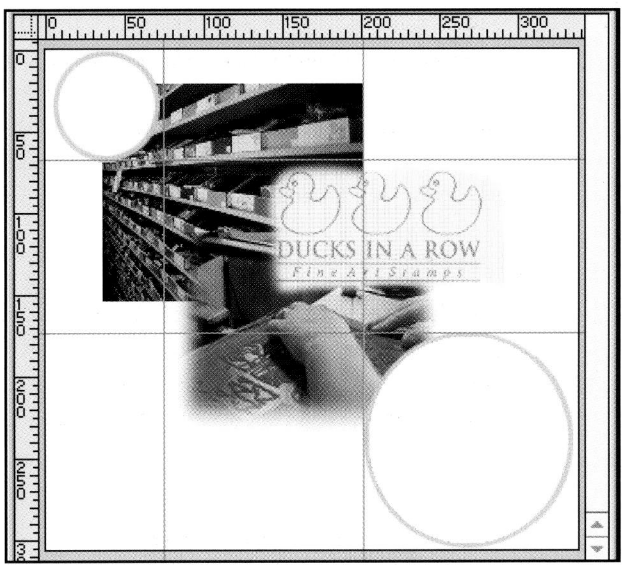

Voici l'image dans Photoshop, avec les repères affichés. Ceux-ci servent à découper l'image en plusieurs parties. Avec la palette Infos indiquant les mesures en pixels (et non en pouces ou en cm), il est facile de déterminer les dimensions exactes de chacune des parties de l'image, et par conséquent des cellules du tableau. On a placé des GIF animés dans les deux cercles ; les autres parties de l'image ont été enregistrées au format GIF.

Le code employé pour regrouper les différentes parties de l'image ressemblera à ceci :

```
<TABLE BORDER=0 CELLSPACING=0 CELLPADDING=0>
  <TR>
    <TD><IMG SRC="decoupe1.gif"></TD>
    <TD><IMG SRC="decoupe2.gif"></TD>
    <TD><IMG SRC="decoupe3.gif"></TD>
  <TR>
    <TD><IMG SRC="decoupe4.gif"></TD>
    <TD><IMG SRC="decoupe5.gif"></TD>
    <TD><IMG SRC="decoupe6.gif"></TD>
  <TR>
    <TD><IMG SRC="decoupe7.gif"></TD>
    <TD><IMG SRC="decoupe8.gif"></TD>
    <TD><IMG SRC="decoupe9.gif"></TD>
</TABLE>
```

Note

N'oubliez pas les balises de fin

Lorsqu'on crée un tableau pour réassembler une série de morceaux d'images, il est courant d'oublier la balise de fin (</TD>) ou de placer cette balise sur une ligne séparée. Voici deux exemples à ne pas suivre. Dans les deux cas, des espaces vides apparaissent entre les portions d'image, et l'image complète n'apparaît plus d'un seul tenant.

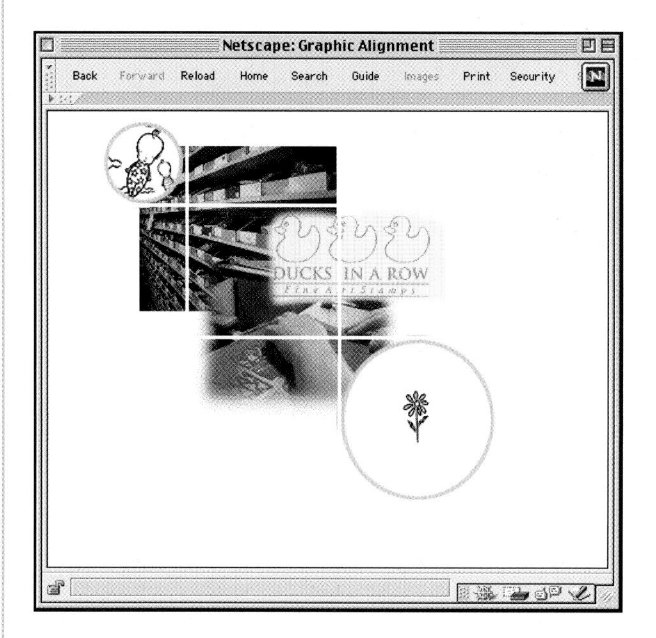

Oubli des balises de fin

```
<TABLE BORDER=0 CELLSPACING=0 CELLPADDING=0>
  <TR>
    <TD><IMG SRC="decoupe1.gif">
    <TD><IMG SRC="decoupe2.gif">
    <TD><IMG SRC="decoupe3.gif">
  <TR>
    <TD><IMG SRC="decoupe4.gif">
    <TD><IMG SRC="decoupe5.gif">
    <TD><IMG SRC="decoupe6.gif">
  <TR>
    <TD><IMG SRC="decoupe7.gif">
    <TD><IMG SRC="decoupe8.gif">
    <TD><IMG SRC="decoupe9.gif">
</TABLE>
```

Balises de fin mal placées

```
<TABLE BORDER=0 CELLSPACING=0 CELLPADDING=0>
  <TR>
    <TD><IMG SRC="decoupe1.gif">
    </TD><TD><IMG SRC="decoupe2.gif">
    </TD><TD><IMG SRC="decoupe3.gif">
  <TR>
    <TD><IMG SRC="decoupe4.gif">
    </TD><TD><IMG SRC="decoupe5.gif">
    </TD><TD><IMG SRC="decoupe6.gif">
  <TR>
    <TD><IMG SRC="decoupe7.gif">
    </TD><TD><IMG SRC="decoupe8.gif">
    </TD><TD><IMG SRC="decoupe9.gif">
</TABLE>
```

Retraits avec des tableaux

Si vous souhaitez créer des paragraphes décalés vers la droite, utilisez un tableau. Voici un exemple et le code correspondant.

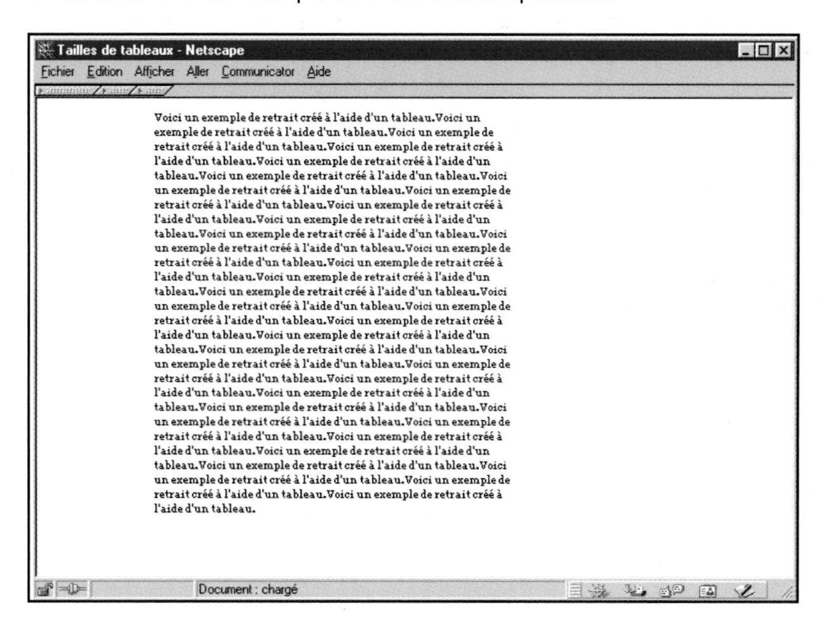

Code

```
<table width="443" border="0">
  <tr>
    <td width="100"></td>
    <td width="339">Voici un exemple de retrait créé à l'aide d'un tableau.Voici un exemple de retrait
créé à l'aide d'un tableau.Voici un exemple de retrait créé à l'aide d'un tableau.Voici un exemple de
retrait créé à l'aide d'un tableau.Voici un exemple de retrait créé à l'aide d'un tableau.Voici un exemple
de retrait créé à l'aide d'un tableau.Voici un exemple de retrait créé à l'aide d'un tableau.Voici un
exemple de retrait créé à l'aide d'un tableau.Voici un exemple de retrait créé à l'aide d'un tableau.Voici
un exemple de retrait créé à l'aide d'un tableau.Voici un exemple de retrait créé à l'aide d'un tableau.
Voici un exemple de retrait créé à l'aide d'un tableau.Voici un exemple de retrait créé à l'aide d'un
tableau.Voici un exemple de retrait créé à l'aide d'un tableau.Voici un exemple de retrait créé à l'aide
d'un tableau.Voici un exemple de retrait créé à l'aide d'un tableau.Voici un exemple de retrait créé à
l'aide d'un tableau.Voici un exemple de retrait créé à l'aide d'un tableau.Voici un exemple de retrait
créé à l'aide d'un tableau.Voici un exemple de retrait créé à l'aide d'un tableau.Voici un exemple de
retrait créé à l'aide d'un tableau.Voici un exemple de retrait créé à l'aide d'un tableau.Voici un exemple
de retrait créé à l'aide d'un tableau.Voici un exemple de retrait créé à l'aide d'un tableau.Voici un
exemple de retrait créé à l'aide d'un tableau.Voici un exemple de retrait créé à l'aide d'un tableau.Voici
un exemple de retrait créé à l'aide d'un tableau.Voici un exemple de retrait créé à l'aide d'un tableau.
Voici un exemple de retrait créé à l'aide d'un tableau.Voici un exemple de retrait créé à l'aide d'un
tableau.Voici un exemple de retrait créé à l'aide d'un tableau.Voici un exemple de retrait créé à l'aide
d'un tableau.Voici un exemple de retrait créé à l'aide d'un tableau.Voici un exemple de retrait créé à
l'aide d'un tableau.</td>
  </tr>
</table>
```

Tableaux WYSIWYG

Il est important de noter que presque tous les éditeurs HTML WYSIWYG (qui affichent à l'écran les pages Web telles qu'elles se présenteront dans le navigateur) permettent de créer des tableaux sans que vous ayez à vous soucier du code correspondant, ce qui peut vous faire gagner beaucoup de temps.
Il reste qu'il est important de savoir comment fonctionnent les tableaux HTML dans la mesure où il faut parfois modifier à la main le code généré par les éditeurs.

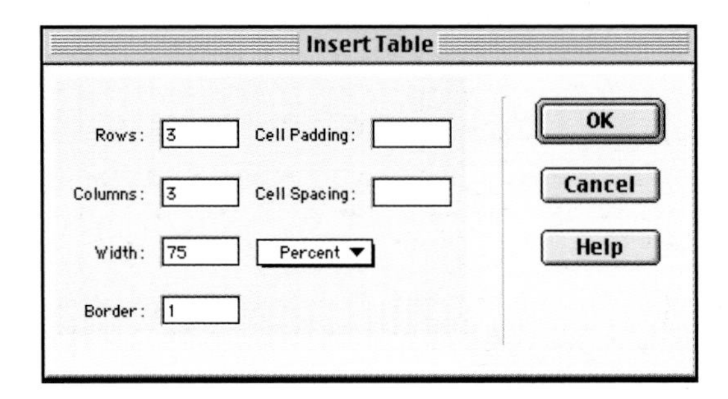

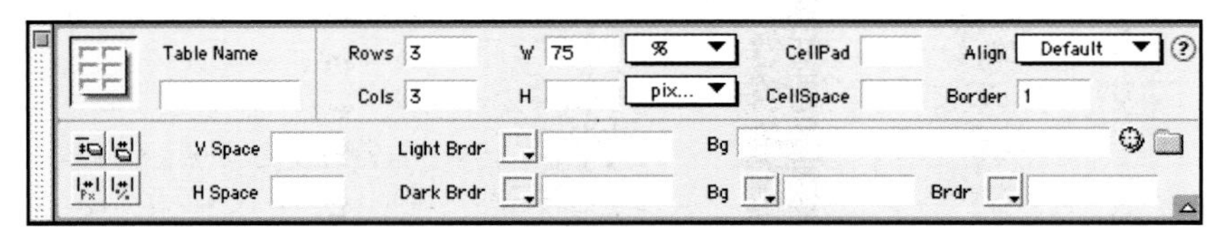

Les éditeurs HTML WYSIWYG vous permettent de créer facilement des tableaux. Ici, une boîte de dialogue et une palette de Dreamweaver 2.0.

Note

Logiciels de dessin et tableaux HTML

Certains logiciels de dessin récents génèrent directement le code HTML d'un tableau à partir d'une image découpée en plusieurs parties. Voici comment procéder dans Fireworks 2.

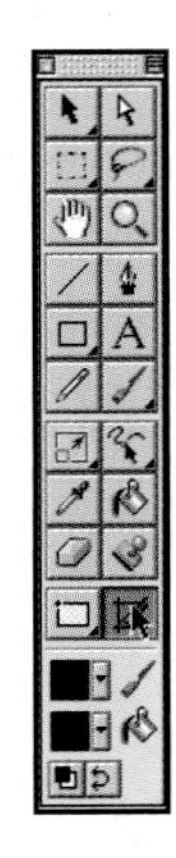

Sélectionnez l'outil Découpe (Slice) dans la palette d'outils.

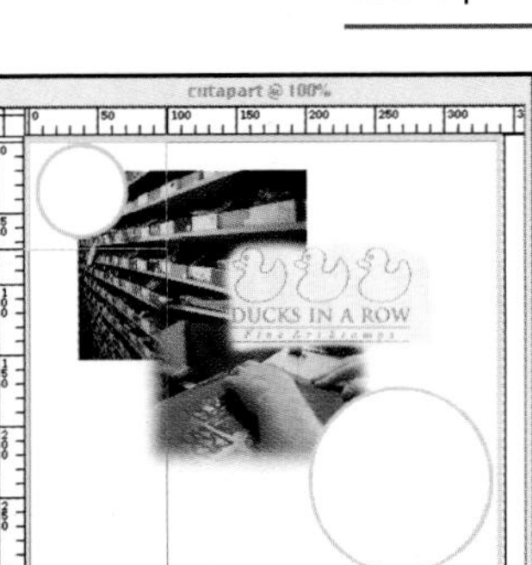

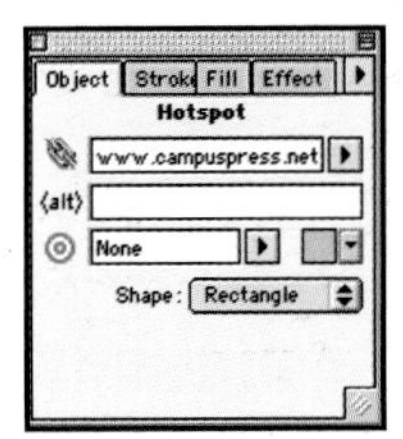

Lorsque vous créez une découpe, Fireworks génère automatiquement le tableau correspondant. Les cellules apparaissent sous la forme de lignes rouges. Pour chacune des cellules, vous pouvez définir un lien, les paramètres de compression et d'autres caractéristiques à l'aide de la palette Objet (Object).

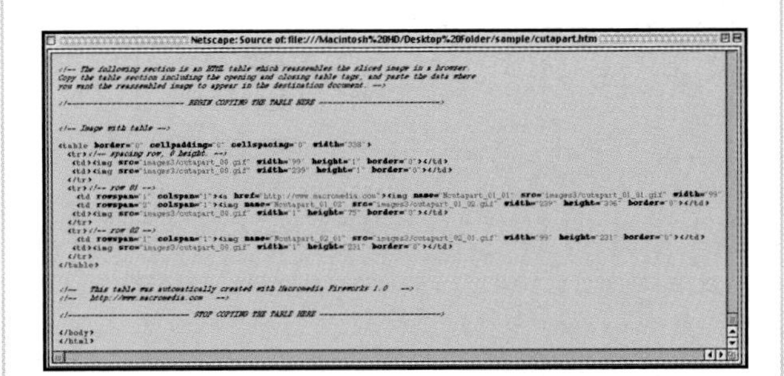

Ici, le document HTML a été généré à l'aide de Fireworks sans que l'utilisateur ait à écrire une seule ligne de code. Cette nouvelle tendance des logiciels graphiques sera sans aucun doute reprise par d'autres éditeurs.

Résumé

Tableaux et alignement

Il est souvent difficile d'obtenir la mise en page souhaitée à partir du HTML standard. Cependant, différentes solutions existent, comme ce chapitre vous l'a montré :

- Les balises et attributs d'alignement permettent de définir certains types d'alignement, mais les possibilités qu'elles offrent sont limitées.
- Pour déterminer avec précision texte et images, il est conseillé d'utiliser des tableaux.
- Les tableaux peuvent être définis en pixels (dimensions absolues) ou en pourcentage (de la fenêtre du navigateur).
- Vous pouvez découper et réassembler des images pour optimiser vos images ou pour y inclure des rollovers et des GIF animés.
- Les éditeurs HTML WYSIWYG et certains logiciels de dessin permettent de se concentrer sur la création de la page et peuvent vous épargner de nombreux calculs.

Frames

Introduction

Au sommaire de ce chapitre

- Qu'est-ce qu'un frame ?
- Avantages et inconvénients
- Les bases des frames
- Le code HTML des frames
- Frames cibles
- Pages sans frames
- Frames créatifs

18

Je dois avouer que lorsque j'ai vu apparaître les *frames* (cadres) voici quelques années, j'ai d'abord été horrifiée. Un commentateur les décrivait alors comme du « Mondrian sous LSD », et cette description m'amuse encore aujourd'hui. A cette époque, Netscape annonçait la version 2.0 de son navigateur, et son site démontrait fièrement l'utilité des frames. La réaction du public fut si négative que Netscape finit par changer la présentation de son site : aujourd'hui encore, le site de Netscape est dépourvu de frames.

Aujourd'hui, lors de mes cours, j'effectue toujours un petit sondage pour savoir qui « déteste les frames ». Et chaque fois, de nombreuses mains se lèvent ; le moins qu'on puisse dire est que l'utilisation des frames reste un sujet peu consensuel. Pourquoi autant de débats ? Quels sont les avantages et les inconvénients des frames ? Comment fonctionnent-ils et comment en créer ? Comment proposer une solution de remplacement aux visiteurs n'aimant pas les frames, et quels sont les pièges à éviter ?

Toutes ces questions sont étudiées dans ce chapitre. Si les frames suscitent des critiques, ils sont également utiles pour beaucoup de choses — qu'il s'agisse de navigation ou d'effets visuels. Après avoir lu ce chapitre, vous aurez des idées plus précises sur la manière de créer des frames et si oui ou non vous devez vous donner la peine de les utiliser pour votre site.

Qu'est-ce qu'un frame ?

Si on cherchait dans la vie réelle quelque chose ressemblant aux frames, on pourrait les comparer aux plateaux repas servis dans les avions. Ces plateaux contiennent toujours différentes cases où sont rangés les différents plats, les couverts, les boissons, etc. Si cette comparaison est très simplificatrice, elle permet cependant de se représenter le fonctionnement des frames. En effet, les frames permettent de diviser la fenêtre du navigateur en cases, chaque case contenant une page HTML. Le « plateau » est également une page HTML, qui contient toutes les autres.

La création d'un site Web contenant des frames nécessite un minimum d'organisation parce qu'on doit manier plusieurs documents HTML à la fois. Chacun de ces documents peut contenir les différents éléments dont il a été question dans les chapitres précédents : couleurs et motifs d'arrière-plan, images, imagemaps, texte, tableaux, etc. De plus, vous pouvez « cibler » ces pages par rapport à la fenêtre du navigateur, et en général, les mêmes pages cibles sont utilisées à plusieurs reprises sur un même site.

Avant de parler de la manière de créer frames et cibles, vous vous demandez peut-être à quoi peuvent servir les frames. Les frames permettent à des parties d'une page de rester inchangées pendant que d'autres sont modifiées. Cela permet par exemple de créer une barre de navigation qui sera visible et inchangée sur toutes les pages de votre site : sans frames, il serait nécessaire de créer une barre de navigation sur chacune des pages du site. La création d'un système de navigation cohérent et accessible est quelque chose d'évident pour les créateurs de CD-ROM, mais se révèle beaucoup plus difficile à mettre en place sur un site Web.

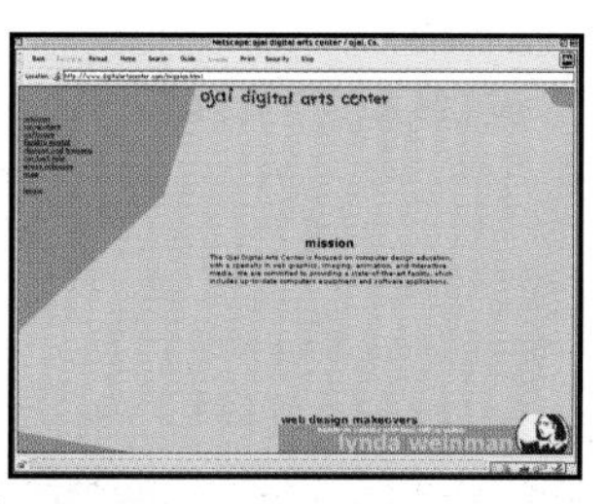
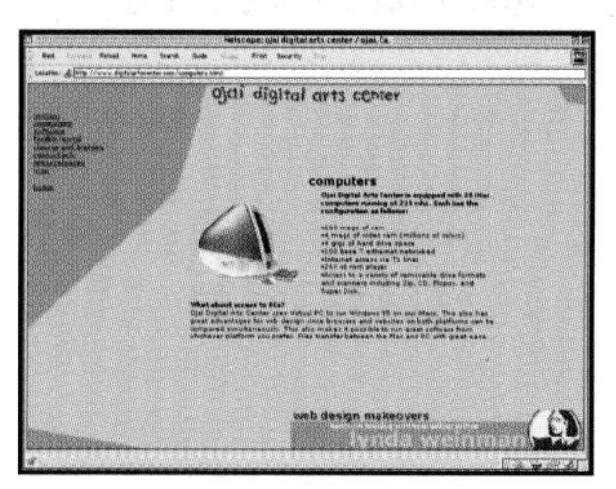
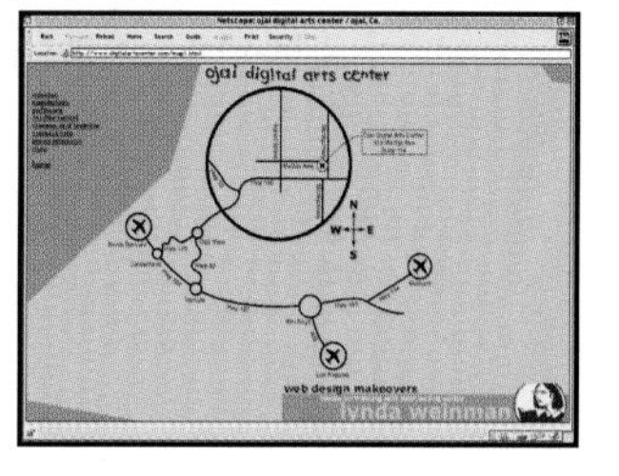

Ces exemples, qui proviennent du site http://www.digitalartscenter.com, montrent à quoi peuvent servir les frames et pourquoi de nombreux concepteurs de pages Web les utilisent. Lorsque vous cliquez dans la barre de navigation située sur le côté droit de l'écran, le milieu de la fenêtre est modifié et lui seul. C'est le résultat de l'utilisation de frames. Dans cet exemple, les frames sont dépourvus de bords, et chaque frame fait appel à un motif d'arrière-plan différent. Les différents motifs créent un motif continu dans la fenêtre entière.

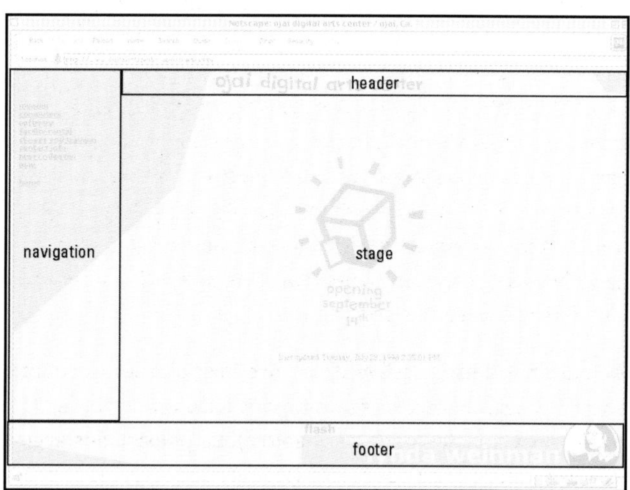

Voici la décomposition de la fenêtre des figures ci-dessus. L'écran a été divisé en quatre parties, la partie centrale étant modifiée en fonction de la navigation du visiteur, les trois autres parties restant inchangées. En cliquant sur l'un des liens de la zone de navigation (à gauche), le visiteur modifie le contenu du frame central. En théorie, il est possible de modifier ainsi le contenu de chacun des frames.

Les frames : avantages et inconvénients

Pourquoi les frames suscitent-ils de tels débats ? Parce que si, en théorie, les frames permettent de simplifier la navigation des visiteurs, en pratique, la manière dont ils sont utilisés fait que ce n'est pas toujours le cas. Autrement dit, un créateur Web inexpérimenté peut facilement abuser des frames et créer un site où il sera difficile, voire impossible pour le visiteur de s'orienter.

Pour revenir un instant en arrière, il faut savoir que, lorsque les frames ont été introduits par Netscape en 1997, leur utilisation posait toutes sortes de problèmes. Il n'existait aucun moyen de masquer les bordures séparant les différentes zones dans la fenêtre du navigateur et, en conséquence, l'écran était rempli de traits gris et de barres de défilement. Par ailleurs, il n'était pas possible d'imprimer le contenu d'un frame ou de l'enregistrer en tant que signet (ou favori) ; enfin, le fait de cliquer sur le bouton Précédent du navigateur ramenait le visiteur au site précédemment visité, et non au frame précédemment visité.

Dans la mesure où la place est limitée sur une page Web, on comprend que l'utilisateur ne se réjouisse pas de voir la fenêtre du navigateur remplie de bordures et de barres de défilement. C'est l'une des raisons pour lesquelles les frames ont mauvaise réputation — lorsque bordures et barres de défilement ne sont pas toutes masquées, la navigation sur le site risque d'être plus difficile que sans frames. En conséquence, si les frames peuvent faciliter la navigation sur un site, ils peuvent aussi la rendre beaucoup plus difficile lorsqu'ils sont mal conçus.

Aujourd'hui, il est possible de rendre invisibles les bordures entre frames, si vous savez comment faire (vous verrez comment procéder dans ce chapitre). La plupart des arguments à l'encontre des frames ne sont plus valables aujourd'hui, mais il reste des réserves sérieuses. Ainsi, s'il est important que vos visiteurs puissent imprimer une ou plusieurs pages du site, il est préférable d'éviter les frames. En effet, un frame s'imprimera si il est actif (si c'est le dernier frame dans lequel l'utilisateur a cliqué). Si c'est un autre frame qui est actif, c'est lui qui sera imprimé. Il peut être utile d'inclure un fichier PDF sur votre site et/ou une page extérieure au *frameset* (nous y reviendrons dans ce chapitre). Par ailleurs, l'enregistrement d'un frame en tant que signet (ou favori) reste problématique — le signet se référera au frameset (le « plateau-repas » lui-même) et non à son contenu.

Ma société, Lynda.com, a vu récemment se poser un problème lorsque nous avons ajouté à notre site (qui comprend des frames) une page sécurisée permettant de payer en ligne. Cette page était bien sécurisée, mais l'icône du navigateur (la clé ou le cadenas, en bas dans l'interface du navigateur) ne l'indiquait pas. Et nous avons reçu de nombreuses plaintes nous signalant que notre page n'était pas sécurisée (alors qu'elle l'était). La solution a simplement consisté à placer la page de paiement sécurisé à part, hors du frameset. J'indiquerai comment faire lorsqu'il sera question des cibles, un peu plus loin.

Après avoir lu ce qui précède, vous vous demandez peut-être s'il est bien raisonnable d'utiliser des frames. J'évitais systématiquement d'y avoir recours, mais maintenant qu'il est possible de masquer les bordures, je les ai utilisés pour mon site (http://www.digitalartscenter.com). Si les questions d'impression, de pages sécurisées et de signets ne sont pas essentielles pour vous, envisagez sérieusement d'utiliser des frames sur vos sites.

Quelle que soit votre décision, attendez-vous à des opinions tranchées : la plupart des utilisateurs aiment ou détestent les frames, et il n'y a pas tellement de place pour des compromis.

Le principe des frames

Lorsqu'un site fait appel à des frames, il nécessite l'emploi de plusieurs pages HTML pour chaque écran affiché dans le navigateur. Chacune de ces pages est un document HTML normal et doit comprendre les balises standards (HTML, HEAD et BODY). Dans le cas du site dont il a été question précédemment, nous avons utilisé cinq documents HTML : une page servant de titre, une zone de navigation, un pied de page, une zone d'affichage principale ainsi qu'une page conteneur où les quatre pages précédentes sont rassemblées.

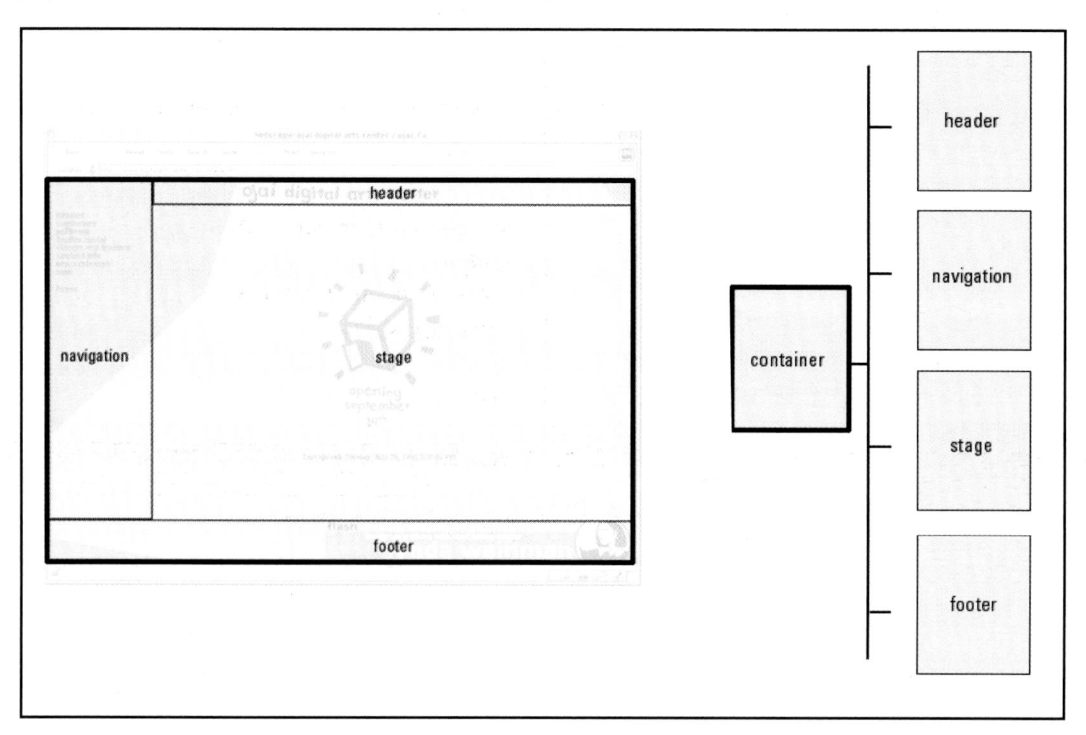

Cette figure montre la page telle qu'elle s'affiche dans le navigateur et les différentes pages dont elle est composée en réalité. Dans cet exemple, la page conteneur contient les quatre autres documents HTML.

Lorsqu'on affiche la source d'un document basé sur les frames, il s'agit en général du conteneur. Il est difficile d'afficher la source de chacun des documents HTML d'une page comportant des frames, aussi est-il difficile d'apprendre à créer des frames en s'inspirant d'exemples existant sur le Web.

Utilisation des frames

Plutôt que de poursuivre avec l'exemple précédent (qui est relativement complexe), nous allons commencer avec un écran comprenant deux frames (ce qui représente, comme vous devez vous en douter, trois documents HTML).

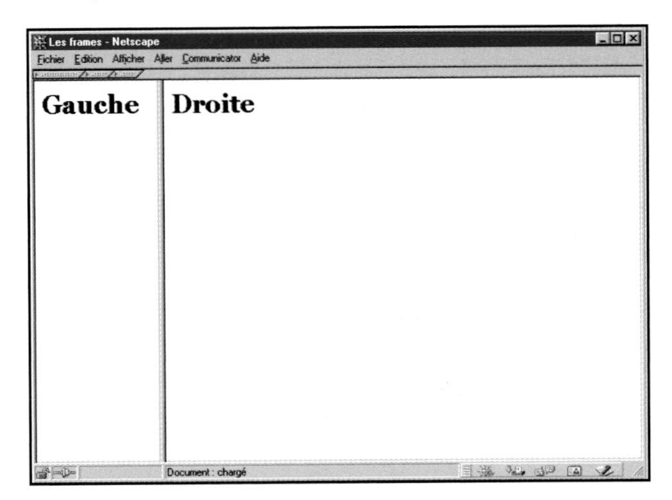

Voici un frameset simple. Le code correspondant se trouve ci-dessous.

code pour le frameset

```
<HTML>
<HEAD>
<TITLE>Les frames</TITLE>
</HEAD>
<FRAMESET COLS="129,468">
  <FRAME SRC="gauche.htm">
  <FRAME SRC="droite.htm">
</FRAMESET>
</BODY></HTML>
```

Notez que les balises FRAMESET et FRAME se trouvent toutes deux dans le document principal (ou conteneur). Les deux documents ci-dessous ne nécessitent l'emploi d'aucune balise de frame — ce sont des documents HTML standards affichés dans le conteneur.

Dans cet exemple, les bordures sont visibles (elles le sont par défaut) et leur position peut être modifiée par l'utilisateur. Nous allons voir ci-dessous quelles sont les différentes options disponibles pour les bordures de frames.

Le document gauche.htm ressemblera à ceci :

```
<HTML>
<HEAD>
<TITLE>Frame gauche</TITLE>
</HEAD>
<BODY BGCOLOR="#FFFFFF">
<H1>Gauche</H1>
</BODY>
</HTML>
```

Le document droite.htm ressemblera à ceci :

```
<HTML>
<HEAD>
<TITLE>Frame droite</TITLE>
</HEAD>
<BODY BGCOLOR="#FFFFFF">
<H1>Droite</H1>
</BODY>
</HTML>
```

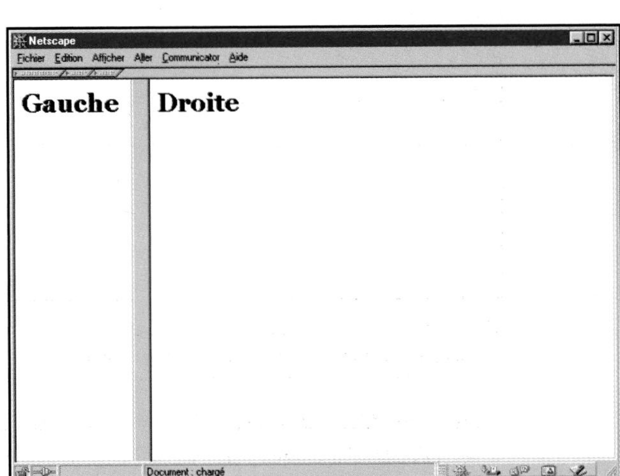

Cette figure montre à quoi ressemble une bordure de frame plus épaisse, obtenue avec le code ci-dessous.

code pour augmenter l'épaisseur de la bordure

```
<FRAMESET COLS="129,468" FRAMEBORDER="YES" BOR-
DER="20" FRAMESPACING="20">
  <FRAME SRC="gauche.htm">
  <FRAME SRC="droite.htm">
</FRAMESET>
```

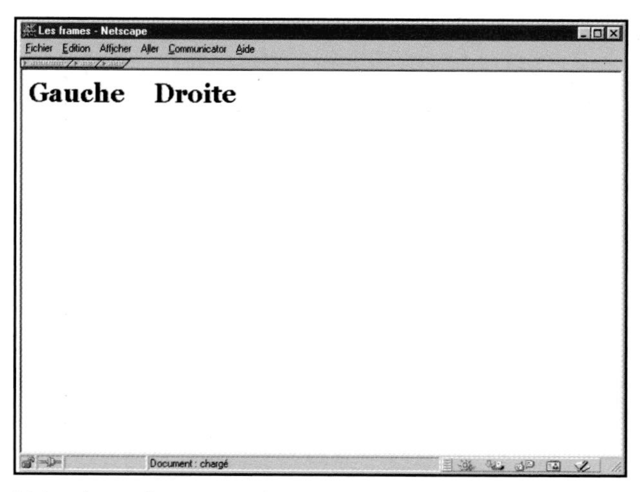

Ici, la valeur utilisée pour la largeur de la bordure est de 0.

code pour masquer la bordure entre les frames

```
<FRAMESET COLS="129,468" FRAMEBORDER="YES"
BORDER="0" FRAMESPACING="0">
  <FRAME SRC="gauche.htm">
  <FRAME SRC="droite.htm">
</FRAMESET>
```

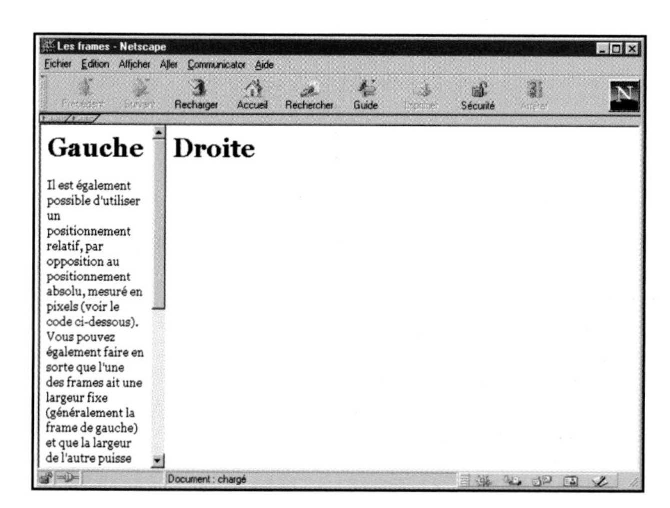

Avec le code ci-dessus, une barre de défilement apparaîtra si le contenu de l'un des frames s'étend au-delà de la fenêtre du navigateur.

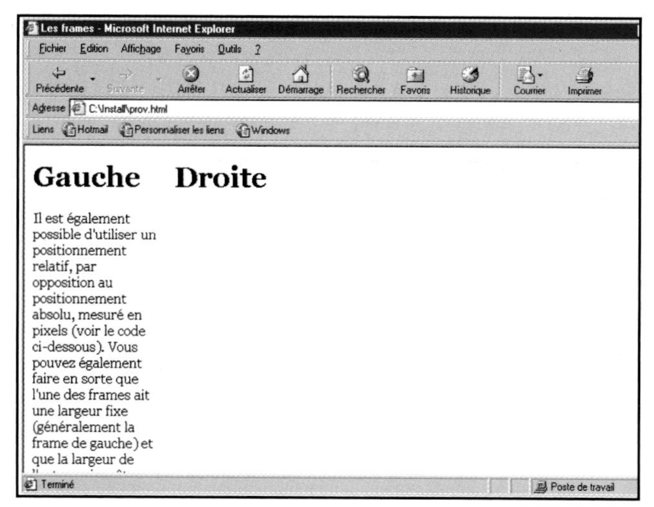

Il est possible de couper le contenu qui dépasse de la fenêtre du navigateur en donnant la valeur NO à l'attribut SCROLLING (voir le code ci-dessous).

code pour couper le contenu des frames

```
<FRAMESET COLS="129,468" FRAMEBORDER="NO" BORDER="0"
FRAMESPACING="0">
  <FRAME SRC="gauche.htm" SCROLLING="NO">
  <FRAME SRC="droite.htm">
</FRAMESET>
```

Il est également possible d'utiliser un positionnement relatif, par opposition au positionnement absolu, mesuré en pixels (voir le code ci-dessous). Vous pouvez également faire en sorte que l'un des frames ait une largeur fixe (généralement le frame de gauche) et que la largeur de l'autre puisse être modifiée par l'utilisateur. Pour cela, employez un astérisque (*) à la place de la valeur numérique. Ainsi, FRAMESET COLS="129,*" signifie que le côté gauche du frame aura une largeur de 129 pixels alors que la largeur du côté droit dépendra de la taille de la fenêtre du navigateur.

code pour un positionnement relatif des frames

```
<FRAMESET COLS="25%,75%">
  <FRAME SRC="gauche.htm">
  <FRAME SRC="droite.htm">
</FRAMESET>
```

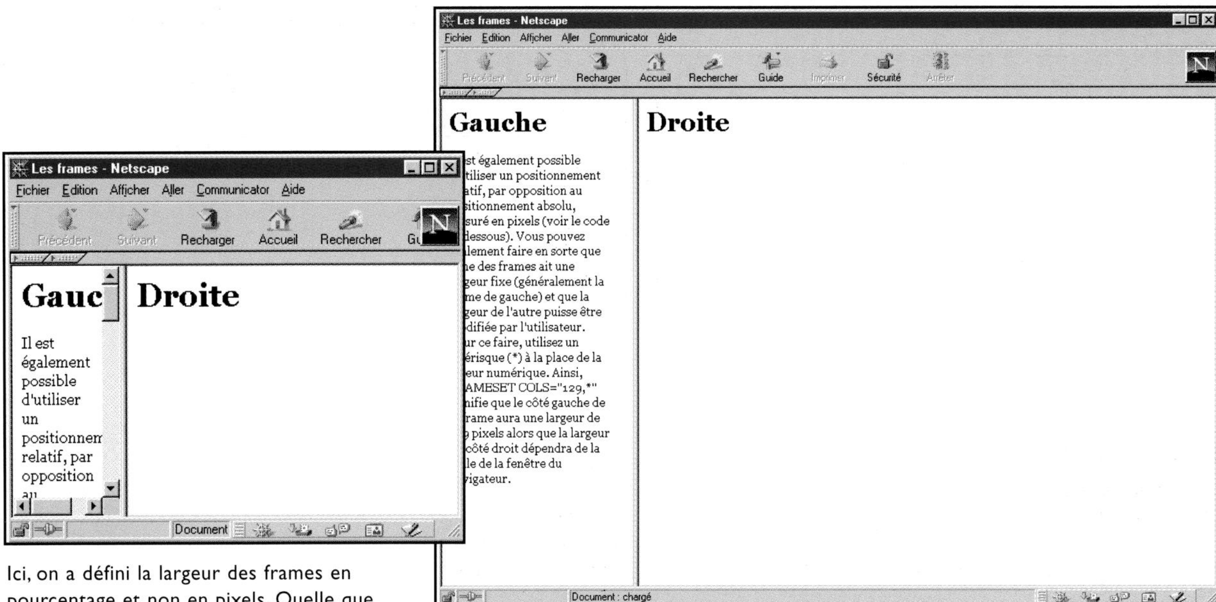

Ici, on a défini la largeur des frames en pourcentage et non en pixels. Quelle que soit la taille de la fenêtre du navigateur, le frame de gauche occupera toujours un quart de la fenêtre, et celui de droite les trois quarts.

code pour un frame dans un frame

```
<FRAMESET COLS="129,468" FRAME-
BORDER="YES">
  <FRAME SRC="gauche.htm" NAME="
" SCROLLING="NO">
  <FRAMESET ROWS="229,229">
    <FRAME SRC="droite.htm">
    <FRAME SRC="bas.htm">
  </FRAMESET>
</FRAMESET>
```

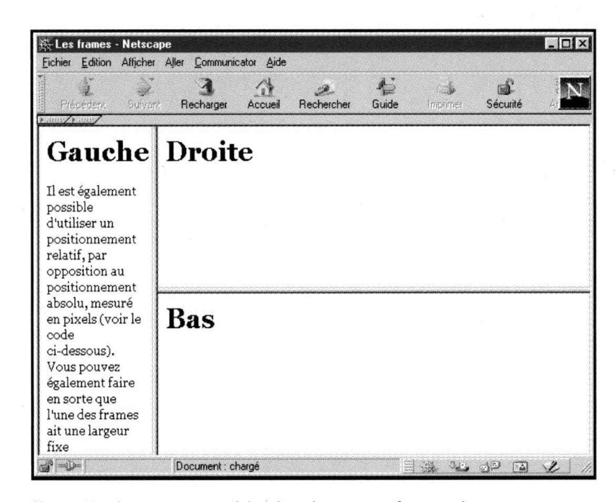

Il est également possible de placer un frame dans un autre frame, comme le montre l'exemple ci-dessus. Notez que, dans le code correspondant, il y a deux balises FRAMESET de début et de fin (soit quatre en tout). C'est ainsi qu'il faut procéder lorsqu'on cherche à réaliser une structure de frames complexe. De telles structures peuvent par exemple permettre de placer le titre du site dans un frame séparé.

Les bonnes pages dans les bons frames

Une fois que vous avez appris à créer des framesets, il vous reste à faire en sorte que les bonnes pages HTML apparaissent dans les bons frames. Les exemples qui suivent vous montreront comment procéder.

La première étape consiste à donner des noms aux frames. Vous pouvez employer pour vos frames le nom de votre choix — Charlie, Alice ou même Machin, mais il est préférable d'utiliser des noms ayant une signification. Dans cet exemple, j'ai choisi des noms simples et significatifs : « gauche » et « droite ».

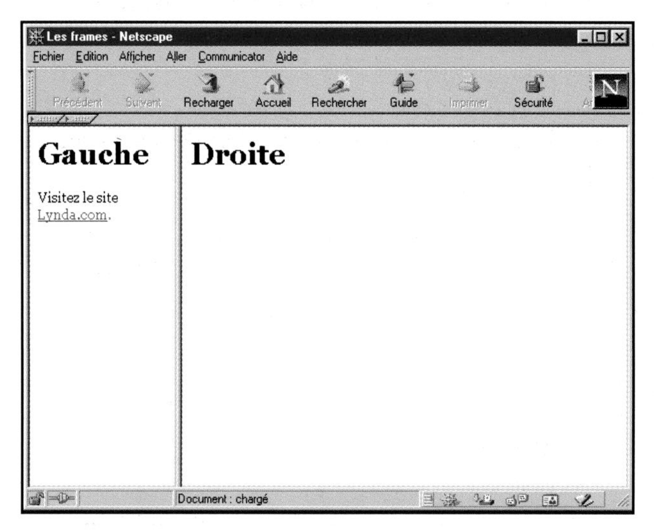

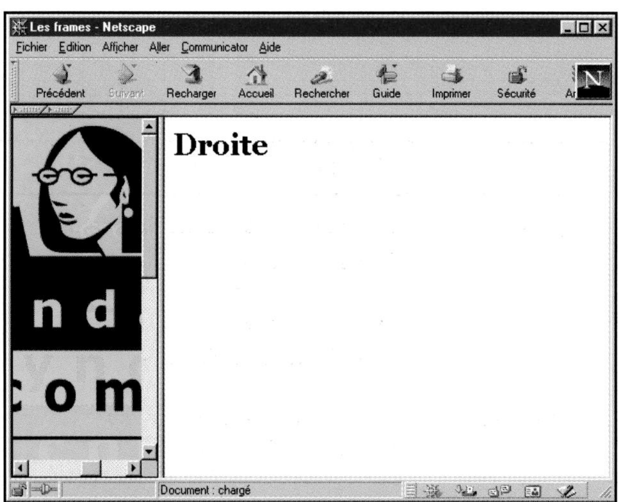

Si vous insérez simplement un lien vers votre site dans le document gauche.html, le fait de cliquer dessus chargera le document gauche.html dans le frame où se trouve ce lien.

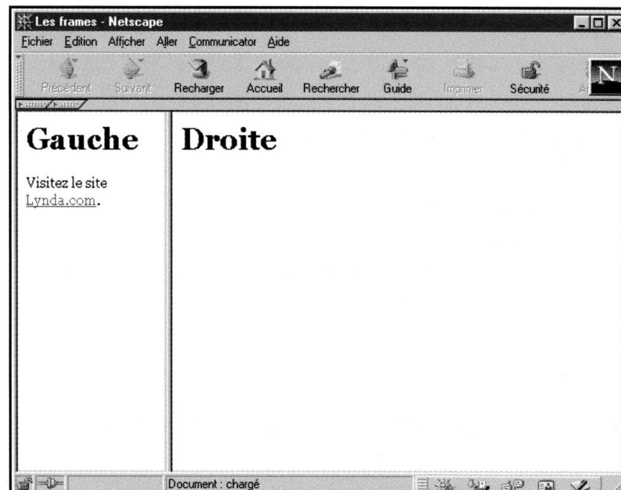

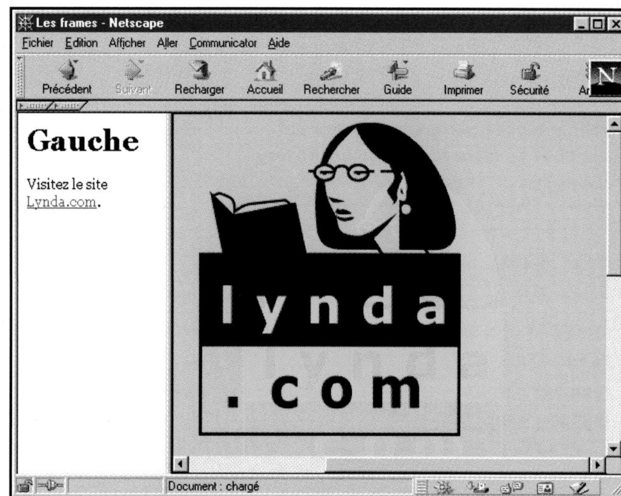

Pour que le document s'affiche dans un autre frame, il faut au préalable donner un nom à ce frame afin qu'il puisse servir de destination pour le document HTML.

code du document conteneur (Conteneur.html)

```
<FRAMESET COLS="25%,75%">
  <FRAME SRC="gauche.html" NAME="gauche">
  <FRAME SRC="droite.html" NAME="droite">
</FRAMESET>
```

code du document Gauche.html

```
<HTML>
<HEAD>
<TITLE>Frame gauche</TITLE>
</HEAD>
<BODY BGCOLOR="#FFFFFF">
<H1>Gauche</H1>
<P>Visitez le site <A HREF="http://www.lynda.com"
TARGET="droite">Lynda.com</A>.
</BODY>
</HTML>
```

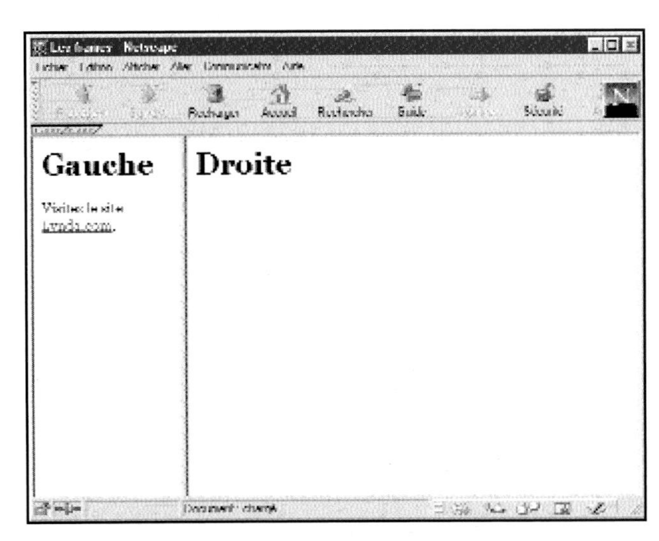

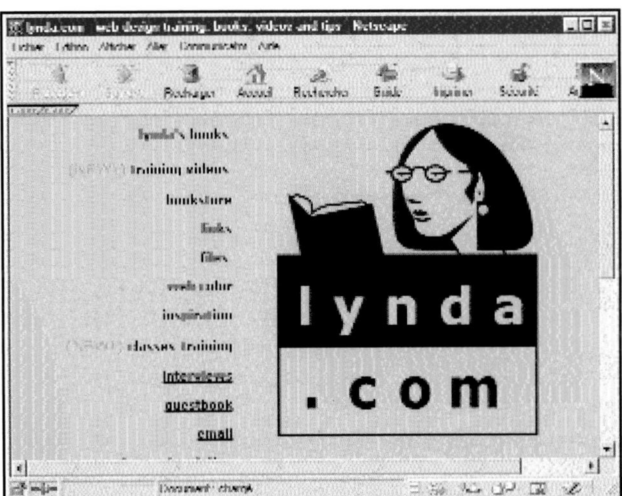

Une autre possibilité consiste à ouvrir une page dans une nouvelle fenêtre de navigateur, avec ou sans frames. Ici, la page s'affiche dans une nouvelle fenêtre dépourvue de frames, parce que c'est la valeur _blank qui a été utilisée avec l'attribut TARGET (voir ci-dessous).

code pour ouvrir un document dans une nouvelle fenêtre

```
<HTML>
<HEAD>
<TITLE>Frame gauche</TITLE>
</HEAD>
<BODY BGCOLOR="#FFFFFF">
<H1>Gauche</H1>
<P>Visitez le site <A HREF="http://www.lynda.com"
TARGET="_blank">Lynda.com</A>.
</BODY>
</HTML>
```

Pour qu'une page apparaisse dans la même fenêtre lorsque l'utilisateur clique sur un lien, mais sans les frames, utilisez la valeur _top avec l'attribut TARGET. Les autres valeurs possibles pour TARGET (dont _blank, qui a été utilisé plus haut) sont décrites dans le tableau ci-dessous.

code pour ouvrir un document dans la même fenêtre, sans frames

```
<HTML>
<HEAD>
<TITLE>Frame gauche</TITLE>
</HEAD>
<BODY BGCOLOR="#FFFFFF">
<H1>Gauche</H1>
<P>Visitez le site <A HREF="http://www.lynda.com"
TARGET="_top">Lynda.com</A>.
</BODY>
</HTML>
```

Valeurs prédéfinies pour l'attribut *TARGET*	
_self	Le document apparaît dans le même frame que le lien
_blank	Le document apparaît dans une nouvelle fenêtre de navigateur
_parent	Le document est chargé dans le frames et parent
_top	Le document est chargé dans la fenêtre entière (sans frames)

Frames créatifs

Différents problèmes techniques liés aux frames ayant été résolus (impression, navigation, etc.), ceux-ci sont de plus en plus couramment utilisés, et ce de manière de plus en plus créative. Vous trouverez ci-dessous des idées d'utilisation des frames qui vous permettront de personnaliser votre site.

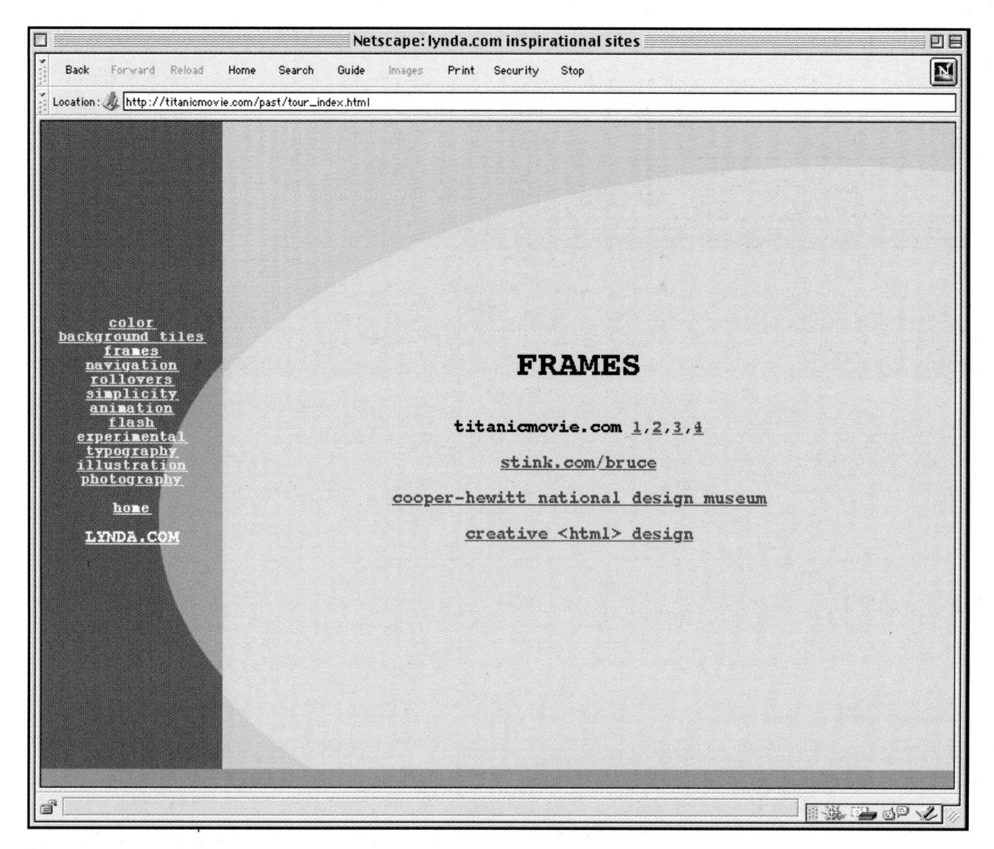

Voici un exemple d'utilisation d'arrière-plans dans des frames. Chaque frame fait appel à un arrière-plan différent; regroupés dans une même fenêtre, les arrière-plans recréent un motif complet. J'explique ci-dessous comment obtenir cet effet.

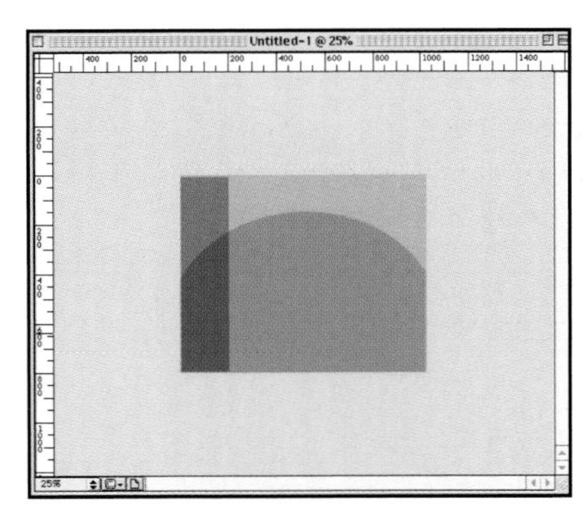

Commencez par créer l'image d'arrière-plan complète, puis coupez-la en deux et notez la taille exacte de chacune des deux parties. Dans cet exemple, j'ai utilisé Fireworks pour couper l'image en deux, la partie gauche mesurant 200 pixels de large et celle de droite 824. J'ai nommé ces images « gauche.gif » et « droite.gif ».

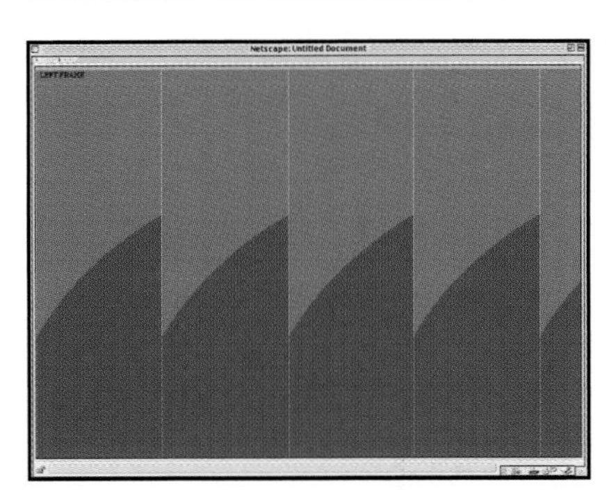

Voici l'aspect de l'image gauche.gif une fois chargée dans un navigateur en tant que motif d'arrière-plan.

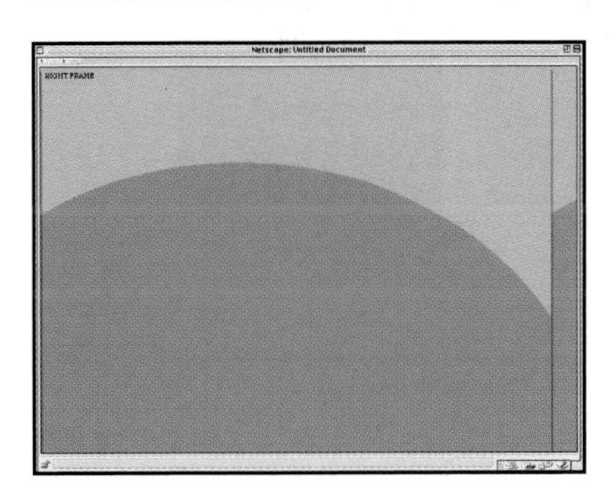

Ici, c'est l'image droite.gif qui est utilisée comme motif d'arrière-plan.

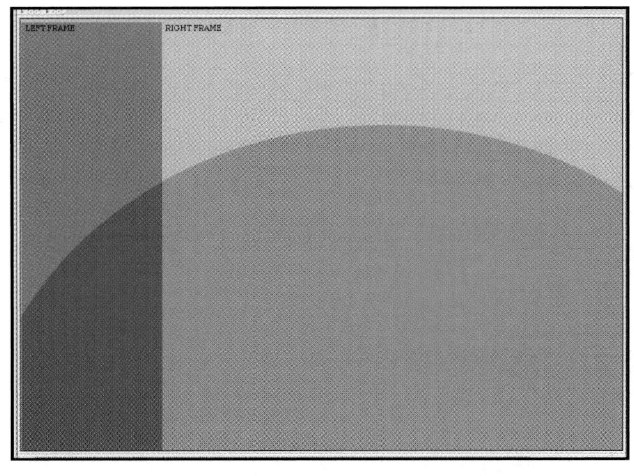

Les deux images ont été utilisées comme arrière-plans dans deux frames. Le frame de gauche mesurant 200 pixels de large, et la bordure étant masquée, les deux images se rejoignent exactement (voir le code ci-dessous).

code du document Gauche.html

```
<BODY BGCOLOR="#FFFFFF" BACKGROUND="gauche.gif">
Frame de gauche
</BODY>
```

code du document Droite.html

```
<BODY BGCOLOR="#FFFFFF" BACKGROUND="droite.gif">
Frame de droite
</BODY>
```

code du document Conteneur.html

```
<FRAMESET COLS="200,*" BORDER="0" FRAMESPACING="0">
  <FRAME SRC="gauche.html">
  <FRAME SRC="droite.html">
</FRAMESET>
```

La valeur de COLS a été fixée à 200 pixels ; du fait de l'utilisation de l'astérisque (*) ; le volet droit peut être modifié à volonté par l'utilisateur.

Le site de mon frère (www.webmonster.net) fait appel à un frameset intéressant. Le code correspondant se trouve ci-contre.

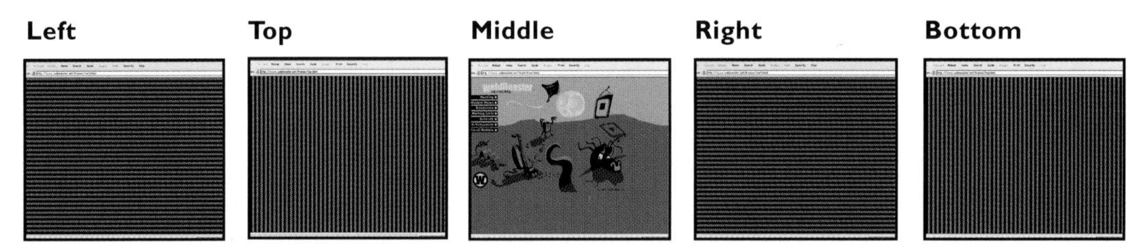

La page comprend six documents : le conteneur, un frame pour chacun des bords et un frame pour l'image principale. Les bords rayés sont en réalité de petits frames dont l'arrière-plan est un motif à rayures. Les cinq figures ci-dessus montrent à quoi ressemblent les pages séparément.

code pour le frameset du site Webmonster

```
<head>
<title>WebMonster Networks</title>
</head>
<frameset cols="*,616,*" border=0 frameborder=0 framespacing=0>
  <frame src="/frames/black.html" scrolling=no marginheight=0 marginwidth=0>
  <frameset rows="*,416,*" border=0 frameborder=0 framespacing=0>
    <frame src="/frames/black.html" scrolling=no marginheight=0 marginwidth=0>

    <frameset cols="8,*,8" border=0 frameborder=0 framespacing=0>
      <frame src="/frames/vert.html" scrolling=no marginheight=0 marginwidth=0>
      <frameset rows="8,*,8" border=0 frameborder=0 framespacing=0>
        <frame src="/frames/top.html" scrolling=no marginheight=0 marginwidth=0 name=content>

        <!— content goes here —
        <frame src="/front/front.html" scrolling=no marginheight=0 marginwidth=0>

      <frame src="/frames/horiz.html" scrolling=no marginheight=0 marginwidth=0>
    </frameset>

    <frame src="/frames/vert.html" scrolling=no marginheight=0 marginwidth=0>
  </frameset>
  <frame src="/frames/black.html" scrolling=no marginheight=0 marginwidth=0>
</frameset>
<frame src="/frames/black.html" scrolling=no marginheight=0 marginwidth=0>
```

Bordures simplifiées

Voici une version simplifiée de la page ci-dessus, avec des couleurs unies et aucune image.

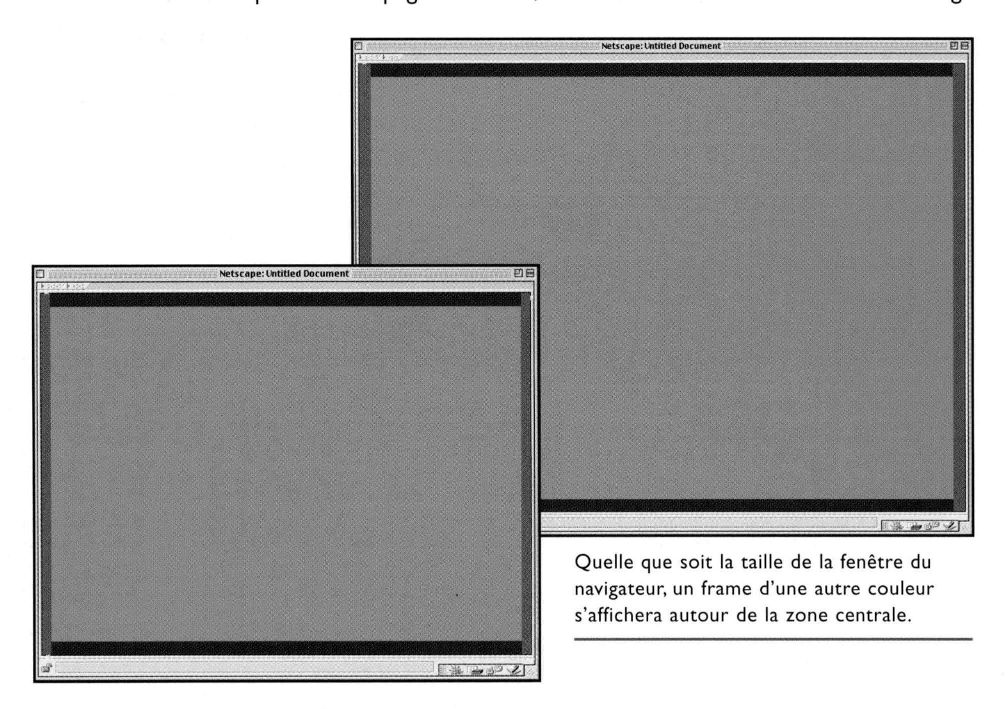

Quelle que soit la taille de la fenêtre du navigateur, un frame d'une autre couleur s'affichera autour de la zone centrale.

code pour créer un frame de couleur unie

```
<FRAMESET COLS="20,*,20" ROWS="*" BORDER="0" FRAMESPACING="0" FRAMEBORDER="NO">
  <FRAME SRC="left.html">
  <FRAMESET ROWS="*,20" COLS="*" FRAMEBORDER="NO" BORDER="0" FRAMESPACING="0">
    <FRAMESET ROWS= "20,*" COLS= "*">
      <FRAME SRC="top.html" SCROLLING=NO>
      <FRAME SRC="inside.html" SCROLLING=NO>
    </FRAMESET>
    <FRAME SRC="bottom.html" SCROLLING=NO>
  </FRAMESET>
  <FRAME SRC="right.html" SCROLLING=NO>
</FRAMESET>
```

L'astuce principale consiste à employer des valeurs absolues pour la largeur des frames (ici, 20 pixels) avec un astérisque (*) pour le reste de la fenêtre.

Note

Pages sans frames

Il est fortement conseillé de créer des pages dépourvues de frames pour les visiteurs se servant de navigateurs plus anciens qui ne peuvent les afficher. Utilisez pour cela la balise NOFRAMES :

```
<HTML>
<HEAD>
<TITLE>Les frames</TITLE>
</HEAD>
<FRAMESET COLS="25%,75%">
  <FRAME SRC="left.html" NAME="left">
  <FRAME SRC="right.html" NAME="right">
</FRAMESET>
<NOFRAMES><BODY BGCOLOR="#FFFFFF">
```

Insérez ici le code pour les pages sans frames.

```
</BODY></NOFRAMES>

</HTML>
```

Tout ce que vous placez entre les balises NOFRAMES sera visible dans les navigateurs n'acceptant pas les frames, mais sera masqué autrement.

Résumé Frames

Comme je l'ai déjà mentionné, les frames suscitent en général soit l'enthousiasme, soit le rejet. Je suis passée du rejet (dans les navigateurs de version 2.0) à l'enthousiasme (dans les navigateurs de version 4.0). La plupart des problèmes posés par les frames ont été résolus par les navigateurs récents : il suffit pour le concepteur d'un site d'éviter les pièges des frames. Voici en résumé comment procéder :

- Utilisez les frames lorsque vous souhaitez utiliser un système de navigation cohérent sur un site entier. Les frames permettent à une barre de navigation de rester « immobile » alors que le reste de la fenêtre est modifié.
- Si possible, masquez les bordures de vos frames. La fenêtre du navigateur n'est jamais très grande, et les bordures des frames réduisent encore cet espace et nuisent également à l'esthétique d'un site.
- Utilisez l'attribut TARGET pour déterminer le frame de destination d'un lien.
- Vous pouvez créer des effets intéressants en combinant frames et motifs d'arrière-plan. En utilisant des dimensions absolues en pixels et des astérisques, vous fixez la taille d'une partie de l'écran alors que l'autre est variable en fonction de la fenêtre du navigateur.

Introduction

Feuilles de styles

Au sommaire de ce chapitre

- Qu'est-ce qu'une feuille de styles ?
- Anatomie : déclarations et sélecteurs
- Balises de commentaires
- Styles externes, internes et ponctuels
- Typographie
- Positionnement absolu
- Superposition de texte et d'images

19

Autant le dire tout de suite, je ne suis pas une inconditionnelle des feuilles de styles (ou CSS, pour *Cascading Style Sheets*, feuilles de styles en cascade). Dans la mesure où elles sont censées donner au créateur Web une plus grande maîtrise de l'aspect des pages, mon attitude peut vous paraître surprenante. Ce que je critique, c'est le fait que les différents navigateurs les implémentent mal. Lorsqu'on se donne la peine d'apprendre une nouvelle manière de décrire l'apparence d'une page Web, il serait utile que le reste du monde en profite. Or, pour le moment, les navigateurs n'implémentent pas assez bien les feuilles de styles pour que l'effort d'apprentissage en vaille la peine.

De ce fait, les feuilles de styles seront décrites dans ce chapitre d'un point de vue pratique.Je vous dirai ce qu'il est possible de faire et ce qui n'est pas encore reconnu par les navigateurs. Pour le moment, je ne vous conseille pas d'utiliser les feuilles de styles, mais bientôt sans doute (lorsque les navigateurs se mettront d'accord), elles permettront de déterminer avec plus de précision que le HTML l'apparence des pages Web.

Il sera question du HTML dynamique, ou DHTML, dans un autre chapitre. Vous constaterez alors que les feuilles de styles sont une composante importante du DHTML dans la mesure où elles permettent de positionner précisément texte et éléments multimédias. De ce fait, une connaissance élémentaire des feuilles de styles permet de mieux comprendre le fonctionnement du DHTML.

Il n'est pas indispensable d'apprendre la programmation des feuilles de styles à partir de zéro — de nombreux éditeurs HTML actuels les génèrent automatiquement. Cependant, il est utile d'en connaître les principes, ne serait-ce que pour indiquer à ces éditeurs WYSIWYG ce que vous voulez. Le contenu de ce chapitre vous y aidera.

Qu'est-ce qu'une feuille de styles ?

Si vous avez déjà utilisé un logiciel de PAO ou de traitement de texte, vous avez sans doute fait appel à des feuilles de styles. Celles-ci permettent de regrouper dans un style plusieurs types de formatage de texte, tels que police, couleur ou alignement. Les feuilles de styles en cascade fonctionnent de la même manière, sauf qu'elles s'emploient dans des pages Web.

En théorie, les feuilles de styles en cascade sont une excellente invention. Elles permettent en effet de déterminer au pixel près différents paramètres du texte et des éléments multimédias d'une page Web. Les puristes du HTML considèrent que la structure d'un document doit être séparée de sa présentation pour que les pages Web soient accessibles à tous, quel que soit le matériel ou le logiciel. Les feuilles de styles permettent de séparer la mise en forme de la structure d'un document HTML, ce qui, en principe, devrait satisfaire tout le monde. Le problème est que les feuilles de styles ne sont pas implémentées de manière uniforme par les navigateurs.

Le consortium du Web (W3C) propose des spécifications pour les feuilles de styles, certaines s'appliquant au formatage et d'autres au positionnement absolu dans la page. Si ces spécifications (en anglais) vous intéressent, vous pouvez les consulter aux adresses suivantes.

Spécifications du W3C pour le positionnement absolu
http://www.w3.org/TR/WD-positioning

Test de compatibilité du navigateur avec les feuilles de styles du W3C
http://www.w3.org/Style/CSS/Test/current/sec10.htm

Anatomie d'une feuille de styles

Vous ne connaissez peut-être pas encore le vocabulaire employé pour les feuilles de styles : les déclarations, les sélecteurs, etc. Voici quelques exemples d'utilisation de ces termes.

```
<STYLE TYPE="text/css">
<!—
H1 {
   font-family: Verdana
   }
—>
</STYLE>
```

Dans cet exemple, l'élément STYLE est un conteneur faisant partie de la section HEAD du document HTML. L'attribut TYPE permet de définir le type de style employé, en l'occurrence text/css pour une feuille de styles en cascade. L'élément STYLE peut contenir différents styles. Ici, il n'en contient qu'un, H1, et change sa police par défaut en Verdana. H1 est le sélecteur, font-family est la propriété et Verdana est la valeur.

Les accolades (« { « et « } ») sont placées de part et d'autre du corps du style. Le corps du style lui-même comprend des lignes avec des propriétés et des valeurs. Le mot situé à gauche des deux-points est une propriété, et celui qui est situé à droite est la valeur affectée à cette propriété. Ici, on donne la valeur Verdana à la propriété font-family. En d'autres termes, le navigateur devra utiliser la police Verdana pour tous les éléments H1 du document.

Il est possible de définir plusieurs sélecteurs en une seule fois, comme ci-dessous :

```
H1, P, BLOCKQUOTE { font-family: verdana }
```

Vous déclarez ainsi que tous les textes situés dans les balises H1, P et BLOCKQUOTE devront utiliser la police Verdana.

Note

En cascade

Pourquoi parle-t-on de feuilles de styles *en cascade* ? Parce qu'il y a une hiérarchie dans les commandes de feuilles de styles. Il est possible de combiner différentes commandes de style dans une feuille de styles, même si elles portent sur le même élément ; et comme elles sont appliquées « en cascade », elles seront appliquées dans un ordre défini par le navigateur.

Masquer les styles pour les navigateurs anciens

Si vous placez vos feuilles de styles à l'intérieur de balises de commentaire, les navigateurs ne comprenant pas la balise STYLE ne les afficheront pas. Les navigateurs récents reconnaissant la balise STYLE ignoreront quant à eux les balises de commentaire et appliqueront la feuille de styles.

```
<HEAD>
<TITLE>Exemple de feuille de styles</TITLE>
<STYLE TYPE="text/css">
<!—
H1 {
   font-family: Verdana
   }
—>
</STYLE>
</HEAD>
```

Dans la mesure où le type de style (TYPE="text/css") se trouve dans une balise HTML, les navigateurs qui ne reconnaissent pas la balise STYLE ne l'afficheront pas (c'est là l'une des règles du HTML : ne pas afficher les balises non reconnues).

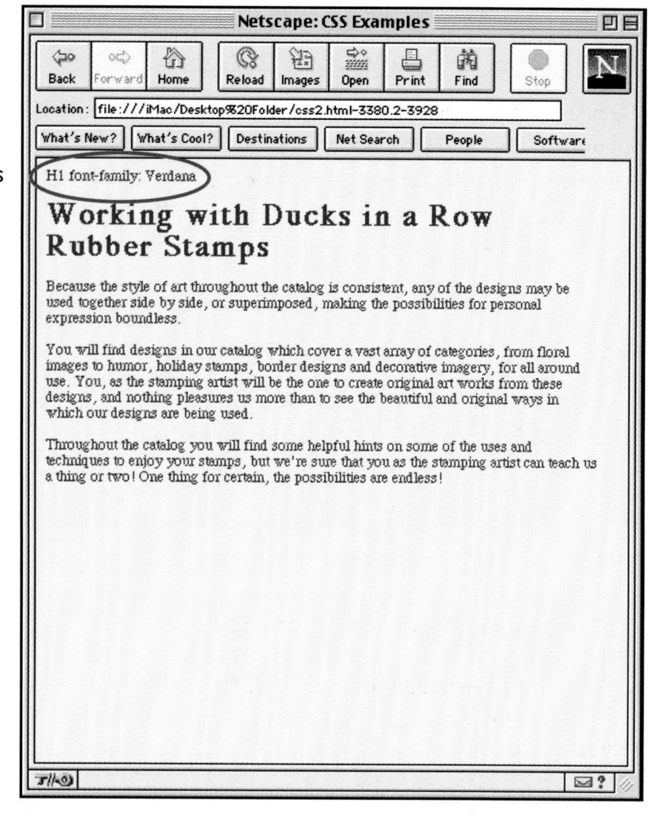

Voici une version antérieure de Netscape Navigator affichant une feuille de styles qui n'a pas été masquée à l'aide de balises de commentaire.

Feuilles de styles externes, internes et ponctuelles

Il y a trois façons d'intégrer une feuille de styles à un document HTML : soit celle-ci s'applique à une partie du document, soit elle est intégrée au document et s'applique à tout le document, soit elle est enregistrée dans un fichier séparé et plusieurs documents HTML peuvent s'y référer.

Feuilles de styles externes

Lorsqu'une feuille de styles est enregistrée dans un fichier séparé du document HTML, plusieurs pages Web peuvent s'y référer, comme le montre l'utilisation de la balise LINK dans la partie HEAD du document.

```
<HTML>
<HEAD>
<TITLE>Lecture d'une feuille de styles
externe</TITLE>
<LINK REL=stylesheet HREF="external.css"
TYPE="text/css">
</HEAD>
<BODY>
<H1>Regardez !</H1>
<P>Voici un exemple de style externe</P>
</BODY>
</HTML>
```

Ce document se réfère à un fichier nommé « externe.css ». Vous pouvez donner le nom de votre choix au fichier de feuille de styles ; veillez simplement à l'enregistrer comme un document texte (tout comme pour un document HTML) et à le placer dans le même dossier que votre document HTML (ou indiquez le chemin d'accès dans la balise LINK). Lorsque vous utilisez des feuilles de styles externes, celles-ci n'ont pas besoin d'être placées entre des balises de commentaire ; elles ressembleront par exemple à ceci :

```
H1 { color: FFCC33; font-family: sans-serif }
P { background: black; font-family: verdana }
```

Aucun autre élément n'est requis, ni balise HEAD, ni balise de fin.

Il peut être intéressant d'employer une feuille de styles externe si vous souhaitez vous servir de la même feuille de styles pour différents documents HTML.

Feuilles de styles internes

Les feuilles de styles internes ne s'appliquent qu'au document HTML où elles sont placées. Elles sont signalées par une balise STYLE à l'intérieur de l'élément HEAD.

```
<HEAD>
<TITLE>Exemple de feuille de styles</TITLE>
<STYLE TYPE="text/css">
<!—
H1 {
   font-family: Verdana
   }
—>
</STYLE>
</HEAD>
```

Styles ponctuels

Vous pouvez également appliquer un style ponctuel, qui ne s'appliquera qu'au contenu d'une balise, comme le montre l'exemple ci-dessous.

```
<HTML>
<HEAD><TITLE>Ma première feuille de styles</TITLE>
</HEAD>
<BODY>
<H1 STYLE="color: orange; font-family: impact">Les
feuilles de styles</H1>
<P STYLE="background: yellow; font-family:
courier">Ou comment créer des pages Web parfaites</P>
</BODY>
</HTML>
```

L'inconvénient de cette méthode est que vous devrez définir à nouveau votre style à chaque nouvelle balise. Ainsi, le texte H1 suivant s'affichera à nouveau en fonction des paramètres par défaut du navigateur, sauf si vous utilisez une nouvelle fois l'attribut STYLE.

Unités de mesure

Pour utiliser les feuilles de styles, il est important de connaître les unités de mesure pouvant être employées. Le problème des mesures sur un support électronique est que certaines unités n'ont pas beaucoup de sens : ainsi, une police de douze points ne s'affichera pas à la même taille selon l'ordinateur. Ceux qui ont déjà vu une même page Web affichée dans un environnement Mac et Windows savent ce que je veux dire.

En gardant ce fait à l'esprit, voyons maintenant quelques-unités de mesure. Le tableau ci-dessous donne le nom de chacune des unités, l'abréviation à employer dans les feuilles de styles ainsi qu'une brève description.

Unités employées dans les feuilles de styles		
Nom	**Abréviation**	**Description**
Pixel	**px**	La distance entre un « point » affiché sur l'écran de l'ordinateur et le suivant (pixel est l'abréviation de *Picture Element*).
Point	**pt**	1/72e de pouce. Le rapport entre points et pixels dépend de la résolution de l'écran : sur les systèmes à 72 pixels/pouce, 1 point = 1 pixel.
Pica	**pc**	12 points.
Em	**em**	Le corps de la police. Autrement dit, pour une police 12 points, 1 em = 12 points.
En	**en**	1/2 em.
Pouce	**in**	2,54 cm.
Centimètre	**cm**	1/100e de mètre.
Millimètre	**mm**	1/1000e de mètre.

Dans la mesure où les images destinées au Web ont une taille en pixels déterminée, je vous conseille d'employer des mesures en pixels chaque fois que c'est possible. Ainsi, vous vous assurez que les dimensions de la page correspondront à la taille des images.

Feuilles de styles et typographie

Les feuilles de styles permettent de définir différentes propriétés du texte. Ainsi, la propriété font-family permet de choisir un type générique (par exemple « sans-serif ») ou une famille (« verdana ») de polices.

Propriété : font-family

Valeurs : nom de la famille de polices (verdana ou georgia, par exemple) ou type générique :
- serif
- sans-serif
- cursive
- fantasy
- monospace

Vous pouvez également indiquer une liste de valeurs pour la propriété font-family :

```
H1  {
    font-family: verdana, helvetica, sans-serif
    }
```

Ici, le navigateur essaiera d'employer la police Verdana ; si elle n'est pas disponible, il utilisera la police Helvetica, ou n'importe quelle police bâton disponible.

La propriété line-height est également très utile pour le texte. Elle permet de déterminer la distance entre deux lignes de texte (ou, pour être plus précis, entre les lignes de base des lignes de texte).

Propriété : line-height

Valeurs : valeur numérique ou default

Lorsque la valeur default est employée, l'interlignage établi par le navigateur sera l'interlignage par défaut, soit environ 1,2 em.

```
P  {
   font-family: georgia;
   font-size: 12px;
   line-height: 1.5em;
   }
```

Ici, on obtient un interlignage de 1,5 em. Dans la mesure où 1 em correspond au corps du texte (12 pixels), 1,5 em correspondent ici à 18 pixels.

Sélecteurs

Jusqu'à maintenant, le sélecteur nous a permis de définir à quelle balise s'appliquera un style donné. Cependant, le sélecteur offre d'autres possibilités : il permet d'appliquer un formatage particulier à certaines instances d'une balise donnée.

Supposons par exemple que vous souhaitiez que tous vos paragraphes comprennent un retrait de première ligne, sauf le premier.

```
P  {
   font-family: georgia;
   font-size: 12px;
   line-height: 1.5em;
   text-indent: 1.5em;
   }
```

La propriété text-indent permet d'insérer un retrait pour la première ligne d'un paragraphe. Le style P comprend maintenant un retrait de première ligne de 1,5 em.

Nous allons maintenant créer un nouveau style à l'aide du sélecteur de classe :

```
.premier {
   text-indent: 0;
   }
```

Lorsqu'on définit un sélecteur CLASS, son nom est toujours précédé d'un point (.).

Vous pouvez maintenant utiliser l'attribut CLASS pour appliquer ce style en plus du style existant pour la balise P :

```
<P CLASS="premier">Le premier paragraphe de cette
page. L'utilisation de l'attribut CLASS permet de
faire en sorte qu'il ne comprenne pas de retrait,
contrairement à tous les autres paragraphes de
cette page.
```

Comme vous voyez, l'utilisation des feuilles de styles offre en théorie de nombreuses possibilités, à la fois du point de vue de la simplification du code et de la mise en page. Plus besoin d'insérer des GIF transparents de un pixel ou d'autres astuces compliquées ; les feuilles de styles les remplacent avantageusement.

Les feuilles de styles permettent de formater le texte d'une manière beaucoup plus proche de la page imprimée, et d'obtenir des mises en page semblables, quelle que soit la plate-forme (matérielle et logicielle) utilisée pour l'affichage de la page Web. En conséquence, il est probable qu'elles seront bientôt couramment utilisées — à condition que les différents navigateurs les implémentent de la même manière.

Note

ID et CLASS

En apparence, les sélecteurs ID et CLASS se ressemblent tellement qu'on peut se demander pourquoi il existe deux méthodes différentes pour un résultat identique.

En fait, la différence réside dans le fait qu'un sélecteur ID ne peut être utilisé qu'une seule fois, alors qu'un sélecteur CLASS peut être utilisé à plusieurs reprises dans un même document.

Positionnement absolu

Les concepteurs de pages Web se plaignent depuis longtemps de l'impossibilité de positionner de manière absolue une image dans une page Web. Les feuilles de styles apportent une réponse à ce problème : elles permettent de positionner des objets dans la page au pixel près.

Pour le positionnement absolu, c'est un autre sélecteur, le sélecteur ID, qui est sélectionné. On fait par ailleurs appel à de nouvelles propriétés :

code

```
1 #canard {
2 position : absolute ;
3 top : 0 px ;
4 left : 0 px ;
5 z-index : 1;
  }
```

Analyse du code

1. Le nom du sélecteur ID est toujours précédé d'un dièse (#) ; il ne peut être défini et employé qu'une seule fois dans un document donné (voir l'encadré « ID et CLASS »). Son fonctionnement ressemble beaucoup à celui du au sélecteur CLASS, mais il est généralement utilisé pour le positionnement absolu des objets dans la page, une position donnée n'étant occupée que par un seul objet.

2. La propriété position peut avoir les valeurs absolute ou relative. La valeur absolute sera employée pour les objets positionnés par rapport à la page, et la valeur relative pour les objets positionnés par rapport à d'autres objets. Ici, on a utilisé la valeur absolute. Nous verrons un peu plus bas un exemple d'utilisation de la valeur relative.

3. 4. Les propriétés top et left permettent de définir la position de l'objet. Il s'agit de mesures absolues à partir du coin supérieur gauche de la fenêtre du navigateur. Ici, l'objet sera placé dans le coin supérieur gauche de l'écran.

5. Les objets qui ont un positionnement absolu peuvent être placés les uns par-dessus les autres. La propriété z-index indique quel objet se trouve au-dessus (ou au-dessous) de quel autre ; les objets dont la valeur de z-index est la plus élevée se trouvent en haut.

Voici une page utilisant le style défini ci-dessus.

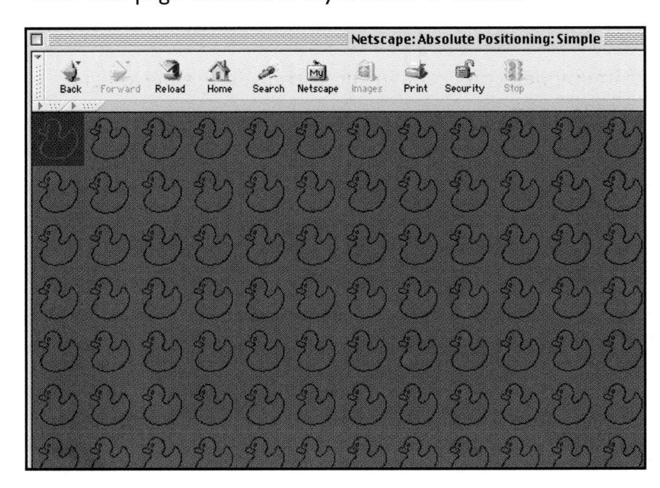

code

```
<HTML>
<HEAD>
<TITLE>Positionnement absolu</TITLE>
<STYLE>

#canard { position : absolute ; top : 0 px ;
left : 0 px ; z-index : 1; }

</STYLE>
</HEAD>
<BODY>

1 <DIV ID="canard"><IMG SRC="canard.gif"
WIDTH=50 HEIGHT=50></DIV>

</BODY>
</HTML>
```

1. Notez l'utilisation de l'élément DIV autour de la balise IMG SRC. La balise DIV comprend un nouvel attribut, ID, qui permet de spécifier le sélecteur utilisé. L'élément DIV est indispensable pour le fonctionnement du positionnement absolu.

DIV et positionnement absolu

En théorie, il est possible de se passer d'attribut DIV et d'inclure directement l'attribut ID avec la balise IMG SRC, mais à l'heure actuelle, seul Internet Explorer 5 tolère ce « raccourci » ; la version 4.51 de Netscape Navigator exige l'emploi de la balise DIV.

L'un des problèmes les plus courants posés par le HTML est l'impossibilité d'aligner précisément une image de premier plan par rapport à l'arrière-plan. Le positionnement absolu permet de résoudre ce problème.

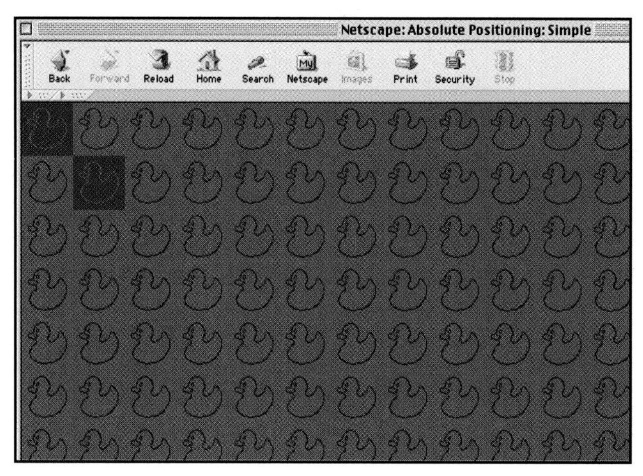

Notez comment, dans cet exemple, les images sont bien alignées par rapport à l'arrière-plan.

La petite image de la figure précédente mesure 50×50 pixels, aussi est-il possible d'en placer une seconde, identique, dont le coin supérieur gauche sera exactement aligné avec le coin inférieur droit de la première image :

code

```
<HEAD>
<TITLE>Positionnement absolu (simple)</TITLE>
<STYLE>

#canard1 { position: absolute; top: 0px; left:
0px; z-index: 0; }
#canard2 { position: absolute; top: 50px; left:
50px; z-index: 0; }

</STYLE>
<BODY BGCOLOR="#999966" BACKGROUND="canardvert.gif">

<DIV ID="canard1"><IMG SRC=canardbrun.gif
WIDTH=50 HEIGHT=50x/DIV>
<DIV ID="canard2"><IMG SRC=canardbrun.gif
WIDTH=50 HEIGHT=50></DIV>

</BODY>
```

Superposition de texte et d'images

Les techniques décrites ci-dessus peuvent être utilisées pour combiner et superposer texte et images ; le volume à télécharger reste très faible dans la mesure où le texte ou l'image n'ont besoin d'être téléchargés qu'une seule fois. L'exemple présenté ici est un peu plus complexe, mais les techniques employées ont toutes été utilisées plus haut dans un contexte plus simple.

La figure ci-dessous montre le résultat ; nous allons ensuite nous intéresser au code employé pour obtenir cette page Web.

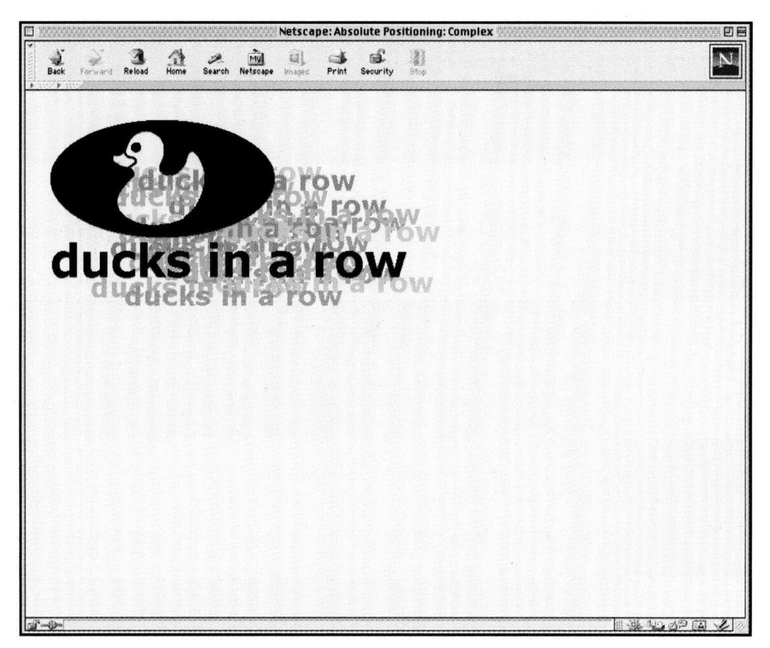

Texte et images superposés peuvent être employés dans une page d'accueil. Ici, le téléchargement sera particulièrement rapide dans la mesure où la page fait appel à une seule image et à du texte HTML de différentes tailles et couleurs.

Dans cette page, on a simplement créé 20 copies du texte « Ducks in a row » avec la police Verdana et différentes couleurs. On a placé au premier plan un GIF transparent et un texte noir.

code pour superposer texte et image

```
<HTML>
<HEAD>
<TITLE>Positionnement absolu
(complexe)</TITLE>

<STYLE TYPE="text:/CSS">

1 H1 {
    font-family: verdana;
    font-weight: bold;
    font-size: 52px;
    color: black;
    }

2 H2 {
    font-family: verdana;
    font-weight: bold;
    font-size: 32px;
    }

3 #mots1 {
    position: absolute;
    top: 50px;
    left: 50px;
    z-index: 1;
    }
4 #mots2 {
    position: absolute;
    top: 60px;
    left: 90px;
    z-index: 2;
    }
5 .canardovale {
    position: absolute;
    top: 35px;
    left: 30px;
    z-index: 3;
    }
6 .canardtitre {
    position: absolute;
    top: 130px;
    left: 0px;
    }
7 .canardl { color: #999900; }
  .canard2 { color: #FFCC00; }
  .canard3 { color: #FF9933; }
  .canard4 { color: #FF6633; }
  .canard5 { color: #FF9933; }

8 #w00 { position: absolute; top: 112px; left: 52px; }
  #w01 { position: absolute; top: 24px; left: 45px; }
  #w02 { position: absolute; top: 95px; left: 62px; }
  #w03 { position: absolute; top: 142px; left: 138px; }
  #w04 { position: absolute; top: 128px; left: 74px; }
  #w05 { position: absolute; top: 63px; left: 122px; }
  #w06 { position: absolute; top: 79px; left: 36px; }
  #w07 { position: absolute; top: 158px; left: 29px; }
  #w08 { position: absolute; top: 83px; left: 146px; }
  #w09 { position: absolute; top: 42px; left: 12px; }
  #w10 { position: absolute; top: 112px; left: 52px; }
  #w11 { position: absolute; top: 24px; left: 45px; }
  #w12 { position: absolute; top: 95px; left: 62px; }
  #w13 { position: absolute; top: 142px; left: 138px; }
  #w14 { position: absolute; top: 128px; left: 74px; }
  #w15 { position: absolute; top: 63px; left: 122px; }
  #w16 { position: absolute; top: 79px; left: 36px; }
  #w17 { position: absolute; top: 158px; left: 29px; }
  #w18 { position: absolute; top: 83px; left: 146px; }
  #w19 { position: absolute; top: 42px; left: 12px; }

</STYLE>

</HEAD>

<BODY BGCOLOR="#FFFFCC" TEXT="#663333" LINK="#006699"
VLINK="#006699">
```

```
9  <DIV ID="mots1">
   <H2 CLASS="canard1"><SPAN ID="w00">ducks in a row</SPAN></H2>
     <H2 CLASS="canard2"><SPAN ID="w01">ducks in a row</SPAN></H2>
     <H2 CLASS="canard3"><SPAN ID="w02">ducks in a row</SPAN></H2>
     <H2 CLASS="canard4"><SPAN ID="w03">ducks in a row</SPAN></H2>
     <H2 CLASS="canard5"><SPAN ID="w04">ducks in a row</SPAN></H2>
     <H2 CLASS="canard1"><SPAN ID="w05">ducks in a row</SPAN></H2>
     <H2 CLASS="canard2"><SPAN ID="w06">ducks in a row</SPAN></H2>
     <H2 CLASS="canard3"><SPAN ID="w07">ducks in a row</SPAN></H2>
     <H2 CLASS="canard4"><SPAN ID="w08">ducks in a row</SPAN></H2>
     <H2 CLASS="canard5"><SPAN ID="w09">ducks in a row</SPAN></H2>
   </DIV>
10 <DIV ID="mots2">
     <H2 CLASS="canard5"><SPAN ID="w10">ducks in a row</SPAN></H2>
     <H2 CLASS="canard1"><SPAN iD="w11">ducks in a row</SPAN></H2>
     <H2 CLASS="canard4"><SPAN ID="w12">ducks in a row</SPAN></H2>
     <H2 CLASS="canard2"><SPAN ID="w13">ducks in a row</SPAN></H2>
     <H2 CLASS="canard3"><SPAN ID="w14">ducks in a row</SPAN></H2>
     <H2 CLASS="canard5"><SPAN ID="w15">ducks in a row</SPAN></H2>
     <H2 CLASS="canard1"><SPAN ID="w16">ducks in a row</SPAN></H2>
     <H2 CLASS="canard4"><SPAN ID="w17">ducks in a row</SPAN></H2>
     <H2 CLASS="canard2"><SPAN ID="w18">ducks in a row</SPAN></H2>
     <H2 CLASS="canard3"><SPAN ID="w19">ducks in a row</SPAN></H2>
   </DIV>

11 <DIV CLASS="canardovale">
     <IMG SRC="ovalenoir.gif" width=269  height=136>
     <H1><SPAN CLASS="titrecanard">ducks in a row</SPAN></H1>
   </DIV>

   </BODY>
   </HTML>
```

Le fichier HTML pour le site « Ducks in a row » ne représente que 3 kilo-octets et l'image GIF 900 octets. Toutes les techniques mises en œuvre dans cette page ont déjà été décrites dans ce chapitre.

Analyse du code

1. Définition du style de l'élément H1 et du « Ducks in a row » noir au premier plan.

2. Définition du style de base employé pour tous les textes « Ducks in a row » colorés.

3. ID utilisé pour la première série de mots en [9].

4. ID utilisé pour la deuxième série de mots en [10].

5. Position de l'image du canard et du texte noir en [11].

6. Position du titre par rapport à l'image en [11].

7. Définition des couleurs des textes « Ducks in a row » superposés.

8. Position des textes « Ducks in a row ».

9. Les textes sont superposés par deux séries : ici, la première série. La balise DIV sert à positionner les blocs de texte de manière absolue. Chacun des éléments SPAN permet de positionner un texte « Ducks in a row ». Les éléments H2 ont été définis en [2] ; chacun des blocs de texte est d'une couleur différente.

   Dans la mesure où la propriété z-index n'a pas été définie, l'ordre de superposition est le même que celui dans lequel le texte apparaît dans le code. La propriété z-index n'a besoin d'être définie que si vous souhaitez spécifier un ordre de superposition particulier. Ici, l'ordre de superposition n'a pas d'importance.

10. Cette partie est identique à la précédente ; elle ajoute simplement une deuxième série de blocs de texte pour renforcer l'idée que le texte a été positionné de manière aléatoire.

11. Enfin, le logo avec le canard et le texte en noir sont placés au-dessus des autres textes. Les classes utilisées ont été définies en [5] et en [6].

Cet exemple complexe n'est destiné qu'à montrer le potentiel des feuilles de styles. Il n'est pas conseillé d'établir un tel type de mise en page dans un site « réel » pour le moment. Tous les navigateurs actuels ne sont pas capables d'interpréter les feuilles de styles, et ceux qui les reconnaissent ne les interprètent pas de la même façon. Nombreux sont ceux qui pensent que les spécifications des feuilles de styles changeront de manière significative avant que leur utilisation se généralise.

Editeurs WYSIWYG

Mes deux éditeurs HTML WYSIWYG préférés, Macromedia Dreamweaver et Adobe GoLive (ex-CyberStudio) prennent en charge les feuilles de styles. Cependant, il vaut mieux savoir ce que sont les feuilles de styles, parce que l'éditeur HTML ne pourra pas choisir pour vous entre les sélecteurs ID et CLASS, ou entre pixels et pouces (ou centimètres). Les feuilles de styles représentent un nouveau défi pour les concepteurs de pages Web, juste au moment où le HTML semblait enfin compréhensible !

Voici quelques sites Web qui pourront vous aider à mieux comprendre le fonctionnement des feuilles de styles :

Cours de Webdeveloppeur.com sur les feuilles de styles (très complet, et en français !)
http://www.webdeveloppeur.com/DHTML/FStyle.html

Cours de WebMonkey sur les feuilles de styles (en anglais)
http://www.hotwired.com/webmonkey/stylesheets/

Cours de WebReview sur les feuilles de styles (en anglais)
http://webreview.com/wr/pub/Style_Sheets

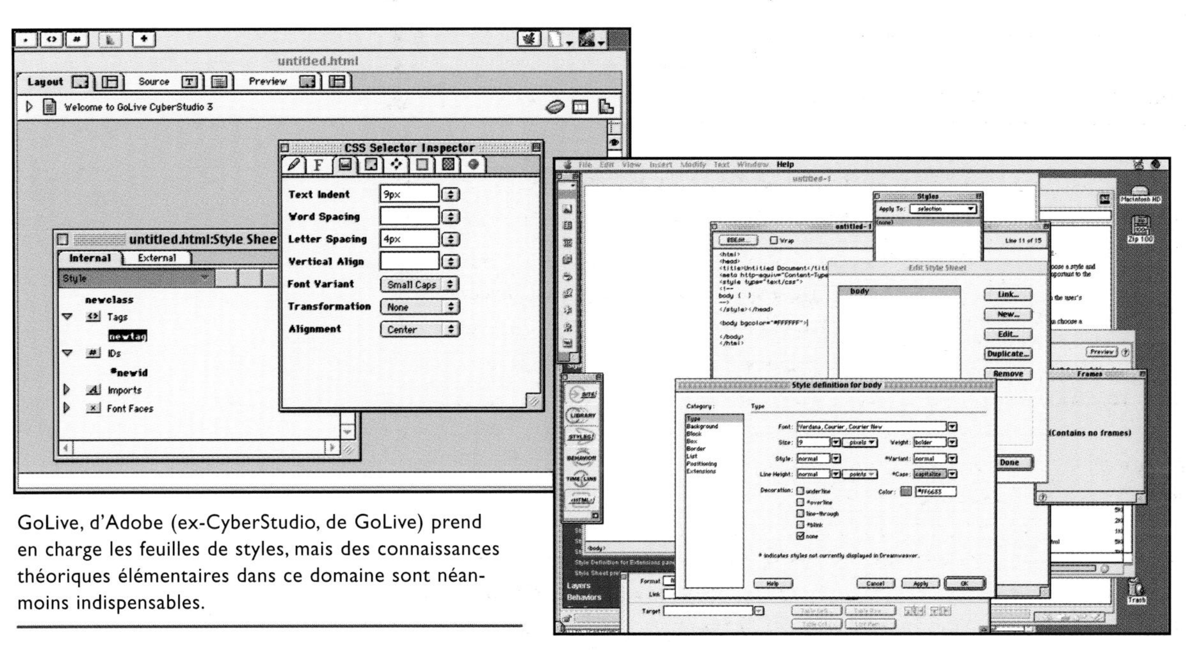

GoLive, d'Adobe (ex-CyberStudio, de GoLive) prend en charge les feuilles de styles, mais des connaissances théoriques élémentaires dans ce domaine sont néanmoins indispensables.

La même chose est vraie pour Dreamweaver, de Macromedia.

Résumé

Feuilles de styles

Les feuilles de styles en cascade offrent potentiellement de grandes possibilités pour faciliter la présentation de texte et d'images sur le Web. Je ne peux vous encourager à les utiliser pour le moment, mais il est probable qu'elles seront bientôt acceptées de manière uniforme par tous les navigateurs courants du marché.

- Les feuilles de styles permettent de formater le texte de la même manière que pour une page imprimée et d'obtenir un affichage semblable, quels que soient la plate-forme ou le navigateur employés. Nous avons vu dans ce chapitre les principes fondamentaux des feuilles de styles. Vous pouvez donc les expérimenter avec à votre guise.
- Les feuilles de styles internes s'appliquent au document HTML dont elles font partie.
- Les feuilles de styles externes peuvent être utilisées par plusieurs documents.
- Les feuilles de styles ponctuelles ne s'appliquent qu'à l'intérieur d'une balise donnée.
- Choisissez de préférence le pixel comme unité de mesure lorsque vous travaillez sur des documents destinés à être affichés à l'écran.
- N'oubliez pas les balises de commentaire autour de vos feuilles de styles, sans quoi celles-ci ne seront visibles que dans les anciens navigateurs.
- Différents éditeurs HTML WYSIWYG prennent en charge les feuilles de styles, mais, pour faire différents choix, il faut comprendre comment celles-ci fonctionnent.

Introduction

Numérisation de documents pour le Web

Au sommaire de ce chapitre

- Résolution de numérisation
- Le vocabulaire de la numérisation
- Le scanner
- Appareils photo numériques
- Les PhotoCD
- Comment éliminer les moirures
- Correction d'image avec Photoshop

20

Lorsque j'enseignais l'infographie à temps plein au Art Center College of Design, il était souvent plus difficile d'apprendre aux étudiants à numériser des documents qu'à leur apprendre à utiliser Photoshop ou d'autres logiciels graphiques. La raison en était que la numérisation de documents destinés à l'impression implique de nombreuses règles et variables en rapport avec la linéature, la résolution d'impression et le choix des encres. Heureusement, la numérisation pour le Web est une science beaucoup plus simple.

En effet, lorsqu'on numérise un document pour le Web, la résolution de destination est fixée (à 72 pixels/pouce) et l'image résultante est au format RVB. Nul besoin par conséquent de convertir ses couleurs en encres d'impression ; elle sera affichée telle quelle sur tous les écrans d'ordinateur partout dans le monde.

De ce fait, ce chapitre parle moins de la numérisation elle-même que de la manière de s'assurer que vos images seront belles sur l'écran de l'ordinateur. Attention cependant : ce chapitre est centré sur Photoshop, dans la mesure où ce logiciel est sans conteste celui qui donnera les meilleurs résultats pour ce type de travail.

Dans ce chapitre, nous verrons comment supprimer les effets de moirure, comment rétablir l'équilibre des niveaux de votre image et comment sélectionner certaines zones d'une image à améliorer.

Quelle résolution utiliser ?

Lorsqu'on numérise un document pour le Web, il est rarement nécessaire d'utiliser une résolution supérieure à 72 pixels/pouce. Les personnes habituées à effectuer des numérisations destinées à l'impression auront peut-être du mal à le croire, et pourtant, il est nécessaire de s'habituer aux très grandes différences de résolution entre le monde de l'impression et celui du Web.

Quand on numérise un document destiné à l'impression, il est essentiel de savoir à quelle résolution il sera imprimé. Si vous savez, par exemple, que votre document sera imprimé à 150 lignes/pouce, la numérisation se fera en général à 300 points/pouce. Pour le Web, une seule résolution est à envisager : 72 pixels/pouce.

Certaines personnes sont convaincues qu'il est préférable de numériser un document à 300 points/pouce puis d'utiliser Photoshop pour réduire sa taille à 72 points/pouce, mais en réalité, c'est rarement le cas. Vous avez le choix : soit numériser directement vos documents à 72 points/pouce, soit redimensionner vos documents après la numérisation pour obtenir une résolution de 72 pixels/pouce.

Je sais que pour ceux qui sont habitués à travailler pour un support papier, il est difficile d'admettre qu'une numérisation basse résolution puisse fournir une qualité d'image suffisante. Souvenez-vous simplement que lorsque vous travaillez pour un support papier, une résolution plus élevée permet d'obtenir une meilleure qualité parce que c'est un système d'impression haute résolution qui restitue le document. Dans le cas du Web, le document apparaît sur un écran d'ordinateur, et une résolution plus élevée n'apporte rien.

Si vous numérisez à 300 points/pouce une image destinée à une page Web, celle-ci risque simplement d'apparaître trop grande dans la fenêtre du navigateur et de nécessiter plusieurs minutes de téléchargement. Ce n'est certainement pas l'effet recherché.

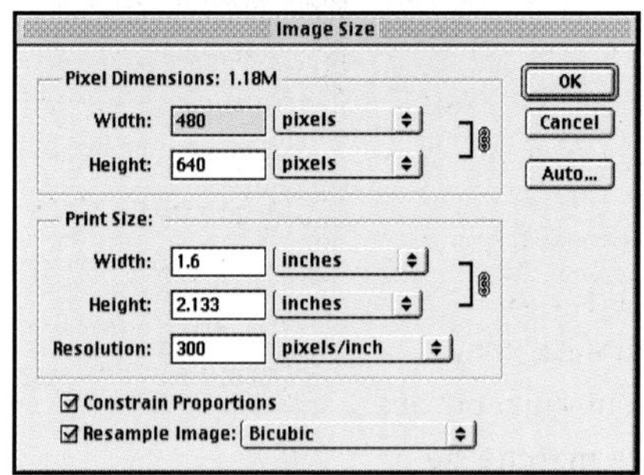

Lorsque vous utilisez une image à une résolution trop élevée, elle sera trop grande et trop longue à télécharger pour le Web.

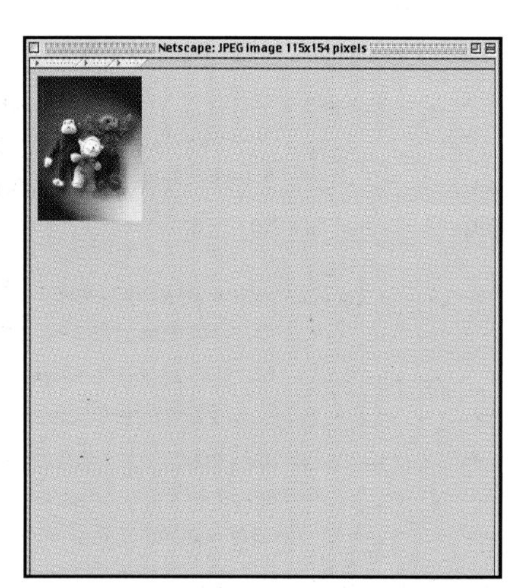

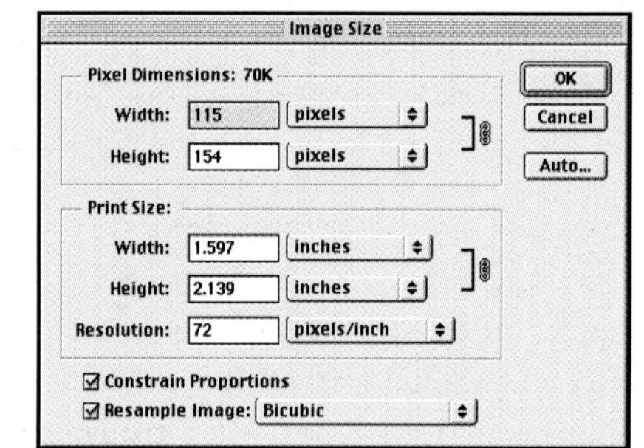

Ici, une image de dimensions plus raisonnables pour le Web. Notez que les dimensions en pixels sont d'environ 100 × 150.

Petit glossaire de la numérisation

Points/pouce (ou DPI, ou PPP). Indique le nombre de points imprimés par pouce ; utilisé pour les imprimantes.

Lignes/pouce (ou LPI, ou LPP). Mesure la linéature lors de l'impression.

Pixels/pouce (ou PPI, ou PPP). Indique le nombre de pixels par pouce.

Résolution. Mesure le nombre de pixels, de points ou de lignes par pouce utilisés par des images, des imprimantes ou des écrans.

Moirure. Effet de tramage indésirable qui apparaît lorsqu'on numérise sans précautions préalables un document imprimé.

Scanners

Il existe toutes sortes de scanners à différents prix : scanners haute résolution, scanners pour transparents (permettant en particulier de numériser négatifs et diapositives), scanners à main et même appareils photo numériques utilisés comme scanners.

Si vous disposez déjà d'un scanner, vous n'avez pas besoin d'en acquérir un nouveau pour le Web. Le Web est sans doute le support dont les besoins sont les plus faibles. Dans la mesure où tous les documents que vous numérisez seront utilisés à l'écran et non pour l'impression, la qualité de la numérisation importe moins. En fait, et au risque d'en choquer certains, avec les différents logiciels graphiques existants, il n'est pas vraiment nécessaire de disposer d'un document parfaitement numérisé. Les différents logiciels de traitement d'images, Photoshop en particulier, permettent de rattraper beaucoup de problèmes.

La vitesse de numérisation, en revanche, est un facteur important lors du choix d'un scanner, quel que soit son emploi, et ce d'autant plus qu'on a un volume d'images important à numériser. Un scanner lent peut faire perdre énormément de temps, et on trouve sur le marché de nombreux scanners rapides et de bonne qualité. Evitez en particulier les scanners qui numérisent les documents en trois passes au lieu d'une (mais ceux-ci deviennent aujourd'hui difficiles à trouver). Le Web est, comme vous vous en doutez, un bon endroit pour chercher le scanner de vos rêves.

La page de l'image numérique et des scanners (en français, beaucoup d'informations utiles)
http://www.arpla.univ-paris8.fr/scanners/

Guide de l'acheteur ZD Net (en anglais)
http://www.zdnet.com/products/scanneruser/index.html

Encore un mot sur les scanners pour parler des conflits de chaînes SCSI. La plupart des scanners sont des périphériques SCSI (mais on voit apparaître de plus en plus de scanners sur port parallèle et même USB). Un périphérique SCSI nécessite l'emploi de câbles SCSI, qui sont en général livrés avec les scanners. Il faut savoir que les câbles et la chaîne SCSI peuvent être une source de problèmes. Utilisez toujours des câbles SCSI de bonne qualité ; plus ils sont épais et courts, mieux cela vaudra. En cas de mauvais fonctionnement, essayez de connecter directement votre scanner à votre ordinateur et de désactiver tous les autres périphériques SCSI externes (disques durs et lecteurs de CD-ROM, par exemple). Vérifiez également que vos pilotes de scanner sont à jour ; le cas échéant, vérifiez sur le site du constructeur du scanner s'il ne propose pas de nouveaux pilotes, en particulier si vous avez changé de système d'exploitation.

Appareils photo numériques et vidéo numérique

Les appareils photo numériques sont très en vogue à l'heure actuelle, même si la qualité d'image qu'ils permettent d'obtenir n'est pas encore très satisfaisante. Cependant, dans la mesure où vous travaillez pour le Web, il est moins important de disposer d'une résolution et d'une qualité élevées, et l'appareil photo numérique peut de ce fait être intéressant.

Une mise en garde toutefois en ce qui concerne les appareils photo numériques : la plupart d'entre eux utilisent la compression JPEG. Cela peut poser un problème si vous êtes obligé de traiter l'image résultante d'une quelconque manière (renforcer sa netteté, modifier sa taille, etc.) ; en effet, vous devrez l'enregistrer une deuxième fois au format JPEG. Or le JPEG provoque une perte d'informations dans l'image, et deux enregistrements à ce format provoquent plus de pertes qu'un seul. La conclusion : utilisez si possible un appareil numérique au moins « mégapixel », c'est-à-dire qui permet d'obtenir des images de un million de pixels (1290 × 960 pixels ou plus). En effet, en utilisant une image de départ plus grande que vous réduisez ensuite, vous éliminez une partie des pertes dues à la compression.

En fonction de son emploi, un appareil photo numérique peut se révéler plus utile qu'un scanner. Ainsi, pour obtenir rapidement une photo de votre voiture que vous souhaitez insérer dans une petite annonce sur Internet, ou pour envoyer par e-mail une photo de vos enfants à leurs grands-parents, un appareil photo numérique est idéal.

Une alternative à l'appareil photo numérique consiste à utiliser une caméra vidéo numérique (en anglais DV, pour *Digital Video*). La plupart des caméras numériques permettent d'enregistrer des films et des images fixes et, de plus, elles ne font pas appel à la compression.

L'inconvénient de ces caméras est que leur coût est plus élevé et qu'elles nécessitent l'emploi de câbles et de logiciels supplémentaires. Dans le cas d'une caméra vidéo DV, vous devrez faire l'acquisition d'une carte Firewire et des câbles correspondants.
Si l'investissement de départ est beaucoup plus élevé, cette solution offre une qualité plus élevée et plus de possibilités.

Sites sur la vidéo numérique

http://www.mireade.com/repairedv/ (en français)
http://www.dvcentral.org/ (en anglais)

Note

PhotoCD et images numérisées

Je travaille souvent avec des images PhotoCD à la place des images numérisées. Lorsqu'on souhaite numériser des négatifs ou des diapos, le PhotoCD est souvent la solution la plus intéressante. Pour cela, il suffit de déposer son film (développé ou non) dans un laboratoire photo. On obtient en retour un CD-ROM comprenant toutes les photos du ou des films (jusqu'à 100 par CD) à différentes résolutions. Pour le Web, la résolution la plus faible est presque toujours suffisante.

Vous trouverez plus d'informations sur ce format sur le site de Kodak (http://www.kodak.com).

Redimensionner des images avec Photoshop

Il est important de savoir redimensionner ses images lorsqu'on utilise des images numérisées ou des cliparts destinés à un site Web. Vous devez vous assurer que vos images ont une taille adéquate pour le Web. Par défaut, de nombreux scanners utilisent une résolution trop élevée pour le Web ; c'est alors à vous d'en réduire la taille à l'aide de Photoshop.

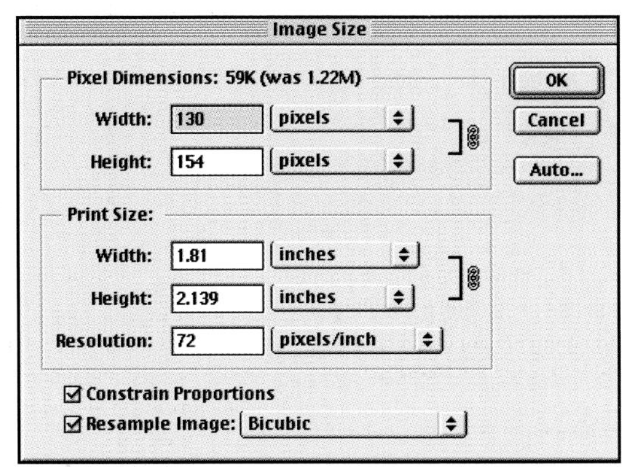

Choisissez dans le menu Image la commande Taille de l'image (Image Size). Cochez les options Rééchantillonnage et Conserver les proportions (Resample Image) sauf si vous avez l'intention de déformer l'image en hauteur ou en largeur (Constrain Proportions).

Nearest Neighbor
Bilinear
✓ Bicubic

Lorsque vous redimensionnez une image, vous avez le choix entre différentes méthodes d'interpolation.

Interpolation bicubique. Cette méthode donne presque toujours les meilleurs résultats. Elle lisse l'image, ce qui n'est pas toujours un effet souhaité.

Interpolation bilinéaire. La qualité d'image obtenue est bonne, mais moins que pour l'interpolation bicubique. En revanche, cette méthode est plus rapide.

Au plus proche. Méthode plus rapide que la précédente, mais dont les résultats sont moins bons — à moins que vous ne cherchiez à obtenir un effet en dents de scie.

Taille initiale

Image agrandie

Notez comment l'agrandissement de l'image avec une interpolation bicubique l'a adoucie et rendue légèrement floue. N'agrandissez jamais une image dans Photoshop si vous pouvez l'éviter ; numérisez-la plutôt directement à la bonne taille.

Interpolation Au plus proche

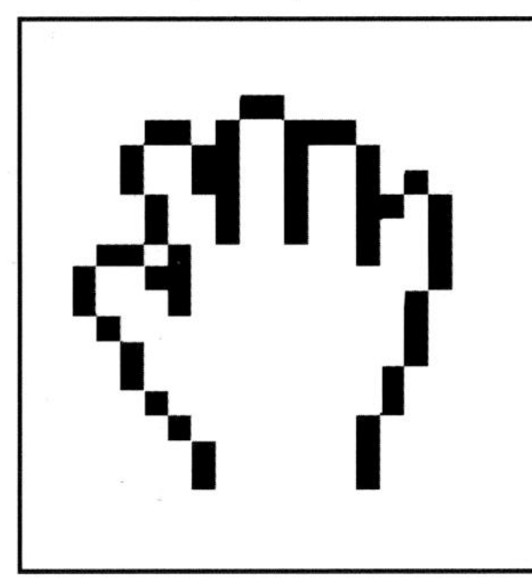

Il arrive qu'on cherche à obtenir un effet de pixelisation, comme ici. Dans ce cas, utilisez une petite image comme image de départ et utilisez l'interpolation Au plus proche pour l'agrandir.

Attention

Ne redimensionnez pas les images en mode Couleurs indexées

Lorsque vous redimensionnez des images, assurez-vous que celles-ci sont en mode RVB et non en mode Couleurs indexées. En effet, dans ce dernier mode, le nombre de couleurs est limité ; par conséquent, en modifiant la taille de l'image, aucun détail n'y sera ajouté et le résultat sera très médiocre. Convertissez vos images en mode RVB en choisissant la commande Image, Mode, Couleurs RVB.

Problèmes de trames et de moirures

Si vous souhaitez numériser des images provenant d'un document imprimé, attention aux moirures ! Nous vous indiquons ci-dessous comment résoudre ce problème.

Les images imprimées en quadrichromie sont constituées de trames de petits points invisibles à l'œil nu (sauf lorsqu'on les regarde de très près) qui résultent en des moirures inesthétiques lorsqu'elles sont numérisées. L'une des figures ci-dessous montre un agrandissement de cette trame de points.

Voici une image imprimée qui a été ensuite numérisée. Les moirures sont clairement visibles.

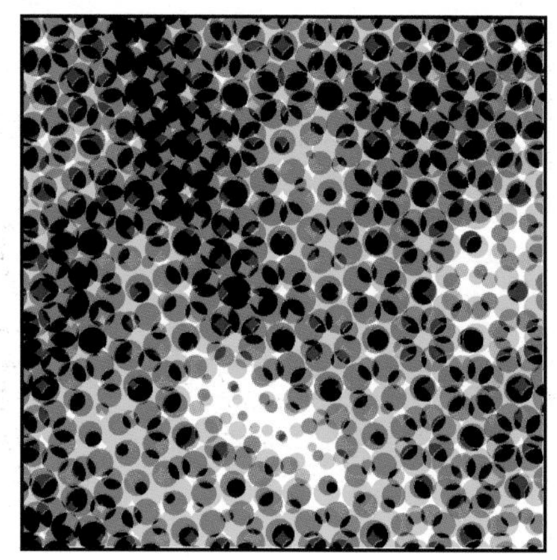

Toutes les images imprimées en quadrichromie sont constituées de plusieurs trames de points ; ici, ces trames ont été agrandies.

Lorsque l'image est redimensionnée, l'effet de moirure devient plus ou moins visible. La meilleure solution pour ce problème consiste à se débarrasser de la moirure avant de redimensionner l'image. Nous indiquons ci-dessous comment procéder.

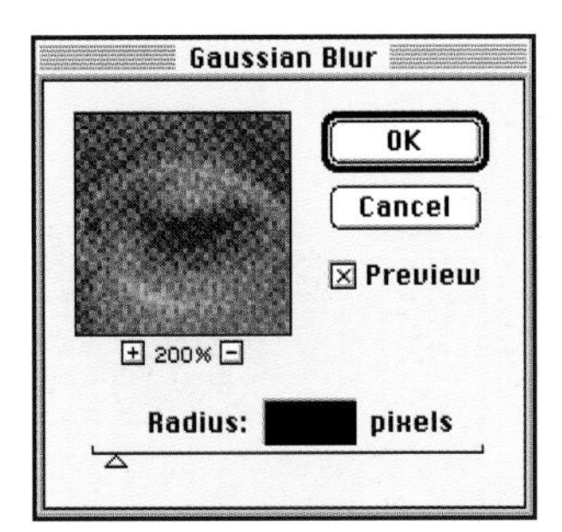

Choisissez Filtre:Atténuation:Flou gaussien. Ce filtre rend l'image plus ou moins floue en fonction des paramètres choisis. Ici, nous ne chercherons pas à rendre l'image entièrement floue, mais simplement à faire en sorte que la moirure disparaisse. La moirure est visible dans la fenêtre d'aperçu.

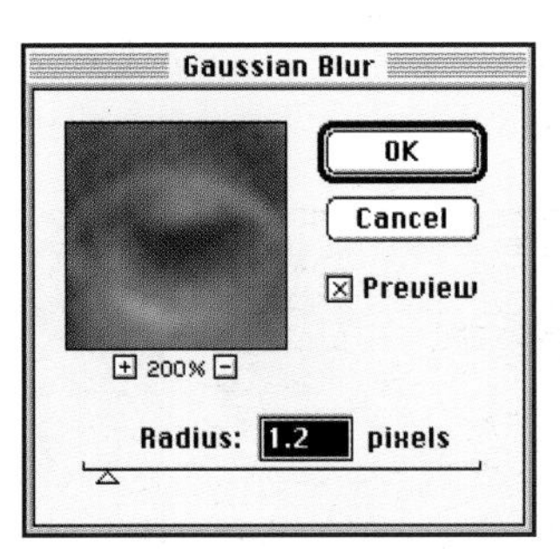

Avec une valeur de Rayon de 1,2 pixels, la moirure a disparu. Avec une valeur plus importante, l'image deviendrait trop floue. C'est à vous de trouver le bon réglage pour vos propres images ; celui-ci sera différent pour chacune de vos images.

L'image résultante ne comporte plus de moirure, mais elle est floue.

L'astuce consiste à réduire la taille de l'image. De ce fait, l'image deviendra plus nette.

Vous pouvez ensuite utiliser un filtre de renforcement pour accentuer la netteté de l'image. La moirure a quant à elle complètement disparu. N'utilisez pas de valeurs trop importantes avec le filtre Accentuation (Filtre:Renforcement:Accentuation) dans la mesure où il tend à renforcer le contraste de l'image.

Et voilà : l'image résultante est tout à fait acceptable pour le Web. Vous pouvez éventuellement renforcer légèrement la saturation de l'image.

Correction d'image et modification des tons

Photoshop offre de nombreuses possibilités dans le domaine de la correction et de la modification des couleurs d'une image. Je vais parler ici de certains de mes effets préférés qui se trouvent dans le menu Image:Réglages.

Niveaux

Nous utilisons la boîte de dialogue Niveaux pour modifier la plupart des images numérisées. Ouvrez cette boîte de dialogue en choisissant la commande Image:Réglages:Niveaux.

La modification du point noir assombrit les tons foncés de l'image.

La modification du curseur du milieu modifie les tons moyens de l'image.

En déplaçant le curseur du point blanc, vous éclaircissez les zones claires de l'image.

En déplaçant vers la droite le curseur noir des Niveaux de sortie (Output Levels), vous éclaircissez tous les tons de l'image.

Si au contraire vous déplacez vers la gauche le curseur blanc des Niveaux de sortie (Output Levels), l'image entière est assombrie.

Teinte/Saturation/Luminosité

La boîte de dialogue Teinte/Saturation (Hue/Saturation) fait également partie de nos outils préférés dans Photoshop. Ouvrez cette boîte de dialogue en choisissant la commande Image:Réglages: Teinte/Saturation.

En cochant l'option Redéfinir, vous créez une image monochrome. Faites ensuite glisser les curseurs pour choisir la couleur exacte de l'image. Cette technique est particulièrement intéressante lorsque l'image de départ n'est pas parfaite.

Résumé

Numérisation de documents pour le Web

J'espère que ce chapitre aura répondu à vos questions concernant la numérisation d'images pour le Web. J'ai essayé de traiter les différents problèmes auxquels j'ai moi-même été confrontée ; ces suggestions devraient vous permettre d'obtenir des images parfaitement adaptées à une utilisation sur le Web. Voici un bref résumé du chapitre :

- Utilisez toujours une résolution de 72 points/pouce lorsque vous numérisez des documents pour le Web, ou assurez-vous que la taille en pixels de vos images soit raisonnable pour une utilisation sur le Web.
- L'interpolation bicubique permet d'obtenir les meilleurs résultats lorsqu'on redimensionne une image, sauf lorsqu'on essaie d'obtenir un effet de pixelisation. Dans ce dernier cas, utilisez la méthode d'interpolation Au plus proche.
- Le facteur principal, lors de l'achat d'un scanner, est la vitesse de numérisation. La qualité de numérisation n'a pas la même importance pour le Web que pour des documents destinés à l'impression.
- L'utilisation des commandes du sous-menu Image, Réglages, dans Photoshop, permet de corriger beaucoup de problèmes survenant lors de la numérisation.
- Pour vous débarrasser des moirures qui apparaissent lorsqu'on numérise un document imprimé en quadrichromie, combinez filtres de flou et redimensionnement d'image.
- Les appareils photo numériques peuvent être utiles pour les images destinées au Web, mais le fait qu'ils utilisent généralement une compression JPEG peut se révéler problématique.

Introduction

GIF animés

Au sommaire de ce chapitre

- Considérations esthétiques
- Glossaire du GIF animé
- Quel logiciel employer ?
- GIF animés avec ImageReady
- GIF animés avec Fireworks
- Autres outils de création de GIF animés

21

Il existe différents moyens d'insérer des animations dans une page Web, mais celle qui est de loin la plus répandue consiste à utiliser le format GIF. Aucune connaissance supplémentaire en programmation n'est requise : la même balise IMG qui permet d'insérer un fichier GIF dans une page est également employée pour les GIF animés.

La création de GIF animés nécessite l'emploi de logiciels spécialisés. Nous allons passer en revue plusieurs de ces logiciels, et nous verrons également comment créer certains effets couramment employés.

Les animations peuvent rendre une page Web beaucoup plus intéressante, mais lorsqu'elles sont employées de manière gratuite, elles risquent de détourner l'attention du visiteur, voire de l'irriter. Dans ce chapitre, il sera question des GIF animés à la fois d'un point de vue esthétique et d'un point de vue technique, et je vous indiquerai dans quels cas leur usage est conseillé ou déconseillé.

Considérations esthétiques

Avant de se lancer dans le comment et le pourquoi du GIF animé, il est important de s'intéresser aux considérations esthétiques liées à ce sujet. Le Web est un support qui permet de combiner dans une même page texte, images et animations. Ces caractéristiques entraînant un manque de repères, les GIF animés sont souvent mal employés.

L'ajout d'animations peut rendre une page plus attrayante, mais il peut également gêner les visiteurs ou les distraire du message qu'on cherche à leur communiquer. Un professionnel du Web était récemment d'avis que « la plupart des animations qu'on voit sur le Web sont l'équivalent de la balise BLINK (qui permet de faire clignoter le texte) ». C'est sans doute vrai, mais excusable, étant donné la nouveauté de ce support.

Voici quelques indications très générales sur l'utilisation des GIF animés :

- Les animations attirent beaucoup plus l'attention que les images fixes. Assurez-vous que c'est sur le contenu de l'animation que vous souhaitez attirer l'attention. Dans le cas contraire, l'animation sera non seulement inutile, mais même nuisible à votre site.
- En général, les animations en boucle qui se prolongent indéfiniment tendent à irriter les visiteurs. Nous verrons dans ce chapitre comment limiter le nombre de boucles d'une animations. Ce sera à vous de juger quel nombre de répétitions est adéquat. Vous pourriez également tester votre page auprès d'amis ou de collègues pour voir leur réaction.
- Si vous placez plusieurs animations sur une même page, le visiteur risque d'être dépassé plutôt qu'impressionné.
- Assurez-vous que vos animations sont rapides à télécharger. Vous verrez un peu plus loin dans ce chapitre comment obtenir de telles animations. Si le visiteur attend trop longtemps le chargement de l'animation, il risque de changer de page avant de l'avoir vue.

Le format du GIF animé

Dans ce chapitre, j'utilise le terme « GIF animé », mais le nom officiel de ce format est GIF89a. Les GIF animés existent depuis la fin des années 80, mais les premiers navigateurs n'en permettaient pas l'affichage. Maintenant, tous les navigateurs courants affichent les GIF animés, ce qui permet d'insérer ce type de fichier dans des pages Web en étant certain que tous les visiteurs les verront.

Le format GIF89a permis de stocker plusieurs images dans un seul document GIF. Lorsqu'un tel document est affiché dans un navigateur, ces images sont affichées successivement, ce qui permet d'obtenir un effet d'animation. Il est possible de créer des animations en boucle (qui se répètent) et de définir des intervalles de temps entre deux images. Enfin, il est possible d'employer des effets de transparence, tout comme pour des images GIF fixes.

L'affichage des GIF animés ne nécessite l'emploi d'aucun plug-in ni code particulier, ni même d'une connexion Internet active, ce qui permet de les placer sur des intranets ou de les tester localement. Les GIF animés sont simples à créer, à inclure dans une page et ne nécessitent de la part du visiteur aucun effort pour être visualisés. Il s'agit sans aucun doute de la solution la plus élégante pour ajouter des animations à une page Web. Seul défaut : on ne peut y inclure de sons. Cependant, pour un logo ou un bouton animé, les GIF animés sont un excellent choix.

Pour insérer un GIF animé dans une page Web, il suffit d'utiliser la balise standard IMG SRC. Le code correspondant pourra ressembler à cela :

```
<IMG SRC="Animation.gif">
```

Quelques détails techniques

Les GIF animés peuvent comprendre les caractéristiques suivantes :

- lecture en boucle (finie ou indéfinie) ;
- intervalles de temps variables entre images ;
- différentes méthodes de remplacement ;
- palettes ;
- transparence ;
- entrelacement.

Astuce

Ressources pour les GIF animés

Il sera question un peu plus loin des logiciels permettant de créer des GIF animés. Voici quelques ressources :

La galerie d'animations de Hotwired
(qui comprend surtout des animations Flash et des films QuickTime)
http://www.hotwired.com/animation/

Les (excellents) articles de Webmonkey sur les GIF animés (et le multimédia en général)
http://www.hotwired.com/webmonkey/multimedia/multimedia_more.html (voir sous « Animation »)

Le site d'Yves Piguet, l'auteur de GIFBuilder (en français)
http://iawww.epfl.ch/Staff/Yves.Piguet/clip2gif-home/GifBuilder-F.html

Glossaire du GIF animé

Lors de la création de GIF animés, vous serez amené à rencontrer différents termes spécialisés qui ne vous sont peut-être pas familiers. Voici un petit glossaire qui vous aidera à y voir plus clair.

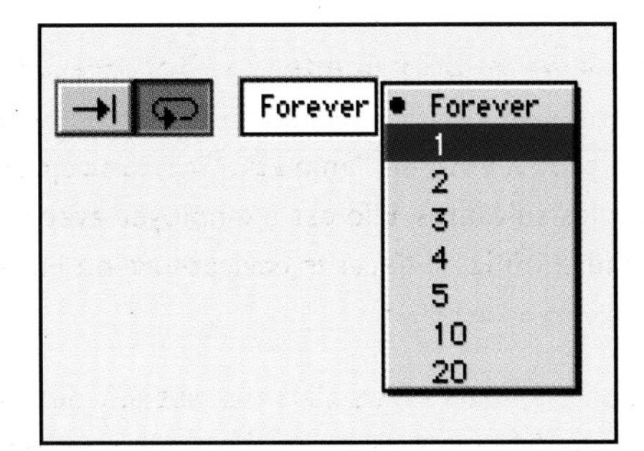

Cet exemple provient de Fireworks. Comme vous le voyez, il est possible de définir le nombre de répétitions de l'animation.

Lecture en boucle (looping). Les GIF animés peuvent être lus en boucle, c'est-à-dire répétés un nombre défini ou indéfini de fois. Ainsi, si une animation comprend 10 images et qu'elle est répétée trois fois, le visiteur verra 30 images au total. Attention aux animations se répétant indéfiniment : elles peuvent irriter le visiteur.

300

Frame 1	U	20	/100
Frame 2	U	20	
Frame 3	U	300	
Frame 4	U	20	

Il est possible de modifier image par image la vitesse d'affichage d'une animation en insérant un délai entre les images. L'unité la plus couramment employée pour ce délai est, en théorie, le centième de seconde mais elle peut varier suivant la vitesse du processeur. Dans cet exemple (sous Fireworks), l'image 3 a la valeur 300, ce qui signifie que l'image s'affichera pendant environ trois secondes.

Délai entre images (frame delays). Il est possible de modifier image par image la vitesse d'affichage d'une animation en insérant un délai entre les images. L'unité la plus couramment employée pour ce délai est, en théorie, le centième de seconde. Le problème est qu'un processeur rapide affichera l'animation plus vite qu'un processeur lent, quels que soient les délais choisis. Contrairement à la vidéo, la vitesse de lecture des GIF animés n'est pas invariable. Retenez simplement que le centième de seconde est l'unité approximative pour déterminer les délais. Ainsi, si vous souhaitez qu'une première image s'affiche pendant cinq secondes, les trois suivantes pendant une seconde et la dernière pendant 15 secondes, les délais seront les suivants :

Image 01 = 500
Image 02 = 100
Image 03 = 100
Image 04 = 100
Image 05 = 1500

Vitesse de téléchargement. La vitesse de téléchargement dépend du type de connexion dont dispose l'utilisateur, mais la durée de l'animation, une fois téléchargée, peut varier fortement en fonction de son processeur et de son équipement (voir ci-dessus).

Optimisation. Les GIF animés peuvent être optimisés tout comme les GIF « normaux ». Les règles décrites au Chapitre 6 s'appliquent également aux GIF animés. Par conséquent, assurez-vous d'employer le moins de couleurs possible et d'éviter le bruit ou la diffusion dans votre image.

Transparence et méthodes de remplacement/d'élimination (disposal methods). Les méthodes de remplacement (d'élimination dans Fireworks) sont un moyen de décrire comment les images successives sont affichées du point de vue de leur transparence. Cette question ne se pose pas avec une image GIF statique : lorsqu'un GIF statique comprend des zones transparentes, l'arrière-plan est visible et c'est tout.

Dans le cas d'un GIF animé, la situation est plus complexe. Supposons que nous ayons créé une balle qui parcourt l'écran. Si les images de l'animation sont transparentes à l'exclusion de la balle, la première image de l'animation montrera la balle à sa première position ; la deuxième montrera la balle à sa deuxième position, mais sans que la première soit masquée, puisque l'image est transparente, et ainsi de suite. Ainsi, l'animation complète affichera une série de balles restant visibles, et non une animation.

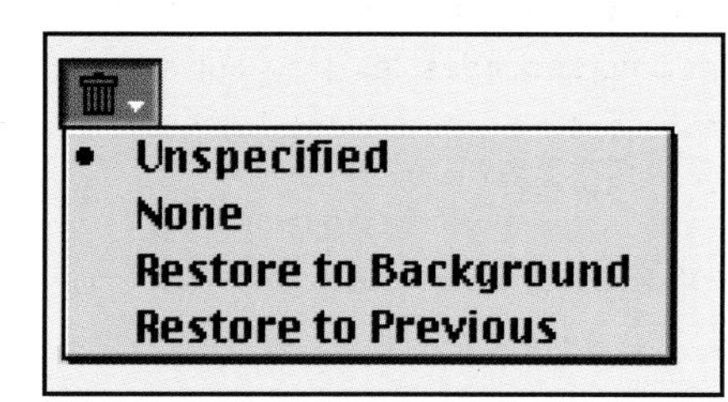

Les méthodes de remplacement permettent de définir de quelle manière une image est remplacée par l'image suivante de la séquence.

La méthode de remplacement permet de résoudre ce problème en indiquant de quelle manière les images se succèdent et sont remplacées les unes par les autres. Les options de remplacement dépendent du logiciel utilisé.

Non spécifiée (Unspecified). Cette méthode, disponible dans Fireworks, n'en est pas une en réalité. Si vous choisissez cette option, Fireworks sélectionnera la méthode de remplacement permettant d'obtenir le fichier le moins volumineux.

Aucune/Ne pas remplacer (Do not dispose). Avec cette méthode, les images précédentes restent visibles. Cette méthode sera intéressante pour créer une animation où les lettres d'un mot apparaissent les unes après les autres, par exemple. Ainsi, si vous souhaitez faire apparaître le mot GIF, il est préférable (en ce qui concerne la taille du fichier) d'afficher la lettre G, puis la lettre I, puis la lettre F, plutôt que d'afficher d'abord G, puis GI, puis GIF.

Rétablir l'arrière-plan (Restore to background). Plutôt que d'afficher l'image précédente, c'est l'arrière-plan de la page Web qui est rétabli avant l'affichage de chaque image. Utilisez cette méthode si votre animation se déroule sur un fond transparent et que le sujet principal se déplace (comme dans l'exemple de la balle ci-dessus).

Restaurer la version précédente (Restore to previous). Cette méthode est semblable à la précédente, sauf que l'image précédente de l'animation reste toujours visible sous les suivantes. Elle est à employer avec prudence dans la mesure où les différents navigateurs ne l'interprètent pas de la même façon.

Palettes. La plupart des logiciels permettant de réaliser des animations GIF proposent de choisir le nombre de couleurs de l'animation résultante. Une animation comprenant moins de couleurs sera plus compacte et plus rapide à télécharger. Par ailleurs, veillez à faire en sorte que toutes les images de l'animation utilisent la même palette. Dans le cas contraire, on obtient un effet de clignotement tout à fait psychédélique, mais assez peu professionnel.

La plupart des programmes spécialisés créent automatiquement une palette unique (qu'on nomme palette globale ou « super-palette ») pour toutes les images de l'animation. Pour créer une telle palette à la main dans Photoshop, placez toutes vos images dans un même document sur des calques séparés, puis choisissez Image:Mode:Couleurs indexées. Sélectionnez ensuite Image:Mode:Table des couleurs, et enregistrez la table. Vous pourrez la charger dans différents logiciels d'animation.

Entrelacement. Il a été question des GIF entrelacés dans le Chapitre 5. Il est possible de se servir du format entrelacé pour les GIF animés, mais l'effet de pixelisation qu'il provoque ne me paraît pas très heureux dans ce contexte : il tend à affaiblir l'illusion de l'animation.

Comment créer une animation

Il existe de nombreux outils et technologies d'animation, mais qu'en est-il des animations elles-mêmes ?

L'animation est généralement employée pour créer une illusion de mouvement. Elle est composée d'une série d'images fixes affichées en une succession rapide, que notre œil perçoit comme animées. La création d'une animation consiste à générer une série d'images fixes évoluant les unes par rapport aux autres.

Il existe de nombreuses méthodes pour générer cette série d'images. Différents logiciels permettent de créer ou d'importer des fichiers PICT, PIC, GIF ou QuickTime qui sont constitués d'une telle série d'images.

Il est également possible de créer des animations sans disposer d'un logiciel spécialisé. Ainsi, vous pouvez utiliser Photoshop pour appliquer un filtre avec des valeurs de plus en plus élevées en enregistrant chaque fois l'image obtenue. Vous pouvez aussi dessiner à la main un même texte ou objet trois fois de suite dans trois images différentes. Lorsque ces images sont visualisées en une succession rapide, le dessin « tremble » d'une manière subtile. En réduisant progressivement l'opacité d'une série d'images, celui-ci semble disparaître.

Si vous avez besoin d'idées pour créer vos propres animations, téléchargez sur le Web l'un des nombreux GIF animés servant de banderole publicitaire, puis importez-le dans un logiciel de création de GIF animés pour voir exactement de quelles images il est constitué. N'oubliez pas, cependant, que ces GIF animés sont tout autant soumis à un copyright que n'importe quelle autre œuvre originale.

Terminologie de l'animation

Voici quelques termes fréquemment employés dans le domaine de l'animation :

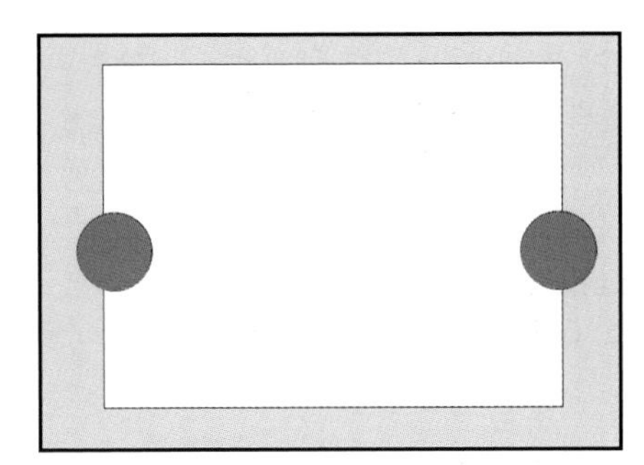

Image clé (keyframe). Une image clé est l'image du début ou de la fin du déplacement d'un objet. Ainsi, si votre animation comprend un cercle qui parcourt l'écran de gauche à droite, les images clés correspondront aux positions de départ et d'arrivée du cercle.

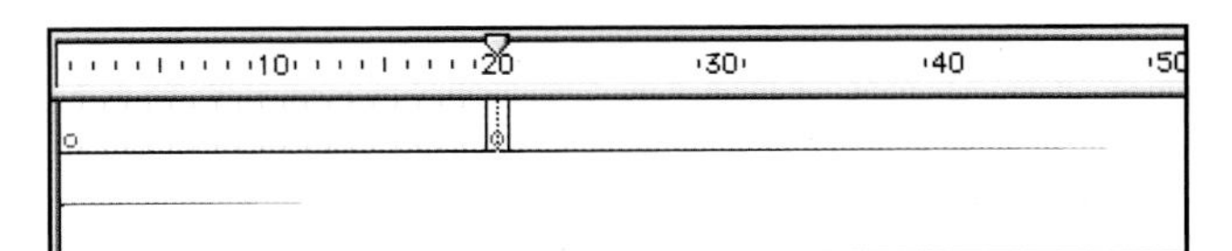

Echelle temporelle (timeline). L'échelle temporelle (lorsqu'elle existe) permet de visualiser la présence et la synchronisation des différents éléments d'une animation. Ici, l'échelle temporelle affiche deux images clés : l'une au niveau de la première image et l'autre au niveau de l'image 20.

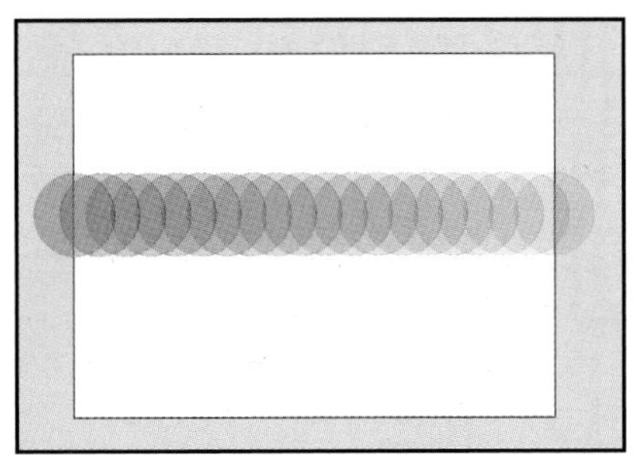

Interpolation (tweening). En général, les programmes utilisant des images clés permettent également de générer des images intermédiaires par interpolation. Ici, vingt images intermédiaires ont été générées entre les deux images clés ; elles sont montrées dans une même figure, même si, en réalité, l'animation résultante afficherait un déplacement du disque rouge de la gauche vers la droite de l'écran (et non une superposition de disques). Lors de l'animation de personnages (dans des dessins animés, par exemple), les images intermédiaires sont dessinées à la main et non générées par ordinateur.

Animation image par image. Il est également possible de créer une animation en dessinant chacune des images qui la composent, comme c'est le cas ci-dessus (les trois images sont montrées simultanément).

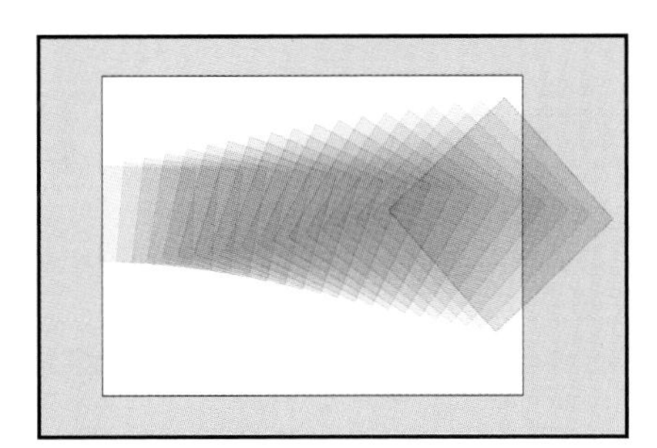

Interpolations complexes. Certains logiciels permettent des interpolations complexes entre deux images clés. L'objet modifié pourra ainsi changer à la fois de position, de taille, de forme, d'opacité et tourner sur lui-même.

Outils et techniques pour des animations image par image

Les outils qui permettent de créer des GIF animés image par image sont très nombreux. Certains sont gratuits, d'autres non. Je parlerai ici d'ImageReady et de Fireworks, deux excellents outils qui ne sont pas gratuits, mais dont vous pouvez télécharger des versions de démonstration sur le Web.

Animation image par image dans ImageReady

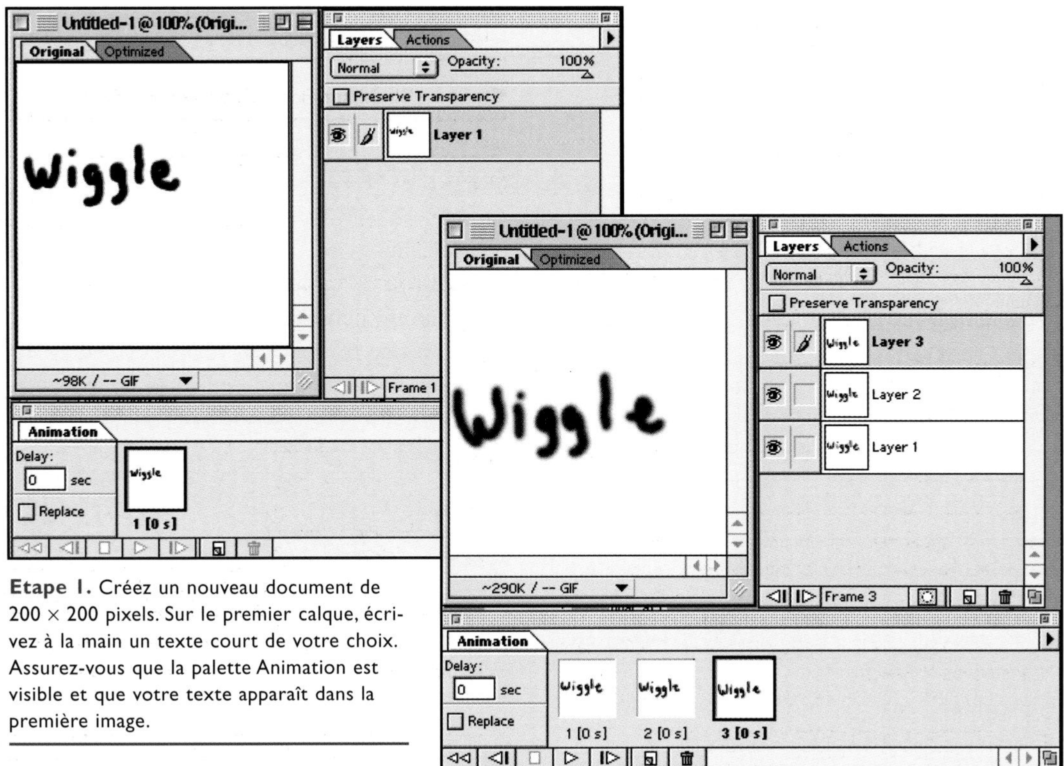

Etape 1. Créez un nouveau document de 200 × 200 pixels. Sur le premier calque, écrivez à la main un texte court de votre choix. Assurez-vous que la palette Animation est visible et que votre texte apparaît dans la première image.

Etape 2. Cliquez sur le bouton du coin supérieur droit de la palette pour afficher son menu et choisissez Nouvelle image (New Frame).

Etape 3. Dans la palette Calque (Layers), cliquez sur le bouton de nouveau calque. Remplissez le nouveau calque de blanc, puis écrivez une deuxième fois et au même endroit le texte de la première étape. Répétez une troisième fois ces opérations. Cliquez sur le bouton de lecture pour prévisualiser l'animation.

Etape 4. Ouvrez le menu de la palette Animation et sélectionnez Options de lecture (Play Options). Vous pouvez choisir d'afficher l'animation en boucle un nombre de fois défini ou indéfini (En permanence). Dans la palette Optimisé (Optimize), assurez-vous que c'est le format GIF qui est sélectionné (les autres formats ne permettent pas de créer des animations). Vous pouvez visualiser le résultat dans le navigateur de votre choix en choisissant Fichier: Aperçu dans (File:Preview).

Animation image par image dans Fireworks

Pour créer une animation dans Fireworks, utilisez la palette Images (Frames) et la fonction d'exportation.

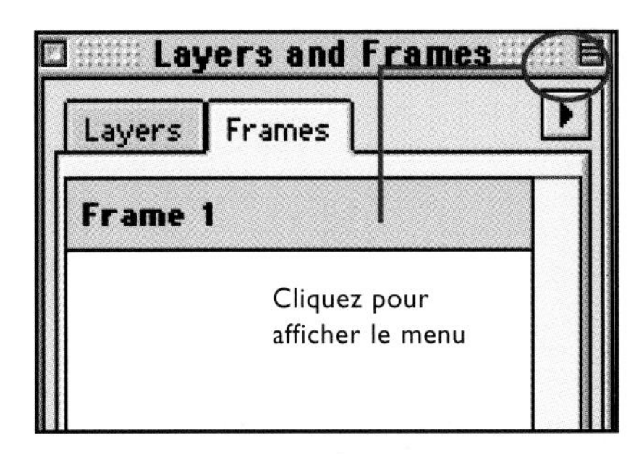

Etape 1. Pour accéder à la palette Images, choisissez Fenêtre:Images (Window:Frames). Cliquez sur la flèche du coin supérieur droit pour afficher son menu.

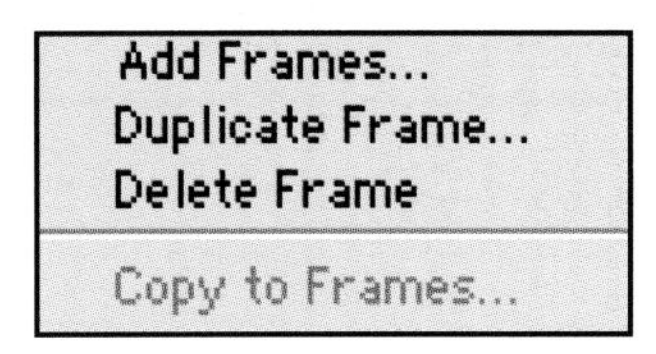

Etape 2. Le menu de la palette vous permet d'ajouter, de supprimer ou de dupliquer des images. Pour copier une image, sélectionnez d'abord un objet puis choisissez Copier dans les images (Copy to Frames). Si plusieurs objets sont sélectionnés, choisissez Distribuer dans les images (Distribute to Frames) pour que chacun d'eux apparaisse dans une image différente.

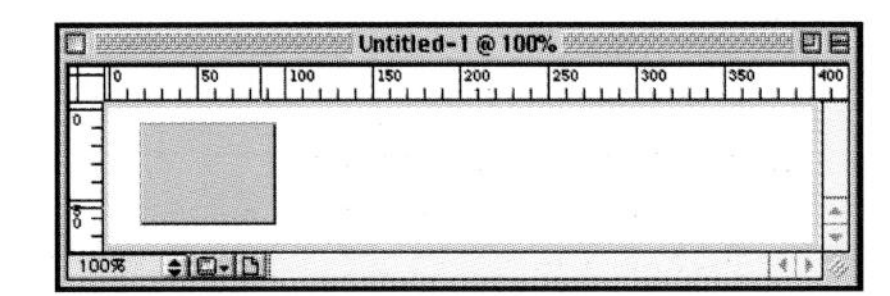

Etape 3. Dessinez une forme quelconque dans votre document.

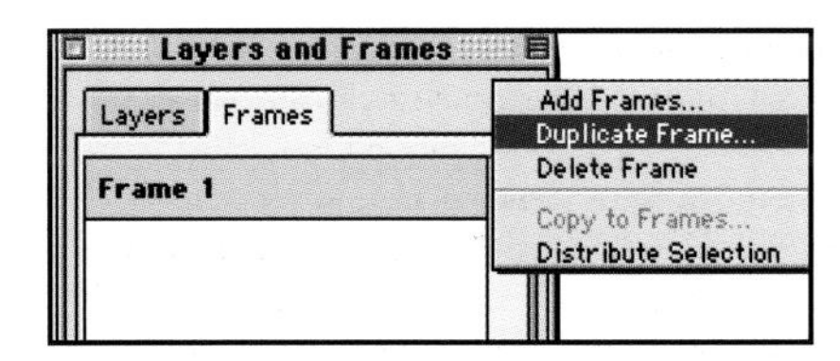

Etape 4. Choisissez Dupliquer l'image (Duplicate Frame) dans le menu de la palette Images (Frames).

Etape 5. Dans la boîte de dialogue qui apparaît, choisissez Après l'image active (After current frame).

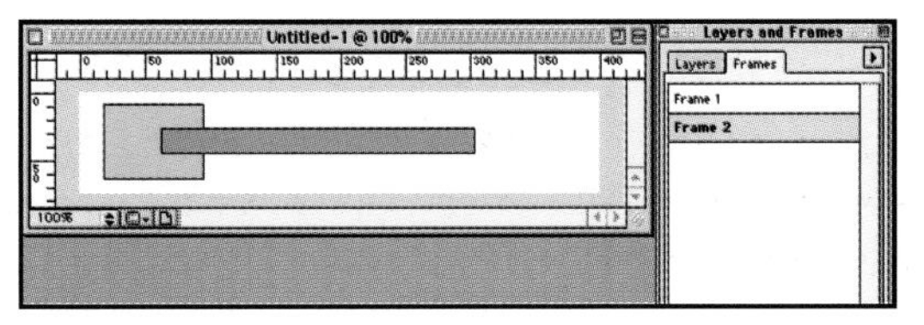

Etape 6. Dessinez une nouvelle forme et répétez le processus. Continuez ainsi jusqu'à ce que vous disposiez de cinq ou six images. De cette manière, vous disposez d'une série d'images comprenant chacune un objet de plus par rapport à la précédente.

Etape 7. Choisissez Fichier:Exporter (File:Export).

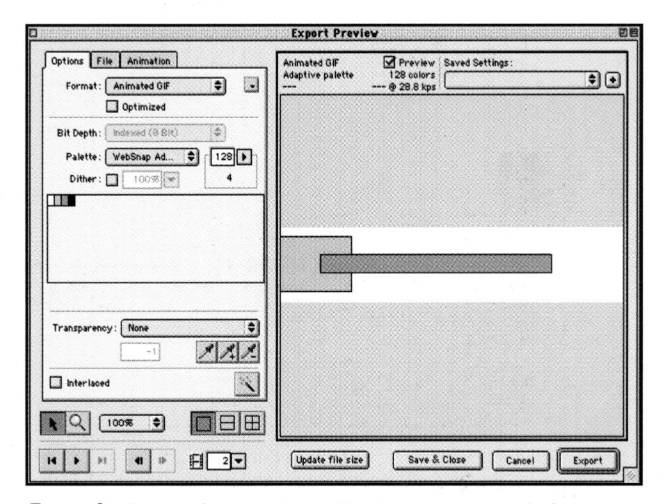

Etape 8. L'onglet Options étant sélectionné, choisissez le format GIF animé (Animated GIF) dans la liste déroulante.

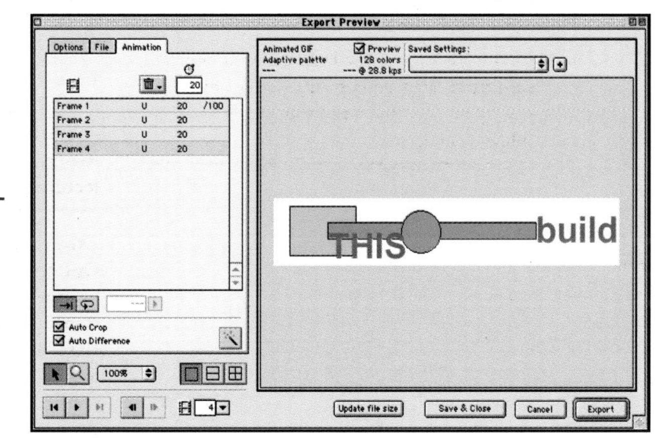

Etape 9. Cliquez sur l'onglet Animation, puis entrez les paramètres de votre choix pour les délais entre images. Cliquez ensuite sur Suivant (Next), choisissez un nom et un dossier de destination, et cliquez sur Enregistrer (Windows) ou Exporter (Mac).

Objets en mouvement dans ImageReady

Beaucoup d'utilisateurs font appel à Photoshop pour créer des animations, mais ce logiciel ne permet pas (encore?) de générer des fichier GIF animés. ImageReady, en revanche, permet la création de tels fichiers. Pour cela, on utilise en général la palette Calques (Layers) et la palette Animation.

L'exercice ci-dessous montre comment créer des objets en mouvement à l'aide d'ImageReady. Vous devrez mettre en place un document comprenant trois calques : l'un comprenant l'arrière-plan (ici, il est blanc), l'autre un disque coloré et le troisième le texte de votre choix.

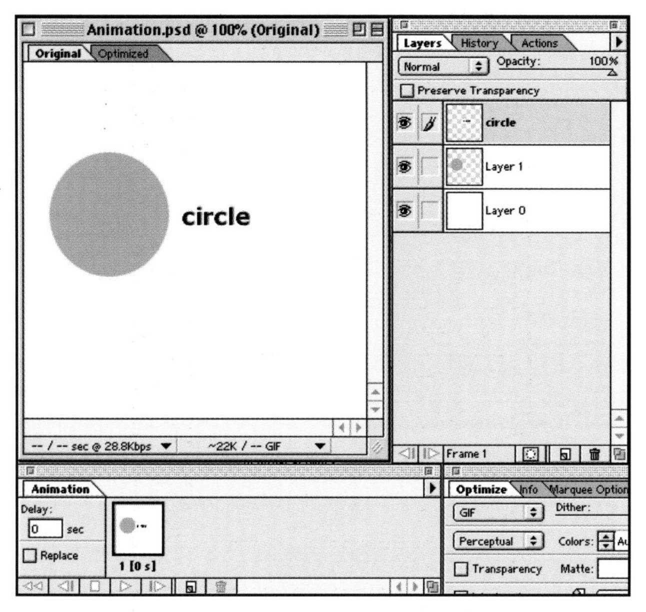

Etape 1. Choisissez Fenêtre:Afficher Animation (Window:Show Animation) pour afficher la palette Animation. Celle-ci comprend une seule image montrant le contenu de tous les calques du document.

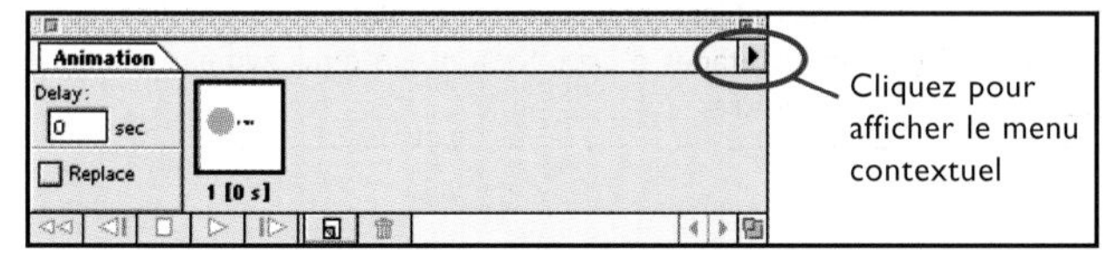

Etape 2. Cliquez sur la flèche qui se trouve dans le coin supérieur droit de la palette et sélectionnez Nouvelle image (New Frame). Sélectionnez le calque contenant le disque et déplacez son contenu vers la droite, puis procédez de même avec le calque du texte et déplacez son contenu vers la gauche. La palette Animation comprend maintenant deux images où les objets sont dans des positions différentes.

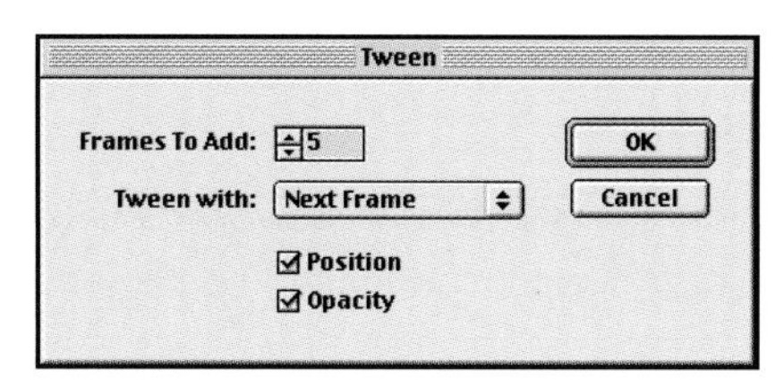

Etape 3. Sélectionnez la première image dans la palette Animation. Ouvrez de nouveau le menu de la palette et choisissez Entre (Tween).

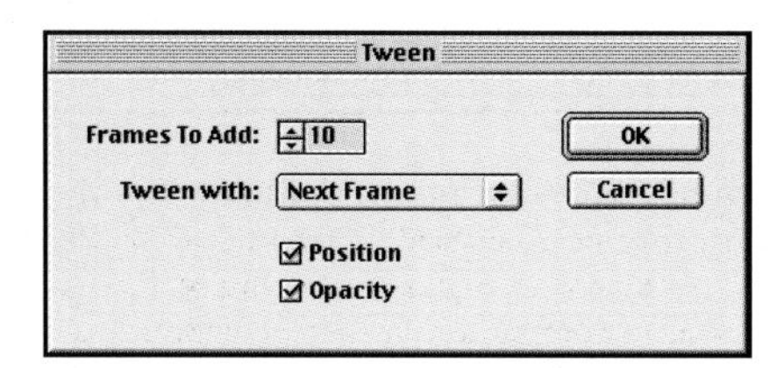

Etape 4. Ajoutez dix images.

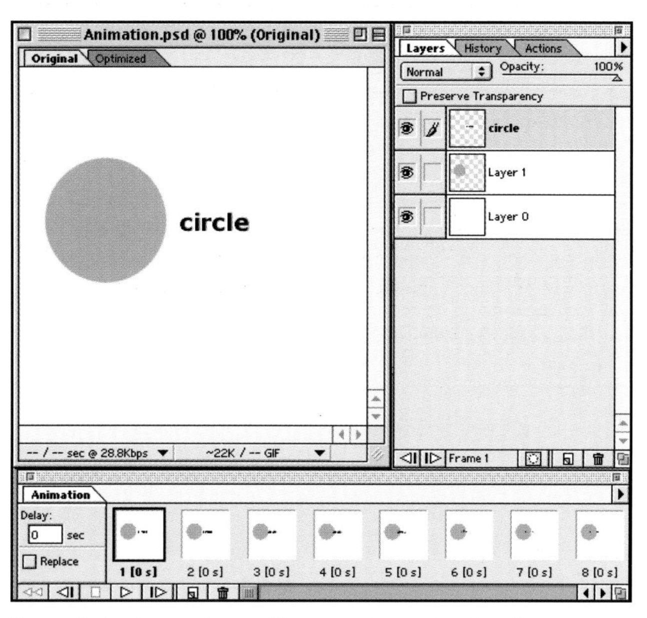

Etape 5. Les images interpolées apparaissent dans la palette Animation.

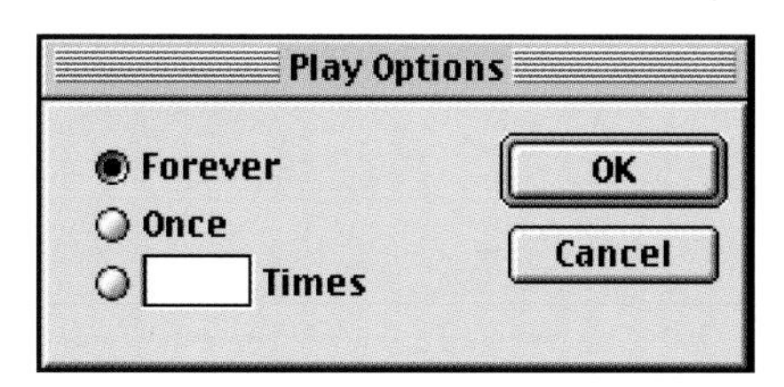

Etape 6. Répétez la quatrième étape de l'exercice ImageReady précédent pour définir les options de chacune des images, puis visualisez le résultat.

Utilisation des instances et de l'interpolation pour créer des animations dans Fireworks 2

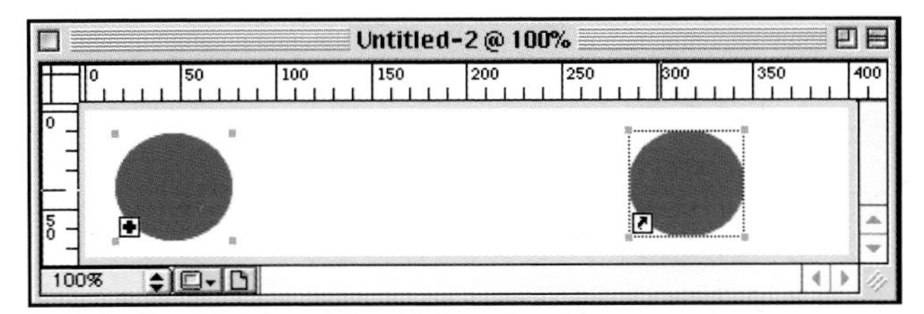

Etape 1. Créez une forme dans un document Fireworks.

Etape 2. La forme étant sélectionnée, choisissez Insertion:Symbole (Insert:Symbol). La forme comprend maintenant un petit signe « + ». Sélectionnez le symbole puis copiez-le et collez-le. Placez le double du symbole de l'autre côté du document ; il comprend une petite flèche (pour indiquer qu'il s'agit d'une copie d'un symbole).

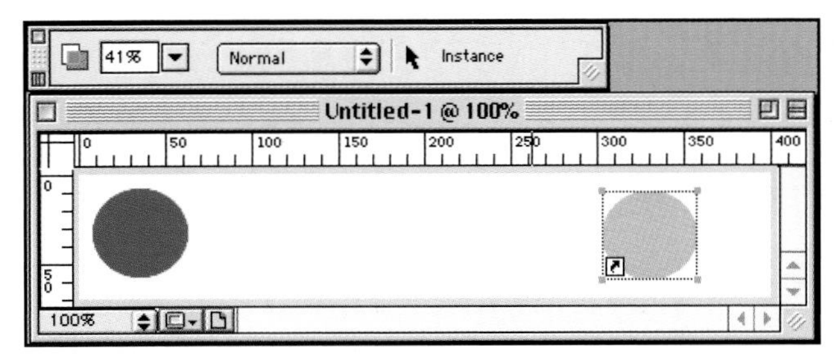

Etape 3. Modifiez la copie du symbole. Ici, nous avons réduit son opacité à 41 %.

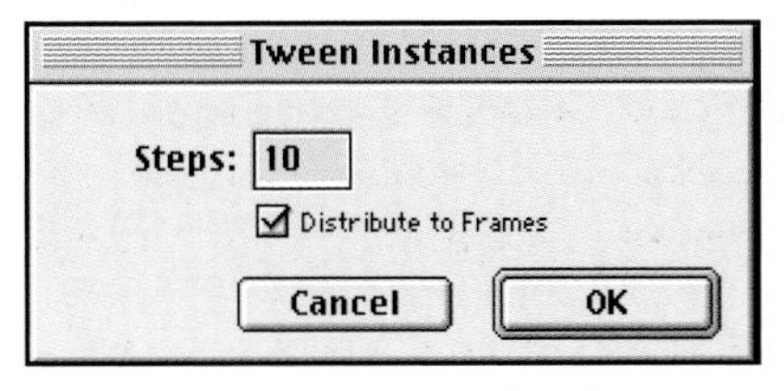

Etape 4. Sélectionnez le symbole et sa copie et choisissez Insertion: Occurrences interpolées (Insert:Tween Instances). Entrez le chiffre 10 dans la boîte de dialogue et cochez l'option Réparties dans les images (Distribute to Frames).

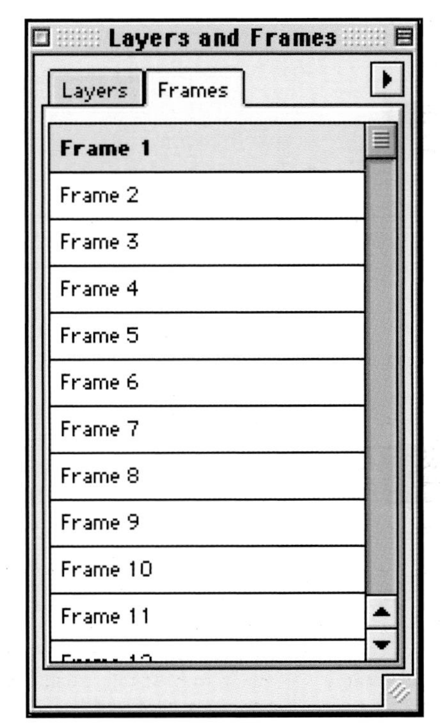

Etape 5. Chacun des objets interpolés a été placé dans une image différente. Répétez les étapes d'exportation que nous avons vues plus haut dans ce chapitre.

Autres outils d'animation GIF

Etant donné le nombre important d'outils de création de GIF animés qui existent, je ne pourrai parler de chacun d'eux ici. Je décrirai simplement ceux dont je me sers régulièrement et que je connais bien.

Animation Series, de PhotoDisc (Mac ou Windows)
http://www.photodisc.com

En général, les GIF animés proposés sous forme de clipart sont relativement banals. PhotoDisc, une agence proposant habituellement des photographies numériques, a fait appel au créateur Clement Mok (http://www.studioarchetype.com) pour créer des GIF animés à la fois originaux et très esthétiques. Deux séries sont disponibles (objets de la vie quotidienne et métaphores). Dans les deux cas, les animations sont basées sur des photos. Chaque série existe en deux versions : normale (GIF animé et document Shockwave, son et rollover compris) et pro (qui comprend les fichiers Director permettant de modifier les animations à volonté). Leur prix est élevé, mais si vous avez besoin de GIF animés de grande qualité, jetez-y un coup d'œil.

GifBuilder (Mac seulement; version française disponible)
Créé par Yves Piguet
http://iawww.epfl.ch/Staff/Yves.Piguet/clip2gif-home/GifBuilder-F.html

GifBuilder est un logiciel d'animation à part entière gratuit (freeware) permettant d'importer des calques Photoshop, des films QuickTime et des séries de GIF ou de PICT pour créer des GIF animés. Ceux-ci sont simplement enregistrés au moyen de la commande Enregistrer. Le logiciel permet de définir les délais entre images et leur transparence, de charger des palettes personnalisées et de choisir différentes méthodes d'affichage. De plus, GifBuilder permet de créer différents types de transitions entre images (dont l'un n'existe que dans la version française du logiciel). Au total, un excellent produit à un prix imbattable pour tous les utilisateurs du Mac, débutants ou professionnels.

GIF Animator 3, de Ulead (Windows seulement)
http://www.webutilities.com
£Environ 40 $; 15 jours d'essai gratuit

GIF Animator 3 permet de créer des animations optimisées et des palettes globales. Il permet également l'utilisation de plug-in Photoshop, le déplacement automatique de sprites et comprend de nombreux effets de transition.

WebPainter, de Totally Hip (Mac et Windows)
http://www.totallyhip.com/Products/index.html
Environ 90 $

Logiciel à part entière permettant de créer des GIF animés et des films QuickTime. Il permet d'utiliser à la fois des images vectorielles et bitmap, comprend des transitions automatiques et des calques. Il comprend une fonction d'affichage « peau d'oignon » (toutes les images de l'animations sont affichées simultanément avec des opacités différentes) et de nombreuses autres possibilités pour l'animation. Les fichiers peuvent être enregistrés au format PIC, QuickTime, GIF89a ou sous la forme d'une série de GIF. On n'y trouvera pas certaines fonctions d'animation sophistiquées que proposent des logiciels plus haut de gamme, mais ce logiciel sera utile à tous ceux qui cherchent à créer des animations de style dessin animé. Des versions de démonstration sont disponibles sur le site.

GIFmation, de BoxTop Software (Mac et Windows)
http://www.boxtopsoft.com/
Environ 50 $; version de démonstration téléchargeable

Ce logiciel, qui est à la fois un plug-in Photoshop et un logiciel indépendant, permet de créer des GIF animés optimisés et de vérifier leur compatibilité avec différents navigateurs. Il propose un affichage « peau d'oignon » (voir ci-dessus, sous WebPainter), un positionnement d'image sur la base de coordonnées, des fonctions d'alignement automatique, de modification d'image et de création de palettes ainsi que de redimensionnement, de recadrage et de rotation. Par ailleurs, les options d'aperçu sont excellentes et de nombreux formats peuvent être importés.

HVS Animator Pro, de Digital Frontier (Mac et Windows)
http://www.digfrontiers.com/anim.html
Voir le site Web pour les prix ; version de démonstration téléchargeable

Ce logiciel permet de créer des GIF animés à partir de GIF fixes, d'ajouter, de supprimer et de réorganiser des images. Par ailleurs, il affiche les tailles exactes de chaque image, de l'animation entière et de l'animation optimisée. Il calcule le nombre optimal de couleurs et permet de déterminer précisément les délais entre images, leur disposition, leur décalage et les effets de transparence. De nombreuses options d'aperçu sont disponibles, ainsi que des possibilités d'importation par lots et un manuel (HTML) illustré. Enfin, il est possible de télécharger une version gratuite de ce logiciel, qui offre un nombre légèrement réduit de fonctions.

Résumé GIF animés

Les GIF animés peuvent être facilement créés à l'aide de divers logiciels. Leur intégration aux documents HTML ne pose aucun problème. Il s'agit donc d'un format idéal pour des animations sur des pages Web, même s'il lui manque la possibilité d'inclure des sons. Voici un résumé des sujets qui ont été traités dans ce chapitre :

- Les GIF animés sont reconnus par tous les navigateurs et faciles à implémenter. Il faut cependant se souvenir que les animations attirent beaucoup l'attention et peuvent détourner les visiteurs du message principal de votre site.
- Si vous connaissez les principes de la compression GIF, vous obtiendrez des GIF animés de taille plus réduite. Les facteurs importants pour les GIF « normaux » (nombre de couleurs, réduction de bruit) le sont également pour les GIF animés.
- La connaissance de notions telles que l'interpolation et l'animation image par image vous permettront d'utiliser plus facilement des GIF animés.
- Attention aux GIF animés en boucle sans fin. Ils peuvent irriter les visiteurs de votre site et les dissuader de revenir.

Introduction

Les possibilités graphiques du JavaScript

Au sommaire de ce chapitre

22

Si vous avez suivi le développement du Web, vous savez que le langage HTML a été créé dans un but précis. Ses possibilités ont ensuite été étendues de manière « officieuse » par Mosaic, Netscape et Microsoft parce que les spécifications pour certaines fonctions manquantes tardaient à être officialisées par les comités de standards HTML. Le JavaScript est un exemple d'un tel développement : il a d'abord été créé par Netscape, puis adopté par Microsoft.

Le JavaScript est un langage de script offrant des possibilités nouvelles que n'autorise pas le HTML seul. Il existe divers autres langages de script étendant les possibilités du HTML, par exemple Perl, AppleScript ou VBScript. Cependant, ce qui caractérise le JavaScript, c'est qu'il est toujours intégré à un document HTML et qu'il peut par conséquent être vu et étudié par l'utilisateur, comme c'est le cas pour le HTML. De plus, de nombreux éditeurs HTML (par exemple Dreamweaver) créent automatiquement des scripts JavaScript, ce qui vous évite d'avoir à apprendre le langage ou à saisir le code correspondant.

Ce chapitre concerne principalement la manière d'utiliser le JavaScript pour créer des boutons avec des effets de *rollover* (boutons changeant d'apparence lorsque le pointeur de la souris se trouve au-dessus — on dit parfois « survol »). Nous verrons également comment l'employer pour détecter le type de navigateur utilisé par le visiteur et comment créer de nouvelles fenêtres. N'étant pas programmeur JavaScript, je mettrai l'accent sur des applications pratiques permettant d'améliorer vos pages Web, et non sur le langage lui-même. Si vous souhaitez appendre le JavaScript, vous trouverez sur le Web de nombreuses ressources qui seront mentionnées dans ce chapitre.

Petite histoire du JavaScript

Le JavaScript n'a pas vraiment de rapport avec le langage de programmation Java qui a été développé par Sun Microsystems. Initialement, le JavaScript devait se nommer LiveScript. Le nom a été modifié pour des raisons commerciales : le langage Java étant à cette époque très à la mode, on pensait qu'un langage de script contenant le terme « Java » ne pouvait qu'être bien accepté par la communauté du Web. Il est intéressant de constater que, alors que la compatibilité multi-plates-formes promise par Java tarde à voir le jour, le JavaScript a quant à lui réellement permis d'étendre les possibilités du HTML — sur toutes sortes de plates-formes.

JavaScript, au départ, est un langage de script qui permet d'ajouter de nouvelles fonctionnalités au HTML. Si on compare le JavaScript au HTML, on pourrait dire que le HTML est un support « statique » et le JavaScript un support « dynamique ». En effet, le JavaScript permet de faire beaucoup de choses impossibles avec le HTML, par exemple animer des images (animation), réagir aux actions de l'utilisateur (interactivité) ou lancer des extensions telles que contrôles ActiveX, programmes Java ou plug-in.

Contrairement à d'autres langages de programmation courants (Perl, C++ ou Java, par exemple), le JavaScript est de type client et interprété. En d'autres termes, les scripts JavaScript sont directement interprétés par le navigateur et n'ont pas besoin d'être compilés. Les scripts JavaScript sont intégrés aux documents HTML et peuvent être lus, copiés et collés par l'utilisateur final tout comme le HTML. La plupart des autres langages de programmation sont de type compilé, ce qui veut dire que le code d'un programme doit être transformé en code machine avant de pouvoir être utilisé par l'ordinateur. Ce code machine n'est ni compréhensible, ni modifiable par les humains (ou du moins par le commun des mortels).

S'il est possible d'étudier, de copier et de coller un script créé par quelqu'un d'autre, il est d'usage de créditer le créateur du script, si vous l'utilisez sur votre propre site. Les commentaires insérés dans les scripts JavaScript n'ont pas le même format qu'en HTML : ils sont précédés d'une double barre oblique (//). Tout ce qui suit cette double barre oblique, jusqu'à la fin de la ligne, est ignoré par le navigateur, comme dans cet exemple :

```
// Script de rollover de Bill Weinman
```

Si la ligne de code suivante ne comprend pas de barre oblique double, elle ne sera plus considérée comme un commentaire. Si vous copiez le script de quelqu'un qui a cité son nom (ou celui de quelqu'un d'autre) au début du script, ne modifiez pas cette mention.

Le JavaScript peut servir à beaucoup de choses. Nous allons nous intéresser ici à la création de rollovers, de détection de navigateurs et d'ouverture de nouvelles fenêtres.

Apprendre le JavaScript

Tout comme pour le HTML, de nombreuses personnes se demandent s'il est nécessaire d'apprendre le JavaScript. Je suis d'avis que la connaissance des fondements du HTML vous facilitera beaucoup la création de pages Web. Je me sers moi-même de Dreamweaver et d'autres logiciels pour créer les scripts de ce chapitre. C'est la raison pour laquelle je n'ai pas appris à programmer en JavaScript.

Est-il utile de connaître le JavaScript? Sans doute. Les personnes qui créent leurs propres scripts considèrent que le code généré par les éditeurs HTML est « verbeux » et donc pas aussi compact qu'il pourrait l'être. Mon point de vue, en tant qu'artiste, est que, si ce code fonctionne et m'évite d'avoir à apprendre un langage de programmation, je suis prête à accepter cet inconvénient. Cependant, pour un programmeur, le code généré par les éditeurs HTML est sans doute l'équivalent du « clipart » dans le domaine du graphisme, que je me refuse généralement à utiliser !

Il existe sur le Web de nombreuses ressources permettant d'apprendre le JavaScript. En voici quelques-unes :

En français :
http://www.imaginet.fr/ime/fr_ungi2.htm (faire défiler la page vers le bas)
http://www.multimania.com/dliard/Sciences/Informatique/Langages/Scripts/Javascript/javascript.html

En anglais :
http://www.webreference.com/js/
http://www.webcoder.com/scriptorium/index.html
(bibliothèque de scripts à insérer dans ses propres pages Web).

Nous vous signalons par ailleurs que le *Tout en poche JavaScript 1.3* paraîtra aux éditions CampusPress à la mi-99 ; il contient un cours complet sur ce langage.

Rollovers

Dans les chapitres précédents, il a été question de l'esthétique des boutons, et nous avons vu comment créer des images paraissant « cliquables ». A mon avis, le rollover est la meilleure méthode pour montrer à l'utilisateur qu'il est possible de cliquer sur une image. Les rollovers désignent les images qui changent d'aspect lorsque le pointeur de la souris se trouve au-dessus d'elles ; on les appelle parfois « mouseover ». Certains logiciels en français utilisent d'autres termes (par exemple « image retournée » dans Dreamweaver) ; je m'en tiendrai à rollover.

Création des images utilisées pour les rollovers

Il existe différents types de rollovers, mais par souci de simplicité, je n'en décrirai ici que trois : remplacement, pointage et multiple. Le rollover de remplacement est le plus simple : l'image initiale est simplement remplacée par une autre lorsque le pointeur de la souris se trouve au-dessus. Le rollover de pointage fait apparaître une nouvelle image à côté de l'image initiale, par exemple un point ou une flèche. Le rollover multiple est une combinaison de ces deux types de rollover : l'image initiale est remplacée par une autre, et une nouvelle image apparaît à côté ou ailleurs dans la page. Les figures ci-dessous illustrent chacun de ces types de rollover.

Remplacement. L'image initiale est remplacée par une autre image.

Pointage. Une nouvelle image apparaît à côté de l'image pointée avec la souris.

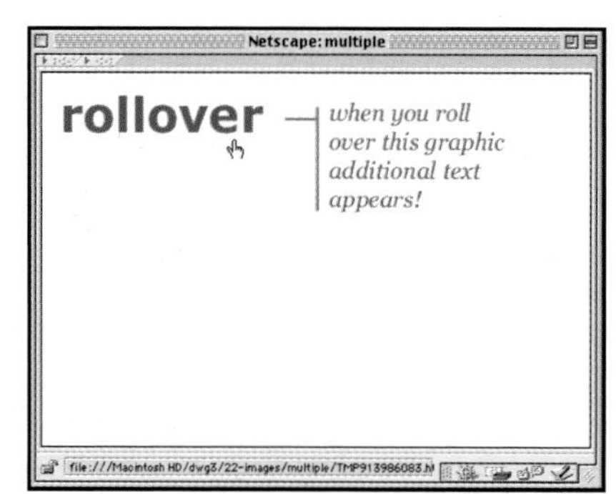

Multiple. L'image initiale est remplacée, et une nouvelle image apparaît quelque part dans la fenêtre du navigateur.

Lorsqu'on crée des rollovers de type remplacement, il est essentiel de faire en sorte que toutes les images employées soient de la même taille, même si leur taille apparente est différente. J'ai utilisé pour les figures ci-dessus les images des exemples qui suivent.

Exemple de remplacement

Pour un rollover de remplacement, utilisez deux images de taille identique.

Lorsque la souris se trouve au-dessus de l'image, celle-ci est remplacée par l'image ci-dessus.

Exemple de pointage

Pour un rollover de pointage, utilisez trois images.

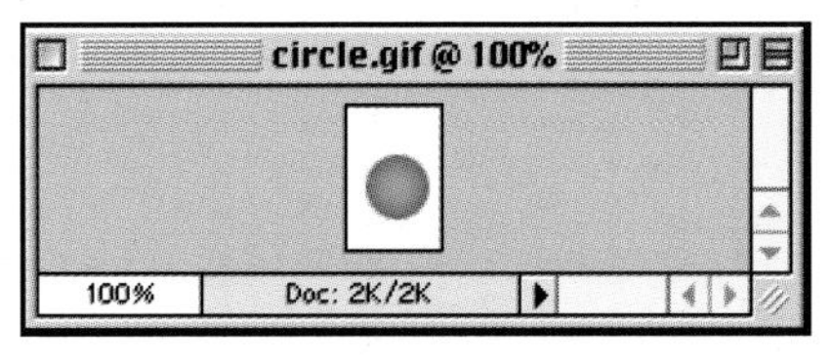

Le bouton orange apparaît lorsque la souris se trouve au-dessus du mot « rollover ».

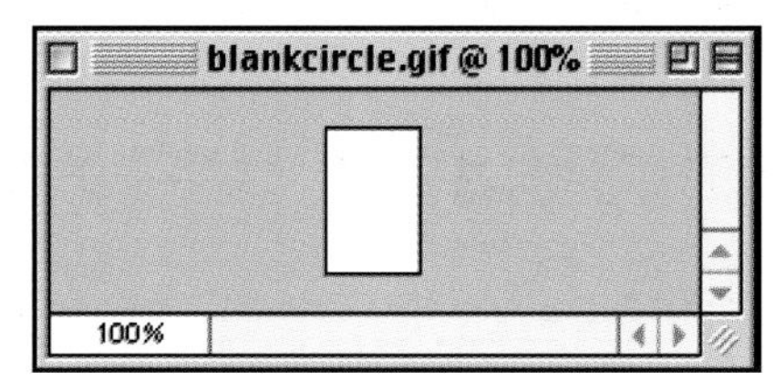

Lorsque la souris n'est pas au-dessus du mot « rollover », c'est une image vide qui s'affiche.

Exemple de rollover multiple

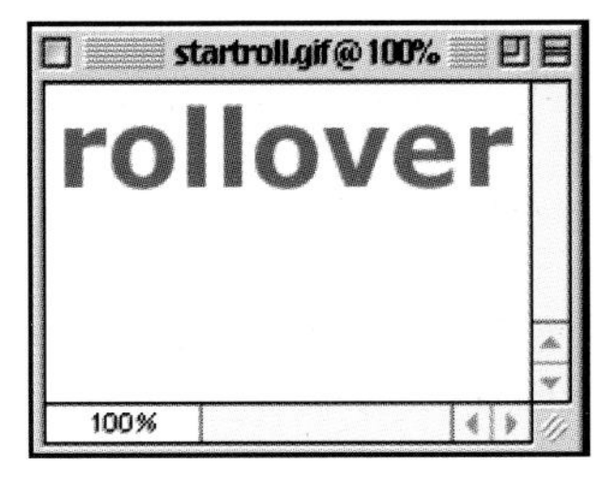

Pour un rollover multiple, vous avez besoin de quatre images. Le texte en bleu est ce qui s'affiche lorsque la souris ne se trouve pas au-dessus de l'image.

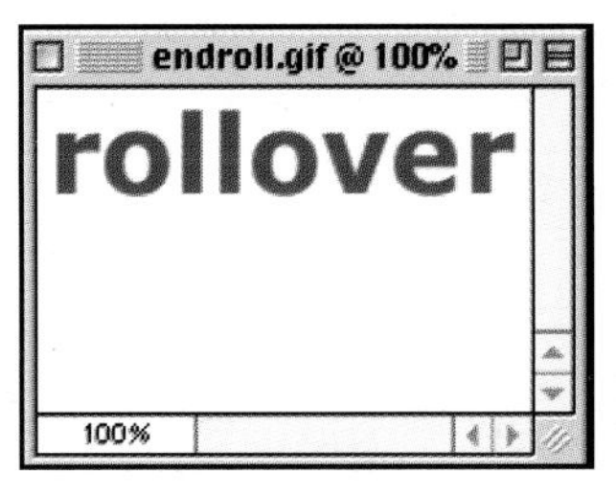

Lorsque la souris se trouve au-dessus du texte en bleu, celui-ci est remplacé par le texte en vert.

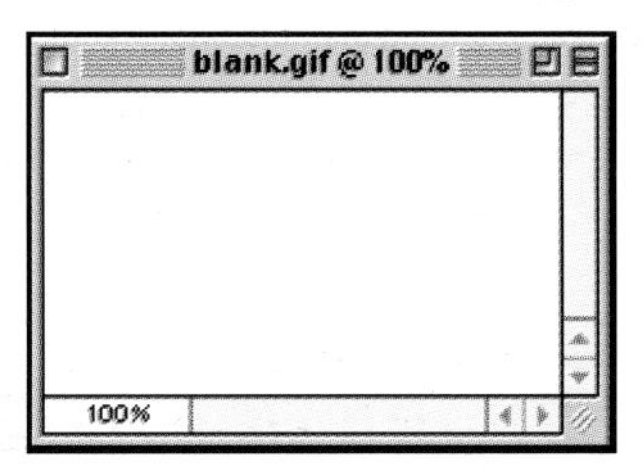

Lorsque la souris ne se trouve pas au-dessus de l'image, une image vide occupe la place où s'affichera l'image de la figure suivante.

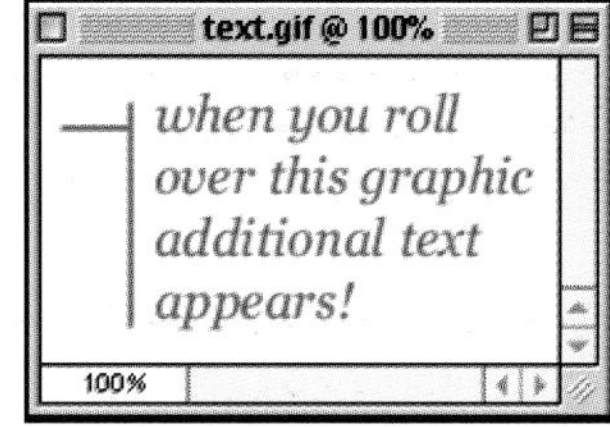

Quand le rollover est activé, le texte en vert apparaît et remplace l'image vide de la figure précédente.

Il existe de nombreux logiciels permettant de créer des images pour les rollovers. Il sera question dans les sections suivantes de Photoshop, d'ImageReady et de Fireworks. Un peu plus tard, nous verrons également comment utiliser Dreamweaver 2.0.

Utilisation des calques de Photoshop pour les rollovers

Un rollover fait appel à au moins deux images — l'une avant que la souris se trouve au-dessus de l'image et l'autre après. Les calques de Photoshop facilitent la coordination entre les deux images.

Voici une image sur deux calques dans Photoshop. En cliquant sur l'icône de l'œil, dans la colonne de gauche de la palette Calques (Layers), vous pouvez prévisualiser l'effet du rollover.

Découpage du rollover

Si vous choisissez d'Afficher les règles dans Photoshop, vous pouvez ensuite insérer des repères dans votre image pour la découper avec précision. Cette technique est utile à la fois pour les rollovers et pour d'autres types d'images (par exemple les images découpées puis reconstituées à l'aide de tableaux, comme nous l'avons vu au Chapitre 17). Lorsque vous insérez des repères (guides) dans l'image, le Rectangle de sélection (Marquee) vient automatiquement s'y « coller », ce qui facilite la création d'images de taille identique.

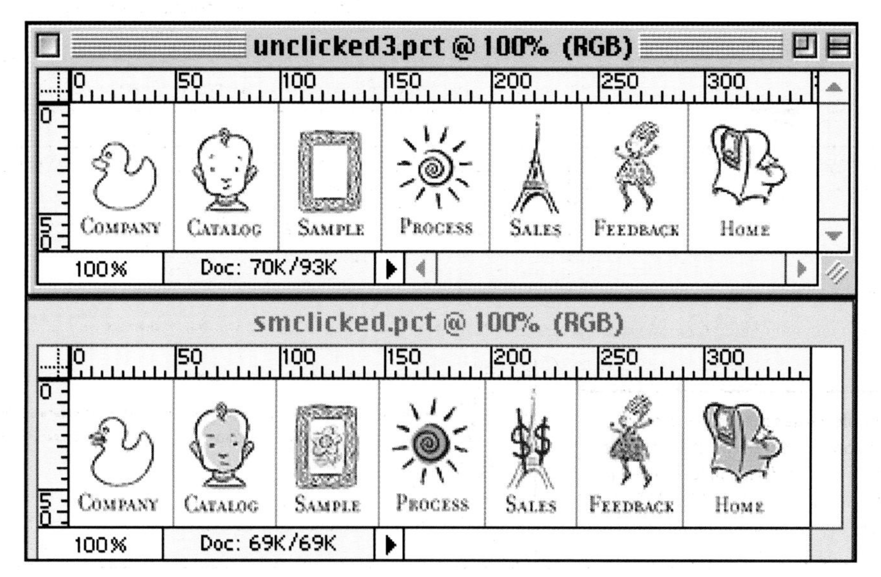

Les deux versions des boutons ; les règles sont affichées et des repères (guides) ont été insérés pour faciliter le découpage.

Une fois que vous avez sélectionné l'un des boutons, utilisez les commandes Copier et Coller pour le coller dans un nouveau document. Essayez d'utiliser systématiquement les mêmes suffixes pour les images de rollover « activées » et « désactivées ». Ainsi, pour un bouton de liens, utilisez par exemple les noms liens0.gif et liens1.gif. Vous pouvez ensuite créer des rollovers à l'aide d'un éditeur HTML.

Découpage et optimisation d'image avec ImageReady

Il est beaucoup plus facile d'utiliser ImageReady que Photoshop pour découper des images. En effet, le découpage est effectué automatiquement et ImageReady peut même générer le code HTML pour le tableau résultant. Vous pouvez ouvrir dans ImageReady un document Photoshop comprenant plusieurs calques ou y créer directement votre document.

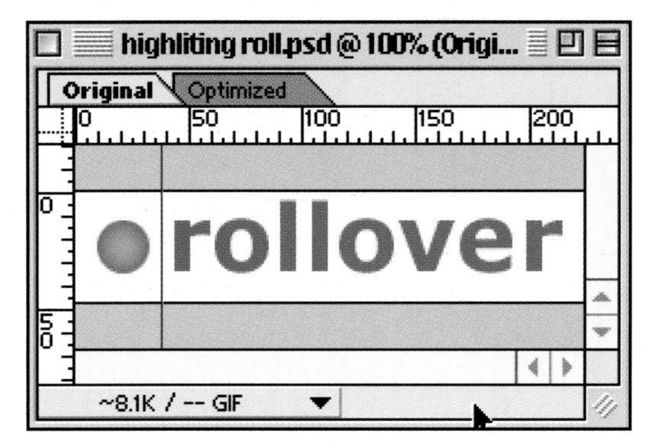

Voici un exemple de fichier Photoshop ouvert dans ImageReady. Le repère bleu indique où l'image doit être découpée.

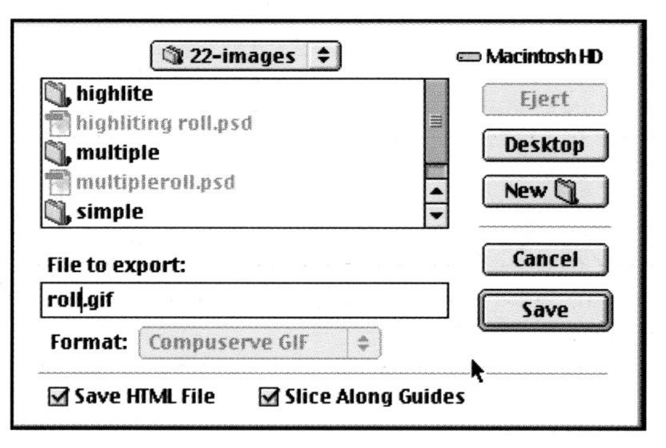

Lorsque vous choisissez Fichier:Enregistrer une copie optimisée sous (File:Save Optimized As), ImageReady vous propose de découper l'image le long des repères (Slice Along Guides). Si vous cochez l'option Enregistrer le fichier (Save HTML File), ImageReady créera un tableau HTML en plus des différentes portions d'image. Le code JavaScript ne sera pas généré automatiquement, mais le code HTML généré permettra de regrouper les différentes parties de l'image. Le nom que vous entrez dans le champ Nom servira de base pour les noms des différents fichiers créés (portions d'image et fichier HTML).

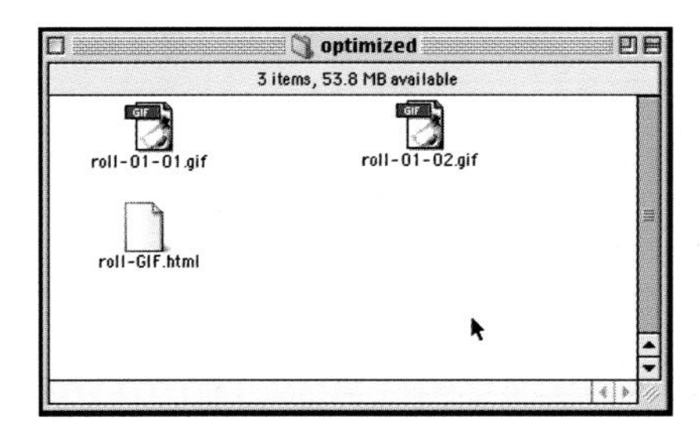

Dans l'exemple ci-dessus, ce sont trois fichiers qui sont créés. Le bouton orange a été nommé « roll-01_01.gif », le mot Rollover « roll-01-02.gif » et le fichier HTML « roll-gif.html ».

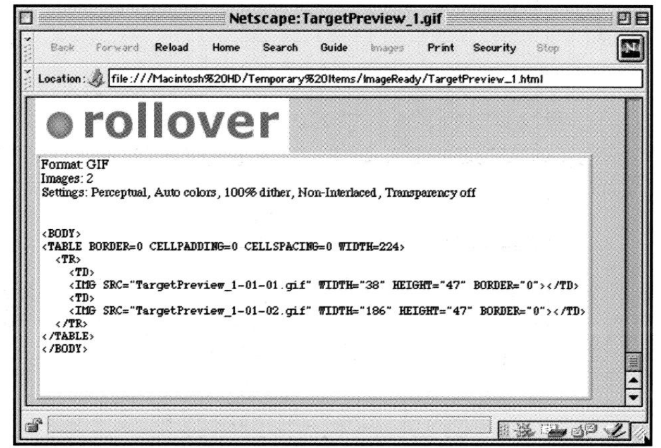

Voici le fichier roll-gif.html généré par ImageReady. Vous pouvez l'importer dans un éditeur HTML pour y ajouter le JavaScript du rollover.

Rollover simple avec Fireworks 2

Les étapes ci-dessous montrent comment créer un rollover simple à l'aide de Fireworks 2.

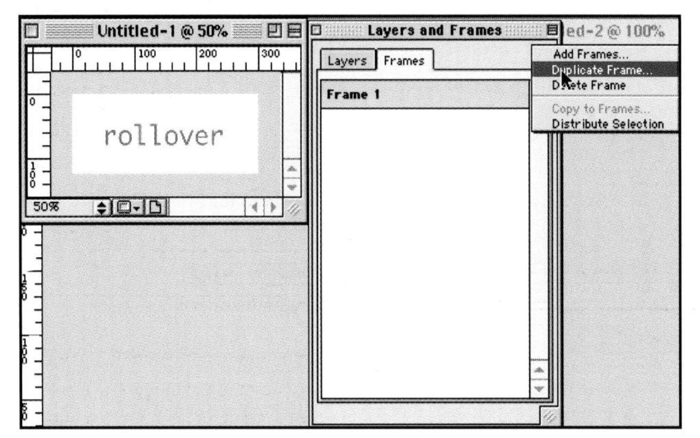

Etape 1. Avec l'outil Texte, entrez le mot rollover. La palette Images (Frames) étant ouverte, choisissez dans son menu Dupliquer l'image (Duplicate Frame).

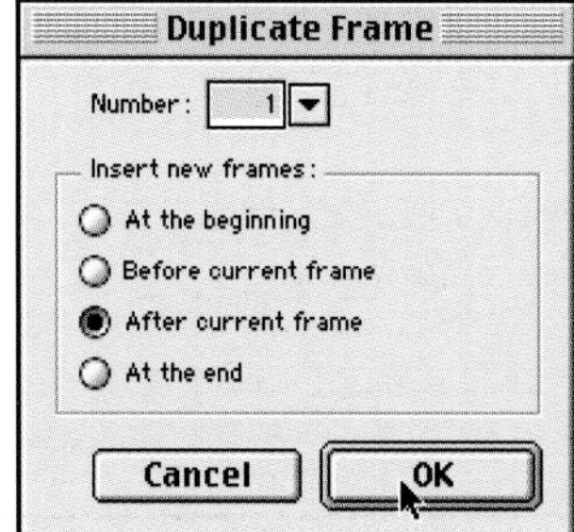

La boîte de dialogue ci-dessus apparaît. Sélectionnez Après l'image active (After current frame).

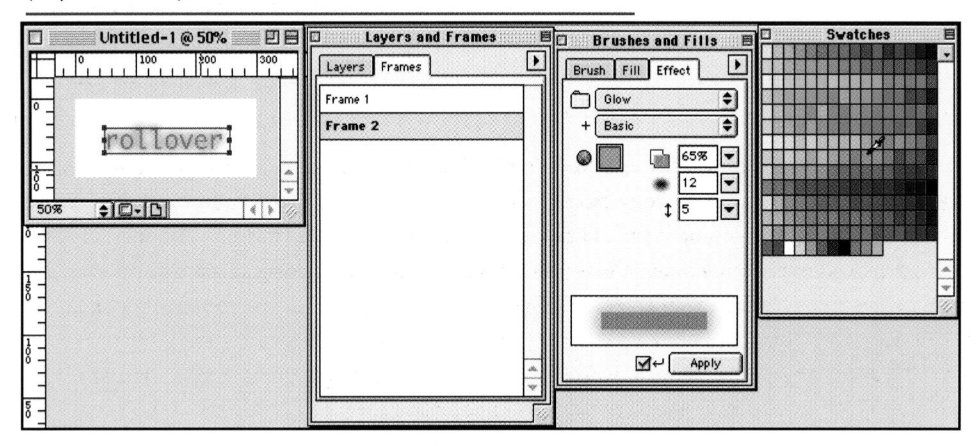

Etape 2. Le mot rollover étant sélectionné dans l'Image 2, ajoutez un effet à l'aide de la palette Effets. Ici, j'ai choisi un effet Néon (Glow) simple et j'ai modifié sa couleur.

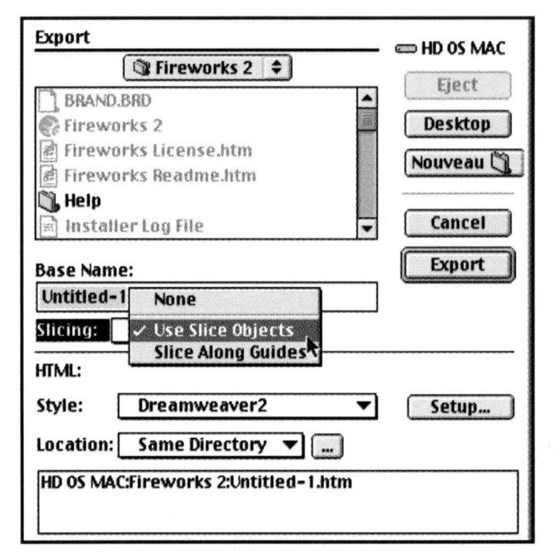

Etape 3. Choisissez l'outil Découpe (Slice) et sélectionnez l'image entière. La découpe que vous venez de créer étant sélectionnée, cliquez sur le bouton « + » du panneau Comportements (Behaviors) et choisissez Survol simple (Simple Rollover). Cliquez sur OK dans la boîte de dialogue qui apparaît.

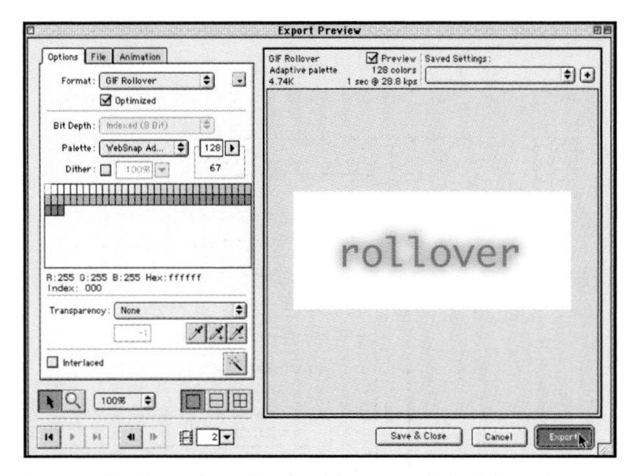

Etape 4. Choisissez Fichier:Exporter (File:Export) et dans la boîte de dialogue qui apparaît, cliquez sur Suivant (Next).

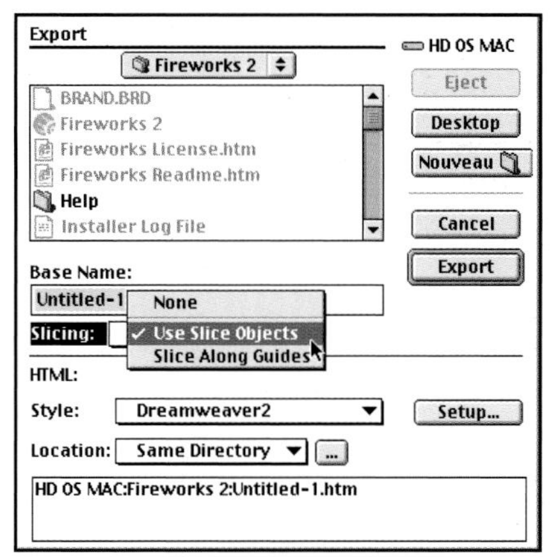

Etape 5. Dans la boîte de dialogue Exporter, assurez-vous que Utiliser les objets découpe (Use Slice Objects) est sélectionné dans la liste déroulante Découpes (Slicing), et choisissez un Style et un Emplacement pour le code HTML qui sera généré par Fireworks. Cliquez ensuite sur Enregistrer (Windows) ou Exporter (Mac).

Code généré par Fireworks

Fireworks génère automatiquement le code HTML correspondant au rollover que vous avez créé. Ce code contient deux parties : le JavaScript permettant d'obtenir l'effet de rollover, et un tableau comprenant l'image elle-même. Le code comprend des instructions, mais celles-ci sont en anglais. Généralement, le JavaScript sera placé à l'intérieur de la balise HEAD du document HTML (sans oublier les marques de commentaire), et le tableau avec l'image à l'endroit voulu dans la balise BODY. Fireworks est à l'heure actuelle, avec ImageStyler d'Adobe, le seul logiciel de dessin générant automatiquement le code HTML des rollovers. Voici le code généré par l'exemple ci-dessus :

```
<!—To put this html into an existing HTML document, you must copy the
➥ JavaScript and—>
<!—paste it in a specific location within the destination HTML document.
➥ You must then copy—>
<!—and paste the table in a different location.—>

<html>

<head>

<title>Rollover.gif</title>

<meta http-equiv="Content-Type" content="text/html; charset=iso-8859-1">
<meta name="description" content="Fireworks Splice HTML">

<!— Fireworks 2.0  Dreamweaver 2.0 target.  Created Sun May 30 11:28:56
➥ GMT+0200 (Heure d'?t? Paris Madrid) 1999 —>
```

```
<!———————————— BEGIN COPYING THE JAVASCRIPT SECTION HERE ———————————->

<script language="JavaScript">
<!—hide this script from non-javascript-enabled browsers


function MM_preloadImages() {
    if (document.images) {
        var imgFiles = MM_preloadImages.arguments;
        if (document.preloadArray == null) {
            document.preloadArray = new Array();
        }
        var i = document.preloadArray.length;
        with (document) {
            for (var j = 0; j < imgFiles.length; j++) {
                if (imgFiles[j].charAt(0) != "#") {
                    document.preloadArray[i] = new Image();
                    document.preloadArray[i++].src = imgFiles[j];
                }
            }
        }
    }
}

function MM_swapImage() {
    var i, j = 0, objStr, obj, swapArray = new Array(), oldArray = document.MM_swapImgData;
    for (i = 0; i < (MM_swapImage.arguments.length - 2); i += 3) {
        objStr = MM_swapImage.arguments[(navigator.appName == "Netscape") ? i : i + 1];
        if ((objStr.indexOf("document.layers[") == 0 && document.layers == null) ||
           ➥ (objStr.indexOf("document.all[") == 0 && document.all == null)) {
           objStr = "document" + objStr.substring(objStr.lastIndexOf("."), objStr.length);
        }
        obj = eval(objStr);
        if (obj != null) {
            swapArray[j++] = obj;
            swapArray[j++] = (oldArray == null || oldArray[j - 1] != obj) ? obj.src : oldArray[j];
            obj.src = MM_swapImage.arguments[i + 2];
        }
    }
    document.MM_swapImgData = swapArray;
}
```

```
function MM_swapImgRestore() {
    if (document.MM_swapImgData != null) {
        for (var i = 0; i < (document.MM_swapImgData.length - 1); i += 2) {
            document.MM_swapImgData[i].src = document.MM_swapImgData[i + 1];
        }
    }
}
// stop hiding -->
</script>

<!-------------- STOP COPYING THE JAVASCRIPT HERE -------------->

</head>

<body bgcolor="#ffffff" onLoad="MM_preloadImages('Rollover_F2.gif','#928056536810');">

<!--The following section is an HTML table which reassembles the sliced image in a browser.-->
<!--Copy the table section including the opening and closing table tags, and paste the data where-->
<!--you want the reassembled image to appear in the destination document. -->

<!-------------- BEGIN COPYING THE TABLE HERE --------------->

<!-- Image with table -->

<table border="0" cellpadding="0" cellspacing="0" width="200">

  <tr><!-- row 1 -->
   <td><a href="#" onMouseOut="MM_swapImgRestore();"  onMouseOver="MM_swapImage('document.Rollover',
   ➥ 'document.Rollover','Rollover_F2.gif','#928056536810');" ><img  src="Rollover.gif" name="Rollover"
   ➥ width="200" height="100" border="0"></a></td>
  </tr>

</table>


<!--   This table was automatically created with Macromedia Fireworks 2.0   -->
<!--   http://www.macromedia.com   -->

<!---------------- STOP COPYING THE TABLE HERE -------------->

</body>

</html>
```

Rollovers multiples à partir d'une seule image dans Fireworks

Dans l'exemple ci-dessus, l'image a été utilisée pour créer un seul rollover. Il est également possible de créer en une seule fois la barre de navigation d'un site, puis de créer une série de rollovers pour chacun des éléments du menu. Fireworks génère automatiquement le code HTML et les tableaux correspondants.

Voici un document créé dans Fireworks. Pour chacun des éléments du menu, une deuxième version a été créée dans une image séparée (non visible ici), comme dans l'exemple précédent.

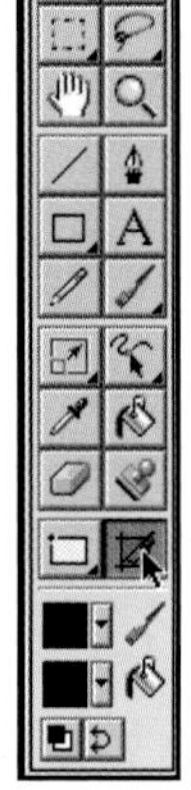

Utilisez l'outil Découpe (Slice) pour sélectionner un à un chacun des éléments du menu de navigation. Fireworks découpe l'image et génère automatiquement le tableau correspondant.

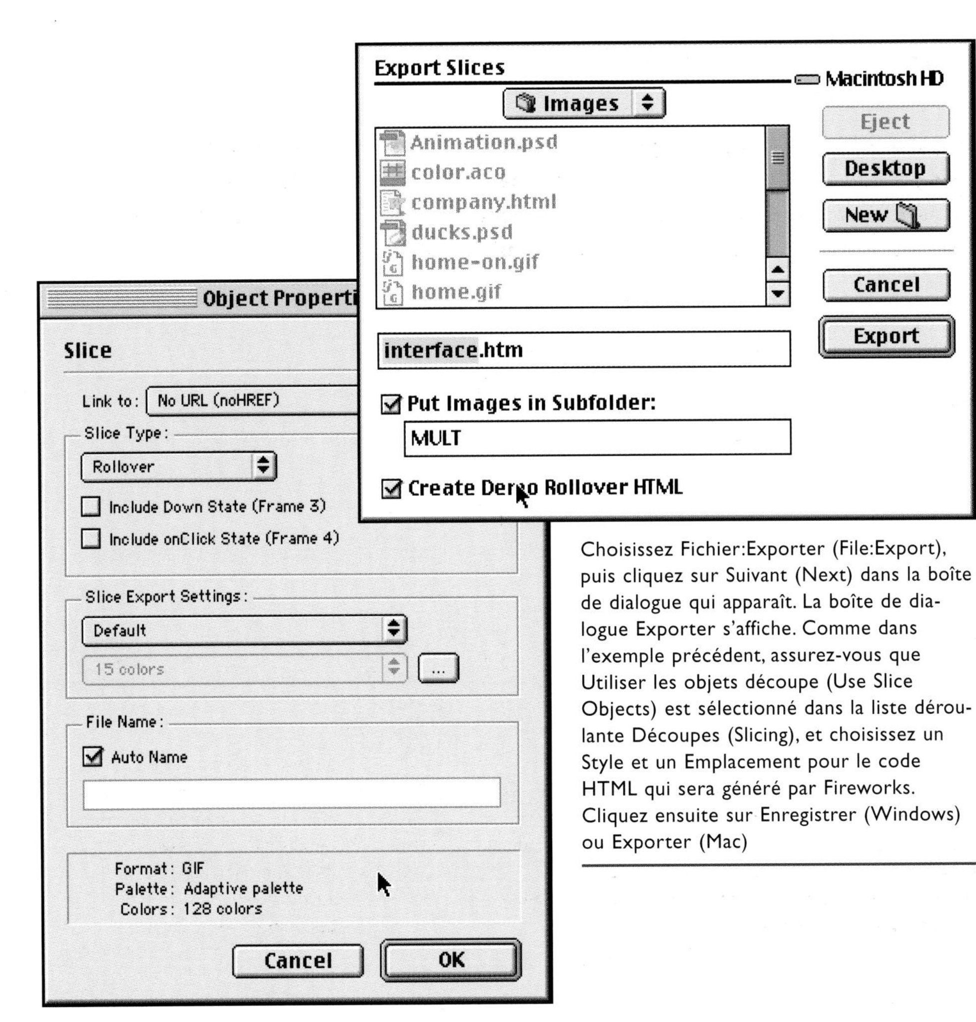

Choisissez Fichier:Exporter (File:Export), puis cliquez sur Suivant (Next) dans la boîte de dialogue qui apparaît. La boîte de dialogue Exporter s'affiche. Comme dans l'exemple précédent, assurez-vous que Utiliser les objets découpe (Use Slice Objects) est sélectionné dans la liste déroulante Découpes (Slicing), et choisissez un Style et un Emplacement pour le code HTML qui sera généré par Fireworks. Cliquez ensuite sur Enregistrer (Windows) ou Exporter (Mac)

Sélectionnez les découpes l'une après l'autre et, pour chacune d'entre elles, ajoutez un Survol simple (Simple Rollover) à l'aide de la palette Comportements (Behaviors). Utilisez la palette Objets pour ajouter une URL à chacun des éléments.

Rollovers avec Dreamweaver 2.0

Les images employées pour les rollovers peuvent être créées avec Photoshop, ImageReady ou Fireworks, mais dans le cas de rollovers complexes (du type « pointage » ou « multiple », par exemple), vous devrez vous servir d'un outil plus sophistiqué pour les intégrer à votre code HTML.

Il existe différents éditeurs HTML permettant de générer des scripts JavaScript, mais celui que je préfère est Dreamweaver 2.0. Nous allons voir comment utiliser ce logiciel pour créer les trois types de rollovers décrits plus haut : remplacement, pointage et multiple.

Rollover de remplacement

Pour les rollovers simples de remplacement, utilisez le bouton « Image retournée » (Rollover) de la barre d'outils Objets.

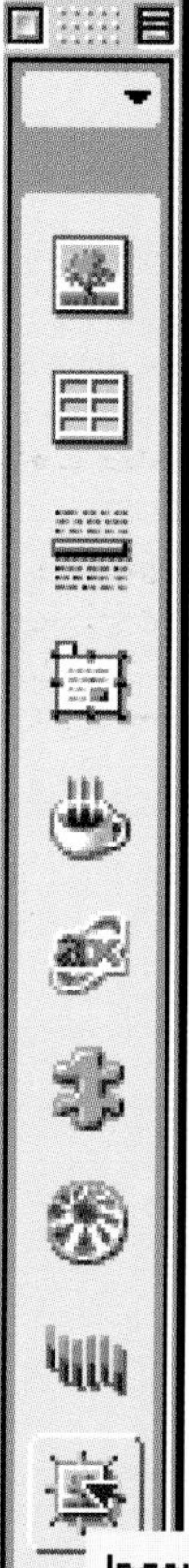

Etape 1. Cliquez sur le bouton « Insérer une image retournée » (Insert Rollover Image) qui se trouve dans la barre d'outils Objets. Vous affichez ainsi la boîte de dialogue Insérer l'image renouvelée.

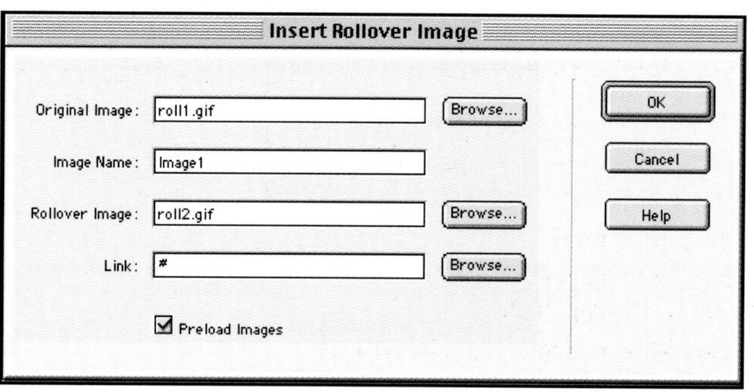

Etape 2. Cliquez sur le bouton Parcourir (Browse) pour sélectionner l'image utilisée pour le rollover désactivé, puis sur l'autre bouton Parcourir pour l'image utilisée pour le rollover activé. Cliquez ensuite sur OK — Dreamweaver génère automatiquement le code du rollover.

Code généré par Dreamweaver

```
<html>
<head>
<title>Document sans-titre</title>
<meta http-equiv="Content-Type" content="text/html;
charset=iso-8859-1">
<script language="JavaScript">
<!—
function MM_swapImgRestore() { //v2.0
  if (document.MM_swapImgData != null)
    for (var i=0; i<(document.MM_swapImgData.length
-1); i+=2)
      document.MM_swapImgData[i].src =
document.MM_swapImgData[i+1];
}

function MM_preloadImages() { //v2.0
  if (document.images) {
    var imgFiles = MM_preloadImages.arguments;
    if (document.preloadArray==null)
document.preloadArray = new Array();
    var i = document.preloadArray.length;
    with (document) for (var j=0; j<imgFiles.length;
j++) if (imgFiles[j].charAt(0)!="#"){
      preloadArray[i] = new Image;
      preloadArray[i++].src = imgFiles[j];
  } }
}

function MM_swapImage() { //v2.0
  var i,j=0,objStr,obj,swapArray=new
Array,oldArray=document.MM_swapImgData;
  for (i=0; i < (MM_swapImage.arguments.length-2);
i+=3) {
    objStr =
MM_swapImage.arguments[(navigator.appName ==
'Netscape')?i:i+1];
    if ((objStr.indexOf('document.layers[')==0 &&
document.layers==null) ¦¦
        (objStr.indexOf('document.all[')   ==0 &&
document.all   ==null))
      objStr =
'document'+objStr.substring(objStr.lastIndexOf('.'),
objStr.length);
    obj = eval(objStr);
    if (obj != null) {
      swapArray[j++] = obj;
      swapArray[j++] = (oldArray==null ¦¦
oldArray[j-1]!=obj)?obj.src:oldArray[j];
      obj.src = MM_swapImage.arguments[i+2];
  } }
  document.MM_swapImgData = swapArray; //used for
restore
}
//—>
</script>
</head>

<body bgcolor="#FFFFFF"
onLoad="MM_preloadImages('roll2.GIF','#927723828540'
)">
<a href="#" onMouseOut="MM_swapImgRestore()"
onMouseOver="MM_swapImage('document.Image1',
'document.Image1','roll2.GIF','#927723828540')"><img
name="Image1" border="0" src="roll1.GIF" width="148"
height="50"></a>
</body>
</html>
```

Rollover de pointage

La création d'un rollover de pointage nécessite l'emploi des « comportements » de Dreamweaver dans la mesure où le script est plus complexe que dans le cas d'un rollover de remplacement. Les comportements sont un module intégré à Dreamweaver permettant d'automatiser la création de certains effets (comme les rollovers). Dans l'exemple ci-dessous, j'utilise trois images.

rollover.gif **bouton.gif** **boutonvide.gif**

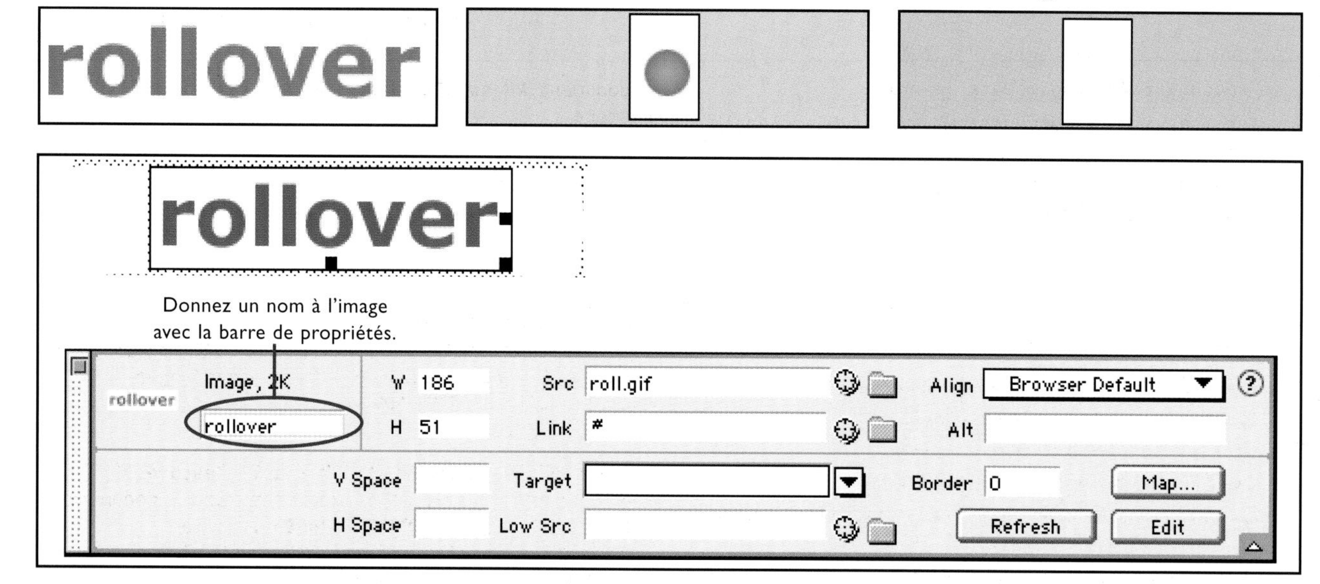

Etape 1. Créez un tableau de deux colonnes et une rangée dont la Bordure (Border) soit de 0 afin qu'elle reste invisible. Insérez ensuite l'image boutonvide.gif dans la cellule de gauche et l'image rollover.gif dans la cellule de droite.

Etape 2. Donnez le nom « rollover » au fichier rollover.gif et le nom « vide » au fichier boutonvide.gif.

Etape 3. Ouvrez la palette des comportements à l'aide du bouton Comportements (Behaviors) de la palette Lanceur (Launcher).

Etape 4. Cliquez sur l'image rollover.gif, puis ajoutez le comportement Intervertir image (Swap Image) à l'aide du menu qui apparaît lorsqu'on clique sur le bouton « + » de la palette Comportements (Behaviors).

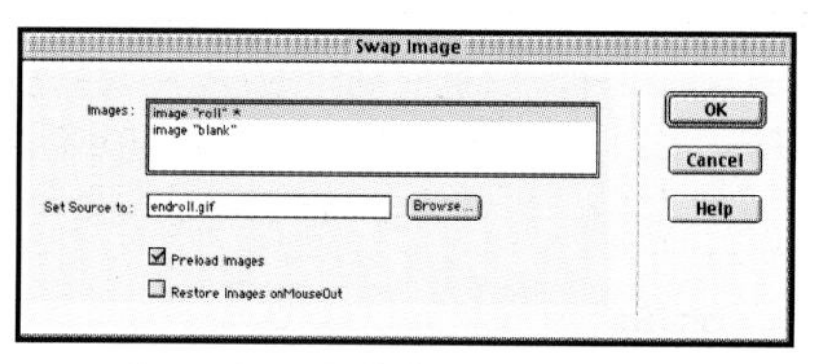

Etape 5. Sélectionnez maintenant l'image « vide » (boutonvide.gif), puis cliquez sur le bouton Parcourir (Browse) et sélectionnez l'image bouton.gif. J'ai sélectionné au préalable l'image « vide » pour indiquer à Dreamweaver que celle-ci doit être remplacée par l'image bouton.gif lorsque la souris se trouve au-dessus de l'image rollover.gif. Cliquez ensuite sur OK ; le code est automatiquement généré par Dreamweaver.

code généré par Dreamweaver

```
<html>
<head>
<title>Document sans-titre</title>
<meta http-equiv="Content-Type" content="text/html;
charset=iso-8859-1">
<script language="JavaScript">
<!—
function MM_swapImgRestore() { //v2.0
  if (document.MM_swapImgData != null)
    for (var i=0; i<(document.MM_swapImgData.length
-1); i+=2)
      document.MM_swapImgData[i].src =
document.MM_swapImgData[i+1];
}

function MM_preloadImages() { //v2.0
  if (document.images) {
    var imgFiles = MM_preloadImages.arguments;
    if (document.preloadArray==null)
document.preloadArray = new Array();
    var i = document.preloadArray.length;
    with (document) for (var j=0; j<imgFiles.length;
j++) if (imgFiles[j].charAt(0)!="#"){
      preloadArray[i] = new Image;
      preloadArray[i++].src = imgFiles[j];
  } }
}

function MM_swapImage() { //v2.0
  var i,j=0,objStr,obj,swapArray=new
Array,oldArray=document.MM_swapImgData;
  for (i=0; i < (MM_swapImage.arguments.length-2);
i+=3) {
    objStr =
MM_swapImage.arguments[(navigator.appName ==
'Netscape')?i:i+1];
    if ((objStr.indexOf('document.layers[')==0 &&
document.layers==null) ¦¦
        (objStr.indexOf('document.all[')   ==0 &&
document.all    ==null))
      objStr =
'document'+objStr.substring(objStr.lastIndexOf('.'),
objStr.length);
    obj = eval(objStr);
    if (obj != null) {
      swapArray[j++] = obj;
      swapArray[j++] = (oldArray==null ¦¦
oldArray[j-1]!=obj)?obj.src:oldArray[j];
      obj.src = MM_swapImage.arguments[i+2];
  } }
  document.MM_swapImgData = swapArray; //used for
restore
}
//—>
</script>
</head>

<body bgcolor="#FFFFFF"
onLoad="MM_preloadImages('file:///C%7C/Trads/ps5tdt/
liens1.GIF','#927723828540');MM_preloadImages
('bouton.gif','#927727448900')">
<p>  </p>
<p><a href="#" onMouseOut="MM_swapImgRestore()"
onMouseOver="MM_swapImage('document.vide','document.
vide','bouton.gif','#927727448900')"><img
src="boutonvide.gif" width="157" height="197"
name="vide" border="0"></a>
  <a href="#"><img src="rollover.gif" width="186"
height="51" name="roll" border="0"></a></p>
</body>
</html>
```

Rollovers multiples

La programmation d'un rollover multiple représente un peu plus de travail que les deux rollovers précédents. Voici comment procéder, étape par étape. Les figures ci-dessous montrent les différentes images utilisées ainsi que leur nom, afin de vous permettre de suivre plus facilement toutes les étapes.

roll0.gif

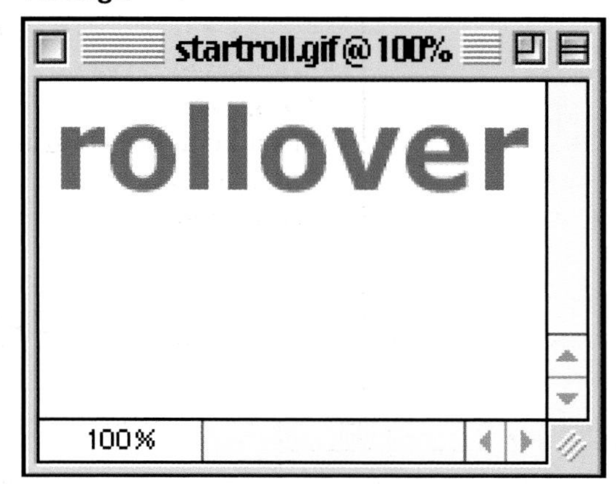

roll1.gif

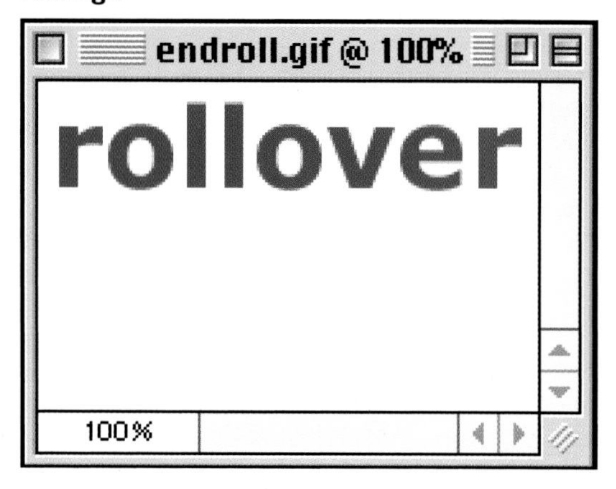

vide.gif

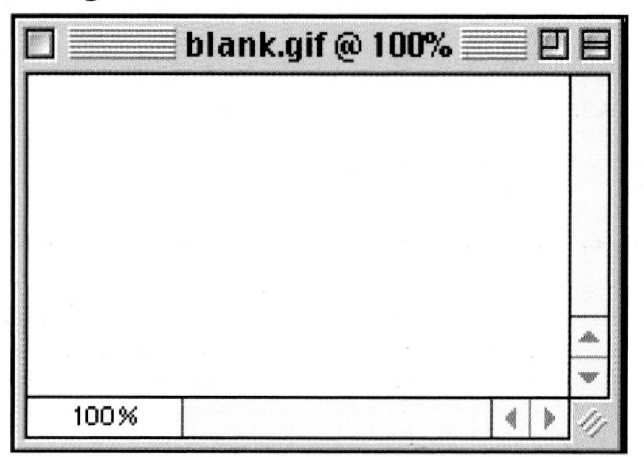

texte.gif

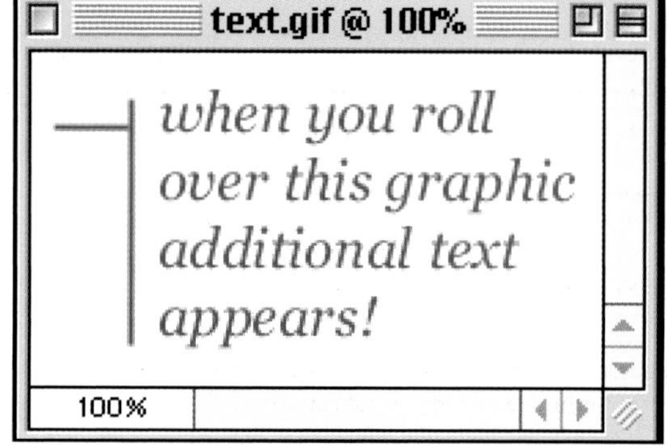

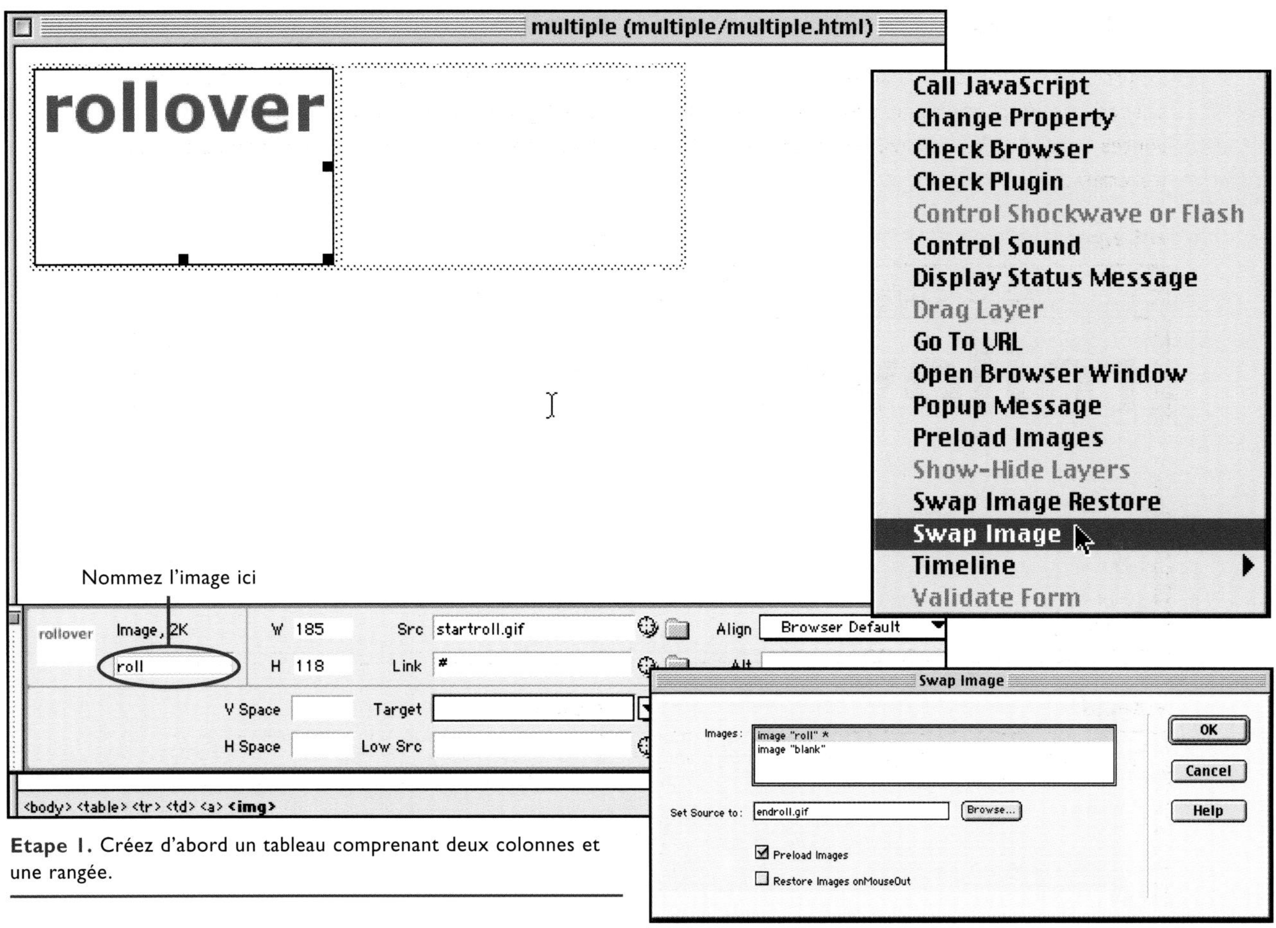

Etape 1. Créez d'abord un tableau comprenant deux colonnes et une rangée.

Etape 2. Insérez l'image du rollover (roll0.gif) dans la première cellule du tableau et l'image vide (vide.gif) dans la seconde.

Etape 3. Sélectionnez le tableau entier, puis entrez une valeur de 0 pour la bordure afin que les bords du tableau restent invisibles.

Etape 4. Donnez un nom à l'image du rollover (roll0.gif) en la sélectionnant et en entrant le nom « roll » dans la barre de propriétés. Procédez de même pour l'image vide ; nommez-la « vide ».

Etape 5. Sélectionnez à nouveau l'image roll0.gif puis cliquez sur le bouton Comportements (Behaviors) du Lanceur (Launcher) pour afficher la palette correspondante. Cliquez ensuite sur le bouton « + » et choisissez Intervertir Image (Swap Image) dans le menu qui apparaît.

Etape 6. Sélectionnez l'image « roll » dans la liste, puis cliquez sur Parcourir (Browse) et choisissez l'image roll1.gif. Sélectionnez ensuite l'image « vide » dans la liste, puis cliquez sur Parcourir (Browse) et choisissez l'image texte.gif.

code généré par Dreamweaver

```
<html>
<head>
<title>Document sans-titre</title>
<meta http-equiv="Content-Type" content="text/html;
charset=iso-8859-1">
<script language="JavaScript">
<!—
function MM_preloadImages() { //v2.0
  if (document.images) {
    var imgFiles = MM_preloadImages.arguments;
    if (document.preloadArray==null)
document.preloadArray = new Array();
    var i = document.preloadArray.length;
    with (document) for (var j=0; j<imgFiles.length;
j++) if (imgFiles[j].charAt(0)!="#"){
      preloadArray[i] = new Image;
      preloadArray[i++].src = imgFiles[j];
  } }
}

function MM_swapImgRestore() { //v2.0
  if (document.MM_swapImgData != null)
    for (var i=0; i<(document.MM_swapImgData.length
-1); i+=2)
      document.MM_swapImgData[i].src =
document.MM_swapImgData[i+1];
}

function MM_swapImage() { //v2.0
  var i,j=0,objStr,obj,swapArray=new Array,
oldArray=document.MM_swapImgData;
  for (i=0; i < (MM_swapImage.arguments.length-2);
i+=3) {
    objStr =
MM_swapImage.arguments[(navigator.appName ==
'Netscape')?i:i+1];
    if ((objStr.indexOf('document.layers[')==0 &&
document.layers==null) ¦¦
        (objStr.indexOf('document.all[')   ==0 &&
document.all   ==null))
      objStr =
'document'+objStr.substring(objStr.lastIndexOf('.'),
objStr.length);
    obj = eval(objStr);
    if (obj != null) {
      swapArray[j++] = obj;
      swapArray[j++] = (oldArray==null ¦¦
oldArray[j-1]!=obj)?obj.src:oldArray[j];
      obj.src = MM_swapImage.arguments[i+2];
  } }
  document.MM_swapImgData = swapArray; //used for
restore
}
//—>
</script>
</head>

<body bgcolor="#FFFFFF"
onLoad="MM_preloadImages('roll1.gif','texte.gif',
'#927915490450')">
<table border="0" cellpadding="0" cellspacing="0">
  <tr>
    <td width="185"><a href="#"
onMouseOut="MM_swapImgRestore()"
onMouseOver="MM_swapImage('document.roll','document.
roll','roll1.gif','document.vide','document.vide',
'texte.gif','#927915490450')"><img src="roll0.gif"
width="185" height="118" name="roll" border="0">
</a></td>
    <td width="185"><img src="vide.gif" width="185"
height="118" name="vide"></td>
  </tr>
</table>
</body>
</html>
```

Compatibilité avec les navigateurs plus anciens

Mon ami Michael Macrone (http://www.atlasmagazine.com) m'a fourni des informations très utiles si vous vous inquiétez de la compatibilité de vos rollovers avec des navigateurs plus anciens.

Les rollovers sont sans doute l'application la plus courante de JavaScript sur le Web à l'heure actuelle. Mais comme beaucoup d'autres scripts intéressants, les rollovers ne fonctionnent pas dans certains navigateurs plus anciens et peuvent générer des erreurs JavaScript.

L'utilisation des Comportements de Dreamweaver 2.0 pour automatiser les rollovers, comme nous l'avons fait plus haut, permet de s'assurer que les anciens navigateurs n'afficheront pas de message d'erreur. En effet, le code généré par Dreamweaver comprend une fonction de vérification qui empêche les navigateurs non compatibles d'exécuter le code. Cependant, si vous souhaitez écrire vous-même le code du rollover, lisez ce qui suit.

Tout d'abord, la technique du remplacement de l'image dépend de l'objet Image du JavaScript, qui est apparu avec la version 1.1 de ce langage (Netscape Navigator 3). Les versions 3 de Microsoft Internet Explorer pour Windows n'ont jamais pris en charge l'objet Image, même si la version 3.02 était censée contenir un moteur compatible JavaScript 1.1. En revanche, Internet Explorer 3.01 pour Macintosh prend en charge l'objet Image. De même, Netscape 4, Internet Explorer 4 et les versions ultérieures de ces logiciels prennent entièrement en charge l'objet Image.

Pour éviter les erreurs de JavaScript, vous devez vérifier que l'objet Image est pris en charge avant de précharger ou d'intervertir une image. (L'interversion d'image (ou rollover) ne fonctionne correctement que si toutes les images concernées sont correctement préchargées dans le cache du navigateur). Dans la mesure où le numéro de version du navigateur n'est pas une indication fiable, il vaut mieux tester directement l'objet — ou plutôt tester les propriétés qu'aurait un document si l'objet était pris en charge.

Ainsi, le tableau (ou array) images[] est une propriété qui appartient à l'objet Document. Ce tableau, qui permet de se référer à toutes les images de votre document, est représenté comme suit :

```
document.images
```

Pour le tester, utilisez

```
if (document.images)
```

qui renvoie « true » (vrai) si le tableau existe, et « false » (faux) dans le cas contraire. Vous pouvez utiliser ce résultat pour éviter les erreurs dans les navigateurs plus anciens.

Supposons par exemple qu'une des images de votre page se nomme « image1.gif » et que vous souhaitiez la remplacer par l'image « image2 ».gif lorsque le pointeur de la souris se trouve au-dessus (les deux images doivent avoir la même taille, sinon la seconde sera déformée). La première tâche consiste à précharger les deux images et à les affecter à des variables JavaScript. (Techniquement, il n'est pas nécessaire de précharger « image1.gif », puisqu'elle est chargée en même temps que le reste du document, mais vous devez quand même l'affecter à une variable, ce qui équivaut à la précharger.)

Affectons l'image initiale à l'objet JavaScript « out », et la seconde image à l'objet « over ». Cette opération ne sera effectuée que si l'objet Image est pris en charge par le navigateur. Voici à quoi ressemblera le code :

```
var over, out;
if (document.images) {
        out = new Image(); out.src = "image1.gif";
        over = new Image(); over.src = "image2.gif";
}
```

Si l'objet Image n'est pas pris en charge, « over » et « out » restent vides.

Pour que le rollover fonctionne, le code HTML doit attribuer un nom à l'image initiale afin que le script sache quel objet permuter. La balise IMG ressemblera à ceci :

```
<IMG name="rollover" SRC="image1.gif">
```

Le nom « rollover » peut ensuite être employé pour identifier l'image dans votre script :

```
document.images["rollover"]
```

Sa source sera alors indiquée sous la forme :

```
document.images["rollover"].src
```

Pour permuter l'image, il suffit de réaffecter sa propriété « SRC » à la variable contenant la seconde image. Mais il y a deux choses à faire auparavant : s'assurer que les deux images sont entièrement chargées et s'assurer que le navigateur prend en charge les permutations d'images.

Les deux images seront entièrement chargées dès que le document entier sera chargé. Le JavaScript reçoit alors un événement « load » qui peut être détecté avec le gestionnaire d'événement « onLoad » situé dans la balise BODY. Pour cela, déclarez une variable et faites en sorte que la valeur « true » lui soit affectée dès que le document est chargé :

```
<HEAD>
<SCRIPT Language="JavaScript">
<!—
var loaded = false;
// —>
</SCRIPT>
</HEAD>
<BODY onLoad="loaded = true";>
```

Créez ensuite une fonction de permutation d'images testant la valeur de la variable « loaded » et l'existence de « document.images » :

```
function swapImageIn() {
        if (loaded && document.images)
                document.images["rollover"].src = over.src;
}
```

Si le navigateur ne prend pas en charge les permutations d'image, rien ne se produira — pas même une erreur.

Un document complet faisant appel à cette technique ressemblera à ceci :

```
<HTML>
<HEAD>
<TITLE>Permutation d'images</TITLE>
<SCRIPT Language="JavaScript">
<! —
var over, out, loaded = false;
if (document.images) {
        out = new Image 0; out.src = "image1.gif";
        over = new lmage(); over.src = "image2.gif";
}
function swapImageIn()  {
        if (loaded && document.images)
                document.images["rollover"].src = over.src;
}
function swapImage0ut() {
        if (loaded && document.images)
                document.images["rollover"].src = out.src;
}
//  —>
</SCRIPT>
</HEAD>
<BODY onLoad="loaded=true;">
<A HREF="#"
        onMouseOver="swapImageIn(); return true;"
onMouseOut="swapImageOut();"><IMG
        Name="rollover" SRC="image1.gif"></A>
</BODY>
</HTML>
```

Notez que les gestionnaires d'événements onMouseOver et onMouseOut sont placés à l'intérieur de la balise A. La raison en est que Netscape 3 et 4 ainsi qu'Internet Explorer 3 ne prennent pas en charge les gestionnaires d'événements situés dans la balise IMG.

Cet exemple n'est pas le plus intéressant ou le plus efficace possible, mais il montre comment créer des permutations d'image sans risquer de générer des erreurs de la part du navigateur.

Détection du navigateur

Dans certains cas, il est souhaitable de créer plusieurs versions d'une page Web destinées à différents navigateurs. Dreamweaver dispose d'un module permettant de déterminer quel navigateur est utilisé pour visualiser la page en cours. La seule restriction est que le visiteur doit disposer d'un navigateur acceptant le JavaScript. Certains utilisateurs utilisent des navigateurs très anciens (antérieurs à la version 3) ou désactivent le JavaScript dans leurs préférences. Par conséquent, cette méthode fonctionne presque toujours, à certaines exceptions près.

Quoi qu'il en soit, il peut être intéressant d'ajouter le code correspondant à votre page Web. La mise en place de ce code est très simple dans Dreamweaver.

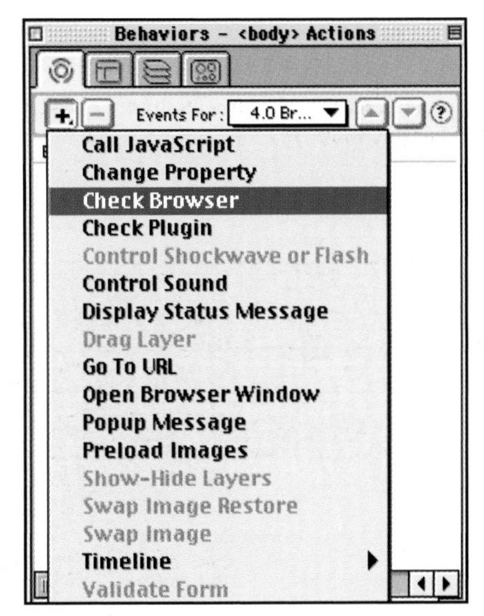

Etape 1. Choisissez le comportement Vérifier le navigateur (Check Browser).

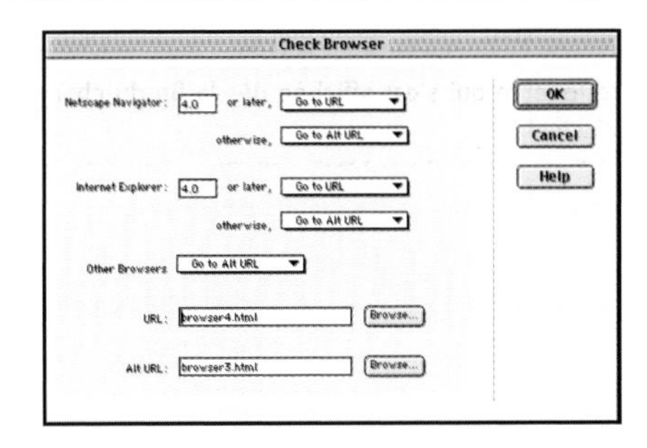

Etape 2. Utilisez les deux boutons Parcourir (Browse) situés en bas de cette fenêtre pour sélectionner une URL et une URL de remplacement. La première URL sera celle qui sera employée pour les navigateurs de version 4 et ultérieure, et la seconde pour les navigateurs de version 3.

code généré par Dreamweaver

```
<html>
<head>
<title>Document sans-titre</title>
<meta http-equiv="Content-Type" content="text/html;
charset=iso-8859-1">
<script language="JavaScript">
<!—
function
MM_checkBrowser(NSvers,NSpass,NSnoPass,IEvers,
IEpass,IEnoPass,OBpass,URL,altURL) { //v2.0
  var newURL = '', version =
parseFloat(navigator.appVersion);
  if (navigator.appName.indexOf('Netscape') != -1) {
    if (version >= NSvers) {if (NSpass>0) newURL =
(NSpass==1)?URL:altURL;}
    else {if (NSnoPass>0) newURL =
(NSnoPass==1)?URL:altURL;}
  } else if
(navigator.appName.indexOf('Microsoft') != -1) {
    if (version >= IEvers) {if (IEpass>0) newURL =
(IEpass==1)?URL:altURL;}
    else {if (IEnoPass>0) newURL =
(IEnoPass==1)?URL:altURL;}
  } else if (OBpass>0) newURL =
(OBpass==1)?URL:altURL;
  if (newURL) {
    window.location = unescape(newURL);
    document.MM_returnValue = false;
  }
}
//—>
</script>
</head>

<body bgcolor="#FFFFFF"
onLoad="MM_checkBrowser(4.0,1,2,4.0,1,2,2,'nav4.htm',
'nav3.htm');return document.MM_returnValue">
</body>
</html>
```

Ouverture d'une nouvelle fenêtre

Vous avez peut-être déjà visité des sites qui ouvrent une deuxième fenêtre de navigation plus petite dépourvue de boutons, de barre de menus, etc. Certaines personnes n'apprécient pas de voir s'afficher des fenêtres supplémentaires dépourvues de boutons de navigation, mais, dans certaines situations, elles peuvent se révéler utiles. C'est le JavaScript qui permet d'obtenir ces effets ; encore une fois, Dreamweaver peut être mis à contribution.

Etape 1. Créez d'abord le document HTML qui s'ouvrira dans la nouvelle fenêtre. Choisissez ensuite le comportement Ouvrir fenêtre navigateur (Open Browser Window).

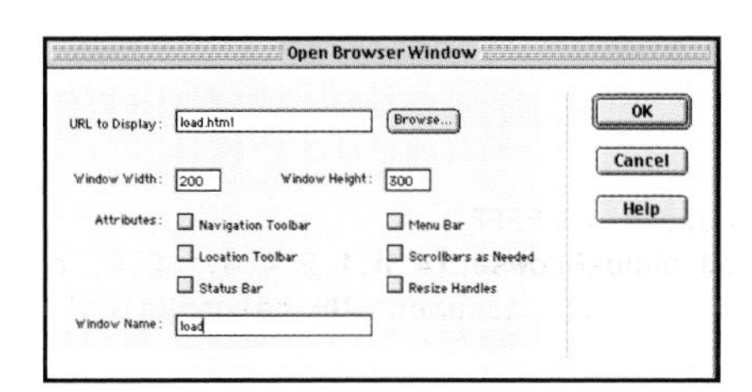

Etape 2. Remplissez les champs de la boîte de dialogue qui s'affiche et cochez les options voulues. Je vous suggère de cocher certaines des options des Attributs du navigateur, mais ce n'est pas une obligation.

code to launch another window

```
<html>
<head>
<title>Document sans-titre</title>
<meta http-equiv="Content-Type" content="text/html;
charset=iso-8859-1">
<script language="JavaScript">
<!—
function MM_openBrWindow(theURL,winName,features) {
//v2.0
  window.open(theURL,winName,features);
}
//—>
</script>
</head>

<body bgcolor="#FFFFFF"
onLoad="MM_openBrWindow('nouveau.htm','instructions',
'width=200,height=300')">
</body>
</html>
```

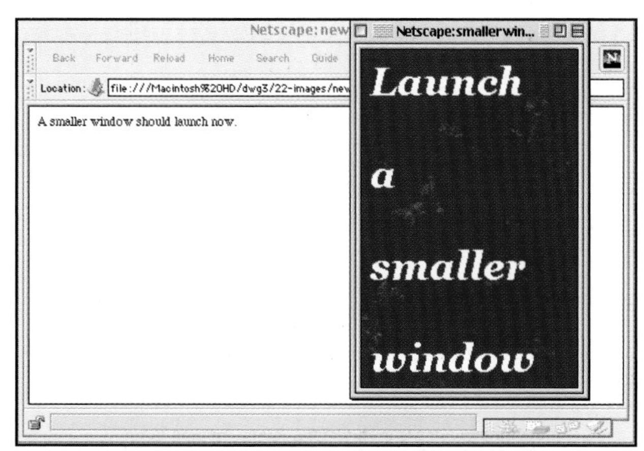

Voici la petite fenêtre qui s'est affichée dès la fin du chargement du document principal.

Résumé

Les possibilités graphiques du JavaScript

Le JavaScript permet d'étendre les fonctionnalités du HTML. Dans ce chapitre, l'accent a été mis sur trois utilisations particulières du JavaScript : les rollovers, la détection de navigateurs et l'ouverture de nouvelles fenêtres. Voici un bref récapitulatif :

- Les rollovers (ou survols) sont un excellent moyen d'indiquer à l'utilisateur qu'une image donnée est également un lien. Cependant, pour mettre en place un rollover, il faut créer plusieurs images ainsi que le code JavaScript correspondant.
- Lorsque vous créez des images pour des rollovers, il est important d'aligner exactement les états « activé » et « inactivé » et de leur donner des dimensions identiques, sans quoi les images risquent d'être déformées ou décalées.
- Lorsqu'on crée des rollovers complexes, il est nécessaire de donner des noms de référence à chacune des images de base. Le survol d'une image par la souris peut alors déclencher des événements complexes.
- Dreamweaver permet d'intégrer facilement la détection du navigateur à une page Web. Retenez simplement que cette détection ne fonctionnera que pour les navigateurs où le JavaScript est activé.
- Le JavaScript permet également d'ouvrir de nouvelles fenêtres d'une taille prédéfinie ; encore une fois, Dreamweaver vous facilitera la tâche.

Introduction

HTML dynamique

Au sommaire de ce chapitre

23

Le HTML dynamique, ou DHTML, est un concept encore assez vaguement défini regroupant diverses améliorations du HTML standard telles qu'animations, sons, rollovers et une meilleure maîtrise de la mise en page. Ces améliorations sont obtenues en combinant diverses technologies existantes : JavaScript, contrôles ActiveX, feuilles de styles, plug-in, *Document Object Model* (ou DOM : modèle d'objets de document) ainsi que des méthodes propriétaires inventées de part et d'autre par Netscape et Microsoft.

Le défi que représente le DHTML est le même que celui qui se pose à tout concepteur de pages Web : la prise en compte des différences entre navigateurs et plates-formes. Certains scripts JavaScript fonctionnent dans Netscape Navigator, mais pas dans Internet Explorer. Les contrôles ActiveX ne fonctionnent que dans les versions pour PC d'Internet Explorer, et non dans les versions Mac. En fait, un concepteur consciencieux pourrait sans doute passer plus de temps à vérifier que les différents composants de son site fonctionnent sur diverses plates-formes et dans divers navigateurs qu'à créer le contenu du site.

Malheureusement, le DHTML n'est pas encore un standard, et la concurrence entre Netscape et Microsoft pour la définition de ce standard reste rude. Les deux entreprises ont promis de respecter le standard que le World Wide Web Consortium (ou W3C) est en train d'élaborer, mais de telles promesses ont déjà été faites par le passé sans être suivies d'effet. En attendant, la vie continue sans standard, comme d'habitude.

Quoi qu'il en soit, de nombreux spécialistes sont d'avis que le DHTML est l'avenir du Web. J'ai quelques doutes à ce sujet, mais je serais bien sûr extrêmement heureuse de voir les fonctions DHTML normalisées et disponibles dans tous les nouveaux navigateurs. Pour le moment, le DHTML est une nouveauté plus intéressante pour son potentiel que pour ses applications pratiques.

Introduction au DHTML

La volonté d'améliorer le HTML est naturelle et inévitable. Dans la mesure où les ordinateurs actuels sont capables de restituer un contenu multimédia, l'apparition de navigateurs compatibles et des balises correspondantes n'est qu'une question de temps. Le HTML dynamique est l'un des derniers standards censés permettre d'intégrer le multimédia aux pages Web ; voici un aperçu des technologies sur lesquelles il repose.

Feuilles de styles en cascade

Les feuilles de styles en cascade (CSS) permettent de définir avec précision la mise en page et la mise en forme des documents HTML. Elles offrent la possibilité de définir des attributs tels que les marges, les couleurs et les tailles des caractères ou l'interligne. Elles permettent également de superposer des niveaux d'images et de texte (calques).
Il est ainsi possible de créer des effets de rollover en affichant un calque qui masque l'élément sous-jacent, lors d'un survol de la souris.

Inconvénients. Le principal problème des feuilles de styles, à mon avis, est qu'elles nécessitent d'acquérir des connaissances en programmation distinctes du HTML.
Le fait que les deux principaux navigateurs interprètent différemment les feuilles de style illustre d'ailleurs très bien ce problème. Des logiciels tels que Dreamweaver ou Adobe GoLive facilitent les choses pour le concepteur de sites Web, mais ni Internet Explorer ni Netscape Navigator ne prennent correctement en charge les feuilles de styles.

Avantages. Il est possible de créer une feuille de styles unique à laquelle toutes les pages Web d'un site font référence. En d'autres termes, l'apparence d'un site pourra être facilement changée en ne modifiant que le contenu d'un seul document. A l'avenir, cette possibilité permettra de gagner beaucoup de temps, en particulier pour les sites pour lesquels une charte graphique a été élaborée.

JavaScript

Le JavaScript est un langage de script intégré aux documents HTML. Autrement dit, contrairement au Java, les scripts JavaScript n'ont pas besoin d'être compilés. On peut les copier et les coller exactement comme du HTML, et il est facile d'apprendre le langage en étudiant les scripts utilisés sur d'autres sites. Rappelons qu'il est d'usage de créditer l'auteur d'un script lorsqu'on l'utilise sur son propre site. Le JavaScript peut être utilisé pour toutes sortes d'applications Web, en particulier pour des animations, des rollovers ou des sons.

Inconvénients. Le JavaScript n'est pas interprété de manière identique en fonction des navigateurs (Internet Explorer, Netscape Navigator ou autres). De ce fait, il est généralement difficile d'écrire des scripts multinavigateurs. Heureusement, certains éditeurs HTML tels que Dreamweaver ou GoLive permettent de vérifier qu'un script est compatible avec différentes versions de différents navigateurs.

Avantages. Le JavaScript est entièrement de type « client », ce qui veut dire que tous les scripts sont téléchargés en même temps que le document HTML. De ce fait, aucun accès ultérieur au serveur n'est nécessaire et par ailleurs, il est possible d'étudier, copier et coller des scripts créés par d'autres, comme pour le HTML.

Plug-in

Les plug-in peuvent être intégrés en tant qu'objets dans des feuilles de style. Cela signifie que des documents Shockwave ou Flash peuvent être traités comme des objets et positionnés au pixel près. Netscape et Internet Explorer intègrent les plug-in utilisés dans les feuilles de styles à l'aide de deux balises HTML : OBJECT et EMBED.

Inconvénients. A l'heure actuelle, Netscape Navigator ne reconnaît que la balise EMBED, alors qu'Internet Explorer (et la version 4 du HTML) emploient la balise OBJECT.
De ce fait, il est généralement nécessaire d'utiliser ces deux balises pour que le plug-in soit accessible par une majorité d'utilisateurs.

Avantages. Les plug-in offrent potentiellement beaucoup plus de possibilités que le HTML ou même le DHTML.

DOM

Le DOM (*Document Object Model*, modèle d'objets de document) spécifie de quelle manière texte et images peuvent être définis en tant qu'objets au sein du DHTML. En théorie, le DOM permet de manipuler tout contenu Web à l'aide de scripts. Malheureusement, le DOM n'est pas géré de manière identique par Netscape Navigator et Internet Explorer. C'est là l'un des problèmes principaux des implémentations actuelles du DHTML.

Les possibilités du DHTML

Ici encore, dans la mesure où je ne suis pas programmeur, je vous montrerai ce qu'il est possible de faire avec le DHTML par l'intermédiaire de Dreamweaver. Je parlerai ici d'effets qu'il n'est pas possible de réaliser par d'autres moyens : affichage et masquage de calques, animations et glisser-déposer.

L'un des grands avantages de Dreamweaver est qu'il est possible de choisir pour sa page un ou plusieurs navigateurs de destination ; le code généré par le logiciel sera alors compatible avec les différentes versions de Netscape Navigator et Internet Explorer, en fonction de vos choix. Par ailleurs, Dreamweaver dispose d'une fonction vous avertissant si une partie de votre code n'est pas compatible avec un navigateur plus ancien.

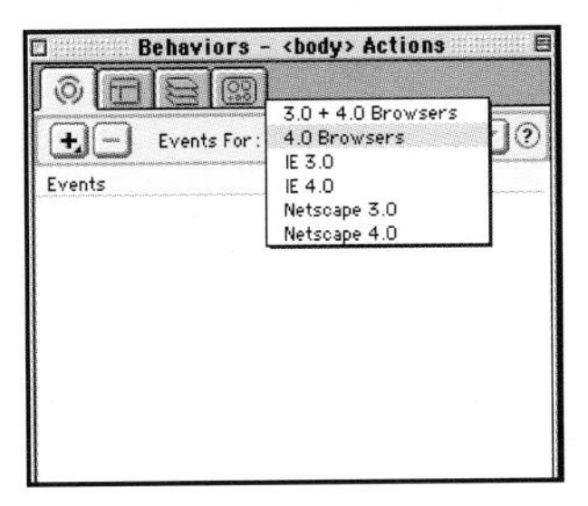

Dreamweaver vous permet de choisir pour quels navigateurs créer un comportement DHTML.

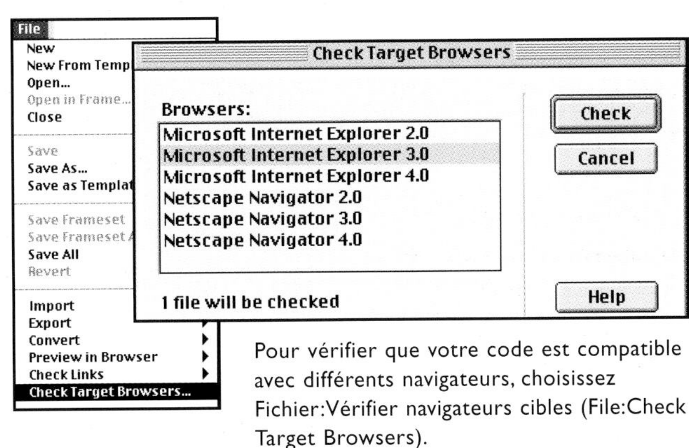

Pour vérifier que votre code est compatible avec différents navigateurs, choisissez Fichier:Vérifier navigateurs cibles (File:Check Target Browsers).

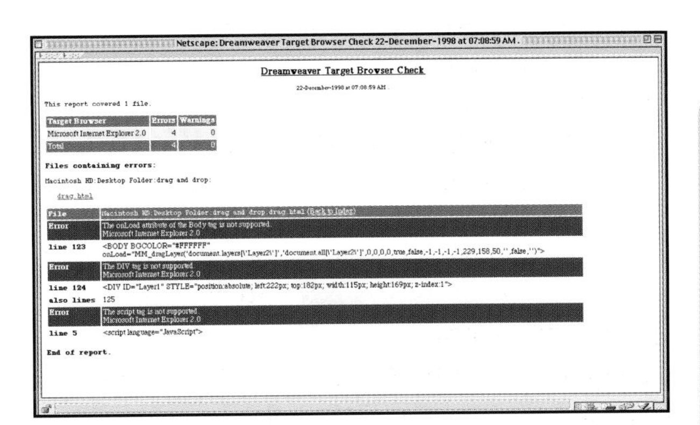

Les résultats du test s'affichent dans la fenêtre de votre navigateur par défaut.

Note — Du bon usage du DHTML

Je ne suis pas une fervente partisane du DHTML, même si ses possibilités sont très intéressantes. Si vous êtes certain que vos visiteurs disposeront d'un navigateur de version 4 ou ultérieure, essayez d'inclure dans votre site certaines des fonctions décrites dans ce chapitre. Ce sera par exemple le cas si vous créez un intranet ou un extranet, et que vous connaissez les navigateurs employés par les utilisateurs. Dans le cas contraire, il est plus prudent de créer des pages séparées (non DHTML) pour les utilisateurs ne disposant que de navigateurs plus anciens.

Calques

Le DHTML permet d'afficher et de masquer des calques, ce qui ouvre de nombreuses possibilités. Dans l'exemple ci-dessous, du texte a été placé sur un calque. Lorsque le pointeur de la souris survole le texte, un nouveau texte apparaît ; lorsque le pointeur quitte le texte, le nouveau texte disparaît.

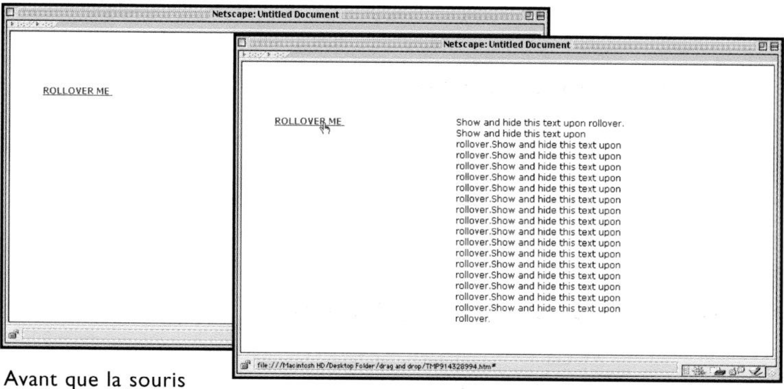

Avant que la souris ne se trouve au-dessus du lien, seul le lien est visible.

Lorsque la souris se trouve au-dessus du lien, un nouveau texte apparaît. Cet effet a été obtenu en affichant et en masquant des calques ; le code correspondant a été généré avec Dreamweaver.

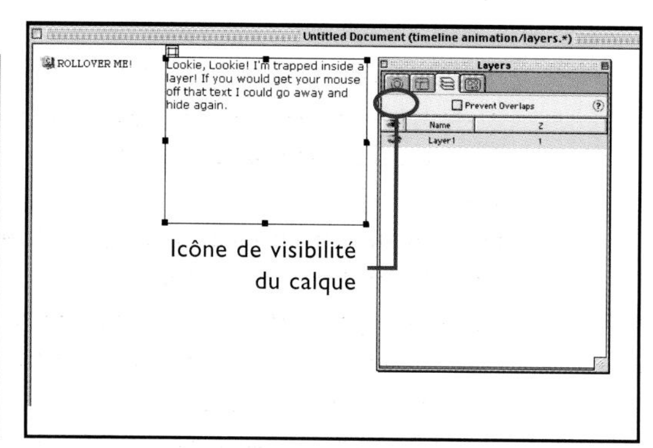

Etape 1. Tapez le texte initial et faites-en un lien en le sélectionnant, puis en entrant une adresse dans le champ Lien (Link) de la barre des propriétés. Choisissez ensuite Insertion:Calque (Insert:Layer). Entrez le texte de votre choix sur ce calque. Choisissez Fenêtre:Calques (Window:Layers) pour afficher la palette des calques. La colonne de gauche de la palette comporte un œil ; c'est cet œil qui détermine la visibilité du calque. Dans la mesure où ce calque doit initialement être masqué, cliquez dans cette colonne jusqu'à ce qu'un œil fermé s'affiche (qui indique que le calque est masqué).

Etape 2. Sélectionnez le lien que vous avez créé à la première étape en cliquant dessus, puis ouvrez la palette Comportements (Behaviors) en cliquant sur Comportement (Behaviors) dans le Lanceur (Launcher). Cliquez sur le bouton « + » et choisissez Afficher-masquer calques (Show-Hide Layers).

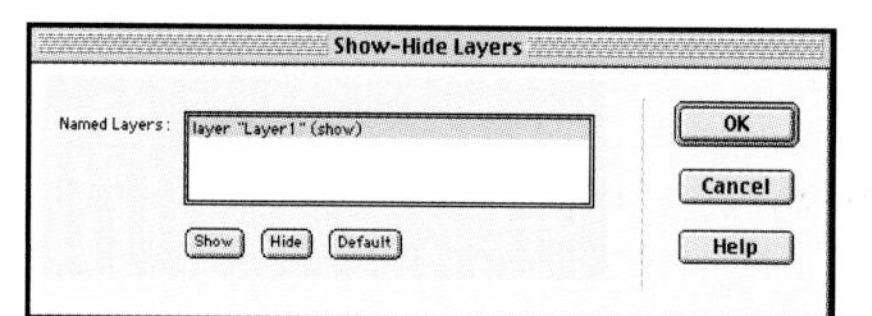

Etape 3. Dans la boîte de dialogue Afficher-masquer calques, cliquez sur le bouton Afficher (Show), puis sur OK.

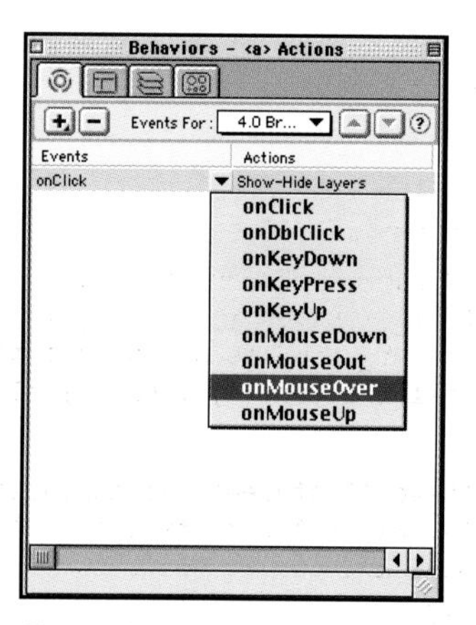

Etape 4. Par défaut, le déclencheur du comportement (dans la palette Comportements) est onClick. Cliquez sur la petite flèche pour faire apparaître un menu contextuel et choisissez onMouseOver.

Etape 5. Assurez-vous que le lien (<a>) est toujours sélectionné et ajoutez un nouveau comportement Afficher-masquer calques (Show-Hide Layers). Cette fois, cliquez sur le bouton Masquer (Hide) puis choisissez le comportement onMouseOut pour cette action.

Vous pouvez visualiser le résultat en appuyant sur la touche F12. Voici le code généré par Dreamweaver :

Code généré par Dreamweaver

```
<html>
<head>
<title>Document sans-titre</title>
<meta http-equiv="Content-Type" content="text/html; charset=iso-8859-1">
<script language="JavaScript">
<!—
function MM_showHideLayers() { //v2.0
  var i, visStr, args, theObj;
  args = MM_showHideLayers.arguments;
  for (i=0; i<(args.length-2); i+=3) { //with arg triples (objNS,objIE,visStr)
    visStr   = args[i+2];
    if (navigator.appName == 'Netscape' && document.layers != null) {
      theObj = eval(args[i]);
      if (theObj) theObj.visibility = visStr;
    } else if (document.all != null) { //IE
      if (visStr == 'show') visStr = 'visible'; //convert vals
      if (visStr == 'hide') visStr = 'hidden';
      theObj = eval(args[i+1]);
      if (theObj) theObj.style.visibility = visStr;
  } }
}
//—>
</script>
</head>

<body bgcolor="#FFFFFF">
<a href="#" onMouseOver="MM_showHideLayers('document.layers[\'Layer1\']',
'document.all[\'Layer1\']','show')"
onMouseOut="MM_showHideLayers('document.layers[\'Layer1\']','
document.all[\'Layer1\']','hide')">Essayez-moi
!</a>
<div id="Layer1" style="position:absolute; width:200px; height:115px; z-index:1;
visibility: hidden">Cet effet de rollover permet d'afficher un texte suppl
&eacute;mentaire qui fournira par exemple des informations sur la nature du
lien.</div>
</body>
</html>
```

Animation

Dans cet exemple, des éléments de texte viennent se mettre en place d'eux-mêmes.

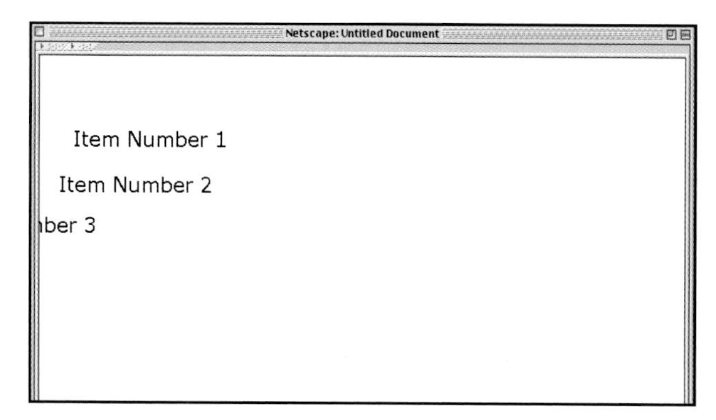

Les lignes de texte viennent se mettre en place à l'aide d'une animation JavaScript et d'un scénario Dreamweaver.

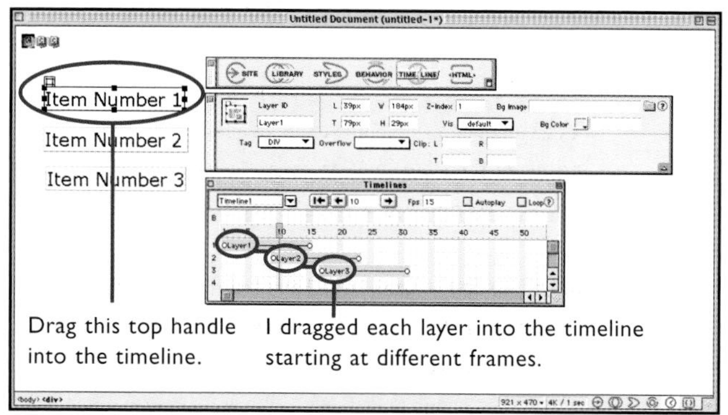

Etape 1. Choisissez trois fois la commande Insertion:Calque (Insert: Layer) et entrez un texte sur chacun des calques. Cliquez sur le bouton Scénario (Timeline) du Lanceur. Faites ensuite glisser chacun des calques par la poignée sur la palette de scénarios (Timeline). Notez qu'ici, chaque calque a été positionné à un niveau différent dans la palette, cela pour que les trois textes viennent se mettre en place successivement.

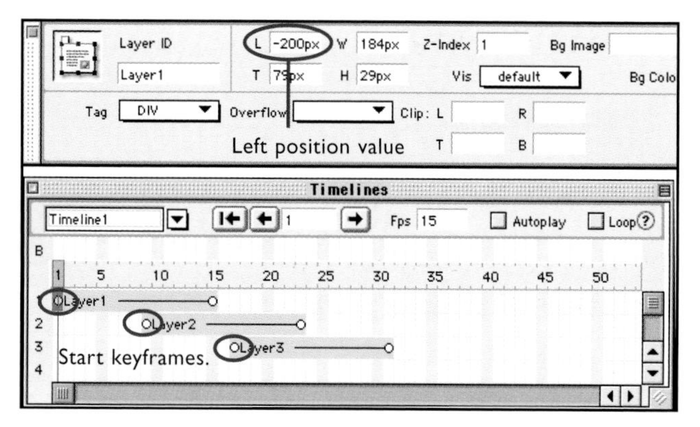

Etape 2. Sélectionnez le premier calque dans la palette Scénarios, puis cliquez sur le premier point (qui représente la première image du scénario. Dans la barre des propriétés, entrez une valeur de – 200 pixels dans le champ G (L en anglais). Recommencez pour les deux autres calques. Vous définissez ainsi pour les calques un point de départ situé à l'extérieur de la fenêtre.

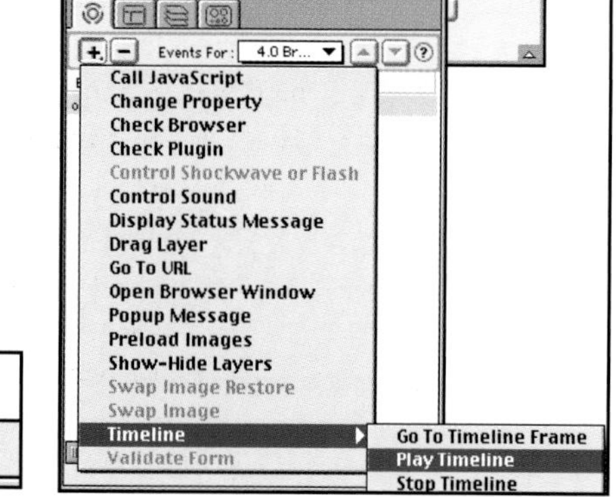

Etape 3. Cliquez sur Comportement, dans le Lanceur, pour afficher la palette correspondante. Sélectionnez le corps du document en cliquant sur la balise <body>, dans le coin inférieur gauche de la fenêtre du logiciel. Dans la palette Comportements, cliquez sur le bouton « + », puis choisissez Scénario:Exécuter le scénario (Timeline:Play Timeline).

Enregistrez votre travail et appuyez sur F12 pour visualiser le résultat. Voici le code généré par Dreamweaver :

Code généré par Dreamweaver

```
<html>
<head>
<title>Titres volants</title>
<meta http-equiv="Content-Type" content="text/html; charset=iso-8859-1">
<script language="JavaScript">
<!—
function MM_timelinePlay(tmLnName, myID) { //v1.2
  //Copyright 1997 Macromedia, Inc. All rights reserved.
  var i,j,tmLn,props,keyFrm,sprite,numKeyFr,firstKeyFr,propNum,theObj,firstTime=false;
  if (document.MM_Time == null) MM_initTimelines(); //if *very* 1st time
  tmLn = document.MM_Time[tmLnName];
  if (myID == null) { myID = ++tmLn.ID; firstTime=true;}//if new call, incr ID
  if (myID == tmLn.ID) { //if Im newest
    setTimeout('MM_timelinePlay("'+tmLnName+'",'+myID+')',tmLn.delay);
    fNew = ++tmLn.curFrame;
    for (i=0; i<tmLn.length; i++) {
      sprite = tmLn[i];
      if (sprite.charAt(0) == 's') {
        if (sprite.obj) {
          numKeyFr = sprite.keyFrames.length; firstKeyFr = sprite.keyFrames[0];
          if (fNew >= firstKeyFr && fNew <= sprite.keyFrames[numKeyFr-1]) {//in range
            keyFrm=1;
            for (j=0; j<sprite.values.length; j++) {
              props = sprite.values[j];
              if (numKeyFr != props.length) {
                if (props.prop2 == null) sprite.obj[props.prop] = props[fNew-firstKeyFr];
                else        sprite.obj[props.prop2][props.prop] = props[fNew-firstKeyFr];
              } else {
                while (keyFrm<numKeyFr && fNew>=sprite.keyFrames[keyFrm]) keyFrm++;
                if (firstTime || fNew==sprite.keyFrames[keyFrm-1]) {
                  if (props.prop2 == null) sprite.obj[props.prop] = props[keyFrm-1];
                  else        sprite.obj[props.prop2][props.prop] = props[keyFrm-1];
        } } } } }
      } else if (sprite.charAt(0)=='b' && fNew == sprite.frame) eval(sprite.value);
      if (fNew > tmLn.lastFrame) tmLn.ID = 0;
  } }
}
```

```
function MM_initTimelines() {
    //MM_initTimelines() Copyright 1997 Macromedia, Inc. All rights reserved.
    var ns = navigator.appName == "Netscape";
    document.MM_Time = new Array(1);
    document.MM_Time[0] = new Array(3);
    document.MM_Time["Timeline1"] = document.MM_Time[0];
    document.MM_Time[0].MM_Name = "Timeline1";
    document.MM_Time[0].fps = 15;
    document.MM_Time[0][0] = new String("sprite");
    document.MM_Time[0][0].slot = 1;
    if (ns)
        document.MM_Time[0][0].obj = document["Layer1"];
    else
        document.MM_Time[0][0].obj = document.all ? document.all["Layer1"] : null;
    document.MM_Time[0][0].keyFrames = new Array(1, 15);
    document.MM_Time[0][0].values = new Array(2);
    document.MM_Time[0][0].values[0] = new Array(-200,-184,-168,-152,-136,-120,-104,-88,-
72,-56,-40,-24,-8,8,24);
    document.MM_Time[0][0].values[0].prop = "left";
    document.MM_Time[0][0].values[1] = new Array(41,41,41,41,41,41,41,41,41,41,41,41,41,
41,41);
    document.MM_Time[0][0].values[1].prop = "top";
    if (!ns) {
        document.MM_Time[0][0].values[0].prop2 = "style";
        document.MM_Time[0][0].values[1].prop2 = "style";
    }
    document.MM_Time[0][1] = new String("sprite");
    document.MM_Time[0][1].slot = 2;
    if (ns)
        document.MM_Time[0][1].obj = document["Layer2"];
    else
        document.MM_Time[0][1].obj = document.all ? document.all["Layer2"] : null;
    document.MM_Time[0][1].keyFrames = new Array(9, 23);
    document.MM_Time[0][1].values = new Array(2);
    document.MM_Time[0][1].values[0] = new Array(-200,-184,-168,-152,-136,-120,-104,-88,-
72,-56,-40,-24,-8,8,24);
    document.MM_Time[0][1].values[0].prop = "left";
    document.MM_Time[0][1].values[1] = new Array(83,83,83,83,83,83,83,83,83,83,83,83,83,
83,83);
    document.MM_Time[0][1].values[1].prop = "top";
    if (!ns) {
        document.MM_Time[0][1].values[0].prop2 = "style";
        document.MM_Time[0][1].values[1].prop2 = "style";
    }
```

```
    document.MM_Time[0][2] = new String("sprite");
    document.MM_Time[0][2].slot = 3;
    if (ns)
        document.MM_Time[0][2].obj = document["Layer3"];
    else
        document.MM_Time[0][2].obj = document.all ? document.all["Layer3"] : null;
    document.MM_Time[0][2].keyFrames = new Array(17, 31);
    document.MM_Time[0][2].values = new Array(2);
    document.MM_Time[0][2].values[0] = new Array(-200,-184,-168,-152,-136,-120,-104,-89,-
73,-57,-41,-25,-9,7,23);
    document.MM_Time[0][2].values[0].prop = "left";
    document.MM_Time[0][2].values[1] = new Array(126,126,126,126,126,126,126,126,126,126,
126,126,126,126,126);
    document.MM_Time[0][2].values[1].prop = "top";
    if (!ns) {
        document.MM_Time[0][2].values[0].prop2 = "style";
        document.MM_Time[0][2].values[1].prop2 = "style";
    }
    document.MM_Time[0].lastFrame = 31;
    for (i=0; i<document.MM_Time.length; i++) {
        document.MM_Time[i].ID = null;
        document.MM_Time[i].curFrame = 0;
        document.MM_Time[i].delay = 1000/document.MM_Time[i].fps;
    }
}
//—>
</script>
</head>

<body bgcolor="#FFFFFF" onLoad="MM_timelinePlay('Timeline1')">
<div id="Layer1" style="position:absolute; width:123px; height:25px; z-index:1;
left: -200px; top: 41px">Texte num&eacute;ro un</div>

<div id="Layer2" style="position:absolute; width:125px; height:26px; z-index:2;
left: -200px; top: 83px">Texte num&eacute;ro deux</div>
<div id="Layer3" style="position:absolute; width:125px; height:27px; z-index:3;
left: -200px; top: 126px">Texte num&eacute;ro trois</div>
</body>
</html>
```

Glisser-déposer

Le HTML ne permet pas à l'utilisateur final d'effectuer des opérations de glisser-déposer au sein d'une page Web. Ici, j'ai créé deux dessins : le haut et le bas d'une coquille d'œuf, ce dernier avec un poussin. J'ai programmé un glisser-déposer permettant au visiteur de la page de remettre en place le haut de la coquille d'œuf. Il existe pour cette technique des applications beaucoup plus indiquées, mais cet exemple n'est destiné à vous montrer que ce qu'il est possible de réaliser.

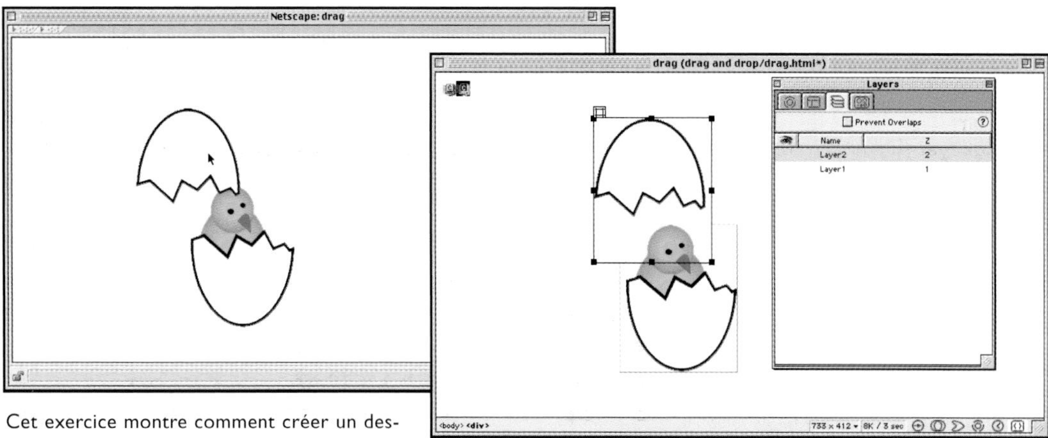

Cet exercice montre comment créer un dessin que le visiteur pourra déplacer lui-même.

Etape 1. Placez chacun des deux dessins sur un calque séparé. Notez que le calque du haut se nomme Layer2 et que la colonne Z comporte le chiffre 2. Cela signifie que ce calque est situé au-dessus du calque 1. La colonne Z représente l'axe des Z qui définit l'ordre d'empilement des calques.

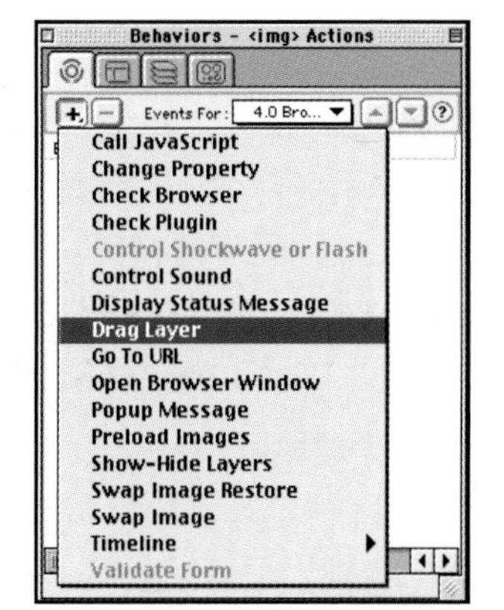

Etape 2. Positionnez exactement la coquille au-dessus du calque inférieur. Sélectionnez ensuite le corps du document en cliquant sur <body> dans le coin inférieur gauche de l'interface, puis ajoutez un comportement Déplacer calque (Drag Layer) à l'aide de la palette Comportements (Behaviors).

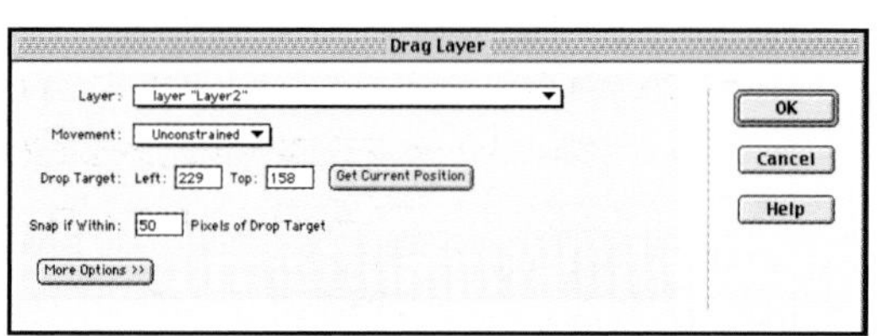

Etape 3. Le calque 2 étant celui que l'utilisateur doit pouvoir positionner précisément, sélectionnez calque Layer2 (layer Layer2) dans la liste déroulante Calque (Layer). Cliquez ensuite sur Obtenir la position courante (Get Current Position), puis sur OK.

Etape 4. Déplacez le haut de la coquille pour le séparer du bas, et positionnez-le là où il doit apparaître à l'ouverture de la page.

Appuyez sur F12 pour visualiser l'effet obtenu. Vous pouvez faire glisser le haut de la coquille et le placer sur le bas de celle-ci ; le haut de la coquille se met automatiquement en place.

Code généré par Dreamweaver

```
<html>
<head>
<title>Glisser-d&eacute;poser</title>
<meta http-equiv="Content-Type" content="text/html; charset=iso-8859-1">
<script language="JavaScript">
<!—
function
MM_dragLayer(objNS,objIE,hL,hT,hW,hH,toFront,dropBack,cU,cD,cL,cR,targL,targT,tol,dropJS,
et,dragJS) { //v2.0
  //Copyright 1998 Macromedia, Inc. All rights reserved.
  var i,j,aLayer,retVal,curDrag=null,NS=(navigator.appName=='Netscape'), curLeft, curTop;
  if (!document.all && !document.layers) return false;
  retVal = true; if(!NS && event) event.returnValue = true;
  if (MM_dragLayer.arguments.length > 1) {
    curDrag = eval((NS)?objNS:objIE); if (!curDrag) return false;
    if (!document.allLayers) {
      document.allLayers = new Array();
      with (document) {
        if (NS) {
          for (i=0; i<layers.length; i++) allLayers[i]=layers[i];
          for (i=0; i<allLayers.length; i++) {
            if (allLayers[i].document && allLayers[i].document.layers)
              for (j=0; j<allLayers[i].document.layers.length; j++)
                allLayers[allLayers.length] = allLayers[i].document.layers[j];
        } } else {
          for (i=0; i<all.length; i++)
            if (all[i].style != null && all[i].style.position)
              allLayers[allLayers.length] = all[i];
    } } }
    curDrag.MM_dragOk=true; curDrag.MM_targL=targL; curDrag.MM_targT=targT;
    curDrag.MM_tol=Math.pow(tol,2); curDrag.MM_hLeft=hL; curDrag.MM_hTop=hT;
    curDrag.MM_hWidth=hW; curDrag.MM_hHeight=hH; curDrag.MM_toFront=toFront;
    curDrag.MM_dropBack=dropBack; curDrag.MM_dropJS=dropJS;
    curDrag.MM_everyTime=et; curDrag.MM_dragJS=dragJS;
```

```
    curDrag.MM_oldZ = (NS)?curDrag.zIndex:curDrag.style.zIndex;
    curLeft= (NS)?curDrag.left:curDrag.style.pixelLeft; curDrag.MM_startL = curLeft;
    curTop = (NS)?curDrag.top:curDrag.style.pixelTop; curDrag.MM_startT = curTop;
    curDrag.MM_bL=(cL<0)?null:curLeft-cL; curDrag.MM_bT=(cU<0)?null:curTop -cU;
    curDrag.MM_bR=(cR<0)?null:curLeft+cR; curDrag.MM_bB=(cD<0)?null:curTop +cD;
    curDrag.MM_LEFTRIGHT=0; curDrag.MM_UPDOWN=0; curDrag.MM_SNAPPED=false; //use in your
JS!
    document.onmousedown = MM_dragLayer; document.onmouseup = MM_dragLayer;
    if (NS) document.captureEvents(Event.MOUSEDOWN¦Event.MOUSEUP);
  } else {
    var theEvent = ((NS)?objNS.type:event.type);
    if (theEvent == 'mousedown') {
      var aLayer, maxDragZ=null;
      var mouseX = (NS)?objNS.pageX : event.clientX + document.body.scrollLeft;
      var mouseY = (NS)?objNS.pageY : event.clientY + document.body.scrollTop;
      document.MM_maxZ = 0;
      for (i=0; i<document.allLayers.length; i++) {
        aLayer = document.allLayers[i];
        var aLayerZ = (NS)?aLayer.zIndex:aLayer.style.zIndex;
        if (aLayerZ > document.MM_maxZ) document.MM_maxZ = aLayerZ;
        var isVisible = (((NS)?aLayer.visibility:aLayer.style.visibility).indexOf('hid')
== -1);
        if (aLayer.MM_dragOk != null && isVisible) with (aLayer) {
          var parentL=0; var parentT=0;
          if (!NS) {
            parentLayer = aLayer.parentElement;
            while (parentLayer != null && parentLayer.style.position) {
              parentL += parentLayer.offsetLeft;
              parentT += parentLayer.offsetTop;
              parentLayer = parentLayer.parentElement;
          } }
          var tmpX=mouseX-(((NS)?pageX:style.pixelLeft+parentL)+MM_hLeft);
          var tmpY=mouseY-(((NS)?pageY:style.pixelTop +parentT)+MM_hTop);
          var tmpW = MM_hWidth;  if (tmpW <= 0) tmpW += ((NS)?clip.width :offsetWidth);
          var tmpH = MM_hHeight; if (tmpH <= 0) tmpH += ((NS)?clip.height:offsetHeight);
```

```
      if ((0 <= tmpX && tmpX < tmpW && 0 <= tmpY && tmpY < tmpH) &&
         (maxDragZ == null || maxDragZ <= aLayerZ)) {
        curDrag = aLayer; maxDragZ = aLayerZ;
  } } }
  if (curDrag) {
    document.onmousemove = MM_dragLayer;
    if (NS) document.captureEvents(Event.MOUSEMOVE);
    curLeft = (NS)?curDrag.left:curDrag.style.pixelLeft;
    curTop = (NS)?curDrag.top:curDrag.style.pixelTop;
    MM_oldX = mouseX - curLeft; MM_oldY = mouseY - curTop;
    document.MM_curDrag = curDrag;  curDrag.MM_SNAPPED=false;
    if(curDrag.MM_toFront) {
      eval('curDrag.'+((NS)?'':'style.')+'zIndex=document.MM_maxZ+1');
      if (!curDrag.MM_dropBack) document.MM_maxZ++;
    }
    retVal = false; if(!NS) event.returnValue = false;
} } else if (theEvent == 'mousemove') {
  if (document.MM_curDrag) with (document.MM_curDrag) {
    var mouseX = (NS)?objNS.pageX : event.clientX + document.body.scrollLeft;
    var mouseY = (NS)?objNS.pageY : event.clientY + document.body.scrollTop;
    newLeft = mouseX-MM_oldX; newTop  = mouseY-MM_oldY;
    if (MM_bL!=null) newLeft = Math.max(newLeft,MM_bL);
    if (MM_bR!=null) newLeft = Math.min(newLeft,MM_bR);
    if (MM_bT!=null) newTop  = Math.max(newTop ,MM_bT);
    if (MM_bB!=null) newTop  = Math.min(newTop ,MM_bB);
    MM_LEFTRIGHT = newLeft-MM_startL; MM_UPDOWN = newTop-MM_startT;
    if (NS) {left = newLeft; top = newTop;}
    else {style.pixelLeft = newLeft; style.pixelTop = newTop;}
    if (MM_dragJS) eval(MM_dragJS);
    retVal = false; if(!NS) event.returnValue = false;
} } else if (theEvent == 'mouseup') {
  document.onmousemove = null;
  if (NS) document.releaseEvents(Event.MOUSEMOVE);
  if (NS) document.captureEvents(Event.MOUSEDOWN); //for mac NS
  if (document.MM_curDrag) with (document.MM_curDrag) {
    if (typeof MM_targL =='number' && typeof MM_targT == 'number' &&
```

```
            (Math.pow(MM_targL-((NS)?left:style.pixelLeft),2)+
             Math.pow(MM_targT-((NS)?top:style.pixelTop),2))<=MM_tol) {
          if (NS) {left = MM_targL; top = MM_targT;}
          else {style.pixelLeft = MM_targL; style.pixelTop = MM_targT;}
          MM_SNAPPED = true; MM_LEFTRIGHT = MM_startL-MM_targL;
          MM_UPDOWN = MM_startT-MM_targT;
        }
        if (MM_everyTime ¦¦ MM_SNAPPED) eval(MM_dropJS);
        if(MM_dropBack) {if (NS) zIndex = MM_oldZ; else style.zIndex = MM_oldZ;}
        retVal = false; if(!NS) event.returnValue = false;
      }
      document.MM_curDrag = null;
    }
    if (NS) document.routeEvent(objNS);
  }
  return retVal;
}
//—>
</script>
</head>

<body bgcolor="#FFFFFF"
onLoad="MM_dragLayer('document.layers[\'Layer2\']','document.all[\'Layer2\']',0,0,0,0,
true,false,-1,-1,-1,-1,93,55,20,'',false,'')">
<div id="Layer1" style="position:absolute; width:200px; height:115px; z-index:1;
left: 93px; top: 157px"><img src="coquille1.gif" width="133" height="102"></div>

<div id="Layer2" style="position:absolute; width:200px; height:115px; z-index:2;
left: 360px; top: 292px"><img src="coquille2.gif" width="133" height="102"></div>
</body>
</html>
```

Ressources sur le Web

Les possibilités offertes par le DHTML sont intéressantes, mais son application est souvent complexe. Même si un éditeur HTML tel que Dreamweaver automatise de nombreuses tâches, il reste au concepteur du site à créer un concept intéressant et visuellement plaisant.

Macromedia a créé un site faisant office de vitrine pour les technologies DHTML. Ce site, DHTMLzone (http://www.dhtmlzone.com), propose un exemple de site nommé SuperFly Fashions qui montre les différentes possibilités offertes par le DHTML, avec Internet Explorer comme avec Netscape Navigator. Pour chacune des pages de ce site, des explications sont fournies sur la manière dont elle a été réalisée. Je vous conseille d'y faire un tour, à condition bien sûr que vous disposiez d'un navigateur de version 4 ou ultérieure.

Astuce

Autres ressources pour le DHTML

Les sites suivants proposent des « comportements » (*behaviors*) pour Dreamweaver en téléchargement :

http://www.macromedia.com/support/dreamweaver/upndown/objects/ (cliquez sur le lien Download…)

http://people.netscape.com/andreww/dreamweaver/

http://home.att.net/%7EJCB.BEI/Dreamweaver/

http://www.yaromat.com/

http://www.cybernet.ch/users/massimo/

Résumé HTML dynamique

Le DHTML permet d'obtenir de nombreux effets inaccessibles à partir du HTML standard. Cependant, la création de code DHTML peut se révéler très complexe du fait des incompatibilités entre les différents navigateurs. Dans ce chapitre, c'est Dreamweaver qui a été utilisé pour montrer une partie des possibilités du DHTML. En voici un résumé :

- Le DHTML n'est pas une technologie en soi, mais une combinaison de plusieurs technologies : HTML, JavaScript, feuilles de styles et DOM.
- Seuls les navigateurs de version 4 et ultérieure prennent en charge le DHTML, et Internet Explorer et Netscape Navigator l'implémentent différemment.
- Si vous souhaitez utiliser le DHTML sur votre site, souvenez-vous que les visiteurs utilisant des navigateurs plus anciens ne verront pas le résultat de votre travail. En conséquence, je vous conseille de créer des pages séparées pour ces visiteurs et d'utiliser un script détectant la version du navigateur utilisée (voir Chapitre 22).
- Dreamweaver est un éditeur HTML WYSIWYG qui non seulement génère automatiquement le code DHTML, mais permet également de choisir les navigateurs auxquels ce code est destiné.

QuickTime *Introduction*

Au sommaire de ce chapitre

24

Pourquoi un chapitre entier consacré à QuickTime ? Parce qu'il s'agit du format idéal pour la vidéo sur le Web. Il existe bien sûr d'autres options dans ce domaine, qu'il s'agisse de plug-in ou de vidéo en continu (*streaming*). Et certains seront sans doute d'avis que QuickTime sera bientôt remplacé par l'un ou l'autre de ses concurrents. Cela ne m'empêche pas de croire en ce format, et peut-être partagerez-vous mon avis après avoir lu ce chapitre.

La première fois que j'ai assisté à la restitution d'un film QuickTime sur un ordinateur, l'image avait la taille d'un timbre-poste et elle était saccadée, le son était de mauvaise qualité et la synchronisation pire encore. Les autres spectateurs étaient enthousiasmés par ce film, sans que je comprenne pourquoi. En réalité, le format QuickTime allait transformer l'industrie du cinéma, du multimédia et plus tard, du Web.

A l'heure actuelle, la quasi-totalité des CD-ROM fait appel aux technologies d'image numérique et de compression et de synchronisation sonore de QuickTime. Une fois le marché du CD-ROM conquis, QuickTime s'est lancé avec succès à l'assaut du marché du cinéma et de la vidéo. Le timbre-poste s'est transformé en image de 4000 × 4000 pixels, ce qui suffit pour une qualité de film professionnelle. Dans le monde de la vidéo broadcast, les systèmes QuickTime ont dépassé en qualité des systèmes coûtant des centaines de milliers de francs. De ce fait, des particuliers disposant du matériel et des logiciels adéquats ont pu produire des films, des vidéoclips ou des publicités de qualité professionnelle. L'explosion de la vidéo sur micro-ordinateur est due presque en totalité à la diffusion de QuickTime, et la post-production de films et de vidéos a également été révolutionnée par ce système.

La dernière version de QuickTime (4.0) est prête à prendre d'assaut le Web. Si vous souhaitez placer des vidéos sur Internet, QuickTime est le meilleur choix.

Introduction à QuickTime

Qu'est-ce qu'un film QuickTime ? De même qu'un GIF animé, un fichier QuickTime peut être composé de plusieurs images. Ces images peuvent être de type dessin animé, vectoriel ou de type photographique.

Il existe différentes méthodes pour créer un film QuickTime. Si vous disposez de MoviePlayer, vous pouvez ouvrir les formats de fichier suivants et les convertir instantanément au format QuickTime : MPEG (son et vidéo), AVI (vidéo), AIFF, AU, WAV et MIDI (son), GIF animés ainsi qu'images GIF, JPEG, SGI, Photoshop (PSD), BMP, MacPaint, PNG, Targa et FLC.

Je vous conseille de télécharger QuickTime Pro (http://www.apple.com/quicktime/upgrade/) si vous avez l'intention de créer des séquences vidéo avec QuickTime. QuickTime Pro offre de nombreuses possibilités supplémentaires par rapport à QuickTime et son prix est très raisonnable (environ 200 F).

Il existe également de nombreux logiciels permettant de créer des films QuickTime, entre autres, Adobe After Effects, Adobe Premiere, Macromedia Director, Macromedia Flash, Movie Cleaner, WebPainter, Electrifier Pro et DeBabelizer.

Une fois un film QuickTime créé, voici comment l'intégrer à votre page Web :

```
<EMBED SRC="Nom_du_film.mov" HEIGHT=176 WIDTH=136>
```

Remplacez les valeurs de HEIGHT et de WIDTH par les dimensions de votre film ; ajoutez 16 pixels de hauteur pour le contrôleur par défaut, à moins que vous prévoyiez de le désactiver (avec la commande CONTROLLER = FALSE).

Le contrôleur QuickTime peut être visible ou masqué, selon que vous utilisez la commande CONTROLLER = TRUE ou FALSE. L'exemple ci-dessus montre le contrôleur activé.

Les versions de QuickTime

QuickTime 1.0 était un format réservé au Macintosh, mais QuickTime 2.0 fut également accessible aux utilisateurs de Windows. Le plug-in QuickTime 1.0 fut l'un des seuls à être fourni par défaut à la fois avec Internet Explorer et Netscape Navigator. De ce fait, les utilisateurs n'avaient pas besoin de le télécharger et de l'installer. Ce plug-in permettait d'intégrer un clip vidéo ou sonore dans une page Web, d'afficher ou de masquer le contrôleur et de lire un film en boucle, par exemple.

Suite aux difficultés que rencontra Apple voilà quelques années, l'entreprise décida de développer une nouvelle version de QuickTime. Ainsi virent successivement le jour la version 3.0 de QuickTime, la version 2.0 du plug-in et enfin QuickTime 4.0, qui regroupe lecteur externe et plug-in.

Les fonctions Web de QuickTime

La liste des fonctions de QuickTime est longue et impressionnante. Pour voir un film QuickTime, il est nécessaire d'installer le dernier plug-in (version 3.0 ou 4.0). Rendez-vous à l'adresse http://www.apple.com/fr/quicktime/qt3_download.html (QuickTime 3 version française) ou http://www.apple.com/quicktime/download/index.html (QuickTime 4 version anglaise).

Images provisoires

Vous avez sans doute fréquemment vu sur le Web le logo de Macromedia Shockwave ou de QuickTime à l'endroit où doit s'afficher le film ou l'animation.

QuickTime (à partir de la version 3.0) permet de présenter les vidéos d'une manière plus élégante avant leur téléchargement. En effet, vous pouvez insérer un film comprenant une seule image (autrement dit une image fixe) à l'endroit où apparaîtra le film complet. Ce film d'une image peut être extrait du film complet ou être une tout autre image. Pour lancer le téléchargement du film complet, il suffit à l'utilisateur de cliquer sur l'image provisoire.

Vous trouverez de nombreuses informations (en anglais) sur la création des images provisoires (*poster movies*) sur le site d'Apple (http://www.apple.com/quicktime/authoring/poster_movies.html).

Pour intégrer une image provisoire à votre page Web, utilisez la commande EMBED. Voici à quoi pourra ressembler le code :

```
<EMBED SRC="Provisoire.mov" BGCOLOR="#FFFFFF"
CONTROLLER=FALSE HEIGHT="216" WIDTH=320
HREF="Vrai_film.mov">
```

Le fichier indiqué après SRC= est le film utilisé comme image provisoire, et celui après HREF= est téléchargé dès que l'utilisateur clique sur l'image provisoire.

HREF, sprites et pistes de texte

Depuis ses premières versions, QuickTime permet d'insérer dans des films des liens vers des URL extérieures, mais les nouvelles versions de QuickTime offrent des possibilités encore plus sophistiquées : elles permettent de créer des liens différents en fonction de l'image du film affichée à l'aide de « pistes de texte ».

Un film QuickTime comprenant une « piste de texte ».

Une « piste de texte » (*text track*) est un texte affecté à un film QuickTime. Cette piste de texte permet d'obtenir différents effets. Ainsi, il sera possible de charger un nouveau lien dans un autre frame de la page à certains endroits dans un film (vous en trouverez une démonstration à l'adresse http://www.apple.com/quicktime/authoring/autodemo.html. Pour plus de renseignements sur les possibilités qu'offrent les pistes de texte, voyez la page http://www.apple.com/quicktime/authoring/texttrack.html (en anglais).

Vous pouvez même lier à des URL extérieures une « piste de sprites » (voir le glossaire). En d'autres termes, si votre film comprend plusieurs sprites, chacun d'eux pourra être lié à une URL séparée, un peu à la manière d'une image-map à l'intérieur d'un film.

Echantillonnages adaptés à la vitesse de téléchargement

Le plug-in QuickTime est capable de s'adapter à la vitesse de téléchargement employée par l'utilisateur. Il faut pour cela que l'auteur du film en crée différentes versions pour différentes vitesses de téléchargement : une très volumineuse pour ceux qui disposent d'une ligne T1, un plus petit pour ceux qui n'ont qu'un modem standard. C'est l'utilisateur qui indique lors de l'installation de QuickTime de quelle vitesse de téléchargement il dispose, mais cette valeur peut être modifiée par la suite. Ainsi, le propriétaire d'un modem lent aura la possibilité de télécharger la version « haute définition » d'un film QuickTime.

Pour créer différents films pour différentes vitesses de téléchargement, téléchargez l'utilitaire gratuit MakeRefMovie (http://www.apple.com/quicktime/developers/tools.html, sous WebMaster Tools).

Il existe d'autres outils pour la création de films pour différentes vitesses de téléchargement, par exemple Adobe Premiere, Adobe After Effects ou Media Cleaner Pro (http://www.terran.com/products/index.html).

En cliquant sur le bouton de droite du contrôleur, on accède aux préférences du plug-in, qui permettent en particulier de choisir une vitesse de connexion.

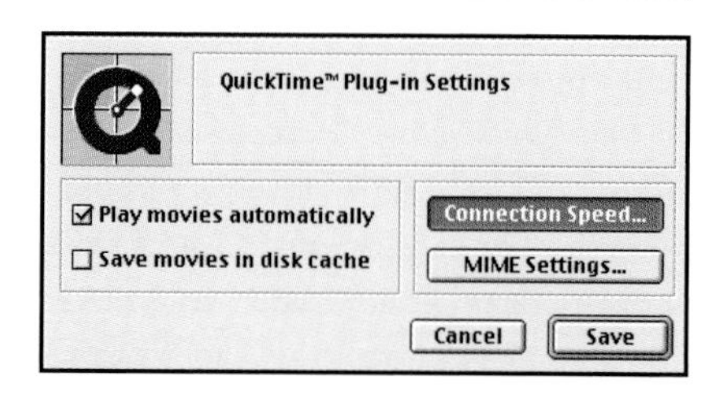

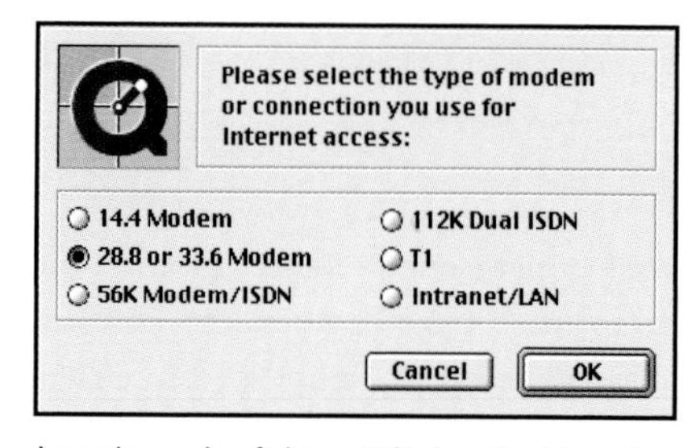

Le volume des fichiers téléchargés dépendra des choix effectués dans ces boîtes de dialogue.

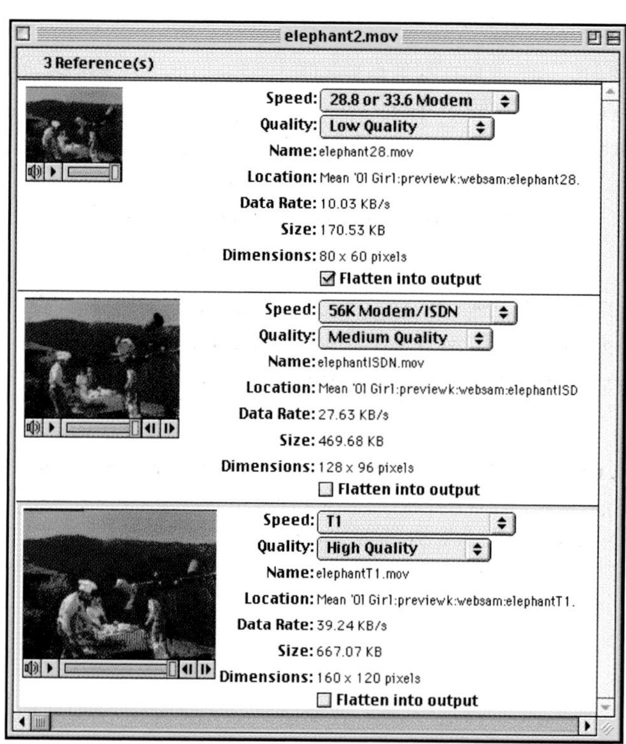

Le logiciel MakeRefMovie (à télécharger gratuitement à partir du site d'Apple), qui permet de créer plusieurs versions plus ou moins volumineuses d'un même film.

Vidéo en continu

Si les versions précédentes de QuickTime (2 et 3) proposaient déjà la vidéo en continu (*streaming*), le résultat obtenu n'était pas aussi convaincant que celui de ses concurrents (RealAudio, par exemple). Avec la version 4, QuickTime semble devenir un concurrent plus sérieux. Vous trouverez des démonstrations de vidéo en continu sur le site d'Apple (par exemple http://www.apple.com/quicktime/showcase/news/bbc/index.html, pour BBC World News).

La vidéo en continu est obtenue à l'aide de différents codecs (voir le glossaire ci-dessous), et en particulier les codecs suivants :

Sorenson Video, dont les taux de compression seraient meilleurs que ceux de Cinepak. Il est possible d'acquérir directement le codec auprès de Sorenson (http://www.s-vision.com), mais son prix est élevé (plusieurs milliers de francs). Ce codec est inclus dans le logiciel MediaCleaner Pro, dont le prix est similaire (http://www.terran.com).

QDMC (*QDesign Music Codec*), qui permet la diffusion de sons de haute qualité avec une faible bande passante. Vous pouvez écouter une démonstration de cette technologie à l'adresse http://www.qdesign.com/lroom/lroom_m.htm.

PureVoice, de Qualcomm, qui permet aux créateurs de pages Web d'insérer dans leur page un contenu vocal qui sera correctement restitué même dans le cas d'une connexion lente. Vous trouverez plus d'informations à ce sujet à l'adresse http://www.eudora.com/purevoice/.

Formats d'image

Le plug-in QuickTime 4.0 prend en charge la plupart des formats d'image courants, en particulier les formats BMP, GIF, JPEG, MacPaint, Photoshop (PSD), PNG, QuickDraw (PICT), QuickDraw GX, QuickTime, SGI, Targa et TIFF. Ainsi, une image Photoshop placée dans un document HTML pourra être directement visualisée dans une page Web (à condition d'être en mode RVB).

Vidéo numérique

QuickTime permet l'enregistrement direct de vidéo à partir d'une caméra vidéo numérique. Le film est ensuite restitué en tant que film QuickTime. De très nombreux utilisateurs seront sans doute intéressés par cette possibilité — dès que les prix de la vidéo numérique commenceront à baisser.

QuickTime VR

Les dernières versions du plug-in QuickTime (2.0 et 4.0) permettent d'afficher directement les images QuickTimeVR. La particularité de ces images est que le visiteur peut s'y déplacer à 360°, et qu'il est possible d'y intégrer des liens. Par ailleurs, les derniers plug-in restituent également les films QTVR, et les possibilités de ce format ont été étendues. Vous trouverez des exemples d'images QTVR à l'adresse http://www.apple.com/quicktime/overview/qtvr.html.

Attributs QuickTime courants	
Nom	**Description**
HEIGHT WIDTH	Indique la taille du film dans la page Web.
HIDDEN	Permet la restitution d'un clip sonore sans modifier l'aspect visuel de la page.
AUTOPLAY	Lancement automatique du film.
LOOP	Lecture en boucle du film.
CONTROLLER	Affiche ou masque la barre de contrôle du plug-in.
HREF	Indique quel film afficher lorsque l'utilisateur clique sur l'image QuickTime.
TARGET	Indique un frame cible pour l'URL de la balise HREF.
CACHE	Permet de choisir de mettre le film en cache (Netscape Navigator 3).
BGCOLOR	Couleur d'arrière-plan pour le film.
SCALE	Mise à l'échelle automatique du film.
VOLUME	Volume sonore par défaut (QuickTime VR uniquement).
CORRECTION	Définit un type de correction d'image.
PAN	Angle de vue initial (QuickTime VR).
TILT	Inclinaison initiale (QuickTime VR).
FOV	Largeur de l'angle de vue (QuickTime VR).
NODE	Node (nœud) initial pour un film QuickTime VR comprenant plusieurs nodes.

Inconvénients de QuickTime

Le principal reproche que l'on puisse faire à QuickTime est qu'il est relativement volumineux et qu'il n'est plus livré directement avec les navigateurs Web (ceci expliquant cela). En échange, vous disposez d'un plug-in polyvalent, puisqu'il permet de lire images fixes ou animées, sons, animations et documents QuickTime VR. Cependant, beaucoup d'utilisateurs rechigneront peut-être à accepter le téléchargement d'un fichier représentant 4 à 6 Mo, d'autant que la procédure de téléchargement (chargement préliminaire d'un logiciel d'installation, puis téléchargement de QuickTime lui-même) ne simplifie pas les choses.

Si la création de films QuickTime vous intéresse, vous trouverez de nombreuses ressources et logiciels (en anglais) sur le site d'Apple, à l'adresse http://www.apple.com/quicktime/developers/.

Petit glossaire de la vidéo numérique

Si la vidéo numérique est un domaine qui ne vous est pas familier, ce petit glossaire vous aidera à faire vos premiers pas.

« Aplatissage » (flattening). Traitement de post-production de fichiers Mac permettant d'en faire des fichiers multi-plates-formes.

Codec. Logiciel permettant de compresser et de décompresser des séquences vidéo ou sonores (codec est l'abréviation de Compression-DECompression). Les deux codecs vidéo les plus courants se nomment Cinepak et Indeo, mais la concurrence est rude dans ce domaine. Vous trouverez de nombreuses informations (en anglais) sur ce sujet à l'adresse http://www.terran.com/CodecCentral/index.html.

Différenciation d'image (frames differencing). Le fait qu'une image d'un film contient plus ou moins de changements par rapport à l'image précédente. De nombreux algorithmes de compression exploitent le fait que, dans un film, les changements sont souvent faibles d'une image à l'autre.

DVD-ROM. Support qui permet de stocker jusqu'à dix fois plus de données que le CD-ROM.

En continu/en temps réel (streaming). Son ou vidéo restitués sans délai de téléchargement et sans interruption (en théorie).

Images clés (keyframes). Lors de la création d'un film QuickTime, vous serez amené à définir des images clés. Ces images resteront affichées au cas où le taux de transfert serait trop faible pour permettre d'afficher chacune des images du film. Si vous insérez trop d'images clés dans votre film, celui-ci risquera d'être saccadé si la connexion Internet ou la vitesse du processeur sont insuffisantes.

Khz. Le Kilohertz est l'unité utilisée pour mesurer le nombre d'échantillons sonores par seconde. Plus la valeur en kilohertz est élevée, meilleure est la qualité et plus le fichier est volumineux.

Piste. L'un des éléments d'un film. Celui-ci peut comprendre une piste vidéo, audio, et, dans le cas de QuickTime, une piste de texte, de sprites, ou midi.

Sprite (objet-image ou « lutin »). Elément visuel animé indépendant du reste du film. Ainsi, une balle qui rebondit dans l'image pourra être un sprite. QuickTime permet l'utilisation de sprites.

Taille de l'échantillon (sample size). Les échantillons sonores ont généralement une taille de 8 ou 16 bits. Plus la taille de l'échantillon est élevée, meilleure est la qualité et plus le fichier est volumineux.

Taux de transfert (data rate). Quantité d'informations transférées en une seconde. Le taux de transfert détermine la qualité de la vidéo ou du son restitué. La création d'un CD-ROM, à simple vitesse, s'effectue à 100 kilobits par seconde (Kbps) ; un film vidéo de qualité broadcast nécessite un taux de transfert de 27 Mégaoctets par seconde (MBps).

Taux d'échantillonnage (sample rate). Nombre d'échantillons sonores par seconde. Plus le taux d'échantillonnage est élevé, meilleure est la qualité et plus le fichier est volumineux.

Transcodage. Transposition d'un fichier d'un format dans un autre sans compression ni décompression. Ainsi, il est possible de transformer un film AVI en film Cinepak sans avoir à décompresser le fichier.

Résumé QuickTime

Si vous souhaitez diffuser de la vidéo sur le Web, mais que vous ne disposiez que de peu de moyens, QuickTime est peut-être la solution à votre problème. Les nouvelles versions de QuickTime comprennent des innovations très intéressantes et accessibles à tous, et cette évolution ne s'arrêtera sans doute pas là. Voici en bref le contenu de ce chapitre :

- Il est possible de créer des films QuickTime à l'aide d'outils gratuits ou peu onéreux fournis par Apple, ou d'utiliser des logiciels professionnels.
- Le site d'Apple fournit de nombreuses informations concernant tous les aspects de QuickTime.
- Les nouvelles versions du plug-in QuickTime permettent d'afficher les images et les films QuickTime VR.

Introduction

Flash et Shockwave

Au sommaire de ce chapitre

- A propos des plug-in
- Le format Flash
- Apprentissage de Flash
- Flash et HTML
- Fichiers Shockwave
- Director 7
- Aftershock pour Director et Flash

25

Les plug-in ont été longtemps la seule alternative au HTML. Aujourd'hui, certains d'entre eux (RealAudio et Flash, en particulier) sont préinstallés dans les navigateurs récents. Par ailleurs, des formats tels que Flash et Shockwave font maintenant partie des systèmes d'exploitation des nouveaux Mac et PC, ce qui signifie qu'il n'y aura plus besoin de disposer des plug-in correspondants dans son navigateur.

Certains éditeurs novateurs tels que Macromedia ont cherché à rendre possible la création de sites Web dynamiques et interactifs, plus proches du CD-ROM ou du film, et essayé de mettre en place des alternatives au HTML standard. Ce chapitre est consacré aux deux technologies de plug-in développées par Macromedia : Flash et Shockwave.

Les formats Flash et Shockwave ouvrent de nouvelles perspectives en ce qui concerne les animations, le multimédia et l'interactivité sur le Web. L'inconvénient, c'est qu'ils nécessitent des utilisateurs le téléchargement de plug-in, ce que tous ne sont pas prêts à faire. Comme pour tout contenu Web, il est important de peser le pour et le contre avant de choisir d'insérer des animations Flash ou Shockwave dans un site.

A propos des plug-in

Les plug-in résultent de la volonté d'étendre les possibilités du HTML. Apparus avec Netscape 2, il en existe aujourd'hui plusieurs milliers en téléchargement. Si vous souhaitez consulter la longue liste de tous les plug-in (ou presque) qu'offre le Web, rendez vous à l'adresse http://browserwatch.internet.com/plug-in.html, puis cliquez sur « The Full List ».

Avant de pouvoir être utilisés, les plug-in doivent être téléchargés et installés par l'utilisateur final. Certains d'entre eux sont très rapides à télécharger, d'autres moins. L'installation nécessite souvent de fermer le navigateur, de lancer l'installation du plug-in, puis de redémarrer le navigateur. L'utilisateur devra ensuite retrouver votre URL pour voir le contenu que vous avez placé sur votre page Web. Ces opérations, peut-être simples pour un concepteur de sites Web, sembleront contraignantes pour les utilisateurs finaux.

Les nouveaux navigateurs compatibles Java permettent l'installation ou la mise à jour automatique des plug-in sans fermeture du navigateur. Cette procédure, de loin préférable à l'installation manuelle, n'est pas idéale non plus. Beaucoup d'utilisateurs hésitent à télécharger des plug-in, et ceux-ci ne sont pas adaptés à tous les types de sites. Flash et Shockwave sont, à mon avis, tout à fait adaptés pour des sites au contenu éducatif ou divertissant. Pour des sites informatifs ou commerciaux, il faut veiller à ne pas imposer de barrières inutiles pouvant empêcher le visiteur d'accéder rapidement au contenu.

De ce fait, je vous conseille de ne pas exiger de plug-in pour la première page de votre site. Il faut donner la possibilité au visiteur de télécharger le plug-in avant d'entrer, ou, mieux, proposer un contenu alternatif au cas où il ne souhaiterait pas le télécharger.

Les utilisateurs d'AOL ne peuvent opter pour l'installation ou non d'un plug-in donné. Si les plug-in dont il est question dans ce chapitre sont accessibles aux utilisateurs disposant des dernières versions du navigateur AOL, ce n'est pas le cas pour des plug-in moins connus.

Si vous souhaitez ajouter à votre site des animations Flash ou Shockwave, vous devez disposer de certaines connaissances sur la gestion des plug-in. Vous avez sûrement déjà vu de nombreux sites proposant au visiteur de télécharger un plug-in avant d'entrer. Ces sites offrent souvent un contenu alternatif pour les utilisateurs dépourvus de plug-in, et cette approche est celle que je recommande, à moins que vous ne conceviez un site pour un intranet ou un extranet; dans ce dernier cas, vous pouvez déterminer la configuration logicielle dont dispose l'utilisateur final.

Renvoyer les visiteurs vers les pages des plug-in

Si votre visiteur ne dispose pas du plug-in nécessaire, vous pouvez le renvoyer vers la page où il pourra le télécharger. Utilisez pour cela dans votre page le code HTML suivant :

Pour Flash :

```
<EMBED SRC="xxx.swf"
PLUGINSPAGE="http://www.macromedia.com/shockwave/download/"
TYPE="application/x-shockwave-flash" WIDTH="xx" HEIGHT="xx">
 </EMBED>
```

Pour Shockwave :

```
<EMBED SRC=".dcr"
PLUGINSPAGE="http://www.macromedia.com/shockwave/download/"
TYPE="application/x-director" WIDTH="xx" HEIGHT="xx">
 </EMBED>
```

Le format Flash

Le format Flash a été le premier format de fichier vectoriel pour le Web. Nous l'avons vu au Chapitre 5, les fichiers d'images vectorielles sont souvent beaucoup plus petits que les fichiers d'images bitmap équivalentes. Dans la mesure où le format Flash a été développé spécifiquement pour le Web, un document Flash peut contenir des animations, des possibilités d'interaction, du son et des images fixes tout en conservant un format plus compact que beaucoup de pages Web classiques.

Deux réserves cependant. D'abord, le logiciel permettant de créer des fichiers Flash (qui se nomme Flash lui-même) n'est pas des plus faciles à apprendre ; ensuite, l'utilisateur devra faire appel à un plug-in, comme nous l'avons vu plus haut. Heureusement, les derniers navigateurs sont livrés directement avec le plug-in Flash, lequel fait également partie des systèmes d'exploitation Windows 98 et Mac OS 8.5. Par ailleurs, le navigateur d'AOL devrait bientôt en être équipé lui aussi. Enfin, des lecteurs Flash/Shockwave (au stade bêta) sont disponibles pour Linux et UNIX/Solaris.

Ces réserves étant formulées, il faut reconnaître que parmi les plus beaux et les plus intéressants sites actuels, une proportion très importante fait appel à Flash. L'un des grands avantages de Flash est qu'il ne dépend pas de la résolution. Une animation Flash s'affichera de la même façon sur un moniteur 1 024 × 768 que sur un moniteur 640 × 480.

Pour qu'une animation Flash s'affiche dans la fenêtre entière du navigateur, vous utiliserez le code suivant :

```
<EMBED SRC="xxx.swf" WIDTH="100%" HEIGHT="100%">
```

En indiquant des valeurs de 100 %, vous indiquez au navigateur que l'animation doit remplir entièrement la fenêtre.

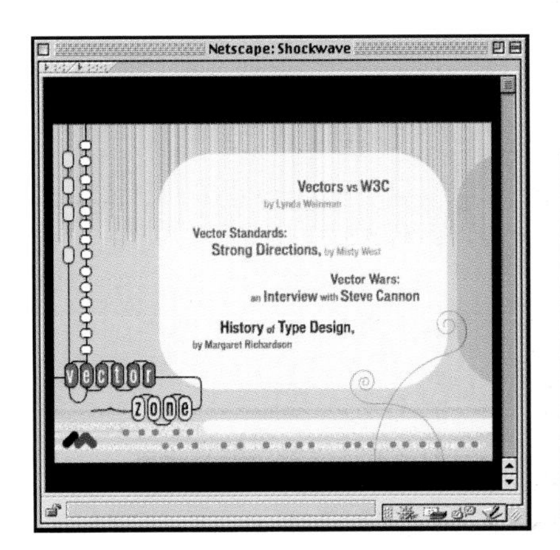

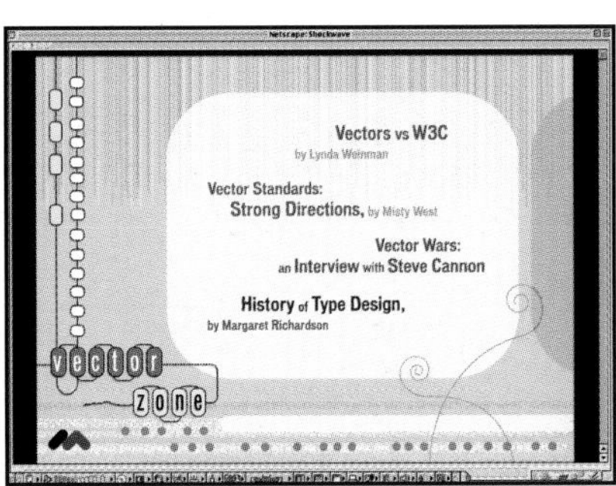

Cette page, qui provient de l'excellent site http://www.vectorzone.com, est montrée ici en deux résolutions d'écran différentes. Le contenu du site étant vectoriel, sa taille s'adapte automatiquement à la résolution de l'écran.

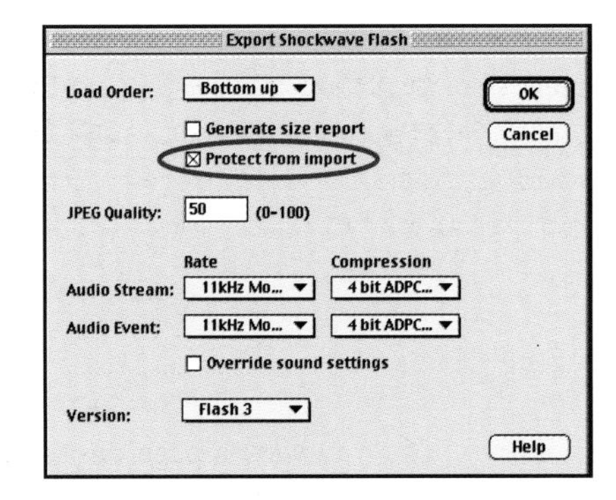

Autre avantage de Flash : contrairement au HTML, il est possible d'empêcher l'utilisateur final de voir la source des documents. Lors de l'exportation d'un fichier Flash, cochez l'option Protéger contre l'importation (Protect from Import). Votre fichier ne pourra pas être ouvert dans Flash.

Apprentissage de Flash

L'apprentissage de Flash peut être ardu (ça l'a été pour moi en tout cas), mais après quelques tâtonnements, son utilisation est assez simple. Nous allons voir dans ce chapitre les bases du fonctionnement du logiciel. Cependant, la meilleure manière d'apprendre est de télécharger la version d'essai disponible sur le site de Macromedia et de se lancer tout seul. La sortie de la nouvelle version (Flash 4) étant imminente au moment de la rédaction de cet ouvrage, certaines commandes utilisées ici ont peut-être changé depuis.

Note

Ressources sur Flash

Flash 3 — Création d'animations pour le WebDarryl Plant
CampusPress

Sites Web
http://www.vectorzone.com
http://www.flasher.net/flashpad.html
http://www.users.bigpond.com/xtian/welcomenew.html
http://www.ivanb.com/flash.html
(en français)

Le dessin dans Flash

La manière de dessiner dans Flash diffère radicalement de celles expérimentées avec FreeHand, Illustrator ou CorelDraw. Par exemple, dans Flash, les formes dessinées remplacent les formes existantes (comme dans un logiciel de dessin bitmap) au lieu de créer un tracé séparé.

Dans Flash, les formes se définissent par leur couleur.
Si vous dessinez avec une couleur par-dessus une autre, la forme sous-jacente sera découpée par la nouvelle (sauf si vous dessinez sur des couches distinctes). La mise en couleurs nécessite l'emploi de différents outils selon que l'objet à colorer est un contour, un remplissage, un texte ou un symbole.

Scènes et symboles

Lorsque vous lancez Flash, la fenêtre qui s'affiche au milieu de l'interface est la scène principale. Pour créer une animation, vous devrez y dessiner ou y importer des images, des animations et des sons. Le logiciel est livré avec des bibliothèques de boutons, d'images et de films, qui se trouvent dans le menu Bibliothèques. Vous pouvez créer vos propres symboles et les stocker dans une bibliothèque (voir plus loin). Ces symboles seront accessibles à partir de la commande Fenêtre:Bibliothèque (Window:Library).

Pour accéder aux bibliothèques de symboles par défaut, passez par le menu Bibliothèques (Library).

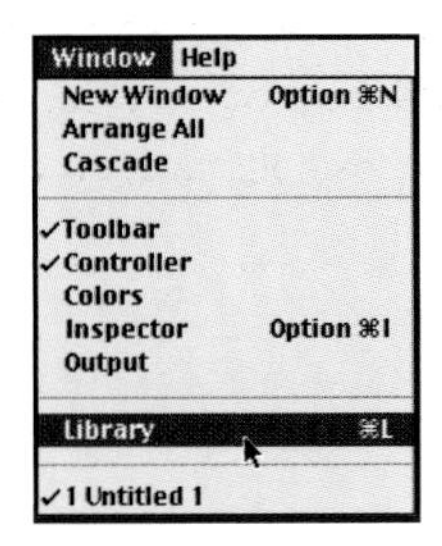

Si vous souhaitez accéder à une bibliothèque de symboles créés par vos soins, choisissez la commande Fenêtre:Bibliothèque (Window:Library).

Les **symboles** sont des objets réutilisables à volonté qui permettent de réduire le volume des fichiers Flash. Par ailleurs, certaines fonctions de Flash, par exemple certains types d'interpolation, ne peuvent être appliquées qu'à des symboles.

Créer un symbole

Il existe trois types de symboles : graphique, bouton et clip. Pour créer un symbole, choisissez Insérer:Créer un symbole (Insert:Create Symbol).

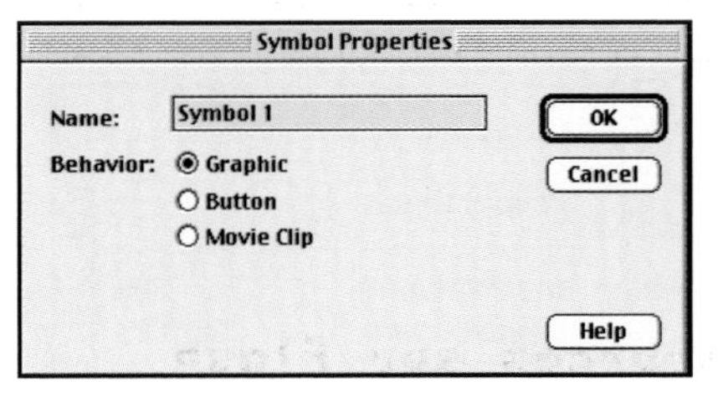

Dans Flash, les **graphiques** sont des images fixes.

Les **boutons** sont associés à des comportements, par exemple un effet de rollover. On peut également leur affecter des actions (arrêt, lecture, aller à ou afficher film), ce qui permet de rendre les animations interactives.

Les **clips** sont des animations qui peuvent se dérouler indépendamment de l'échelle temporelle principale. Ainsi, pour créer un rollover animé, vous feriez appel à un clip. Vous pouvez également leur affecter des actions.

Gestion des symboles et des scènes

Les symboles et les scènes apparaissent sous la forme d'onglets, sur le côté droit de l'interface. Vous pouvez en créer un nombre infini.

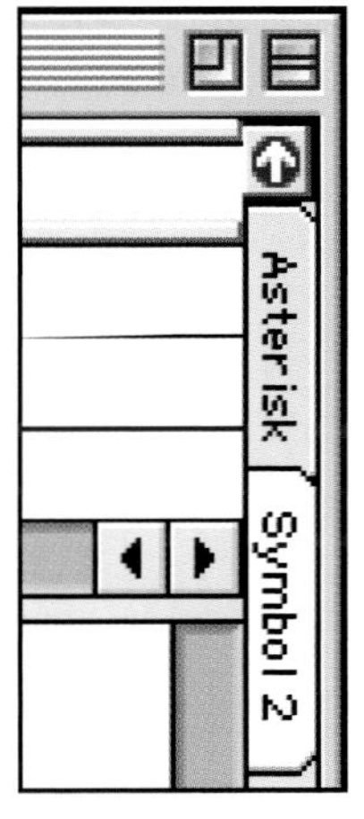

Cliquez sur la flèche au-dessus des onglets pour revenir à la scène.

Echelle temporelle et images clés

L'échelle temporelle (*timeline*) est utilisée pour manipuler des symboles, mettre en place des images clés et créer des interpolations.

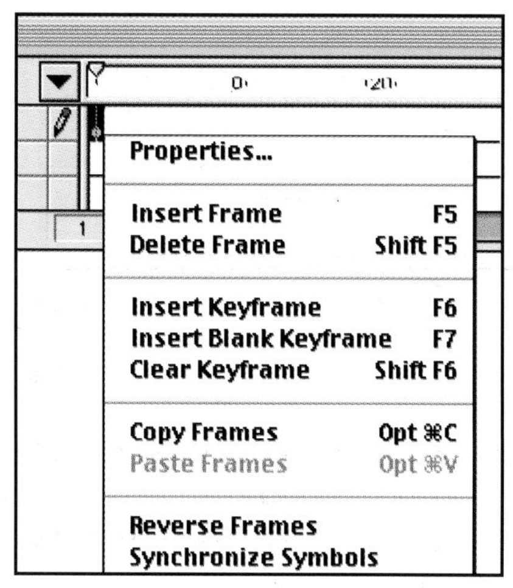

Pour utiliser l'échelle temporelle, affichez son menu contextuel (ci-dessus) en pointant sur la première ligne de l'échelle temporelle, puis en effectuant un Ctrl-clic (Mac) ou un clic droit.

Le menu contextuel propose les commandes suivantes :

Insérer une image. Pour créer une nouvelle image.

Insérer une image clé/une image clé vide. Pour insérer une image dans laquelle interviendra un changement dans l'animation. Si vous insérez une image clé non vide, son contenu sera identique à celui de l'image précédente.

Pour créer une animation, la méthode la plus rapide consiste à utiliser deux images clés dont les éléments ont été modifiés de l'une à l'autre, et d'interpoler (voir le chapitre précédent) les états intermédiaires des éléments.

Boutons avec effet de rollover

Nous avons vu comment créer des rollovers avec JavaScript; il est également possible d'en créer avec Flash.

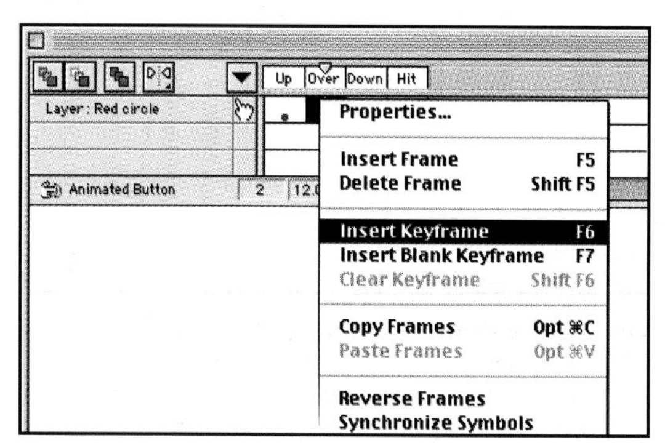

Etape 1. Choisissez Insérer:Symbole (Insert:Symbol), choisissez l'option Bouton et cliquez sur OK. Le symbole Bouton contient quatre états : Haut, Dessus, Abaissé et Cliqué (Up, Over, Down et Hit).

Etape 2. Dessinez le bouton à l'état Haut (Up).

Etape 3. Faitesun clic droit (Mac : Ctrl-clic) dans l'échelle temporelle sous Dessus (Over) et choisissez Insérer une image clé (Insert Keyframe). Dessinez l'aspect du bouton lorsque la souris se trouve au-dessus.

Etape 4. Répétez l'étape précédente pour l'état Abaissé (Down).

Etape 5. Revenez à la scène principale en cliquant sur la flèche qui se trouve au-dessus des onglets de symboles.

Note. L'état Cliqué (Hit) est invisible; il permet de définir la zone du bouton réagissant à la souris. En conséquence, la couleur que vous utilisez pour cet état n'a aucune importance. Souvenez-vous simplement que lorsque l'utilisateur pointe dans cette zone, le bouton est activé.

Etape 6. Affichez la palette Bibliothèque en choisissant Fenêtre:Bibliothèque (Window:Library) et retrouvez-y votre bouton. Faites-le glisser sur la scène. Dans le menu Contrôle, choisissez Activer les boutons (Enable Buttons). Vous pouvez maintenant essayer votre bouton en pointant et en cliquant dessus.

Ajout d'un son au bouton

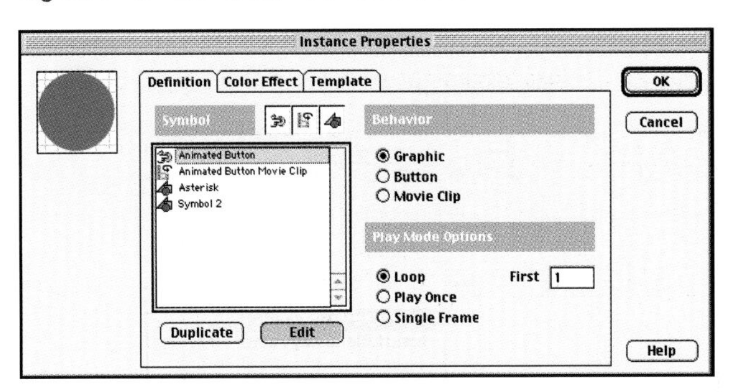

Etape 1. Ouvrez la bibliothèque de boutons livrée avec Flash en sélectionnant Bibliothèque:Boutons (Library:Buttons). Faites glisser un bouton de la bibliothèque sur une scène vide. Double-cliquez sur le bouton avec l'outil de sélection pour accéder aux propriétés de l'instance du bouton, puis cliquez sur le bouton Editer de l'onglet Définition pour la modifier.

Etape 2. Sélectionnez Bibliothèques:Son. Essayez les divers sons et choisissez-en un. Positionnez le curseur de position de l'échelle temporelle au niveau de l'état où vous souhaitez que le son soit lu (Haut, Dessus, Abaissé ou Cliqué). Assurez-vous que la couche du bouton est activée (elle doit afficher un crayon).

Etape 3. Faites glisser le son (ou plutôt sa représentation graphique, dans la Bibliothèque) sur le symbole. Lorsque vous relâchez le bouton de la souris, le son est associé à l'état courant du bouton, comme le montre l'échelle temporelle.

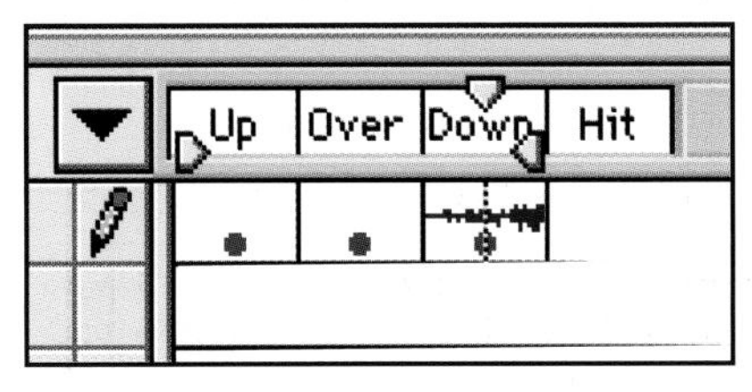

Etape 4. Double-cliquez sur l'image clé, dans l'échelle temporelle, pour afficher les propriétés de l'image. Cliquez sur l'onglet Son (Sound) pour vérifier que le son a bien été associé à l'image clé.

Etape 5. Revenez à la scène et choisissez Contrôle:Activer les boutons (Control:Enable Buttons) si cette option n'est pas cochée. Vous pouvez ensuite essayer votre bouton, qui devrait émettre un son.

Interactivité avec Flash

Flash permet de créer différents niveaux d'interactivité, du plus simple au plus complexe. Il est livré avec des scripts prédéfinis accessibles à partir de l'onglet Actions de la boîte de dialogue des propriétés de l'élément sélectionné. Il est possible d'appliquer des actions à des images (lancer la lecture des images, aller à une image définie ou s'arrêter...) ou des boutons (lancer ou arrêter l'animation d'un bouton...).

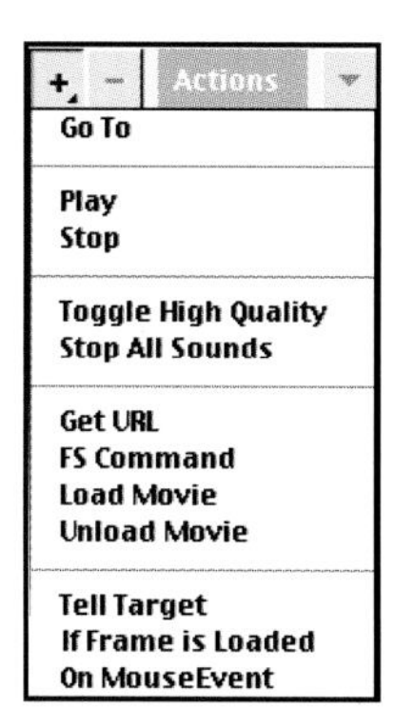

Flash permet d'associer divers types d'actions aux images et aux symboles.

Les actions incluses dans Flash sont les suivantes :

Go To. Pour accéder à une image ou à un marqueur défini de l'échelle temporelle.

Play. Pour lire l'animation de l'échelle temporelle.

Stop. Pour arrêter l'animation de l'échelle temporelle.

Toggle High Quality. Active ou désactive le paramètre High Quality.

Stop All Sounds. Arrête tous les sons.

Get URL. Permet d'affecter une URL à un bouton Flash, qui fonctionnera alors comme un lien hypertexte.

FS Command. Permet d'utiliser diverses commandes JavaScript fonctionnant avec Flash.

Load Movie. Lance la lecture d'une animation Flash dans une animation Flash.

Unload Movie. Arrête la lecture d'une animation Flash dans une animation Flash.

Tell Target. Permet de nommer une animation Flash et d'affecter ensuite des actions à ce nom.

If Frame Is Loaded. Permet de déterminer si une image définie de l'animation a été téléchargée. Le concepteur de l'animation peut ainsi indiquer à l'utilisateur l'état du téléchargement.

On MouseEvent. Permet de programmer des comportements de rollover personnalisés.

Intégration d'animations Flash aux pages Web

L'intégration d'une animation Flash à une page Web est sans doute la partie la plus simple du travail. Dans de nombreux cas, il vous suffira d'insérer la référence du document .SWF (Flash) au document HTML à l'aide de la balise OBJECT ou EMBED. Par ailleurs, Dreamweaver 2 est très bien intégré à Flash ; en fait, ce logiciel dispose même d'un bouton Flash dans sa barre d'outils.

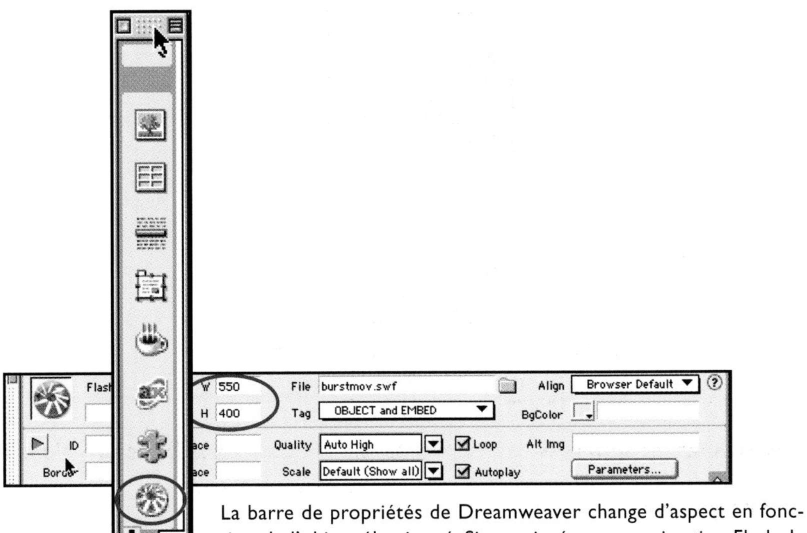

Pour insérer un objet Flash (.SWF) dans un document Dreamweaver, il suffit de cliquer sur le bouton correspondant de la barre d'outils.

La barre de propriétés de Dreamweaver change d'aspect en fonction de l'objet sélectionné. Si vous insérez une animation Flash dans votre page, les options correspondantes s'afficheront dans la barre de propriétés.

Pour que votre animation Flash remplisse tout l'écran, entrez des valeurs de 100 % dans les champs de hauteur (H) et de largeur (L ; W en anglais).

Vous pouvez choisir aussi une qualité Haute (High) plutôt que Haute automatique pour éviter des temps d'affichage trop longs sur des systèmes moins performants.

Le code généré par Dreamweaver est le suivant :

```
<OBJECT CLASSID="clsid:D27CDB6E-AE6D-11cf-96B8-444553540000"
CODEBASE="http://download.macromedia.com/pub/shockwave/cabs/flash/swflash.cab#3,
0,0,0" WIDTH="550" HEIGHT="400">
 <PARAM NAME="SRC" VALUE="burstmov.swf">
 <PARAM NAME="QUALITY" VALUE="high">
 <EMBED SRC="burstmov.swf"
PLUGINSPAGE="http://www.macromedia.com/shockwave/download/" TYPE="application/
x-shockwave-flash" WIDTH="550" HEIGHT="400" QUALITY="high">
 </EMBED>
</OBJECT>
```

Frames HTML et Flash

Dans certaines situations, par exemple lorsque vous utilisez des frames, il est important de définir la structure du site avant de générer le fichier .SWF. Ainsi, si vous avez créé une barre de navigation et que vous souhaitez que d'autres animations s'affichent dans d'autres frames, vous devez inclure le nom de ces frames dans l'animation avant de l'enregistrer. Par conséquent, vous devez connaître au préalable le nom de votre frameset ou des documents vers lesquels vous souhaitez créer des liens.

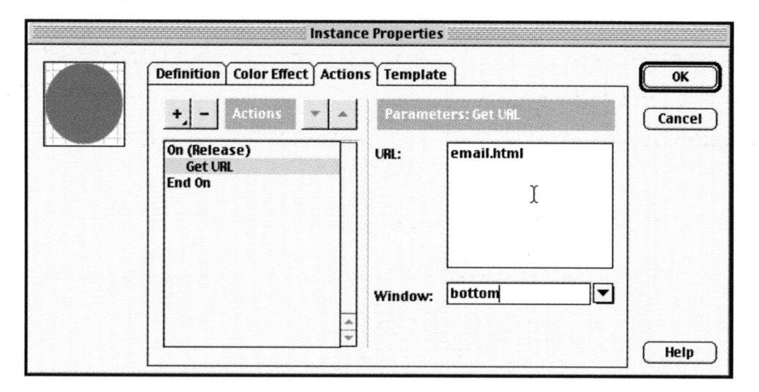

Double-cliquez sur l'objet que vous souhaitez transformer en lien pour afficher la boîte de dialogue des propriétés de l'instance. Cliquez sur l'onglet Actions, puis sur le bouton « + » et choisissez Get URL.

Enregistrez toujours vos documents au format .FLA pour pouvoir modifier les URL par la suite. Si vous décidez ultérieurement de changer la structure de votre site, vous devrez ouvrir les fichiers .FLA correspondant aux animations du site et modifier les URL en conséquence, puis réexporter les animations en tant que fichiers .SWF.

Shockwave

Macromedia Director a presque le même âge que l'ordinateur personnel. Pour la plupart des professionnels, Director est la référence en matière d'outil de création multimédia ; le nombre d'utilisateurs enregistrés serait supérieur à 300 000. Il y a quelques années, Macromedia a mis au point Shockwave, un plug-in permettant de diffuser et d'afficher des fichiers Director sur le Web.

Director est un logiciel très complet qui utilise un langage de script spécifique, Lingo. L'interactivité des documents Director va bien au-delà de ce que permet Flash ; des structures conditionnelles complexes peuvent être élaborées pour permettre une interaction plus « naturelle » avec l'utilisateur, un peu comme les jeux ou les logiciels éducatifs (qui sont d'ailleurs souvent créés à l'aide de Director). La contrepartie de cette richesse est un apprentissage difficile. Réfléchissez donc bien avant de décider d'inclure des documents Director sur votre page Web.

L'une des caractéristiques du multimédia est que ce qui paraît simple à l'utilisateur final est généralement très difficile à élaborer. Il faut savoir que s'il est possible de créer des petits documents interactifs à l'aide de Director, des projets plus ambitieux impliquent presque toujours le recours à une équipe compétente.

Enregistrement de fichiers Shockwave

Vous pouvez enregistrer un document Director pour le Web en tant qu'animation Shockwave. Ce format de fichier utilise l'extension .DCR.

Pour intégrer une animation Director simple à un document HTML, utilisez par exemple le code suivant :

```
<OBJECT CLASSID="clsid:166B1BCA-3F9C-11CF-8075-444553540000"
CODEBASE="http://download.macromedia.com/pub/shockwave/cabs/director/
sw.cab#version=7,0,0,0" WIDTH="640" HEIGHT="480">
        <PARAM NAME="src" VALUE="hello.dcr">
 <EMBEDSRC="hello.dcr" PLUGINSPAGE="http://www.macromedia.com/shockwave/
download/" WIDTH="640" HEIGHT="480"></EMBED>
 </OBJECT>
```

Introduction à Director 7

A l'origine, Director était destiné à la création multimédia pour des programmes sur disquette. Avec l'arrivée du CD-ROM, il est devenu le logiciel de référence pour la création de logiciels multimédias.

Le fonctionnement de Director se base sur divers éléments d'interface qui interagissent les uns avec les autres. Au fil de ses versions, ses possibilités se sont tellement développées qu'il a peu de concurrents sérieux.

Les versions récentes du logiciel, en particulier Director 7, sont plus orientées Web que CD-ROM. Cependant, il reste un outil de choix pour créer CD-ROM et DVD interactifs.

L'apprentissage de Director est à la fois facile et difficile, selon le résultat qu'on cherche à obtenir. Les possibilités du logiciel sont extrêmement étendues, mais certaines de ses fonctions sont si faciles à apprendre que certaines animations peuvent être créées presque instantanément.

La véritable puissance de Director réside dans son langage de script, Lingo. En fonction de vos compétences en matière de programmation, vous pourrez créer des CD-ROM entiers ou des applications Web complexes, ou bien vous « contenter » d'animations et d'interactions simples.

L'interface de Director

Le fonctionnement de Director est basé sur une série de concepts et d'éléments d'interface décrits ci-dessous.

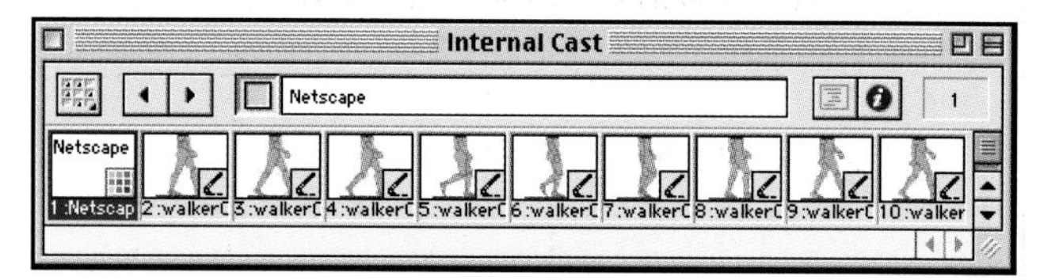

La Distribution (Cast) permet de stocker les images, les sons, les animations et les autres éléments des projets.

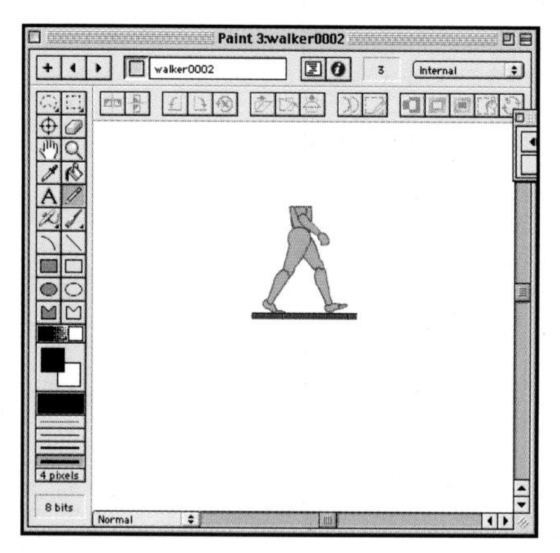

Une fenêtre de Dessin (Paint) permet de créer des dessins ou d'en importer.

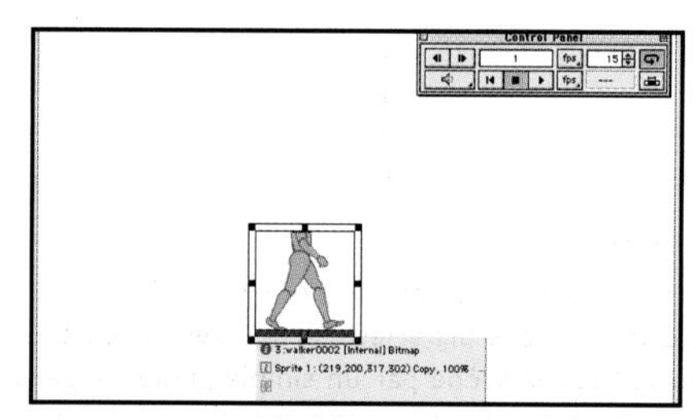

La Scène (Stage) est l'endroit où sont assemblés les films. On y place les éléments stockés dans la Distribution ; lorsqu'un de ses éléments est sélectionné, Director affiche ses propriétés.

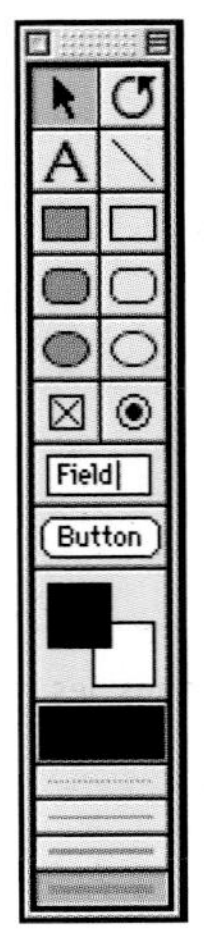

La palette des outils (Tool Palette) propose des formes et des boutons simples (similaires aux boutons HTML) avec lesquels vous pouvez dessiner directement sur la scène. Pour créer des images plus complexes, mieux vaut les importer à partir d'autres logiciels ou les dessiner dans la fenêtre Dessin ou Forme vectorielle.

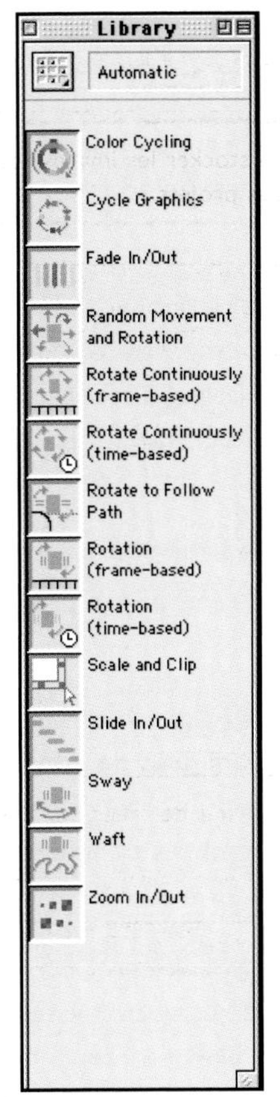

La palette des bibliothèques est une nouveauté de Director 7. Elle permet d'affecter des propriétés à des dessins ou à des animations se trouvant sur la scène par un simple glisser-déposer.

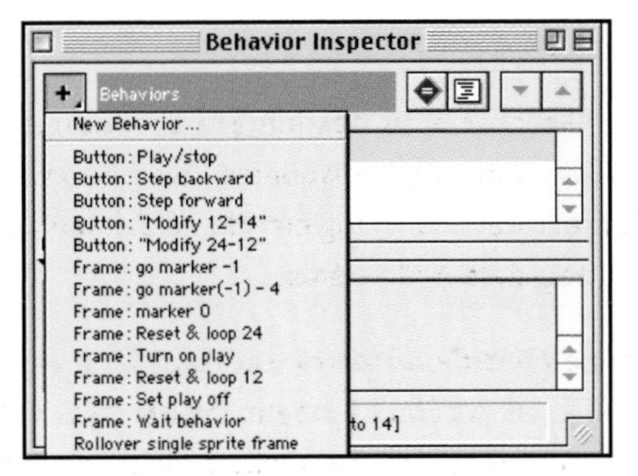

L'Inspecteur de comportement est un autre moyen d'affecter facilement des propriétés à des dessins ou des animations.

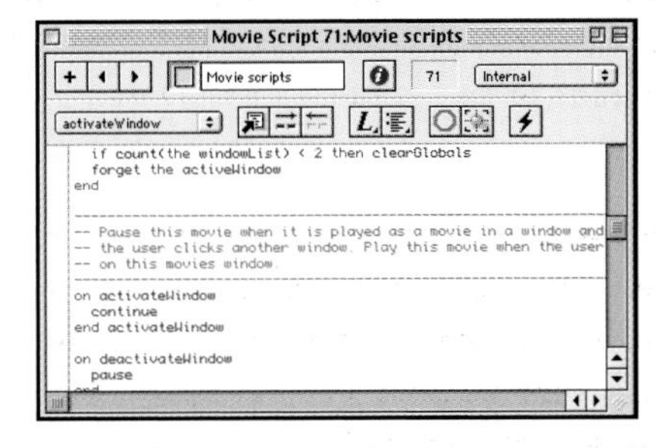

La fenêtre de script permet de rédiger des scripts en Lingo.
Le Lingo, langage spécifique à Director, permet de programmer l'interactivité des animations.

La dernière version de Director permet de dessiner des formes vectorielles à l'aide de la fenêtre Forme vectorielle. Ces formes restent vectorielles (tout comme les objets Flash) une fois placées sur le Web. Pour certains types d'images, les formes vectorielles permettent d'obtenir des fichiers beaucoup moins volumineux que les images bitmap.

Nouvelles fonctions Web de Director

Nous l'avons dit, Director 7 a de nombreuses nouvelles fonctions Web :

Shockwave 7. Les projets Director destinés au Web sont transformés en films Shockwave. Vous trouverez sur le site de Macromedia une page consacré au « Shocked Site of the Day », qui permet d'accéder à une sélection de sites faisant appel à la technologie Shockwave. Pour voir des films Shockwave, il est nécessaire d'installer le plug-in correspondant, installé au niveau du système et non du navigateur, ce qui signifie qu'il peut être automatiquement mis à jour sans intervention de l'utilisateur. La procédure d'installation du plug-in est ainsi simplifiée (en principe).

Enregistrement en tant que Java. Director 7 permet d'enregistrer les projets en tant qu'applets Java ; le logiciel est d'ailleurs fourni avec une série de modules Java.

Prise en charge du XML. Vous pouvez importer dans Director des données XML et coder leur contenu avec du Lingo.

Serveur multi-utilisateur. Director est livré avec un logiciel serveur multi-utilisateur, qui permet de créer et de distribuer des environnements de *chat* (dialogue en direct), de tableaux blancs et de navigation Web partagée.

Prise en charge de protocoles Internet. Director prend en charge les protocoles HTTP, FTP, HTTPS et CGI Post. En d'autres termes, il est possible de créer des applications de commerce électronique directement à partir de Director. Cela signifie également que vous pouvez insérer dans un film Director des liens vers la ou les pages de votre choix.

Bibliothèques de comportements Internet. De nombreuses commandes Lingo sont désormais accessibles à partir de la palette Bibliothèques ; vous pouvez ainsi créer des scripts Lingo en effectuant des glisser-déposer à partir de cette palette.

Création de CD Shocked. Director 7 permet de créer des CD ou des DVD dont le contenu pourra être interactif vis-à-vis du Web.

Aperçu dans le navigateur. Vous pouvez afficher directement vos films Director dans un navigateur en choisissant Edition:Aperçu dans ledit navigateur. Director crée alors automatiquement le film Shockwave et le code HTML correspondant.

Lecture plus rapide. Le lecteur Shockwave a été amélioré pour permettre une restitution plus rapide des films Shockwave dans le navigateur.

Compression sélective des images bitmap. Vous pouvez, au choix, garder les paramètres de compression définis dans Fireworks (livré avec Director 7) ou comprimer de manière sélective les membres de la distribution faisant partie de votre projet.

Polices « shocked ». Vous pouvez intégrer à vos films n'importe quelle police installée sur votre système. Director comprime ces polices dans un rapport de 75 à 85 % par rapport à une police TrueType normale.

Aftershock pour Director et Flash

Après avoir créé une animation Director ou Flash, vous devez générer un document HTML pour qu'elle puisse être restituée dans un navigateur.

L'utilitaire Aftershock, de Macromedia, crée des fichiers HTML affichant des animations Shockwave ou Flash, des applets Java ou des images JPEG. L'interface d'Aftershock permet de définir les paramètres des balises EMBED et OBJECT qui permettent au navigateur d'afficher les animations.

Vous pouvez également utiliser Aftershock pour les tâches suivantes :

- Ajouter une animation ou modifier les paramètres OBJECT ou EMBED dans un document HTML généré par Aftershock.
- Créer un script détectant l'absence d'un plug-in Shockwave ou d'un contrôle ActiveX nécessaire et lançant son téléchargement, ou affichant une image JPEG ou une applet Java pour remplacer l'animation.
- Créer un cookie permettant aux visiteurs de choisir la manière dont les animations seront restituées.
- Créer ou mettre à jour des séries de fichiers HTML comprenant des animations Shockwave ou Flash.
- Générer des listes contenant les textes et les URL utilisés dans les animations pour permettre aux moteurs de recherche de référencer le site et aux outils de vérification de liens de s'assurer que tous les liens fonctionnent.
- Convertir des animations Director en animations Shockwave.

Par ailleurs, il est toujours possible de modifier *a posteriori* le code HTML généré par Aftershock.

Résumé — Flash et Shockwave

Macromedia est passé de l'âge de l'imprimé à l'âge du Web. Il a créé deux outils extrêmement utiles pour le Web, même s'il a fallu pour cela franchir les limites du HTML standard. De ce fait, les animations Flash et Director nécessitent parfois de la part de l'utilisateur qu'il télécharge un plug-in. Mais dans la mesure où celui-ci lui permettra d'accéder à de nombreux sites, il a tout à y gagner.

- N'incluez pas d'animations Flash ou Shockwave sur votre site sans prévenir vos visiteurs. S'ils ne disposent pas du plug-in adéquat, ils ne pourront visualiser le contenu du site.
- N'oubliez pas d'inclure dans votre page le code permettant aux utilisateurs d'accéder à la page du site de Macromedia où ils pourront télécharger le ou les plug-in.
- Le format Flash permet souvent d'obtenir des fichiers beaucoup plus petits que les images GIF et JPEG.
- Flash permet une interactivité beaucoup plus riche que le HTML.
- Director utilise le Lingo, un langage spécifique que vous pouvez utiliser pour créer des applications Web ou multimédias complexes.

Introduction

Le HTML pour infographistes

Au sommaire de ce chapitre

26

Ce chapitre se veut être un « mémento HTML », une sorte de pense-bête, par exemple pour vous aider à retrouver la syntaxe d'une commande HTML.

Si ce chapitre s'intitule « HTML pour infographistes », c'est que les questions et les balises qui y sont traitées intéresseront particulièrement les infographistes, puisqu'elles concernent la mise en page, les couleurs, les frames, les tableaux, etc.

Par ailleurs, nous avons complété ces informations par diverses astuces. Parcourez ces pages à votre guise, pour trouver une réponse à une question précise ou simplement en savoir plus sur le HTML en général.

Conventions sur les noms de fichiers

Utilisez toujours des caractères minuscules mais jamais d'espace dans les noms des fichiers. Si vous placez des espaces dans le titre de votre document — par exemple mon document principal.extension —, supprimez-les pour obtenir mondocumentprincipal.extension ou utilisez des caractères de soulignement : mon_document_principal.extension.

Si vous travaillez avec des fichiers qui peuvent être téléchargés par vos utilisateurs, tels des fichiers audio et vidéo, rappelez-vous qu'il est important de limiter leurs noms à huit caractères. Faites suivre le nom d'un point décimal et de trois caractères d'extension, par exemple « document.ext », pour que les utilisateurs des versions 16 bits de Windows puissent accéder à ces fichiers.

Extensions de fichiers courantes

Vous devez donner la bonne extension à chaque type de fichier pour que le navigateur dans lequel ils seront visualisés les interprète correctement. Le tableau suivant dresse la liste des extensions de fichiers les plus courantes :

Extensions de noms de fichiers courantes	
Nom	**Extension**
Document HTML	.html, .htm
JPEG	.jpg
GIF	.gif
Vidéo QuickTime	.mov, .qt
Shockwave	.dcr
Flash	.swf
Vidéo for Windows	.avi
MPEG Vidéo	.mpg
MPEG Audio	.mp2, .mp3
AU/µlaw	.au
AIFF/AIFC	.aiff
WAV	.wav

Adressage relatif et absolu

Une URL en adressage absolu donne le chemin entier d'un fichier, par exemple http://www.lynda.com/image.gif. On demande ainsi au serveur d'aller chercher le fichier image.gif dans le répertoire principal du site www.lynda.com.

Cependant, si on cherche à établir un lien vers le fichier image.gif à partir d'un document se trouvant lui-même dans le répertoire principal www.lynda.com, il est inutile d'utiliser l'URL complète. Il suffit de donner comme adresse image.gif pour que ce fichier soit cherché dans le répertoire courant. C'est ce qui s'appelle un *adressage relatif*.

Certaines personnes tendent à être très organisées, d'autres vivent dans un désordre permanent. Je dois avouer faire partie du deuxième cas, et il m'est arrivé de créer un site entier où tous les fichiers étaient placés dans le même dossier. Si cette méthode de travail n'est sans doute pas la meilleure, elle fonctionne. Pour travailler de manière plus organisée, créez un dossier pour chacune des sections de votre site. Voici quelques exemples d'organisation :

Premier scénario. Tous les fichiers sont placés dans le même répertoire.

```
index.html
image1.gif
page2.html
autre.gif
bye-bye.html
dernier.gif
```

Pour créer un lien à partir du document index.html vers le document page2.html, il suffit d'utiliser l'adresse « page2.html ». De même, pour insérer dans le document l'image dernier.gif, il suffit d'utiliser l'adresse « dernier.gif ».

Deuxième scénario. Chaque page est placée dans un répertoire séparé.

```
dossier 1
  index.html
  image1.gif
dossier 2
  page2.html
  autre.gif
dossier 3
  bye-bye.html
  dernier.gif
```

Pour créer dans le document index.html un lien vers le document page2.html, on utilisera la syntaxe suivante :

```
"../dossier2/page2.html"
```

La requête commence par deux points et une barre oblique qui indiquent qu'il faut remonter d'un niveau dans la hiérarchie des répertoires, puis aller dans le dossier2 pour y trouver le document page2.html.

Troisième scénario. Chaque page est placée dans un répertoire séparé, mais le document index.html se trouve dans le répertoire racine.

```
index.html

dossier 1
  image1.gif
dossier 2
  page2.html
  autre.gif
dossier 3
  bye-bye.html
  dernier.gif
```

Pour créer dans le document index.html un lien vers le document page2.html, on utilisera la syntaxe suivante :

```
"dossier2/page2.html"
```

Cette fois, inutile d'utiliser les deux points et la barre oblique puisque le dossier2 se trouve dans le même répertoire que le document index.html. Il suffit d'indiquer le nom du dossier et le nom du document qui se trou vent dans ce dossier.

Dépannage

Si votre page se comporte bien en mode local, mais pas sur votre serveur, vérifiez que les noms de fichiers de votre document HTML correspondent aux noms réels des fichiers. Les systèmes Unix sont sensibles à la casse des caractères : si vous sauvegardez un fichier avec l'extension JPG et le référencez avec l'extension jpg dans le document HTML, il ne sera pas accessible. Comme vous ne travaillez certainement pas sur une plate-forme Unix, ce problème n'apparaîtra pas jusqu'à ce que vous placiez vos fichiers sur le serveur et que vous y accédiez avec un navigateur.

Si votre fichier a pour nom jamie.gif et que votre code HTML y fait référence avec la balise <img src= »jamie.GIF »>, le fichier sera inaccessible. Transformez la balise <img src> en <img src= »jamie.gif »>.

Note

Vérification des pages

Vous devez toujours vérifier le fonctionnement de vos pages avant de les placer sur votre serveur. Vous identifierez ainsi la plupart des erreurs (dans le code HTML et dans les illustrations) avant que vos visiteurs ne les détectent. Assurez-vous que les fichiers HTML et les fichiers externes (illustrations, sons, vidéos, etc.) se trouvent dans un seul dossier. Lancez votre navigateur, puis ouvrez votre document HTML sauvegardé au format ASCII (Texte seul). Toutes les images doivent se charger correctement, donnant ainsi une vision précise de la page une fois placée sur le Web. Les seuls fichiers qui ne s'afficheront pas seront ceux qui font appel aux serveurs (*pushs* serveur, imagemaps serveur), les formulaires faisant appel au CGI et les « server-side include ».

Transfert des fichiers

Vous devrez sans doute utiliser un mot de passe et un *login* pour accéder à votre serveur Web ou à celui de votre client. Ces informations seront obtenues auprès de votre fournisseur d'accès ou celui de votre client.

Chaque fois que vous transférez des pages Web sur votre serveur, rappelez-vous les points suivants :

- Les documents HTML doivent être transférés au format Texte seul (ASCII).
- Les images, sons et vidéos doivent être transférés au format Données brutes (Mac) ou Image ou Binaire (PC).
- La structure de base d'un document HTML doit être la suivante :

```
<HTML>
  <HEAD>
    <TITLE><META>
  </HEAD>
  <BODY> ou <BODY BGCOLOR><BODY BACKGROUND><BODY TEXT>
    Corps du document
    (Tous les éléments de la page : texte, images, liens, etc.)
  </BODY>
</HTML>
```

- Le langage HTML ne tient pas compte de la casse des caractères (majuscules et minuscules). La balise <HTML> est équivalente à la balise <html>.
- Sauvegardez toujours un document HTML en mode Texte seul (ASCII) avec l'extension .html ou .htm.

Balises HTML courantes

Le tableau ci-dessous est une liste des balises HTML les plus courantes et de leurs fonctions. Le tableau est divisé en différentes sections selon les types de balises.

En-tête du document

Balise	Fonction
<HEAD></HEAD>	Permet d'insérer une balise <TITLE> dans le document.
<H#></H>	Définit des titres de différents niveaux (H1, H2, H3...) à l'intérieur du document.
<TITLE></TITLE>	Permet de donner un titre au document; ce titre apparaît dans la barre de titre du navigateur.
META HTTP-EQUIV="refresh" CONTENT=# URL="#"	Permet d'obtenir un *pull* client en chargeant automatiquement une nouvelle page après une durée déterminée.
META NAME="keywords" CONTENT="x"	Permet d'insérer des mots clés destinés aux moteurs de recherche.
META NAME="description" CONTENT="x"	Permet d'insérer une description destinée aux moteurs de recherche.

Corps du document

Balise	Fonction
BODY bgcolor=# link= # alink=# vlink=#	Permet de modifier les couleurs de l'arrière-plan, du texte, des liens, etc., pour les navigateurs qui prennent en charge ces possibilités.
TEXT=#	Définit la couleur du texte.
LINK=#	Définit la couleur des liens hypertexte et de la bordure autour des images.
ALINK=#	Définit la couleur du lien actif (lorsque le bouton de la souris est enfoncé au-dessus d'un lien).
VLINK=#	Définit la couleur des liens visités et la bordure des images visitées.
BODY BACKGROUND	Définit une image d'arrière-plan.

Texte et alignement

Balise	Fonction
<CENTER></CENTER>	Centre le texte ou les images spécifiés.

Texte

Balise	Fonction
<STRONG></STRONG>	Texte en gras.
<B></B>	Texte en gras.
<EM></EM>	Texte en italique.
<I></I>	Texte en italique.
<PRE></PRE>	Texte préformaté.
<CODE></CODE>	Utilisé pour représenter du code.
 	Passage à la ligne.
<P>	Changement de paragraphe.
<FONT SIZE=#></FONT>	Permet de changer le corps de la police.
<TT></TT>	Style machine à écrire (police non proportionnelle).
<FONT COLOR=#></FONT>	Définit la couleur du texte.

Lignes horizontales

Balise	Fonction
<HR>	Définit un séparateur horizontal standard en relief.
<HR WIDTH=#>	Définit la longueur de la ligne en pixels.
<HR SIZE=#>	Définit la hauteur de la ligne en pixels.
<HR WIDTH=# ALIGN= "left, right, ou center">	Crée une ligne horizontale n'occupant pas toute la largeur de la page.
<HR NOSHADE>	Définit une ligne horizontale noire sans relief.

Liens

Balise	Fonction
<A></A>	Définit un lien hypertexte.
<A HREF="URL"></A>	Relie l'image ou le texte à une URL.

Alignement des images

Balise	Fonction
<IMG SRC="#" ALIGN= "top,middle,bottom,left,right">	Aligne le texte avec la partie supérieure, le milieu, le bas, à gauche ou à droite de l'image spécifiée.

Images

Balise	Fonction
<IMG SRC="#">	Affiche une image.
<IMG SRC="#" ALT="#">	Affiche une image et un texte pour les utilisateurs qui n'ont pas accès à un affichage graphique.
<IMG SRC="#" HEIGHT="#" WIDTH="#">	Définit les dimensions de l'image et permet le chargement du texte HTML avant l'image.
<A HREF="#"><IMG SRC="#"> </A>	Définit une image liée entourée d'une bordure de la couleur spécifiée dans la balise <body>.
<A HREF="#"><IMG SRC="#" BORDER=0></A>	Supprime la bordure autour d'une image liée (tous les navigateurs ne prennent pas en charge l'attribut BORDER).
<A HREF="#"><IMG SRC="#" BORDER=#></A>	En fonction de la valeur spécifiée, affiche un bord mince ou épais autour de l'image liée.

Listes

Balise	Fonction
<UL>	Définit une liste à puces avec indentation.
<OL>	Définit une liste numérotée.
<LI>	Place une puce devant chaque entrée, indente le texte et ajoute un passage à la ligne à la fin de l'entrée.
<DL>	Définit une liste indentée sans puces.
<DD>	Produit un paragraphe avec retrait à droite.

Commentaires

Balise	Fonction
<! ...>	Définit des commentaires qui apparaissent dans le document HTML, mais pas sur la page Web.

Structure des tableaux

Balise	Fonction
<TABLE></TABLE>	Marque le début et la fin d'un tableau.
<TH></TH>	Définit une ligne de titre (en gras). Permet de définir des attributs de tableau.
<TD></TD>	Définit le contenu de chacune des cellules (texte, chiffres ou images). Permet de définir des attributs de tableau.

Attributs des tableaux

Balise	Fonction
ALIGN="left, right ou center"	Aligne le texte ou les images dans le tableau.
VALIGN="top, middle, bottom ou baseline"	Aligne verticalement du texte ou des images dans un tableau.
ROWSPAN=#	Définit une colonne qui s'étend sur plusieurs lignes.
COLSPAN-#	Définit une ligne qui s'étend sur plusieurs colonnes.
WIDTH=#	Définit la largeur du tableau en pixels.
CELLPADDING=#	Définit l'espacement entre les bords des cellules et leur contenu.
CELLSPACING=#	Définit la largeur des lignes du tableau.

Frames

Balise	Fonction
<FRAMESET></FRAMESET>	Marque le début et la fin du *frameset.*
COLS	Indique le nombre de colonnes du frameset et leur largeur.
ROWS	Indique le nombre de rangée du frameset et leur hauteur.
SCROLLING	Autorise ou non le défilement lorsque le contenu d'un frame « dépasse ».
TARGET	Permet d'indiquer le frame cible, ou d'utiliser les attributs _blank, _self, _parent ou _top.
FRAMEBORDER	Permet d'activer ou de désactiver les bordures des frames.

Introduction

Ressources graphiques sur le Web

Au sommaire de ce chapitre

27

Vous trouverez ci-dessous une sélection de sites utiles aux concepteurs de pages Web, en français comme en anglais. Les sites anglophones sont généralement plus complets, mais il existe maintenant de nombreux sites francophones valant le détour.

Sites francophones

Webdéveloppeur
http://www.webdeveloppeur.com

Webmaster
http://www.webmaster-fr.com

All HTML
http://www.allhtml.com

Philgate
http://www.philgate.com

Web Graphique
http://www.webgraphique.com

Sites anglophones

Web Coder
http://www.webcoder.com

Web Review
http://www.webreview.com

Web Reference
http://www.webreference.com

Web Monkey
http://www.hotwired.com/webmonkey/

Webopædia
http://www.pcwebopaedia.com

Step-by-Step Graphics
http://www.dgusa.com

Fuse
http://www.eFuse.com

Le site Web de la semaine, de Communication Arts
http://www.commarts.com/interactive/index.html

Lynda.com
http://www.lynda.com

Annexe A

Glossaire

A

AIFC. Nom d'un format de fichier audio. Il s'agit d'une version remaniée du format AIFF.

Aliasing. Dans les images bitmap, contours en marches d'escalier des différentes zones colorées.

Artefacts. Imperfections dues à la compression d'une image.

Attribut. Paramètre d'une balise HTML. Ainsi, dans la balise FONT FACE, la balise FONT utilise l'attribut FACE. La balise FONT pourrait également utiliser d'autres attributs, tels que COLOR et SIZE.

AVI *(Audio Video Interleaved)*. Format des vidéos Microsoft.

B

Balise. Indicateur ASCII utilisé dans un document HTML pour définir les styles et les formats des objets.

Bit depth. Nombre de bits utilisés pour représenter la couleur de chaque pixel dans une vidéo ou une image fixe. Une résolution de 1 bit par pixel correspond aux images en noir et blanc, une résolution de 4 bits par pixel à 16 couleurs ou niveaux de gris, une résolution de 8 bits par pixel à 256 couleurs ou niveaux de gris, une résolution de 16 bits par pixel à 65 536 couleurs, et une résolution de 24 bits par pixel à 16 millions de couleurs.

Browser. Voir **Navigateur**.

C

Cache. Zone de stockage qui conserve les données et les programmes auxquels on accède fréquemment sans avoir à les télécharger à chaque utilisation.

CGI (*Common Gateway Interface*). Un standard du Web pour permettre aux programmes externes de communiquer avec le serveur par l'intermédiaire d'un script.

Chat (prononcer *tchatte*). Dialogue textuel en direct entre utilisateurs du Web.

Cinepak. Méthode de compression de vidéo permettant d'atteindre des taux de compression élevés. Cette méthode est dite « à perte » (*lossy*) parce qu'elle provoque une perte de qualité de l'image.

Client. Ordinateur qui se connecte sur un serveur afin d'obtenir des informations. Voir **Serveur**.

CLUT *(Color Lookup Table)*. Les images 8 bits indexées utilisent une table des couleurs, ou CLUT, pour définir leur palette.

Codec *(COmpresseur/DECompresseur)*. Couche logicielle qui compresse des vidéos et permet de les relire au format compressé.

Color Mapping. Couleurs affectées à une image.

Compression avec perte *(Lossy Compression)*. Technique de compression dans laquelle certaines données sont délibérément supprimées pour diminuer autant que possible la taille du fichier résultant.

Compression. Réduction du poids d'une image, d'une vidéo ou d'un autre type de fichier. Cette technique est utilisée pour réduire les temps de téléchargement sur le Web.

Compression sans perte *(Lossless Compression)*. Technique de compression qui réduit la taille d'un fichier sans sacrifier les données qui le composent. Si l'on décompresse un fichier compressé sans perte, on obtient l'exacte réplique du fichier original (avant compression). Voir **Compression** et **Compression avec perte**.

Compteur. Petit programme comptant et affichant le nombre de visites reçues par une page Web.

Couleurs complémentaires. Couleurs opposées dans le cercle des couleurs.

Couleurs primaires. Couleurs de base d'un modèle colorimétrique donné, qui permettent par mélanges d'obtenir toutes les autres couleurs. L'ordinateur utilisant un modèle RVB, les couleurs primaires sont le rouge, le vert et le bleu. Lorsqu'on utilise des pigments (en peinture, par exemple), les couleurs primaires sont le rouge, le bleu et le jaune.

CSS. Voir **Feuilles de styles en cascade**.

D

Data streaming. Voir **Diffusion en direct**.

DHTML. HTML dynamique. Ensemble de technologies (HMTL, JavaScript, CSS et Modèle d'objets de document ou DOM) visant à donner des possibilités plus étendues au HTML.

Diffusion *(Dithering)*. Processus qui consiste à alterner des pixels de couleurs différentes dans une image bitmap 256 couleurs (ou moins) pour simuler des couleurs inexistantes. Une image qui a subi une diffusion est parfois brouillée ou diffuse. Voir **Diffusion adaptative**.

Diffusion adaptative. Forme de diffusion dans laquelle le programme analyse l'image pour définir la meilleure palette (8 bits ou moins) possible.

Diffusion en direct/en continu *(Data Streaming)*. Possibilité de visualiser/écouter des données en continu, sans être obligé d'attendre le chargement complet du fichier correspondant.

Dithering. Voir **Diffusion**.

DPI *(Dots per Inch)*. Voir **PPP**.

Dynamique. Information qui change au bout d'un certain temps. Se réfère souvent aux objets liés au temps, par exemple les animations et les documents interactifs.

E

Extension. Code de trois lettres (ou plus) à la fin d'un nom de fichier qui indique au navigateur le type de chaque fichier. Par exemple, une image JPEG aura l'extension .jpg.

Extranet. Tout comme pour l'intranet, l'accès à un extranet est restreint (aux salariés d'une entreprise, par exemple). Cependant, contrairement à l'intranet, il n'est généralement pas protégé par un *firewall* (voir ce terme) ; la protection d'accès se fait par mot de passe ou CD-ROM.

F

FAI. Fournisseur d'accès Internet.

Feuilles de styles en cascade (CSS). Composant du HTML permettant de définir avec précision l'apparence d'un document. Il est possible d'appliquer plusieurs feuilles de style à un document, d'où leur caractère « en cascade ».

Firewall. Système de sécurité destiné à empêcher un accès extérieur (à partir du Web, en particulier) à des données confidentielles.

Flash. Type de fichier vectoriel, plug-in et logiciel d'animation de Macromedia.

Frames. Les frames permettent de diviser la fenêtre du navigateur en plusieurs pages Web indépendantes.

FTP *(File Transfer Protocol)*. Protocole de communication Internet qui permet de télécharger des fichiers résidant sur une autre machine connectée.

G

Gamma. Mesure le contraste des tons moyens d'une image. En agissant sur ce facteur, vous pouvez modifier la brillance des gris moyens sans affecter démesurément les ombres et les lumières de l'image.

GIF animé. Type d'image GIF89a composé d'une série d'images affichées séquentiellement.

GIF entrelacé. Format qui permet de charger une image dans une résolution basse en premier lieu, puis plus élevée.

GIF. Format d'image bitmap. Le format GIF est fréquent sur le Web, car il utilise une méthode de compression performante. Voir **JPEG**.

GIF transparent. Sous-ensemble du format GIF dans lequel un octet d'information a été ajouté pour indiquer le numéro d'ordre d'une couleur transparente.

GIF transparent. Variante du GIF initial permettant de définir l'une des couleurs d'une image comme transparente.

GIF89a. Variante du format GIF. Les images au format GIF89a peuvent comporter des zones transparentes et être animées.

Guestbook. Voir **Livre d'or**.

H

Hexadécimal. Décrit des valeurs ou des calculs en base 16. Cette base est utilisée en HTML pour décrire les valeurs RVB des pages Web.

HTML *(HyperText Markup Language)*. Langage le plus courant pour échanger des informations sur le Web entre client et serveur. Les pages Web sont écrites en HTML. Voir **Hypertexte**.

HTTP *(HyperText Transfer Protocol)*. Protocole utilisé pour la communication entre le navigateur et le serveur Web.

Hypertexte. Texte lié qui permet d'un simple clic souris de se déplacer vers l'URL correspondante.

I

Image 16 bits. Image qui possède 65 500 couleurs.

Image 24 bits. Image qui possède 16,7 millions de couleurs.

Image 32 bits. Image qui possède 16,7 millions de couleurs et une couche 8 bits qui définit sa transparence.

Image 8 bits. Image possédant au plus 256 couleurs ou niveaux de gris.

Image bitmap. Par opposition aux images vectorielles, les images bitmap sont définies par une grille de pixels. Elles correspondent à ce que peut afficher un écran d'ordinateur. Les images du Web sont affichées sous la forme de bitmap, puisqu'elles sont affichées sur un écran. Voir aussi **Image vectorielle**.

Image intégrée *(Inline)*. Image affichée directement à l'intérieur d'une page Web.

Image vectorielle. Image composée d'objets autonomes (lignes, cercles, ellipses, rectangles) qui peuvent être déplacés indépendamment. Ce type d'image est souvent utilisé dans des documents destinés à être imprimés, parce qu'il n'est pas sensible aux changements de résolution. Voir aussi **Image bitmap**.

Imagemap client. Imagemap programmée en HTML et ne nécessitant pas de fichier de définition séparé. Voir **Imagemap serveur**.

Imagemap. Image dont différentes zones servent de liens hypermédias. Avec la souris, l'utilisateur peut cliquer sur les différentes zones de l'image pour activer les liens correspondants. Voir aussi **Hypertexte**.

Imagemap serveur. Imagemap dont les informations sont stockées sous la forme d'un fichier séparé, auquel le navigateur doit accéder *via* un script CGI.

Intranet. Site Web à accès restreint, généralement protégé par un firewall.

IPS *(Images par seconde)*. Vitesse de restitution d'un film ou d'une animation.

ISP *(Internet Service Provider)*. Voir **FAI**.

J

Java. Langage de programmation développé par Sun Microsystems. Ce langage est multi-plate-forme et pris en charge par certains navigateurs.

JavaScript. Langage de script développé par Netscape, qui permet d'étendre les possibilités du HTML.

JPEG *(Joint Photographic Expert Group)*. Couramment utilisé pour désigner une technique de compression avec perte qui permet de réduire fortement la taille d'un fichier image. Voir aussi **GIF**.

JPEG progressif. Type d'image JPEG s'affichant entièrement (mais très pixelisée) en cours de téléchargement, et qui devient progressivement plus nette. Certains navigateurs ne prennent pas en charge ce type d'image.

L

Liens. Certains mots dans un document hypertexte qui sont utilisés comme des pointeurs vers un sujet donné. Les liens sont habituellement soulignés et peuvent apparaître dans une couleur différente du reste du texte. Lorsque vous cliquez sur un lien, vous pouvez être orienté vers un autre site pour obtenir des informations en rapport avec le terme cliqué. Voir aussi **Hypertexte**.

Lissage. Technique permettant de réduire les contours en marches d'escalier des images bitmap. Le processus consiste à insérer des pixels colorés qui rendent progressive la transition entre deux zones colorées.

Livre d'or. Formulaire en ligne permettant aux visiteurs de commenter un site Web.

M

Masquage. Le fait de rendre invisibles certaines parties d'une image ou de les protéger pour éviter qu'elles puissent être modifiées.

MIME *(Multipurpose Internet Mail Extensions)*. Standard Internet permettant de transférer des informations non textuelles, comme des sons, des vidéos et des images.

Mode Masque. Mode d'affichage de Photoshop permettant de créer un masque. Voir **Masquage**.

Moirure. Effet apparaissant lorsque deux trames sont superposées.

Moteur de recherche. Application permettant de rechercher des informations sur le Web. Ce type d'application est courant sur le Web.

MPEG. Format de compression vidéo et audio.

N

Navigateur. Application permettant d'accéder au World Wide Web. La plupart des navigateurs permettent de visualiser des pages Web, de les copier ou de les imprimer, de télécharger des fichiers et de naviguer sur l'Internet.

Navigation active. Navigation où l'utilisateur final peut choisir sa destination en pointant et cliquant sur différents éléments de l'écran.

Navigation passive. Animations, diaporamas, vidéo en continu et son. D'une manière générale, tout type de contenu ne nécessitant aucune intervention de l'utilisateur.

Noms des couleurs. Certains navigateurs utilisent les noms (anglais) des couleurs plutôt que des valeurs numériques.

P

Palette fixe. Palette de couleurs définie de façon interne. Lorsqu'un navigateur utilise sa palette interne pour visualiser les images, il convertit toutes les couleurs de l'image dans cette palette et ignore la palette de l'image.

Palette Web. Palette composée de 216 couleurs censées être identiques sur la plupart des plates-formes et des navigateurs.

Plug-in. Programme supplémentaire élargissant les possibilités du navigateur.

PNG *(Portable Network Graphics)*. Format d'image sans perte prenant en charge l'entrelacement, la transparence sur 8 bits et les informations de gamma.

PostScript. Langage de description de page utilisé pour réaliser des impressions de texte et d'images de qualité supérieure sur imprimantes laser et autres périphériques d'impression en haute résolution.

PPI *(Pixels per inch)*. Voir **PPP**.

PPP *(Points par pouce/Pixels par pouce)*. Points par pouce : mesure de la résolution d'une image imprimée. Pixels par pouce : mesure de la résolution d'une image affichée à l'écran.

Provider. Fournisseur d'accès Internet. Voir **ISP**.

Pull client. Le pull client consiste à obtenir dans une page Web certains effets sans intervention de l'utilisateur, par exemple le chargement d'une nouvelle page. On utilise généralement la balise META pour programmer des pull client.

Push serveur. Le fait que des données soient envoyées automatiquement par le serveur, sans intervention de l'utilisateur. Voir aussi **Pull client**.

Q

QuickTime. Format des vidéos Apple.

R

Résolution d'écran. Nombre de pixels affichés par un moniteur d'ordinateur, par exemple 640 × 480 ou 1 024 × 768.

Rollover. Image changeant d'aspect lorsqu'elle se trouve sous le pointeur de la souris.

S

Serveur. Ordinateur qui fournit des services aux ordinateurs clients qui s'y connectent. Le serveur reçoit des requêtes des clients et les traite séquentiellement. Voir aussi **Client**.

Shockwave. Format de fichier permettant de placer sur le Web des documents Director.

Son 16 bits. Résolution standard des CD. Les sons 16 bits ont une dynamique de 96 dB.

Son 8 bits. Les sons 8 bits ont une dynamique de 48 dB. La dynamique caractérise le nombre de valeurs différentes que l'on peut donner à l'amplitude du son.

Spectre lumineux. Toutes les couleurs d'un espace colorimétrique donné.

Sprite. Elément de texte ou graphique qui entre dans la composition d'une animation.

Synthèse additive. Méthode de mélange des couleurs. Le modèle RVB utilisé pour l'affichage sur écran fait appel à la synthèse additive.

T

Tableau. Elément d'une page Web composé de lignes et de colonnes, souvent utilisé pour la mise en forme de la page.

TrueColor. Désigne les images 24 bits. Ces images peuvent contenir jusqu'à 16,7 millions de couleurs, bien plus que l'œil humain ne peut en discerner.

U

μ-Law. Format de fichier audio utilisé par les plates-formes UNIX. La qualité du son est généralement plus faible, mais les fichiers sont également plus petits.

URL *(Uniform Ressource Locator)*. Désigne l'adresse d'un site Web.

V

Video for Windows. Désigne un format de fichier vidéo et une application multimédia permettant aux développeurs de manipuler des sources audio, vidéo et des animations très diverses. En tant qu'application, Video for Windows s'occupe essentiellement de la capture et de la compression vidéo, ainsi que de l'édition audio et vidéo. Voir aussi **AVI**.

W

WYSIWYG (prononcer *ouiziouig*). *What You See Is What You Get* (« ce que tu vois, c'est ce que tu obtiendras »). Technique d'affichage permettant de simuler aussi fidèlement que possible sur un écran le résultat qui sera imprimé.

Index

Symboles

A

D

E

F

G

H

I

N

O

P

Q

R

S

T

U

V

W

Y

Achevé d'imprimer le 12 juillet 1999
sur les presses de l'imprimerie «La Source d'Or»
63200 Marsat
Dépôt légal : 3ème trimestre 1999
Imprimeur n° 8113